中国文献编目规则

（第二版）

国家图书馆《中国文献编目规则》修订组　编

北京图书馆出版社

图书在版编目(CIP)数据

中国文献编目规则(第二版)/国家图书馆《中国文献编目规则》修订组编.—北京:北京图书馆出版社,2005.4

ISBN 978-7-5013-2758-4

Ⅰ.中… Ⅱ.国… Ⅲ.文献著录—编目规则—中国 Ⅳ.G254.31

中国版本图书馆CIP数据核字(2005)第009718号

书名 中国文献编目规则(第二版)

著者 国家图书馆《中国文献编目规则》修订组 编

出版 北京图书馆出版社 (100034 北京西城区文津街7号)

发行 010-66139745 66175620 66126153

66174391(传真) 66126156(门市部)

E-mail cbs@nlc.gov.cn(投稿) btsfxb@nlc.gov.cn(邮购)

Website www.nlcpress.com

经销 新华书店

印刷 北京华正印刷有限公司

开本 787×1092毫米 1/16

印张 27.875

版次 2005年4月第1版 2015年3月第4次印刷

字数 550(千字)

书号 ISBN 978-7-5013-2758-4/G·607

定价 90.00元

中国文献编目规则(第二版)编委会

主　任：陈　力

副主任：富　平　黄俊贵　吴龙涛

顾　问：阎立中　孙蓓欣

编　委：(按姓氏笔画排序)

王　芊　王　红　王松林　王　洋　毛卓明　甘　琳

叶奋生　孙更新　孙蓓欣　刘　峥　刘小玲　纪昭民

苏品红　李小文　吴龙涛　吴　兵　何又光　沈乃文

沈玉兰　陈　敏　陈源蒸　林德海　杨洪波　罗健雄

周升恒　贺　燕　段明莲　姚　蓉　莫少强　顾　犇

黄俊贵　曹　宁　阎立中　喻爽爽　富　平　谢琴芳

程亚男　鲍国强　冀亚平　潘岩铭

中国文献编目规则(第二版)编撰小组

主　编：富　平　黄俊贵

副主编：曹　宁　刘小玲　纪昭民　鲍国强

撰写人：(按姓氏笔画排序)

王　芊　王　红　王松林　王　洋　甘　琳　叶奋生

孙更新　刘　峥　刘小玲　纪昭民　苏品红　李小文

吴龙涛　吴　兵　沈乃文　陈　敏　林德海　杨洪波

罗健雄　贺　燕　段明莲　姚　蓉　莫少强　顾　犇

黄俊贵　曹　宁　喻爽爽　富　平　谢琴芳　程亚南

鲍国强　冀亚平

序

中国是一个具有悠久历史的文明古国，几千年来文明的积淀表现在汗牛充栋的历史文献上。当文明发展到一定阶段，文献积累到一定程度，自然会出现对文明成果的分类与总结，对文献的整理、归类。在中国古代，第一次对文献的系统整理大概是从孔子开始的。传说孔子曾经编定六经，对《尚书》、《诗经》、《春秋》等文献进行过系统的整理。他对《春秋》进行整理时，特别强调对其文字表述的规范性。这就是所谓的“《春秋》书法”。“《春秋》书法”的一个重要原则，就是通过特定的文字来表达作者的思想感情和价值观。这与我们现在所说的基于客观描述的著录标准是完全不同的。到了西汉时期，由于文献的大量增加及使用的需要，西汉末年刘向、刘歆父子等人对皇家藏书进行了一次系统的整理，其内容包括篇目的选定、次序的编排以及文字的是正。除此之外，刘向等人还在各书前附上叙录，简单介绍各书的作者生平、学术渊源，并评介其思想内容。这种图书整理方法对后世影响极大，清代编纂的《四库全书总目》即参仿刘向叙录而成。这个传统，我们至今仍在部分沿用。

中国古代的文献整理工作，重视的是对内容的价值性判断，即清代学者章学诚所谓“辨章学术，考镜源流”，因此对于文献的分类和提要是比较重视的。相反，对于文献著录的格式则不十分讲究。这种情况当然是与中国古代的历史文化传统有关。

近代以来，不仅文献的数量激增，文献的内容、类型都发生了很大变化，特别是反映西方各种思想、各种学科、各种类型的文献纷纷进入中国，中国传统的文化价值观发生了动摇。在这种历史背景下，对不同思想、不同内容、不同类型的文献进行客观的描述逐渐成为文献编目工作的重要原则。另一方面，随着中国图书馆事业的发展，文献资源的共知、共建、共享逐步成为人们的共识，对文献进行标准著录以便信息的交换、传播逐渐深入人心，因此标准化、规范化也成为了图书馆员在进行文献编目时的一个基本原则。正是在这种背景下，按照西方现代编目思想进行文献著录规则的制定、修订，得到了业界的高度重视。自20世纪20年代末刘国钧先生编《中文图书编目条例草案》以及稍后的《国立中央图书馆编目规则》问世以来，不少的图书馆也编制了本馆的编目规则。1996年，由黄俊贵先生主编、中国文献编目规则编撰小组编纂的《中国文献编目规则》问世，并成为全国情报文献工作标准化技术委员会、中国图书馆学会推荐使用的工具书，对于中国文献编目工作标准化、规范化产生了极大的推动作用。

《中国文献编目规则》出版近10年了。在这期间，中国的图书馆事业得到了飞速的发展，特别是随着现代技术的进步、国际交流的增加，又出现了许多新的问题需要解决。在这种情况下，根据业界的要求，2002年，由国家图书馆牵头，组织业内专家着手对《中国文献编目规则》1996年版进行修订补充。

《中国文献编目规则》应该如何修订？这本是编目专家考虑的问题。愚也不才，虽在图书馆供职有年，但对于文献编目尚未入门径。不过，作为一位图书馆工作者，也作为一位图书馆的使用者，对于图书馆文献编目的根本大法，在我想象中的似应体现以下几点原则：

首先，《中国文献编目规则》的适用范围主要是中国文献，其编制似既应体现民族性原则，也应体现国际性的原则。《中国文献编目规则》，从书名上限定了文献的范围是中国文献。这表示中国文献与外国文献在形式与内容上都有其特殊性,因而二者应该是有所区别的。我们的中文文献编目工作是为了让读者特别是中国读者和研究中国文化的读者更方便地查询,因此,如何尊重民族传统和读者检索习惯就是一个应该遵循的基本原则。因此,《中国文献编目规则》在标目形式的确定上强调了常用、惯用、通用以及一致性和简明的原则。

但是,另一方面,中国是世界的一部分,就整个人类社会来说,一切知识构成了一个完整的体系,哪怕它内部有这样或那样的矛盾、差异,中国文献与外国文献都是整个人类知识体系的组成部分,因此,不同国家、不同语种、不同文化背景下产生的文献都应该纳入到一个统一的文献报道体系之中。要达到这一目标,就要求我们在文献的著录上严格地遵循 ISBD 的原则。

20 世纪 20 年代末,刘国钧先生先后编制的《中国图书分类法》和《中文图书编目条例草案》之所以在此后的几十年里对中国图书馆界产生广泛而深远的影响,其根本原因就在于他很好地处理了文化民族性和时代性的关系。他的编目规则在充分尊重中国图书特点、解决中国特有问题的前提下,也充分体现了西方现代编目思想所倡导的描述的客观性、形式的规范性、概念的精确性和逻辑的严密性。我以为,刘国钧先生的思想和方法对于今天我们的《中国文献编目规则》修订工作依然具有很强的指导意义。

中国历史源远流长,文化多姿多彩,从甲骨金文到竹简帛书,从碑帖拓片到线装古籍,不同类型的文献,自有不同的外部特征和内涵,既要根据每一种不同类型的文献作客观描述,又不能将其完全割裂开来,求同存异,融会古今,似乎也应作为图书馆文献编目工作的原则。因此,《中国文献编目规则》,其适用范围还应涵盖中国古代与现代不同类型的文献。

一部符合时代要求的《中国文献编目规则》,其适用范围还应涵盖印刷型文献与非印刷型文献,涵盖实体型文献与数字型文献。近几十年来,从缩微胶片到音像制品,从实体文献到数字化文献,科学技术的飞速发展使图书馆的文献结构发生了根本性的变化。对于读者来说,他们所关心的主要还是文献的内容,而非文献的存在形式。如何向读者完整地揭示所有的实体馆藏和虚拟的数字化馆藏,如何通过标准化的文献编目,实现全球范围内的资源共享,已经成为编目工作亟需解决的问题。

3 年来,经过参与修订工作的专家们的辛勤工作,《中国文献编目规则》(第二版)就要与读者见面了。应本书主编富平、黄俊贵先生之命,聊缀数语,以为弁首。

陈　力

2005 年 3 月 10 日

前　言

《中国文献编目规则》(1996年版,下称《规则》)是我国第一部依据国家标准并参考国际主要编目条例,包括各类型中文文献及其编目方法,符合著录国际标准化及标目规范化要求的大型文献编目规则。它对于推动我国文献编目工作标准化,提高文献机构编目工作水平,促进国内外中文书目信息交流发挥着重要作用,已成为编目人员进行中文文献编目的主要依据和必备工具。可以说,《规则》是我国中文文献编目发展历程中的一个里程碑。

近10年来,随着网络资源和电子文献的迅速发展,信息载体对象、信息传播方式、信息组织形式都有较大发展,由此文献编目的理论与方法亦发生变化。如何在使用机读格式的基础上对新产生的信息资源进行编目,如何适应新的元数据格式对数字资源进行编目,是图书馆文献编目工作遇到的新问题。

2001年前后,许多图书馆及有关专家呼吁,应参照《国际标准著录规则》(ISBD)和《英美编目条例》(AACR2)的最新版本,对《规则》进行全面修订。原《规则》编委会及所有撰稿人立足于图书馆事业发展全局,一致主张修订工作交由作为全国编目中心的国家图书馆主持,国家图书馆领导对此也给予了高度重视,并牵头组织了由原撰稿人员和有关专家参与的修订小组,并拨出经费进行《规则》的修订工作。于2002年6月开始,历时2年半时间,2004年底完成《规则(第二版)》审定稿。

这次修订工作正处于国际编目实践与理论的变革时期,《规则》既要继承传统的精华,又要适应变革的需要。修订工作不是仅局限于对具体规则增加新的内容进行斟酌,对编目原则也需要重新审视,这里面必然会产生新旧观念的碰撞。应该说,修订的难度较大,如何掌握尺度,遇到的问题较多。我们与全国具有代表性的文献机构和有关专家进行了多次的讨论与交流,广泛听取了各方面的意见,许多基本问题都达成了共识,对少数争议的枝节问题可保留意见,各自采取灵活的处理办法。

一、修改的原则

参加修订的专家一致认为,编目规则的修订应该面向信息化、面向世界、面向社会需求,实现与国际书目情报顺利交流,使中文书目数据为全世界所共享。修订要坚持与国际接轨,依据ISBD最新版、GB3792.1最新版、AACR2R/2002年版等;考虑网络环境下电子资源的特点,适应计算机编目的需要;在结构体例上尽量与《规则》保持一致,在内容上尽量采纳国际标准。总的修订原则是:既遵循ISBD的原则,参照AACR2的体例,又体现中国文献编目特色,不机械照搬;既坚持整个编目规则体系的一致性,又考虑各种文献类型的特殊性;既坚持标准规则的统一性,又保持适当的灵活性。总之,要在实际编写中确保《规则》的稳定性、连续性、适用性。

二、修改的重点

1. 整个结构、基本框架保持原有体例,仍然分为著录法和标目法两个部分及附录。

2. 著录法部分

(1)关于整体结构。著录法部分保持原《规则》的体例,为体现总则属指导性通则,也为使各分则既重点突出又简洁明了,对《规则》的整体框架作了一些调整,采取统一格式、统一款项、统一表述方法,对相同和相关内容采用"参见"方式,调整了第十四、十五章,新增"手稿"一章置于第十四章,第十五章改为"综合著录与分析著录"。

(2)关于规定信息源。对著录实体某些项目的信息源选取顺序作出规定。原《规则》对各著录项目均列出了规定信息源,但没有说明选取顺序,修订后的规则强调了信息源的选取顺序。

(3)关于并列题名的选取。对并列题名的概念,明确了可以出现在文献各处,并不是局限于规定信息源上。对并列题名的著录位置也作了进一步规定。

(4)关于版本项中版本说明信息的选取。原《规则》规定,关于版本以及版本说明一律著录在版本项。本次修改明确提出:在题名页上属于题名组成部分的版本说明文字著录在题名与责任说明项。

(5)关于特殊文献著录对象的确立。如著录缩微文献时,要把握描述实体对象,始终以在编文献为著录信息源,关于原件的说明一律著录在附注项。

(6)关于连续性资源。"连续出版物"改为"连续性资源",扩大了对连续性资源的适用范围。

(7)关于电子资源。"计算机文档"改为"电子资源",增加了相关的内容,在体例上作了适当的修改,尽可能与各章节保持一致。

(8)关于分析著录。原《规则》设第十四章多层次著录,第十五章分析著录。这次修改为第十五章综合著录与分析著录,内容包括:丛编与多卷书等多层文献综合著录与分析著录、无总题名文献基本著录与分析著录、单篇著作分析著录三部分。

3. 标目法部分

(1)在内容、章节、结构上作了较大的调整,为便于操作增加了较多样例。标目法部分共设五章,顺序为:总则、个人名称标目、团体/会议名称标目(含前冠地理名称的地方国家机构名称标目)、题名标目、参照。地理名称标目不单独设章。

(2)进一步明确检索点与标目的区别与联系,在各章中,分别论述检索点的选取与标目的形式。

(3)"参照"一章,只说明单纯参照、相关参照、说明参照,不涉及规范标目的编制。

(4)在确定标目形式时,作为标目附加成分的国别、朝代等信息的位置可采取交替规则处理。

(5)在团体名称标目中增加了职务名称标目的类型,增加了对中国驻外使、领馆及其他外交团体名称标目的描述规则。

(6)对标目法中的名词术语进行了规范和统一。

4. 附录部分

为了方便编目人员在操作中的实际需要,在附录部分增加了中国历史朝代规范简称、中国各少数民族规范名称表、世界主要国家和地区名称表、不同文献类型著录样例,修改了名词术语部分,供编目人员参考。

三、修订的分工

本次修订由富平、黄俊贵主编及曹宁副主编负责全书的统稿。在统稿过程中阎立中、孙蓓欣两位顾问参与了讨论，并提出了宝贵意见和建议；还有纪昭民、谢琴芳、王松林、段明莲、刘小玲、鲍国强、杨洪波、王洋参加了部分统稿会议，提出了许多建议。各章修订分工如下：

第一章，总则（刘小玲、纪昭民、富平）；第二章，普通图书（刘小玲、孙更新、罗健雄）；第三章，学位论文、科技报告、标准文献（姚蓉、林德海）；第四章，古籍（鲍国强、沈乃文、喻爽爽）；第五章，拓片（冀亚平）；第六章，测绘制图资料（苏品红）；第七章，乐谱（顾犇、陈敏）；第八章，录音资料（吴兵、王芊）；第九章，影像资料（吴兵、王芊）；第十章，静画资料（吴兵、王芊）；第十一章，连续性资源（贺燕、叶奋生、吴龙涛）；第十二章，缩微文献（杨洪波）；第十三章，电子资源（刘峥、莫少强、段明莲）；第十四章，手稿（李小文、鲍国强）；第十五章，综合著录与分析著录（富平、甘霖、程亚南）；第二十一章，总则（黄俊贵）；第二十二章，个人名称标目（谢琴芳）；第二十三章，团体/会议名称标目（曹宁）；第二十四章，题名标目（王松林）；第二十五章，参照（黄俊贵）。附录1，不同文献类型著录样例（刘小玲、姚蓉、鲍国强、冀亚平、苏品红、吴兵、王芊、贺燕、杨洪波、刘峥、李小文、顾犇）；附录2，中国历史朝代规范简称（曹宁）；附录3，中国各少数民族规范名称表（曹宁）；附录4，世界主要国家和地区名称表（曹宁）；附录5，主要名词术语（王洋、刘小玲、鲍国强、冀亚平、苏品红、贺燕、杨洪波、刘峥、李小文）。

本《规则》的修订工作得到了中国社会科学院文献信息中心胡广翔、邵晓鸥，中国科学院文献情报中心宋文，中国科学技术情报研究所文献馆沈玉兰，上海交通大学图书馆王绍平，天津图书馆宋志红，北京市西城区图书馆樊亚玲，中宣部出版局陈源蒸，国家图书馆汪东波、潘岩铭等各位专家的热情帮助。他们为本规则的修订提出了许多宝贵意见，使《规则》的修订得以进一步完善。

《规则》修订工作在国家图书馆的主持下，得到了中国科学院文献情报中心、中国高等教育文献保障体系管理中心、北京大学信息管理系、武汉大学信息管理学院、南京政治学院上海分院信息管理系的大力支持，国家图书馆及北京图书馆出版社提供了编纂和出版经费，宋安莉编辑亦在编辑、出版方面给予许多帮助。在此，谨一并向为《规则（第二版）》编辑、出版作出贡献的单位及个人深表谢忱。

富 平　黄俊贵

2005 年 1 月 15 日

目　　录

第一部分　著录法

本部分根据《国际标准书目著录》（ISBD）和中国《文献著录总则》等 GB 3792 系列确定的著录项目及其顺序、著录用标识符等，对各类型文献进行客观著录的原则与方法作出统一规定。

第一章“总则”是本部分各章的共同原则，各章各类型文献著录据此作出具体规定。各章互相联系，互相补充，构成一部完整的中国文献著录法。

第一章　总　则

1.0　通则

1.0.0　制定本规则的目的及其原则

为规范我国各类型文献著录，便于书目信息交流，有效实现信息资源共建共享，本规则依据《国际标准书目著录》(ISBD)和《文献著录总则》等 GB 3792 系列，并结合中文文献编目工作实际制定。

1.0.1　适用范围

总则是制定各类型文献著录规则的指导性文件。各类型文献的著录规则详见第 2–14 章。

1.0.2　著录项目

著录项目分为下列八项：

题名与责任说明项

版本项

文献特殊细节项

出版、发行项

载体形态项

丛编项

附注项

标准编号与获得方式项

上述每一项目含一个或若干著录单元，详见各项说明。

1.0.3　著录用标识符

1.0.3.1　标识符

所有著录项目和著录单元的标识符见下表：

著录项目	标识符	著录单元
1. 题名与责任说明项		1.1.1　正题名
	[ ]	1.1.2　一般文献类型标识
	=	1.1.3　并列题名
	:	1.1.4　其他题名信息
		1.1.5　责任说明

	/	第一责任说明
	;	其他责任说明
	;	1.1.6 无总题名文献(同一责任者)
	.	无总题名文献(不同责任者)
2. 版本项	. --	1.2.1 版本说明
	=	1.2.2 并列版本说明
		1.2.3 与本版有关的责任说明
	/	第一责任说明
	;	其他责任说明
	,	1.2.4 附加版本说明
		1.2.5 附加版本说明的责任说明
	/	第一责任说明
	;	其他责任说明
3. 文献特殊细节项	. --	1.3.1 文献特殊细节
4. 出版、发行项	. --	1.4.1 出版地或发行地
	:	1.4.2 出版者或发行者
	,	1.4.3 出版日期或发行日期
		1.4.4 印制地、印制者、印制日期
	(	印制地
	:	印制者
	,)	印制日期
5. 载体形态项	. --	1.5.1 数量及特定文献类型标识
	:	1.5.2 其他形态细节
	;	1.5.3 尺寸
	+	1.5.4 附件
6. 丛编项		1.6.1 丛编正题名
(说明:丛编说明置于项目标识符后的圆括号内,有多个丛编说明时,将每一个丛编说明分别置于圆括号内。)	=	1.6.2 丛编并列题名
	:	1.6.3 丛编其他题名信息
		1.6.4 丛编责任说明
	/	第一责任说明
	;	其他责任说明
	,	1.6.5 丛编国际标准连续出版物号
	;	1.6.6 丛编编号
		1.6.7 分丛编
	.	分丛编标识和(或)题名
	=	分丛编并列题名
	:	分丛编其他题名信息
		分丛编责任说明

	/	第一责任说明
	;	其他责任说明
	,	分丛编国际标准连续出版物号
	;	分丛编编号
	( )	1.6.8　多种丛编
7. 附注项	. --	1.7.1　附注
8. 标准编号与获得方式项	. --	1.8.1　标准编号
	=	1.8.2　识别题名
	:	1.8.3　获得方式和(或)定价
	( )	1.8.4　限定说明

1.0.3.2　标识符使用说明

a. 除题名与责任说明项外,各项目连续著录时,前冠项目标识符,其形式为“. -- ”(句点、空格、连字符、连字符、空格)。各项目另起段落著录时,可省略“. -- ”。

b. 各著录单元前标识符除逗号和句点在后面空一格外,其他标识符均需在其前后各空一格。

c. 某项目缺少第一个单元,应将该单元前原规定使用的标识符改为项目标识符。

d. 凡重复著录的项目或单元,亦应重复使用其标识符。

e. 不予著录的项目或单元,其标识符应一并省略。

f. 某项目或单元末尾及其后另一项目或单元起首均为句点时,只著录一个句点。

g. 圆括号和方括号各自作为一个单独的标识符,其前后各空一格。但当它们前后有用空格作为结尾或开头的标识符时,只保留前后各一个空格。

h. 著录单元中某部分内容被省略时用“... ”(省略号)标识。

i. 规定标识符均为西文中的标点符号。

1.0.4　著录详简级次

1.0.4.1　著录详简级次以主要项目和选择项目为区分依据。

a. 主要项目:题名与责任说明项的正题名、第一责任说明;版本项的版本说明;文献特殊细节项;出版、发行项的第一出版地、出版者、出版日期;载体形态项的文献数量及特定文献类型标识、尺寸、附件;丛编项的丛编正题名、丛编编号;重要的附注(如电子资源正题名来源附注);标准编号。

b. 选择项目:一般文献类型标识、并列题名、其他题名信息、其他责任说明;与本版有关的责任说明、附加版本说明、附加版本说明的责任说明;印制地、印制者、印制日期;其他形态细节;丛编并列题名、丛编其他题名信息、丛编责任说明、丛编 ISSN;附注;获得方式、限定说明。

1.0.4.2　著录详简级次分为简要级次(或称第一级次)、基本级次(或称第二级次)和详细级次(或称第三级次)。

a. 简要级次著录主要项目。

连续著录格式：

正题名 / 第一责任说明. -- 版本说明. -- 文献特殊细节. -- 出版地 ：出版者，出版日期. -- 数量及特定文献类型标识 ；尺寸 + 附件. --（丛编正题名 ；丛编编号）. -- 附注. -- 标准编号

分段著录格式：

正题名 / 第一责任说明. -- 版本说明. -- 文献特殊细节. -- 出版地 ：出版者，出版日期

数量及特定文献类型标识 ；尺寸 + 附件. --（丛编正题名 ；丛编编号）

附注

标准编号

b. 基本级次著录主要项目和部分选择项目。

连续著录格式：

正题名［一般文献类型标识］ = 并列题名 ：其他题名信息 / 第一责任说明 ；其他责任说明. -- 版本说明 / 与本版有关的责任说明. -- 文献特殊细节. -- 出版地 ：出版者，出版日期（印制地 ：印制者，印制日期）. -- 数量及特定文献类型标识 ：其他形态细节 ；尺寸 + 附件. --（丛编正题名 ：丛编其他题名信息 / 丛编责任说明 ；丛编编号）. -- 附注. -- 标准编号（限定说明）：获得方式

分段著录格式：

正题名［一般文献类型标识］ = 并列题名 ：其他题名信息 / 第一责任说明 ；其他责任说明. -- 版本说明 / 与本版有关的责任说明. -- 文献特殊细节. -- 出版地 ：出版者，出版日期（印制地 ：印制者，印制日期）

数量及特定文献类型标识 ：其他形态细节 ；尺寸 + 附件. --（丛编正题名 ：丛编其他题名信息 / 丛编责任说明 ；丛编编号）

附注

标准编号（限定说明）：获得方式

c. 详细级次著录主要项目和全部选择项目。

国家书目和全国联合编目应采用详细级次，其他类型目录的详简级次可由编目机构自行选择。

1.0.5 著录信息源

著录信息源是文献本身。文献本身信息不足，可参考其他信息源。

1.0.5.1 主要信息源

主要信息源是文献著录的首选来源。各类型文献均有各自特定的主要信息源（如图书的题名页、连续出版物的题名页或代题名页）。

1.0.5.2 规定信息源

规定信息源对文献的每一著录项目都规定了一个或多个信息来源。各类型文

献的著录项目均需以各自特定的规定信息源及其选取顺序作为著录依据。取自规定信息源以外的信息置于方括号内，或在附注项说明。

1.0.6　著录用文字

1.0.6.1　题名与责任说明项、版本项、文献特殊细节项、出版发行项和丛编项一般按文献本身的文字著录，外文字母的大小写、标点符号等应遵照其语言文字的书写规则。无法照录的图形及符号，可改用相应内容的其他形式著录，置于方括号内。

1.0.6.2　一般文献类型标识、载体形态项、附注项、标准编号与获得方式项，除要说明的外文题名及被引用部分外，专用术语按有关规定著录，计量单位等效采用 GB 3100《国际单位制及其应用》，其余均采用中文著录。

1.0.6.3　版次、出版发行日期、文献数量、尺寸、价格等一般用阿拉伯数字著录。

1.0.6.4　著录我国各少数民族文献，应遵循其民族文字书写规则。

1.1　题名与责任说明项

目次

1.1.0　序则

1.1.0.1　标识符

a. 一般文献类型标识置于“ [ ] ”内，方括号前后各空一格。
b. 并列题名前用“ = ”（空格、等号、空格）。
c. 其他题名信息前用“ : ”（空格、冒号、空格）。
d. 第一责任说明前用“ / ”（空格、斜线、空格）。
e. 其他责任说明和无总题名的文献中属于同一责任者的第二、第三个题名前用“ ; ”（空格、分号、空格）。
f. 有从属题名标识的从属题名前用“， ”（逗号、空格）。
g. 从属题名标识或无从属题名标识的从属题名及无总题名文献中属于不同责任者的第二、第三个题名前用“. ”（句点、空格）。

1.1.0.2　结构形式

正题名 [一般文献类型标识]

正题名［一般文献类型标识］／责任说明

正题名［一般文献类型标识］／第一责任说明；其他责任说明

正题名［一般文献类型标识］＝并列题名／责任说明

正题名［一般文献类型标识］：其他题名信息／责任说明

正题名［一般文献类型标识］＝并列题名：其他题名信息／责任说明

正题名［一般文献类型标识］／责任说明＝并列题名／并列责任说明

正题名［一般文献类型标识］：其他题名信息＝并列题名：并列其他题名信息／责任说明

共同题名．从属题名［一般文献类型标识］／责任说明

共同题名．从属题名［一般文献类型标识］＝并列共同题名．并列从属题名／责任说明

共同题名．从属题名标识，从属题名［一般文献类型标识］／责任说明

共同题名：其他题名信息．从属题名标识，从属题名［一般文献类型标识］／责任说明

共同题名．从属题名标识，从属题名［一般文献类型标识］：其他题名信息／责任说明

题名［一般文献类型标识］／责任说明．题名／责任说明．题名／责任说明

题名［一般文献类型标识］；题名；题名／责任说明

题名［一般文献类型标识］；题名／责任说明．题名／责任说明

题名,连接词(如“又名”),交替题名［一般文献类型标识］／责任说明

1.1.1　正题名

1.1.1.1　正题名是文献的主要题名,可具有多种形式,例如一般通用术语、责任者名称、缩写词、数字、字母。正题名包括交替题名以及由共同题名与从属题名标识和(或)从属题名组成的题名等。

1.1.1.2　正题名一般按照规定信息源所载题名著录,对于有语法关系的标点符号、空格也应照录。题名中如有方括号应著录为圆括号。无法照录的图形及符号或其他内容,可用相应的文字代替,置于方括号内,同时在附注项说明。

例1：　实战 VC ++5.0

例2：　廉颇·蔺相如·鲁仲达

例3：　真实性——1/2

例4：　中国谁来养老?

例5：　永别了,武器

例6：　只要他不踩到我的花……

例7：　SQL Server 2000 高级开发指南

例8：　Joe Lynn's 工程系统

例9：　第二语言(汉语)教学语言

例10：　一般力学(动力学、振动与控制)最新进展

（规定信息源题：一般力学[动力学、振动与控制]最新进展）

1.1.1.3 正题名是第一著录单元,即使题名页上的责任说明、版本说明、丛编说明、出版事项或其他非题名事项位于正题名之前,正题名仍然是第一著录单元。

1.1.1.4 规定信息源有两种或两种以上文种(或语种)题名时,应选择中文题名作为正题名。若这一规定不适用,可根据规定信息源的版式或顺序选择正题名。

1.1.1.5 属于正题名组成部分的责任者名称或题名起首的“重订”、“图解”、“袖珍”等字样,应如实著录。

例1： 北京林业大学研究生教育50年

例2： 徐天润油画作品集

例3： 重订老子正诂

例4： 图解计算机词典

例5： 钦定古今图书集成

1.1.1.6 交替题名按规定信息源上的顺序依次著录于正题名第一部分之后。原题“原名”、“一名”、“又名”、“或”等连接词如实著录,连接词前后用逗号标识。

例1： 花外集,一名,碧山乐府

例2： 铁皮鼓,又名,锡鼓

例3： 袖珍神学,或,简明基督教辞典

例4： 反三国志,又名,改正三国志,又名,反三国演义

1.1.1.7 正题名由共同题名与从属题名标识和(或)从属题名构成,首先著录共同题名,再著录从属题名标识和(或)从属题名。只有从属题名标识或从属题名,其前用“. ”(句点、空格)标识。既有从属题名标识又有从属题名,则其前分别用“. ”(句点、空格)和“, ”(逗号、空格)标识。

例1： 物理. 第一卷

例2： 杜子华英语大课堂. 谎言大师

例3： 采矿设计手册. 4, 矿山机械卷

例4： 中国动物志. 无脊椎动物. 第二十八卷, 节肢动物门

1.1.1.8 连续出版物正题名所含逐期变更的日期或编号,应予省略,并用省略号(...)标识。位于正题名之首的日期或编号省略后不用省略号。

例： 北京市财政局...年度报告

1.1.1.9 规定信息源无正题名,根据其他信息源著录或由编目人员自拟的题名置于方括号内,并在附注项说明。

1.1.1.10 文字冗长的正题名,一般如实著录。必要时可在不失题名原意的前提下予以省略,省略部分用省略号(...)。

1.1.1.11 规定信息源所载题名有误,应原样照录,同时在附注项说明。

1.1.2 一般文献类型标识

1.1.2.1 各类型文献分别编制目录时,本项不予著录。编制包括多种类型或多种载体文献的目录时,应依据 GB 3469-83《文献类型与文献载体代码》将一般文献类型标识置于

正题名之后的方括号内,方括号前后各空一格。

例: 现代全科医学系列 [电子资源] / 姒健敏,鲍德国主编

1.1.2.2 一种文献类型由另一种文献类型转换而来,应依转换后的文献类型著录。

1.1.2.3 文献由主体部分和附件部分构成,只著录主体部分的一般文献类型标识。

例: 实战 VC ++5.0 [电子资源]

(附件: 说明书 1 册)

1.1.2.4 著录无总题名文献,一般文献类型标识著录于第一种著作正题名之后。

1.1.3 并列题名

1.1.3.1 规定信息源有对应于正题名的另一文种(或语种)题名,可作为并列题名著录于正题名之后(省略一般文献类型标识时)。其前用" = "(空格、等号、空格)标识。

例: 中国草地资源图 = Map of rangeland resources of China

1.1.3.2 规定信息源有两种以上文种(或语种)题名,将首先出现的其他文种题名作为并列题名著录在正题名之后,其余可顺序著录或在附注项注明。

1.1.3.3 出现在非规定信息源上的并列题名应在附注项注明。

1.1.4 其他题名信息

1.1.4.1 用于限定、补充、解释正题名或并列题名等的文字,一般按规定信息源所题顺序著录在与其相关的正题名或并列题名等之后。其前用" : "(空格、冒号、空格)标识。

例 1: 音乐圣殿 : 古典音乐欣赏

例 2: 挑战黑客 : 网络安全的最终解决方案 = Hacker proof : the ultimate guide to network security / (美)拉斯 · 克兰德著 ; 陈永剑[等]译

1.1.4.2 正题名由简称或缩写词组成,同时全称形式也出现在规定信息源中,全称形式应作为其他题名信息著录。

例: 数列词揽 : 数列化唐宋词构型总揽

1.1.4.3 正题名含义不清,可自拟说明性短语作为其他题名信息著录在方括号内。

例: 李大钊 : [电视文献纪录片]

1.1.4.4 规定信息源有并列题名和并列其他题名信息,可将每一并列其他题名信息著录在与其文种相同的题名之后,或著录于附注项。

例: 服务器组件模式 : EJB 描述的组件基础设施 = Server component patterns : component infrastructures illustrated with EJB

1.1.4.5 规定信息源有多个并列题名和一个文种其他题名信息,可将其他题名信息著录于最末并列题名之后。

1.1.5 责任说明

1.1.5.1 责任说明包括责任者名称和各种责任方式,一般按规定信息源所题形式著录。第一

责任说明著录于题名之后,其前用“ / ”(空格、斜线、空格)标识。

1.1.5.2 著录同一责任方式的多个责任者,一般不超过三个,除第一个外,其余均用逗号标识;超过三个只著录第一个,后用“[等]”表示,其余在附注项说明。

例1: 计算机基础入门 / 徐士良主讲

例2: 中国民乐合奏菁华 / 上海民族乐团,上海电影乐团,广东民族乐团演奏

例3: 微型计算机常见故障及维修 / 李笑梅 [等]编著

(题名页所题编著者为李笑梅、张俊发、寇应展、陈致明四人)

1.1.5.3 著录不同责任方式,一般按规定信息源所题顺序不超过四种,其余可在附注项说明。除第一责任说明外,其他责任说明前用“ ; ”(空格、分号、空格)标识。

例1: 三国演义 / (明)罗贯中原著 ; 刘新华注音 ; 赵志远注释

例2: 人力资源管理 / 姚艳虹主讲 ; 长沙创达科技发展有限公司制作

1.1.5.4 责任者名称前后表示职务、学位、职称、出身、籍贯等字样,无特殊要求不予著录。

例: 针灸临床选要 / 陈全新著

(规定信息源题: 陈全新教授著)

1.1.5.5 规定信息源兼有并列题名和并列责任说明,可将每一文种的责任说明分别著录于与其文种相同的题名之后。

例: 神曲 / (意) 但丁·阿利基埃里著 = La Divina Commedia / by Dante Alighieri

1.1.5.6 规定信息源有并列题名而无并列责任说明,可将责任说明著录于最末并列题名之后。

例: 英汉技术词典 = An English-Chinese dictionary of technology / 清华大学《英汉技术词典》编写组编

1.1.5.7 规定信息源责任说明有误,应原样照录,同时在附注项说明。

1.1.6 无总题名文献

由两个或两个以上著作组成的无总题名文献,按规定信息源所题顺序依次著录。题名超过三个只著录前三个,未予著录的其他题名和责任者在附注项说明。属于同一责任说明的第二、第三个题名前用“ ; ”(空格、分号、空格)标识,将责任者著录于所有题名之后;属于不同责任说明的第二、第三个题名前用“. ”(句点、空格)标识,将各自责任说明著录于相关题名之后。

例1: 童年 ; 在人间 ; 我的大学 / (俄)高尔基著

例2: 窦娥冤 / (元)关汉卿撰. 西厢记 / (元)王实甫撰. 桃花扇 / (清)孔尚任撰

例3: 中华人民共和国国歌 [录音制品] / 田汉词 ; 聂耳曲. 国际歌 / 欧仁·鲍迪埃词 ; 比尔·狄盖特曲

1.2 版本项

目次

序则

版本说明

并列版本说明
与本版有关的责任说明
附加版本说明
附加版本说明的责任说明

1.2.0 序则

1.2.0.1 标识符

a. 本项前用“. -- ”(句点、空格、连字符、连字符、空格)。

b. 并列版本说明前用“ = ”(空格、等号、空格)。

c. 附加版本说明前用“, ”(逗号、空格)。

d. 与本版有关的第一责任说明和附加版本说明的第一责任说明前用“ / ”(空格、斜线、空格)。

e. 与本版有关的其他责任说明和附加版本说明的其他责任说明前用“ ; ”(空格、分号、空格)。

1.2.0.2 结构形式

. -- 版本说明
. -- 版本说明, 附加版本说明
. -- 版本说明 = 并列版本说明
. -- 版本说明 / 与本版有关的责任说明
. -- 版本说明 / 与本版有关的第一责任说明 ; 与本版有关的其他责任说明
. -- 版本说明 / 与本版有关的责任说明, 附加版本说明 / 与附加版本说明有关的责任说明

1.2.1 版本说明

1.2.1.1 版本说明通常以序数词与“版”字相结合的术语或以区别其他版本的术语形式出现,版次一律用阿拉伯数字著录,省略“第”字,著录为“×版”,初版或第一版不予著录,其前用项目标识符。

例1: . -- 2 版
例2: . -- 修订版
例3: . -- 刻本
例4: . -- 影印本

1.2.1.2 版本说明属于题名的组成部分应在题名部分著录,本项不应重复著录。

例1: 现代汉语(增订三版)教学说明与自学参考
(版本说明不著录“增订 3 版”)

例2: 中国图书馆分类法(第四版) / 中国图书馆分类法编辑委员会编
(版本说明不著录“4 版”)

例3: 人民日报海外版 / 范敬宜总编辑

例4： 北京大学学报. 自然科学版 / 陈进元主编

1.2.1.3 规定信息源版本说明有误，应原样照录，同时在附注项说明。

1.2.2 并列版本说明

规定信息源有另一种语言和/或文字的版本说明，可作为并列版本说明著录在版本说明之后，其前用“ = ”（空格、等号、空格）标识。

例： . -- 3 版 = 3rd ed.

1.2.3 与本版有关的责任说明

与本版有关的责任说明著录于版本说明或并列版本说明之后，其前用“ / ”（空格、斜线、空格）标识。

例： 中国动物图，鸟类 / 傅桐生等著. -- 3 版 / 郑作新修订

1.2.4 附加版本说明

附加版本说明是指规定信息源中对版本说明的补充说明，其前用“， ”（逗号、空格）标识。

例1： . -- 3 版，增订本

例2： . -- 活字本，泥活字

1.2.5 附加版本说明的责任说明

附加版本说明的责任说明著录于附加版本说明之后，其前用“ / ”（空格、斜线、空格）标识。

例： . -- 2 版，修订本 / 王崇行[等]修订

1.3 文献特殊细节项

目次

序则

文献特殊细节

1.3.0 序则

1.3.0.1 标识符

本项前用“. -- ”（句点、空格、连字符、连字符、空格）。

各类型文献特殊细节项的其他标识符详见有关各章。

1.3.0.2 结构形式

详见各章的有关条款。

1.3.1 文献特殊细节

本项用于著录连续性资源的卷期(年月)标识和测绘制图资料、乐谱、电子资源等特定文献类型的特殊记载事项。

例1: . -- No.1 (1948,2) - no.52 (1956,3)

例2: . -- 钢琴伴奏谱

例3: . -- 1:5000000

1.4 出版、发行项

目次

序则

出版地或发行地

出版者或发行者

出版日期或发行日期

印制地、印制者、印制日期

1.4.0 序则

1.4.0.1 标识符

a. 本项前用". -- "(句点、空格、连字符、连字符、空格)。

b. 第二个出版地或发行地前用" ; "(空格、分号、空格)。

c. 出版者、发行者、印制者前用" : "(空格、冒号、空格)。

d. 出版日期、发行日期、印制日期前用", "(逗号、空格)。

e. 印制地、印制者、印制日期置于圆括号内,圆括号前后各空一格。

1.4.0.2 结构形式

. -- 出版地或发行地 : 出版者或发行者, 出版日期

. -- 出版地或发行地 : 出版者或发行者, 出版日期 (印制地 : 印制者, 印制日期)

. -- 出版地或发行地 : 出版者或发行者 ; 出版地或发行地 : 出版者或发行者, 出版日期

. -- 出版地或发行地 ; 出版地或发行地 : 出版者或发行者, 出版日期

. -- 出版地或发行地 : 出版者或发行者 : 出版者或发行者, 出版日期

1.4.1 出版地或发行地

1.4.1.1 出版地或发行地是指规定信息源所载出版者或发行者所在的城市名称。

1.4.1.2 规定信息源载有两个出版地或发行地应一并著录,第二个出版地或发行地之前用" ; "(空格、分号、空格)标识。三个及其以上出版地或发行地按规定信息源的版式或顺序著录最显著的一个或第一个,后加"[等]",其余在附注项说明。

例1: . -- 北京 ; 香港 : 三联书店

例2: . -- 广州[等]: 世界图书出版公司

(出版地还有:北京、上海)

1.4.1.3 出版地或发行地有多种文字,著录与正题名文种相同的出版地或发行地。若这一规定不适用,按规定信息源所载版式或顺序著录最显著或第一个出版地或发行地。

1.4.1.4 不为人们熟知或重名的出版地、发行地,应在其后附加所属上级行政区划名称(例如省名、国名等)。取自规定信息源的附加名称置于圆括号内,取自其他信息源的则置于方括号内。

例: . -- 西安(吉林省)

1.4.1.5 文献未载明出版地,应将考证所得出版地著录在方括号内;属于推测著录的出版地,应在其后加问号,并置于方括号内。若无法推测或考证,在方括号内注明“出版地不详”字样。

例1: [山东省]

例2: [河北省?]

例3: [出版地不详]

1.4.1.6 规定信息源所载出版、发行地有误,应原样照录,同时在附注项说明。

1.4.2 出版者或发行者

1.4.2.1 出版者或发行者著录于出版地之后,其前用“ : ”(空格、冒号、空格)标识。

1.4.2.2 规定信息源载有两个出版者或发行者,应著录于各自出版地或发行地之后,载有三个及其以上出版者或发行者,根据规定信息源版式或顺序著录最显著的一个或第一个,其余在附注项说明。

例1: . -- 北京 : 人民教育出版社 ; 上海 : 上海教育出版社

例2: . -- 广州 : 广东人民出版社

(出版者还有:辽宁人民出版社、天津人民出版社)

1.4.2.3 规定信息源载有一个出版地或发行地和三个及其以上出版者或发行者,根据规定信息源版式或顺序著录最显著的一个或第一个,后加“[等]”,其余在附注项说明。

例1: . -- 北京 : 北京大学出版社[等]

(出版者还有:清华大学出版社、北京师范大学出版社)

1.4.2.4 出版者或发行者有多种文字,著录与正题名文种相同的出版者或发行者。若这一规定不适用,根据规定信息源所载版式或顺序著录最显著或第一个出版者或发行者。

1.4.2.5 文献未载明出版者,可著录发行者,并在其后注明“发行者”字样,置于方括号内。

例: . -- 北京 : 中国国际质量认证咨询促进会[发行者]

1.4.2.6 文献未载明出版者和发行者,可注明“出版者不详”字样,置于方括号内。

例: . -- 北京 : [出版者不详]

1.4.2.7 规定信息源所载出版、发行者有误,应原样照录,同时在附注项说明。

1.4.3 出版日期或发行日期

1.4.3.1 出版日期或发行日期著录于出版者或发行者之后,其前用“, ”(逗号、空格)标识。

1.4.3.2 用公元纪年表示的出版日期一律用阿拉伯数字著录，非公元纪年原样照录，在其后方括号内注明相应的公元纪年。

例1： ，民国十五年 [1926]

例2： ，明隆庆二年 [1568]

1.4.3.3 规定信息源所载出版年有误，应原样照录，正确出版年在附注项说明。

1.4.3.4 文献未载明出版年，可著录发行年或版权年，并在其后注明“发行”或“版权”字样，置于方括号内。若出版年、发行年、版权年等均未载明，可著录推测的年代，后加问号，置于方括号内。如无法推测或考证，可注明“出版年不详”字样，置于方括号内。

例1： ，1925 [发行]

例2： ，1946 [版权]

例3： ，[1935?]

（推测在1935年内）

例4： ，[193-?]

（推测在30年代十年内）

例5： ，[193-]

（肯定在30年代十年内）

例6： ，[出版年不详]

1.4.3.5 连续性出版物、多部分组成的文献等各卷（册）出版年不同，著录首次出版的起始年与最后出版的终止年，其间用连字符连接；正在出版的多卷（册）出版物，只著录出版起始年，其后用连字符。

例1： ，1978-1985

例2： ，1996-

1.4.4 印制地、印制者、印制日期

文献的出版、发行事项不详，应著录印制地、印制者、印制日期，并置于圆括号内。文献已载明出版、发行事项，又有必要著录印制事项，印制事项著录于出版发行事项之后圆括号内。

例1： . -- [出版地不详] : [出版者不详], 1974 (北京 : 北京金特印刷厂)

例2： . -- 北京 : 商务印书馆, 1961 (1996 重印)

例3： . -- 平江 : 大藏经局, 宋元年间[960-1368] (杭州 : 杨家经坊, 明洪武二十三至二十四年[1390-1391]重印)

1.5 载体形态项

目次

- 序则
- 数量及特定文献类型标识
- 其他形态细节
- 尺寸

附件

1.5.0 序则

1.5.0.1 标识符

a. 连续著录时，本项前用“. -- ”（句点、空格、连字符、连字符、空格）。分段著录时可省略“. -- ”。

b. 其他形态细节前用“ : ”（空格、冒号、空格）。

c. 尺寸前用“ ; ”（空格、分号、空格）。

d. 附件前用“ + ”（空格、加号、空格）。

1.5.0.2 结构形式

数量及特定文献类型标识

数量及特定文献类型标识 ; 尺寸

数量及特定文献类型标识 : 其他形态细节

数量及特定文献类型标识 : 其他形态细节 ; 尺寸

数量及特定文献类型标识 : 其他形态细节 ; 尺寸 + 附件

1.5.1 数量及特定文献类型标识

1.5.1.1 文献数量用阿拉伯数字著录于特定文献类型标识之前。特定文献类型标识按照不同文献类型用汉字著录，并按有关国家标准执行。详见各章有关规定。

例1： 66页

例2： 15张

例3： 4开盘录像带

例4： 1光盘

例5： 5册(1350页)

例6： 1套投影片 (4张分开的复合片)

1.5.1.2 文献数量无法确定，可著录为“ -册”或“ -光盘”等，供日后填入。

1.5.2 其他形态细节

其他形态细节应根据其在文献中的重要程度著录于数量及特定文献类型标识之后，其前用“ : ”（空格、冒号、空格）标识。若一文献的其他形态细节存在两个及其以上时，第二个及其以后的其他形态细节前用逗号标识。

例1： : 33rpm

例2： : 有声，彩色

例3： : 图，肖像

例4： 1盒式录音带 (60min) : 立体声，杜比

例5： 3缩微平片 : 超高缩率

1.5.3　尺寸

1.5.3.1　文献尺寸一般著录其高度,以 cm(厘米)为单位,不足 lcm 的尾数按 1cm 著录。其前用“ ; ”(空格、分号、空格)标识。

1.5.3.2　文献的宽度不及高度的二分之一或宽度超过高度者,应先著录高度,后著录宽度,其间用乘号连接。立体资料的尺寸著录为“高度×宽度×厚度”。

例 1：　; 26cm

例 2：　; 27×13cm

例 3：　; 22×33cm

例 4：　; 9×30×20cm

例 5：　10 开盘电影片(75min) : 彩色 ; 16mm

例 6：　1 套教具 ; 35×60×20cm (玻璃盒)

1.5.4　附件

附件是分离于文献主体部分,并与其结合使用的附加材料,著录于尺寸之后,其前用“ + ”(空格、加号、空格)标识,物理细节置于圆括号内。附件可根据不同情况选择不同的著录方式。除著录于尺寸之后的一般附件外,凡有独立名称或可单独使用的附件,均可单独著录或著录于附注项。

例 1：　+ 制图习题集 (50 页 ; 19×26cm)

例 2：　500 页 ; 26cm + 1 盒式录音带

1.6　从编项

目次

1.6.0　序则

1.6.0.1　标识符

a. 从编项置于圆括号内,圆括号前后各空一格。

b. 从编或分从编并列题名前用“ = ”(空格、等号、空格)。

c. 从编或分从编其他题名信息前用“ : ”（空格、冒号、空格）。

d. 从编或分从编第一责任说明前用“ / ”（空格、斜线、空格）。

e. 从编其他责任者前用“ ; ”（空格、分号、空格）。

f. 从编或分从编国际标准连续出版物号前用“， ”（逗号、空格）。

g. 分从编题名标识或无分从编题名标识的分从编题名前用“. ”（句点、空格）。

h. 从编或分从编编号前用“ ; ”（空格、分号、空格）。

1.6.0.2 结构形式

. --（从编正题名）

. --（从编正题名 : 从编其他题名信息 ; 从编编号）

. --（从编正题名 : 从编其他题名信息 / 从编责任说明 ; 从编编号）

. --（从编正题名，从编 ISSN ; 从编编号）

. --（从编正题名 = 从编并列题名 / 从编责任说明）

. --（从编共同题名. 分从编题名）

. --（从编共同题名. 分从编题名标识，分从编题名）

. --（从编共同题名. 分从编题名标识，分从编题名 ; 分从编编号）

. --（第一从编）（第二从编）

1.6.1 从编正题名

1.6.1.1 参照本章 1.1.1 正题名条款著录。

1.6.1.2 当多部分组成的文献各部分单独著录时，文献的总题名可作为从编正题名著录。

例： 禅宗诗歌境界 / 吴言生著. -- 北京 : 中华书局，2001. -- 392 页 ; 20cm. --（禅学三书）

禅宗思想渊源 / 吴言生著. -- 北京 : 中华书局，2001. -- 436 页 ; 20cm. --（禅学三书）

禅宗哲学象征 / 吴言生著. -- 北京 : 中华书局，2001. -- 391 页 ; 20cm. --（禅学三书）

1.6.1.3 由主从编题名和分从编题名组成的从编正题名的著录，参照本章 1.6.7 条款著录。

1.6.2 从编并列题名

参照本章 1.1.3 条款著录。

1.6.3 从编其他题名信息

1.6.3.1 对识别从编有意义的从编其他题名信息应予以著录。著录时参照本章 1.1.4 条款。

1.6.3.2 与从编有关的版本说明可作为从编其他题名信息著录。

1.6.4 从编责任说明

当丛编责任说明对识别该丛编必需时,参照本章1.1.5条款著录。

1.6.5　丛编国际标准连续出版物号

从编国际标准连续出版物号(ISSN)著录于丛编题名之后,其前用“，”(逗号、空格)标识,ISSN与两组数字之间空一格。

例：. --(马铃薯杂志，ISSN 1001-0092)

1.6.6　丛编编号

1.6.6.1　丛编编号用阿拉伯数字著录于相应丛编著录事项之后,其前用“；”(空格、分号、空格)标识。

1.6.6.2　丛编连续编号时,著录起迄号码;非连续编号,应分段依次著录。

例1：. --(枕边小品；01-03)

例2：. --(书法技法讲座；12,14,16)

1.6.6.3　属于非数字形式的丛编编号,应原样照录。

例：. --(中国现代文学史资料汇编；乙种)

1.6.7　分丛编

1.6.7.1　由主丛编题名和分丛编题名组成的丛编正题名按共同题名与从属题名组成的正题名形式著录。分丛编题名著录于主丛编题名之后,其前用“. ”(句点、空格)标识。

例：. --(软件工程技术丛书. 设计系列)

1.6.7.2　既有分丛编题名标识又有分丛编题名时,先著录分丛编题名标识,其前用“. ”(句点、空格)标识,后著录分丛编题名,其前用“，”(逗号、空格)标识。

例：. --(世界各国知识丛书. 第一辑，美洲、大洋洲卷)

1.6.7.3　分丛编题名有独立识别意义,可将其作为丛编正题名著录于丛编项,主丛编题名著录在附注项。

例：. --(实用人物摄影)

(附注：主丛编题名:海巨格摄影系列)

1.6.7.4　文献既有主丛编编号又有分丛编编号,可将主丛编编号著录在附注项。

例：. --(故事会图书馆文库. 学者讲坛系列；2)

(附注：主丛编编号5)

1.6.7.5　主丛编和分丛编均有国际标准连续出版物号(ISSN)时,可将主丛编的ISSN著录于附注项。

1.6.8　多种丛编

1.6.8.1　一文献属于多种丛编,可根据规定信息源的顺序分别著录于圆括号内。

例：. --(芳草地丛书)(拔萃丛书)

1.6.8.2 文献各部分分属不同丛编,在附注项说明。

1.7 附注项

目次

序则

附注

1.7.0 序则

1.7.0.1 标识符

连续著录,每一附注前均用“. -- ”(句点、空格、连字符、连字符、空格)。分段著录时可省略“. -- ”。

1.7.0.2 结构形式

附注. -- 附注. -- 附注

或

附注

附注

1.7.1 附注

凡对其余七个著录项目有必要进一步补充说明的内容,均可著录于本项。包括:

a. 在有关项目中无法全部著录的信息。

b. 取自在编文献,而不是取自规定信息源的信息。

c. 取自在编文献以外的信息。

d. 编目员自拟信息。

e. 重要的文献内容提示。

附注尽可能采用固定导语或规范用语,自拟文字要简洁、明了。

1.7.1.1 文献的性质、范围或艺术形式附注

例: 卫生部医学 CAI 课件

1.7.1.2 文献语种、改编或翻译附注

例: 含中、英、德、法、日五种文字

1.7.1.3 题名附注

a. 取自规定信息源以外的正题名。

例: 题名取自在版编目数据

b. 文献各处的题名有差异。

例: 版权页题:2002 年高考指南

c. 规定信息源中题名有印刷错误。

例: 题名页误题:钢笔书法字贴

d. 未在题名与责任说明项著录的并列题名或其他题名信息。

例： 并列英文题名：Speeches from all walks of life

e. 题名变更、连续出版物各期题名不同。

例： 本刊继承《开明》

f. 未在题名与责任说明项著录的合订文献作品题名。

例1： 外一种：殷周时代的中国社会

例2： 合订著作还有：牡丹亭 / (明)汤显祖撰

1.7.1.4 责任说明附注

a. 取自规定信息源之外或未在题名与责任说明项著录的责任说明。

例1： 责任者取自前言

例2： 设计者还有：大卫·格尔斯、刘易斯

例3： 1985年起由湖南省经济研究中心与湖南省社会科学院合办

b. 文献规定信息源的责任说明有差异。

例： 跟我做家庭小炒 / 盛振洲，程伟民编著 ；卢平摄影
盛振洲，折页题：盛镇洲

c. 规定信息源中责任说明有印刷错误。

例： 李吉跃，封面误题：李古跃

1.7.1.5 版本和书目沿革附注

一文献与其他版本或其他文献之间的关系。

例1： 据明万历刻本影印

例2： 由1950年原版灌制

1.7.1.6 文献特殊细节附注

未在文献特殊细节项著录的其他重要特殊细节。

例1： 创刊日期原题：清光绪三十一年

例2： 文件长度未知

1.7.1.7 出版、发行附注

a. 未在出版、发行项著录的其他出版发行事项。

例： 出版者还有：中国美术出版总社、人民美术出版社

b. 规定信息源中出版、发行有印刷错误。

例： 华文出版社，误题：华天出版社

1.7.1.8 载体形态附注

未在载体形态项著录的其他重要补充内容，如尺寸变更、附件说明等。

例1： 附件全称：工程制图与计算机绘图习题集

例2： 用户手册分装于2个活页本

例3： 放音时间分别是：17min，23min，9min

1.7.1.9 丛编附注

未在丛编项著录的重要补充内容，如丛编名的变更、所编文献曾在某个丛编中出版过等。

例1： 丛编原题：世界经典随笔系列丛书

例 2：　本资源曾被《中外名人百部》收入

1.7.1.10 装订及获得方式附注

文献装订及获得方式的补充内容。

例 1：　封底价格：CNY30.00

例 2：　礼品，不对外销售

1.7.1.11 原作及复制品附注

有关原作品或复制品的说明。

例 1：　复制自：食品添加剂实用大全［图书］／刘程主编. -- 修订版. -- 北京：北京工业大学出版社，2004. -- ISBN 7-5639-1299-1（精装）：CNY140.00

例 2：　复制为：《四部丛刊》，16mm 缩微胶卷

1.7.1.12 出版周期附注

连续出版物的出版周期变更说明。

例：　本刊物 1990 年改为季刊

1.7.1.13 内容附注

提要以及重要的目次、索引、书目等信息。

例 1：　子目：我和你／王翔诗；雨夜／赵伟诗

例 2：　本书卷一为索引

1.7.1.14 学位论文附注

例：　博士论文：北京大学哲学系，1995

1.7.1.15 适用对象附注

描述文献的使用和适用对象的有关信息。

例：　物资供应干部培训用书

1.7.1.16 其他附注

除上述附注内容外，凡有必要补充说明的其他内容，均可注明。

例 1：　"九五"国家重点电子出版物规划项目

例 2：　钤"乾隆御览之宝"、"天禄继鉴"等印

1.8　标准编号与获得方式项

目次

序则

标准编号

识别题名

获得方式和（或）定价

限定说明

1.8.0　序则

1.8.0.1 标识符

a. 连续著录时,本项前用“. -- ”(句点、空格、连字符、连字符、空格)。有两个或两个以上标准编号,应在第二个及其以后标准编号前用“. -- ”。分段著录时可省略“. -- ”。

b. 识别题名前用“ = ”(空格、等号、空格)。

c. 获得方式或定价前用“ : ”(空格、冒号、空格)。

d. 限定说明置于圆括号内。

1.8.0.2 结构形式

标准编号

标准编号 (限定说明)

标准编号 (限定说明) : 获得方式

标准编号 (限定说明) : 获得方式. -- 标准编号 (限定说明): 获得方式

标准编号 (限定说明) : 获得方式 (限定说明)

标准编号 = 识别题名 : 获得方式 (限定说明)

获得方式

1.8.1 标准编号

1.8.1.1 标准编号包括国际标准书号(ISBN)、国际标准连续出版物号(ISSN)、国际标准音像制品编码(ISRC)或其他国际公认的标准号。各组编号分别著录于“ISBN”、“ISSN”或“ISRC”之后,中间空一格,编号之间用连字符。

例1: ISBN 7-5000-0381-1

例2: ISSN 1005-099X

例3: ISRC CN-C08-2000-079-00

1.8.1.2 同时著录整套文献和部分文献的国际标准编号,应先著录整套文献编号,后著录部分文献编号,并用项目标识符标识部分文献编号。

1.8.1.3 标准编号之外的其他编号,可著录于附注项。

1.8.1.4 标准编号有误,应先著录正确编号,后著录错误编号,并在其后圆括号内注明“(错误)”。错误编号前用项目标识符。

例: ISBN 7-5343-2006-2. -- ISBN 7-5343-2008-2 (错误)

1.8.2 识别题名

识别题名著录于国际标准连续出版物号(ISSN)之后,其前用“ = ”(空格、等号、空格)。

例: ISSN 1004-1583 = 畜牧机械丛刊

1.8.3 获得方式和(或)定价

获得方式和(或)定价著录于标准编号或限定说明之后,其前用“ : ”(空格、冒号、空格)。价格用阿拉伯数字与各种标准货币代码(GB 12406-90)表示。

例1: : 赠送

例 2：　：非卖品
例 3：　：CNY25.00
例 4：　：HKD30.00
例 5：　：USD18.00

1.8.4　限定说明

标准编号或获得方式之后可附加限定说明，置于圆括号内。

例 1：CNY67.70（国内定价）
例 2：ISBN 7-03-002725-6（精装）：CNY19.70
例 3：ISRC CN-A05-87-317-02（第 2 首）

1.9　复制品文献的著录

复制品文献包括真迹复制、照像复制、缩微复制等各种形式的复制品。复制品的著录依据是复制品本身，有关原作品的信息按著录项目的次序著录于同一条附注中。

1.10　多载体配套文献

由两种或多种不同载体组成，并结合使用的一套文献，含配套使用的录音资料、印刷文本、光盘、幻灯片等，被称为多载体配套文献。

1.10.1　文献有一种载体是主要的，可只著录主要部分，其余载体作为附件著录于载体形态项末尾，或在附注项说明。

1.10.2　文献所含各种载体无主次之分，按下列规定著录。

1.10.2.1　一般文献类型标识

a. 文献有总题名，在正题名后的一般文献类型标识中注明"多载体"。
b. 文献无总题名，分别在各作品正题名后注明相应的一般文献类型标识。

1.10.2.2　载体形态项

根据文献的不同特征选用下列著录方法之一：

a. 文献的各种载体形态不需要进一步描述，可在同一行著录各载体的数量及特定文献类型标识。如在同一容器中，著录容器的名称及尺寸。

例：30 张幻灯片，1CD，1说明书；22×16×8cm（盒装）

b. 文献的各种载体形态需要进一步描述，将各载体形态项分别另起一行著录。如同在一容器中，最后著录容器名称及尺寸。

例：1 手册（126 页）：插图；26cm
1 光盘：有声，彩色；12cm
1 盒式录音带（35min）：立体声
容器；30×20×5cm

c. 文献载体种类和数量较多,著录一个概括性术语“多部件”。能确定件数者,需著录数量。如在同一容器中,著录容器的名称及尺寸。

例: 多部件(28 种);20×20×40cm(盒装)

1.10.2.3 附注

多载体文献中各载体的附注内容应著录在同一条附注中。

1.11 多部分组成的文献

一种文献在物理形态上分为几个部分,如果既有共同题名,又有各组成部分的题名,可根据实际情况选用下列一种著录方式。著录信息源首选第一部分的主要信息源,如这一规定不适用,则选用信息最充分的部分。

1.11.1 综合著录

将多部分组成的文献作为一个书目著录单元著录,以各部分的共同题名作为正题名,各单独部分的题名及出版日期、数量等著录于内容附注。

1.11.2 分散著录

将多部分组成的文献某一部分作为一个书目著录单元著录,各单独部分的题名有独立识别意义时,将各单独部分的题名分别作为正题名,各组成部分的共同题名著录于丛编项。各单独部分的题名无独立识别意义时,按共同题名和从属题名构成的正题名分别著录。

第二章　普通图书

2.0　通则

2.0.1　适用范围

本章适用于著录1911年以后出版的印刷型图书。我国各少数民族语言图书可参照使用。

2.0.2　著录项目

著录项目分为下列八项：

题名与责任说明项

版本项

文献特殊细节项＊＊

出版、发行项

载体形态项

丛编项

附注项＊

标准编号与获得方式项

上述每一项目含一个或若干著录单元，详见各项说明。

（以上标有“＊”者为选择项目，“＊＊”者为不适用项目）

2.0.3　著录用标识符

标识符见第一章1.0.3条款。

著录内容中的标点符号按照中外文各自的书写规则著录。

2.0.4　著录详简级次

2.0.4.1　著录详简级次以主要项目和选择项目为区分依据。

a. 主要项目：题名与责任说明项的正题名、第一责任说明；版本项的版本说明；出版、发行项的出版地、出版者、出版年；载体形态项的数量及特定文献类型标识、尺寸、附件；丛编项的丛编正题名、丛编编号；标准编号。

b. 选择项目：一般文献类型标识、并列题名、其他题名信息、其他责任说明；并列版本说明、与本版有关的责任说明、附加版本说明、附加版本说明的责任说明；印刷地、印刷者、印刷年；其他形态细节；丛编并列题名、丛编其他题名信息、丛编责任说明、丛编ISSN；附注；获得方式、限定说明。

2.0.4.2　著录详简级次分为简要级次（或称第一级次）、基本级次（或称第二级次）和详细级次(或称第三级次)。

a. 简要级次著录主要项目。

连续著录格式:

正题名 / 第一责任说明. -- 版本说明. -- 出版地 : 出版者, 出版年. -- 数量及特定文献类型标识 ; 尺寸 + 附件. -- (丛编正题名 ; 丛编编号) . -- 标准编号

分段著录格式:

正题名 / 第一责任说明. -- 版本说明. -- 出版地 : 出版者, 出版年

数量及特定文献类型标识 ; 尺寸 + 附件. -- (丛编正题名 ; 丛编编号)

标准编号

b. 基本级次著录主要项目和部分选择项目。

连续著录格式:

正题名 [一般文献类型标识] = 并列题名 : 其他题名信息 / 第一责任说明 ; 其他责任说明. -- 版本说明, 附加版本说明. -- 出版地 : 出版者, 出版年 (印刷地 : 印刷者, 印刷年) . -- 数量及特定文献类型标识 : 其他形态细节 ; 尺寸 + 附件. -- (丛编正题名 : 丛编其他题名信息 / 丛编责任说明 ; 丛编编号) . -- 附注. -- 标准编号(限定说明) : 获得方式(限定说明)

分段著录格式:

正题名 [一般文献类型标识] = 并列题名 : 其他题名信息 / 第一责任说明 ; 其他责任说明. -- 版本说明, 附加版本说明. -- 出版地 : 出版者, 出版年 (印刷地 : 印刷者, 印刷年)

数量及特定文献类型标识 : 其他形态细节 ; 尺寸 + 附件. -- (丛编正题名 : 丛编其他题名信息 / 丛编责任说明 ; 丛编编号)

附注

标准编号(限定说明) : 获得方式(限定说明)

c. 详细级次著录主要项目和全部选择项目。

国家书目和全国联合编目应采用详细级次;其他类型目录的详简级次可由编目机构自行选择。

2.0.5 著录信息源

著录信息源是图书本身。图书本身信息不足,可参考其他信息源。

2.0.5.1 主要信息源

普通图书的主要信息源为题名页。

2.0.5.2 规定信息源

普通图书各著录项目的规定信息源及其选取的先后顺序如下表;取自规定信息源之外的信息置于方括号内,必要时在附注项说明。

著录项目	规定信息源
题名与责任说明项	题名页或代题名页
版本项	版权页、题名页
出版、发行项	版权页、题名页
载体形态项	整部图书及附件
丛编项	题名页、版权页、封面、书脊、封底
附注项	任何信息源
标准编号与获得方式项	版权页、图书其余部分

2.0.5.3　同一著录信息在规定信息源之间有差异，按规定的选取顺序著录，若此规定不适用，选择信息完备的信息源著录，必要时在附注项说明。

例：　半导体材料 / 杨树人[等]编著. -- 北京 : 科学出版社, 2004

（版权页题：2004 年 3 月第一版，题名页题：第二版，版本项据版权页所题著录）

2.0.5.4　属于题名页或版权页位置上的信息出现在其前页或后页上，应视为题名页或版权页的延续。

2.0.5.5　无总题名图书，各部分均有单独题名页时，将这些题名页作为一个总的规定信息源。

2.0.6　著录用文字

见第一章 1.0.6 条款。

2.1　题名与责任说明项

目次

序则

正题名

一般文献类型标识＊

并列题名＊

其他题名信息＊

责任说明

无总题名图书

（以上标有“＊”者为选择著录单元）

2.1.0　序则

2.1.0.1　标识符

见第一章 1.1.0.1 条款。

著录内容中标点符号见以下有关条款。

2.1.0.2　结构形式

见第一章 1.1.0.2 条款。

2.1.1　正题名

2.1.1.1　正题名是图书的主要题名,具有多种形式。例如,一般通用术语、责任者名称、缩写词、数字、字母等。正题名包括交替题名以及由共同题名与从属题名标识和(或)从属题名组成的题名等。

2.1.1.2　正题名原则上按照规定信息源所载题名著录,对于有语法关系的标点符号、空格也应照录。题名中如有方括号应著录为圆括号。无法照录的图形及符号或其他内容,可用相应的文字代替,置于方括号内,同时在附注项说明。

例1:　为了幸福,干杯!

例2:　生活・题材・创作

例3:　人权 主权 霸权

例4:　(演习)地球环境论

(原题:[演习]地球环境论)

例5:　国际标准书目著录(ISBD)

例6:　世界伟人——邓小平

例7:　COBOL/BASIC 程序设计

例8:　1+1 =2

例9:　SQL Server 2000 实用教程

例10:　爱[心]

(“心”原为一个桃形图案)

2.1.1.3　正题名是第一著录单元,无论正题名前出现何种著录信息,正题名仍著录于本项之首。

2.1.1.4　规定信息源有两种或两种以上文种题名,应选择中文题名作为正题名。若这一规定不适用,可根据规定信息源的版式或顺序选择正题名。

例:　新英汉词典 = A new English-Chinese dictionary /《新英汉词典》编写组

(此书题名页有中文和英文两种文字)

2.1.1.5　属于正题名组成部分的责任者名称、出版者名称、版本说明等,或题名起首的“钦定”、“新编”、“重订”、“详注”等,都应如实著录。

例1:　许国璋主编《英语》单词科学记忆法

例2:　鲁迅杂文选释

例3:　钦定四库全书总目

例4:　插图本中国文学史

例5:　新编幼学琼林

例6:　增订四库简明目录标注

2.1.1.6　交替题名按规定信息源上的顺序依次著录于正题名第一部分之后。原题“原名”、“一名”、“又名”、“或”等连接词如实著录,连接词前后用逗号标识。

例1:　词语的知识和运用,原名,怎样使用词语

例2:　袖珍神学,或,简明基督教辞典

例3：　侠隐记，又名，三个火枪手，又名，三剑客

2.1.1.7　正题名由共同题名与从属题名标识和(或)从属题名组成，先著录共同题名，再著录从属题名标识和(或)从属题名。只有从属题名标识或从属题名，其前用“．”(句点、空格)标识；既有从属题名标识又有从属题名，其前分别用“．”(句点、空格)和“，”(逗号、空格)标识。

例1：　医学题库丛书．诊断学

例2：　全国各类成人高等学校招生复习考试指导丛书．政治

例3：　应用化学．第一册，定性分析

例4：　郭沫若全集．历史编．第四卷

例5：　地质辞典．(五)，地质普查勘测方法分册．上册

例6：　实用园林造景表现技法 ：园林绘画技法．二，马克笔・彩铅笔・水彩铅笔

例7：　中国律师辩护词代理词精选系列．法庭风云录 ：胡祥甫律师论辩案例选集(金融案) / 胡祥甫著

2.1.1.8　包含有原教材题名的教学参考书、教学大纲、复习指导书等，无论原题名信息如何排列，均作为完整的正题名著录。

例1：　电工技术(电工学 I)学习与考研指导

例2：　初中代数第一册初中代数第二册补充例题

例3：　职业高级中学课本(试用本)数学(理工类)上册教学参考书

例4：　电工学・电工技术(第五版)全程辅导(上册)精教・精学・精练

2.1.1.9　规定信息源无正题名或正题名不完整的图书，可根据其他信息源著录，或由编目人员自拟，置于方括号内，并在附注项说明。

例1：　[北陵志略] / 苗文华编辑

(此书无题名，分析其内容性质自拟题名置于方括号内)

例2：　[借牛] ：汉剧 / [刘高编剧]

(此书无题名页，题名据首篇篇名著录)

2.1.1.10　规定信息源所载题名有误，应原样照录，同时在附注项说明。

例：　钢笔书法字贴

(附注：字帖，题名页误题“字贴”)

2.1.2　一般文献类型标识

见第一章 1.1.2 条款。

2.1.2.1　普通图书与其他类型文献处于同一目录体系时，可在正题名之后著录一般文献类型标识，并置于方括号内。普通图书的一般文献类型标识为“[图书]”(见 GB 3469-83)。

例1：　应用化学．第一册，定性分析 [图书]

例2：　中国律师辩护词代理词精选系列．法庭风云录 [图书] ：胡祥甫律师论辩案例选集

2.1.2.2　图书由另一文献类型转换而来，应著录图书的一般文献类型标识。

2.1.2.3 著录无总题名图书时,一般文献类型标识应著录于第一个正题名之后。

例: 花之寺[图书];女人;小哥儿俩/凌叔华著

2.1.3 并列题名

2.1.3.1 题名页有对应于正题名的另一文种(或语种)题名,可作为并列题名著录于正题名之后(省略一般文献类型标识时)。其前用" = "(空格、等号、空格)标识。

例: 智慧改写人生 = Changing your life by wisdom / 吴淑平著

2.1.3.2 题名页有两种以上文种(或语种)题名,可将首先出现的其他文种题名作为并列题名著录在正题名之后,其余可顺序著录或在附注项注明。

例: 英法汉小词典 = A pocket English-French-Chinese dictionary = Dictionnaire Anglais-Francais-Chinois de poche / 赵国复编著

或: 英法汉小词典 = A pocket English-French-Chinese dictionary / 赵国复编著

法文并列题名: Dictionnaire Anglais-Francais-Chinois de poche

2.1.3.3 出现在非题名页上的并列题名应在附注项注明。

2.1.4 其他题名信息

2.1.4.1 用来限定、补充、解释正题名或并列题名等的文字,一般按规定信息源所题顺序著录在与其相关的正题名或并列题名等之后,其前用" : "(空格、冒号、空格)标识。其他题名信息有两个或两个以上者,分别著录,其前均用" : "(空格、冒号、空格)标识。

例1: 红楼梦 : 一百二十回

(表达小说内容单位的文字)

例2: 虎符 : 五幕历史话剧

(表达图书内容单位与体裁的文字)

例3: 邓小平文选 : 一九七五~一九八二年

(表达图书时间范围的文字)

例4: 太阳花 : 诗集

(表达著作体裁的文字)

例5: 英语九百句 : 汉译注释

(表达图书编撰体例的文字)

例6: 浮选 : 纪念A.M.高登文集

例7: 信息高速公路 : 全面改变21世纪人类社会生活之路

例8: 率先探索的进程与思考 : 上海国资管理体制改革回顾与前瞻

(补充、解释正题名的文字)

例9: 联邦调查局档案 : FBI : 帝国之中的帝国 霸权之上的霸权

例10: 图说兵器战争史 : 从刀矛到核弹 : 双色版

2.1.4.2 正题名由简称或缩写词组成,同时其全称形式也出现在规定信息源中,其全称形式应作为其他题名信息著录。

例：　数列词揽 ：数列化唐宋词构型总揽

2.1.4.3　正题名含义不清，为解释图书的内容、体裁、语种、年代等，可自拟说明性文字，作为其他题名信息著录在方括号内。

例1：　钢铁是怎样炼成的 ：[苏联长篇小说]

例2：　三国演义 ：[缩写本]

例3：　只要他不踩到我的花…… ：[漫画集]

2.1.4.4　题名页有并列题名和并列其他题名信息，可将每一并列其他题名信息著录于与其文种相同的题名之后。

例：　唐宋名家千古绝句100首 ：汉英对照插图本 = 100 Tang and Song quatrain masterpieces by great poets ：illustrated Chinese-English edition / 许渊冲，唐自东译 ；刘琦注析

2.1.4.5　题名页有多个并列题名和一个文种其他题名信息，可将其他题名信息著录于最末并列题名之后。

2.1.4.6　与图书内容及形式无关，属于一般宣传、广告性的文字说明，可著录于附注项或不予著录。

例1：　马克思恩格斯哲学思想比较研究 / 朱传启[等]著
（附注：纪念恩格斯逝世100周年）

例2：　"本书使你终身受惠"，"本书献给渴望成功与财富的人"
（不予著录）

2.1.5　责任说明

2.1.5.1　责任说明包括责任者名称和各种责任方式，一般按规定信息源所题形式和顺序著录。第一责任说明著录于正题名之后，其前用" / "（空格、斜线、空格）标识；其他责任说明前用" ; "（空格、分号、空格）标识。

例：　苏联通史. 第一卷 / （苏）潘克拉托娃主编 ；（苏）巴济列维奇[等]著 ；山东大学翻译组译

2.1.5.2　责任说明原题顺序不明确，应根据著作类型及其形成过程著录。

a. 注释、改编的著作，先著录原著者，后著录注释者、改编者。但改编后体裁改变的著作应以改编者为第一责任者，原著者著录于附注项。

例1：　小东西 ：法语注释读物 / （法）都德（A. Daudet）原著 ；（法）亚马扎克改写 ；杨松荫注释

例2：　阿Q正传 ：[电影文学剧本] / 陈白尘编剧
（此书为体裁改变的文艺作品）

b. 一般翻译著作先著录原著者，后著录翻译者。原著者无从考证，以翻译者为第一责任者。编译或转译的著作，仅著录原著者和汉语文翻译者，其他文字翻译者可著录于附注项。

例1：　格论 ：格的代数理论 / （日）中山正著 ；董充诚译

例2： 日本商法典 / 丁辉堂译
（无原著者，将译者著录为第一责任者）

例3： 玻璃池炉用耐火材料 / 沈长治编译
（无原著者，将编译者著录为第一责任者）

c. 图书有主编者，又有编著者，先著录主编者，后著录编著者；有主编者，又有编者的图书，编者可省略著录，或著录于附注项。

例1： 图书馆学、情报学、档案学论著目录 ：1949－1980 / 董秀芬主编

例2： 物理学教程. 量子物理 / 夏学江，史斌星主编 ；史斌星编著

例3： 大学英语四级考试强化教程 / 蒋景阳主编 ；浙江大学编写
（题名页还题有编者：熊海虹、汪洁、张兴刚、丁展平，主审：何莲珍。可省略著录，或著录于附注项）

d. 责任者名称属于题名的组成部分，而规定信息源未重复载有责任说明，责任说明一般不予著录。

例1： 宋庆龄书信集
（规定信息源未载有"宋庆龄著"，"宋庆龄著"在题名与责任说明项可省略）

例2： 元鲜于枢行草唐人诗十二首 / 本社编
（规定信息源未载有"鲜于枢书"，"鲜于枢书"在题名与责任说明项可省略）

e. 以编写者或制定者、提出者、起草者、批准者、审定者为责任者的图书，有编写者时，提出者、起草者、批准者、审定者可不予著录，或著录于附注项。

例1： 工业与民用建筑抗震鉴定标准 TJ23－77 ：试行 / 国家基本建设委员会建筑科学院主编
（题名页题："中华人民共和国国家基本建设委员会批准"，著录于附注项）

例2： 建筑安装工程施工及验收暂行技术规范. 第二篇，砖石和炉灶工程 / 中华人民共和国国家建设委员会批准
（无编写者以批准者为责任者）

2.1.5.3 著录同一责任方式的责任者的数量由编目机构决定，一般不超过三个，除第一个外，其余均用逗号隔开；超过三个只著录第一个，后用"[等]"，其余在附注项说明。

例1： 涉外行政法概论 / 范颖慧，李捷云，钟元茂编著

例2： 资本外逃与中国的对策 / 杨胜刚[等]著
（著者还有：姚小义、乔海曙、田冬炜、吴立源）

2.1.5.4 著录不同责任方式，一般按规定信息源所题顺序不超过四种。责任者的责任方式未载明可根据著作类型选定，置于方括号内。图书常用的责任方式有著、主编、编著、编写、编、撰稿、编纂、译、编译、改编、汇编、书、绘、插图、注释、校、口述、起草、整理等。

例1： 邯郸记 / （明）汤显祖著 ；汪榕培英译 ；徐朔方笺校

例2： 信息管理科学导论 / 胡昌平[著]

例3：　德国古典哲学 / 李质明,李质逵,李毓章[编写]

2.1.5.5　责任者名称前后所载出身、籍贯、单位、职位、学位、头衔等,均不予著录。但省略后责任说明含义不清时,应原样照录。

例1：　法学知识手册 / 姚梅镇主编 ; 武汉大学法律系编著
（题名页原题"主编姚梅镇教授"）

例2：　原子在我家中 / (美)费米夫人(Laura Fermi)著 ; 何芬奇译
（题名页原题"夫人"字样不应省略）

2.1.5.6　规定信息源兼有并列题名和并列责任说明,可将每一文种的责任说明分别著录在与其文种相同的题名之后。

例：　神曲 / (意)但丁 · 阿利基埃里著 = La Divina Commedia / by Dante Alighieri

2.1.5.7　规定信息源有并列题名而无并列责任说明,可将责任说明著录于最末并列题名之后。

例：　英汉技术词典 = An English-Chinese dictionary of technology / 清华大学《英汉技术词典》编写组编

2.1.5.8　规定信息源有古代个人责任者所处朝代(1912 年以前)简称(见本书附录 2),著录于姓名前圆括号内。僧人责任者的法名原样照录,法名前原题冠"释"字,著录于圆括号内。

例1：　杜诗解 / (清)金圣叹著 ; 钟朱因整理

例2：　观音宝相 / (释)心德绘编

例3：　智永《真草千字文》/ (隋释)智永书

2.1.5.9　规定信息源载有外国责任者国别时,将国别简称(见本书附录 4)著录于姓名前圆括号内,若同时载有汉译姓名和姓名原文,姓名原文著录于汉译姓名后圆括号内。

例1：　气候过程和气候变化 / (澳)E. 布赖恩特(Edward Bryant)著 ; 刘东生[等]编译

例2：　弗洛斯河上的磨坊 / [英]乔治 · 艾略特(George Eliot)原著 ; E. F. Dodd[改写] ; 刘思远注释

2.1.5.10　规定信息源所载责任说明有误,应原样照录,同时在附注项说明。

例：　一指禅美容术 / 盛德生,周德生编著
（盛德峰,题名页误题:盛德生）

2.1.6　无总题名图书

由两个或两个以上著作组成的无总题名的图书,按规定信息源所题顺序依次著录。题名超过三个只著录前三个,未予著录的其他题名和责任者在附注项说明。属于同一责任说明的第二、第三个题名前用" ; "(空格、分号、空格)标识,将责任者著录于所有题名之后;属于不同责任说明的第二、第三个题名前用". "(句点、空格)标识,将各自责任说明著录于相关题名之后。

例1：　花之寺 ; 女人 ; 小哥儿俩 / 凌叔华著

例2：　千家诗 / (南宋)刘克庄编. 花间集 / (后蜀)赵崇祚编. 绝妙好词 / (宋)周密编 ; 近人补编

例3： 西游录 / (元)耶律楚材著. 异域志 / (元)周致中著

例4： 东京梦华录 / (宋)孟元老著. 都城纪胜 / (宋)灌圃耐得翁著. 西湖老人繁胜录 / (宋)西湖老人著

(合订著作还有：梦粱录 / (宋)吴自牧著. 武林旧事 / (宋)周密著)

2.2 版本项

目次

序则

版本说明

并列版本说明 *

与本版有关的责任说明 *

附加版本说明 *

附加版本说明的责任说明 *

(以上标有“ * ”者为选择著录单元)

2.2.0 序则

2.2.0.1 标识符

见第一章1.2.0.1条款。

著录内容中标点符号见以下有关条款。

2.2.0.2 结构形式

见第一章1.2.0.2条款。

2.2.1 版本说明

此项内容一般取自版权页的版本说明文字。

2.2.1.1 版本说明通常以序数词与“版”字相结合的术语或以区别其他版本的术语形式出现,数字一律用阿拉伯数字著录,省略“第”字,著录为“ ×版”,初版或第一版不予著录,其前用项目标识符。

例1： Internet入网与查询基础教程 / 孔德祥[等]编著. -- 2版

例2： 武松演义 / 刘操南,茅宁云编著. -- 新1版

例3： 2000年版中国生物制品规程 / 中国生物制品标准化委员会[编]. -- 2002年增补本

2.2.1.2 版本说明属于题名或其他著录项目的组成部分,并按有关规定著录后,本项不应重复著录。对于有关内容特征、体裁特征和适用范围的说明文字,例如“缩写本”、“绘画本”、“英汉对照本”、“通俗本”、“校点本”、“节选本”、“图文版”、“少年版”、“科学版”等一般不著录于版本项。翻译图书原版版本说明不著录于版本项,在附注项说明。

例1： 英美编目条例第二版简介

（版本说明不著录“2 版”）

例 2：《电子技术基础》数字部分（第四版）习题全解

（版本说明不著录“4 版”）

例 3：Pro / ENGINEER WILDFIRE 钣金件设计 ：中英文对照版 / 陆劲昆，初利宝编著

例 4：猎人笔记 ：青少版 / （俄）屠格涅夫原著 ；段振东改写

例 5：名人格言 ：最新学生版 / 王维主编

例 6：中国图书馆分类法（第四版）/ 中国图书馆分类法编辑委员会编

（版权页题：第 1 版第 1 次印刷）

例 7：2000 年版中国生物制品规程 / 中国生物制品标准化委员会[编]

例 8：计算机应用基础. 中学历史地理教师版 / 陶振宗主编

例 9：附注：图文版人生座右铭

（“图文版人生座右铭”出现在图书封面，不认为是题名的组成部分时著录于附注项）

例 10：美国教学的艺术 / （美）盖伊·莱弗朗索瓦兹（Guy R. Lefrancois）著 ；佐斌等译. -- 北京 ：华夏出版社，2004

（本书封面题：第十版；附注：据原书第十版译出）

2.2.1.3　图书的油印本、刻本、影印本、晒印本、缩印本、修订本、增订版等版本说明均按规定信息源所载形式著录，但常见的铅印本、胶印本予以省略。

例：老子今注今译 / 陈鼓应注译. -- 修订版

2.2.1.4　图书的复制本，除在本项著录外，同时在附注项注明复制依据。仅有部分内容为复制的图书，不著录于本项，可在附注项说明。

例：后山居士文集 / （宋）陈师道撰. -- 影印本

（附注：据北京图书馆藏宋刻本影印）

2.2.1.5　图书包含两种及其以上版本说明，可同时著录两种或其中一种主要版本说明。

例 1：导引图 ：马王堆汉墓帛书 / 马王堆汉墓帛书整理小组编. -- 影印与晒印

例 2：毛泽东手书古诗词选 / 毛泽东书 ；中央档案馆编. -- 影印本

（附注：本书释文部分为铅印版）

2.2.1.6　取自规定信息源以外及推测或考证的出版说明，置于方括号内，并在附注项说明信息来源。

例：《阅微草堂笔记》选注 / （清）纪晓岚原著 ；刘兆云选注. -- [影印本]

（此书为影印本，但规定信息源未载明影印本）

2.2.1.7　无总题名图书所含各部著作的不同版本说明，可著录于附注项，过于繁杂可省略。

2.2.1.8　规定信息源版本说明有误，原样照录，同时在附注项说明。

例：《线性代数》复习指导 / 胡金德编著. -- 2 版

（本书实为第三版，版权页误题第二版）

2.2.2　并列版本说明

规定信息源有另一种语言和/或文字的版本说明，可著录在版本说明之后，其前

用“ = ”(空格、等号、空格)标识。

2.2.3　与本版有关的责任说明

与新版再创作和新版图书重要补充材料有关的责任说明著录于版本说明或并列版本说明之后,其前用“ / ”(空格、斜线、空格)标识。

例:　经历 / 韬奋著. -- 2 版 /《韬奋文集》编辑委员会序 ; 胡愈之后记

2.2.4　附加版本说明

附加版本说明是指规定信息源中对版本说明的补充说明,著录于版本说明之后,其前用“, ”(逗号、空格)标识。

例 1:　常用文史工具书简目 / 涂宗涛编著. -- 2 版, 修订本

例 2:　. -- 3 版, 重印本

例 3:　. -- [2 版], 增订本

例 4:　. -- 新 1 版, 修订版

2.2.5　附加版本说明的责任说明

附加版本说明的责任说明著录于附加版本说明之后,其前用“ / ”(空格、斜线、空格)标识。

例:　辞源 / 商务印书馆编辑部编. -- 2 版, 修订本 / 广东、广西、湖南、河南辞源修订组修订

2.3　文献特殊细节项

本项不适用于普通图书著录。

2.4　出版、发行项

目次

序则

出版地或发行地

出版者或发行者

出版年或发行年

印刷地、印刷者、印刷年 *

(以上标有“ * ”者为选择著录单元)

2.4.0　序则

2.4.0.1　标识符

见第一章 1.4.0.1 条款。

著录内容中标点符号见以下有关条款。

2.4.0.2　结构形式

见第一章 1.4.0.2 条款。

2.4.1　出版地或发行地

2.4.1.1 出版地或发行地是指规定信息源所载出版者或发行者所在的城市名称。其后不著录“市”字。同时载有出版地和发行地，只著录出版地，不著录发行地。

例：现代期刊管理综论 / 罗健雄著. -- 广州 : 华南理工大学出版社

2.4.1.2 规定信息源载有两个出版地或发行地应一并著录，第二个出版地或发行地之前用“ ; ”（空格、分号、空格）标识。三个及其以上出版地或发行地按规定信息源的版式或顺序著录第一个出版地或发行地，后加“[等]”，其余在附注项说明。

例 1：朱元璋传 / 吴晗著. -- 北京 ; 香港 : 三联书店

例 2：. -- 广州[等] : 世界图书出版公司

（出版地还有：北京、上海）

2.4.1.3 出版地或发行地有多种文字，著录与正题名文种相同的出版地或发行地。若这一规定不适用，按规定信息源所载版式或顺序著录最显著或第一个出版地或发行地。

2.4.1.4 不为人们熟知或重名的出版地、发行地，应在其后附加所属上级行政区划名称（例如省名，国名等）。取自规定信息源的附加名称著录在圆括号内，取自其他信息源的则著录在方括号内。

例：. -- 西安[吉林省]

2.4.1.5 图书未载明出版地，应将考证所得出版地著录在方括号内；属于推测著录的出版地，其后加问号，并置于方括号内。具体的出版发行地不详，可著录所在省名或国名。无法推测或考证，在方括号内注明“出版地不详”字样。

例 1：中国历代年号索引 / 汪宏声编. -- 影印版. -- [台北] : 文海出版社有限公司

例 2：我的读书生活 / 冯玉祥著. -- [重庆?] : 三户图书刊行社

例 3：社会科学概论 / 瞿秋白著. -- [出版地不详] : [出版者不详]

2.4.1.6 规定信息源所载出版、发行地有误，依原样照录，同时在附注项说明。

例：. -- 上海 : 人民出版社

（附注：出版地“北京”误题“上海”）

2.4.2　出版者或发行者

2.4.2.1 出版者或发行者著录于出版地之后，其前用“ : ”（空格、冒号、空格）标识。规定信息源同时载有出版者和发行者，只著录出版者，不著录发行者。

例：王安石 / 李勤印著. -- 郑州 : 中州古籍出版社

2.4.2.2 规定信息源载有两个出版者或发行者，应著录于各自出版地或发行地之后；载有三个及其以上出版者或发行者，根据规定信息源版式或顺序著录最显著的一个或第一个，其余在附注项说明。

例 1：郁达夫. 第六卷，文论 / 郁达夫著. -- 广州 : 花城出版社 ; 香港 : 三联书

店香港分店

例2： 先进制造技术导论 / 王润孝主编 ; 王润孝编著. -- 北京 : 科学出版社, 2004

(出版者还有：西北工业大学出版社、哈尔滨工业大学出版社)

2.4.2.3 规定信息源载有一个出版地或发行地和三个及其以上出版者或发行者,根据规定信息源版式或顺序著录最显著的一个或第一个,后加"[等]",其余在附注项说明。

例： 小学生文库 /《小学生文库》编委会编. -- 沈阳 : 辽宁人民出版社[等]

(附注：出版者还包括:黑龙江人民出版社、吉林人民出版社)

2.4.2.4 规定信息源所载出版者或发行者有多种文字,著录与正题名文种相同的出版者或发行者。

2.4.2.5 图书未载明出版者,可著录发行者,并在其后注明"发行者"字样,置于方括号内。

例： 论文学语言 / 铁马著. -- 上海 : 文化工作社[发行者]

2.4.2.6 文献未载明出版者和发行者,可注明"出版者不详"字样,并置于方括号内。

例： ZQ-1600K 中英文打印机操作手册. -- 北京 : [出版者不详]

2.4.2.7 规定信息源所载出版、发行者有误,依原样照录,同时在附注项说明。

例： . -- 华天出版社

(附注：华文出版社,误题：华天出版社)

2.4.3 出版年或发行年

2.4.3.1 出版年或发行年著录于出版者或发行者之后,其前用", "(逗号、空格)标识;有出版年,不著录发行年,并省略"年"字。

2.4.3.2 用公元纪年表示的出版年一律用阿拉伯数字著录,非公元纪年,依原样照录,在其后注明相应的公元纪年,并置于方括号内。

例1： 情报经济学 / 马费成,王槐著. -- 武昌 : 武汉大学出版社, 1991

例2： 史事与人物 / 吴晗著. -- 上海 : 生活书店, 民国三十七年[1948]

2.4.3.3 图书未载明出版年,可著录发行年或版权年,并在其后注明"发行"或"版权"字样,置于方括号内。若出版年、发行年、版权年等均未载明,可著录推测年代,后加问号,置于方括号内。如无法推测或考证,可注明"出版年不详"字样,并置于方括号内。

例1： , 1933[发行]

例2： , 1945[版权]

例3： 福传程式语言 / 戴正芳,刘吉昌编著. -- 香港 : 香港科技出版社, [198-?]

例4： , [出版年不详]

2.4.3.4 多卷(册)图书,其各卷(册)出版年不相同时,应著录最初及最终出版年,其间用连字符连接。正在出版的多卷(册)图书,只著录第一卷或首次出版年,其后用连字符表示。

例1： 焊接方法及设备. -- 北京 : 机械工业出版社, 1981-1982

(共四册,两年内出齐)

例2： 何其芳文集 / 何其芳著. -- 北京 : 人民文学出版社, 1982-

（1982 年首次出版，尚未出齐）

2.4.3.5 规定信息源所载出版年有误，依原样照录，并在附注项说明正确出版年。

例： 中国历代书艺概览 / 欧广勇编撰 ; 商承祚校订. -- 广州 : 科学普及出版社广州分社, 1983

（正确出版年为：1988）

2.4.4 印刷地、印刷者、印刷年

2.4.4.1 图书的出版、发行事项不详，著录印刷地、印刷者、印刷年，并置于圆括号内；印刷年与出版年相同时，印刷年不予著录。

例： 马克思恩格斯全集、马克思恩格斯选集、列宁选集篇名索引 / 广西日报资料组编. -- [出版地不详] : [出版者不详], 1974 (南宁 : 广西日报印刷厂, 1975)

2.4.4.2 图书已载明出版、发行事项，又有必要著录印刷事项，印刷事项著录于出版发行事项之后圆括号内。

例 1： 图解桌球技术 / 易统编著. -- 香港 : 明天出版社, 1987 (北京 : 轻工业出版社, 1988 重印)

（此例为一出版社重印另一出版社出版的图书）

例 2： 朝花夕拾 / 鲁迅著. -- 北京 : 人民文学出版社, 1979 (1990 重印)

（此例为一出版社重印本社同一版本图书，重印年著录于圆括号内）

2.5 载体形态项

目次

序则

数量及特定文献类型标识

其他形态细节 *

尺寸

附件

（以上标有“ * ”者为选择著录单元）

2.5.0 序则

2.5.0.1 标识符

见第一章 1.5.0.1 条款。

著录内容中标点符号见以下有关条款。

2.5.0.2 结构形式

见第一章 1.5.0.2 条款。

2.5.1 数量及特定文献类型标识

2.5.1.1 数量指图书的页数、卷(册)数等,用阿拉伯数字著录;数量单位选择合适的术语,如页、叶、张、幅、册等。特定文献类型标识如:函套、卷轴、文件夹等。

例1: 188页

例2: 30张

例3: 3册

例4: 1文件夹

2.5.1.2 页数一般包括正文页数及正文前后的其他页数。若正文页数与正文前后页数均单独编码,可只著录正文页数。但正文前后的内容较为重要,页数超过10页时,应按照“正文前、正文、正文后”的顺序著录,在第二、第三段页码前用逗号标识。

例: 155,376,19页

2.5.1.3 页数按单面编码计算;双面编为同一页码者,应加倍计算页数,并置于方括号内。单面印刷,一面空白的图书,其页数不加倍计算。

例: [2×238]页

2.5.1.4 多卷(册)图书综合著录,页数连续编码者,先著录总册数,再著录总页数,并将后者置于圆括号内;各分卷(册)单独编码时,在总册数后的圆括号内依次著录各册页数,中间用分号隔开。超过三册,仅著录总册数。

例1: 4册(1317页)

例2: 9册

例3: 3册(80;120;180页)

例4: 2册(12,105;210页)

2.5.1.5 多卷(册)图书分散著录,各卷(册)页数与其整套书连续编码者,著录其起迄页码。起迄页码之间使用连字符。

例: 101-546页

2.5.1.6 由数册合订为一册,并按原分册单独编码的图书,可直接著录分段页码。各分册编码较为复杂时,可以只著录原订册数,并置于圆括号内。

例1: 164,156,66页

例2: 1册(原订4册)

2.5.1.7 以图为主的散页图片或挂图,页数以“张”或“幅”计算。

例1: 24张

例2: 60幅

2.5.1.8 未装订的散页图书或分册出版的另装函图书,除著录页数或册数外,应注明函数,并置于圆括号内。

例: 198页(1函)

2.5.1.9 图书未载明页数或页数编码过于复杂时,应统计全书页数著录,并置于方括号内;若难以统计,可著录为“1册”。

2.5.1.10 图书页数有印刷错误,依原样照录,将更正后的页数著录在附注项。

例: 158页

(附注:图书实际页数为93页)

2.5.2 其他形态细节

2.5.2.1 图包括书中的插图(含正文内计算页数的插图和不计算页数的夹图)、折图(指图幅大于题名页而折叠于图书内的图)、彩图、纹章、摹真(一般指手迹)、地图、乐谱、肖像、照片、图版(无页码或单独编页码)等。著录时依据书中具体图的类型,采用相应的术语,其前用“ :”(空格、冒号、空格)标识。书中含有多种类型的图时,可依次著录,用逗号分隔;种类超过三种,可统一著录为图或图表。

例1: 198 页 : 折图

例2: 3 册 : 照片,彩图,地图

例3: 2 册(426;569 页) : 图

例4: 96,32 页 : 图版 ; 20cm

2.5.2.2 题名中已标明“图解”、“画册”、“图册”、“漫画”、“摄影集”等字样,不在此处重复著录。

例: 叶类蔬菜病虫害防治原色图鉴 / 郭书普等编著 ; 郭书普摄影
(题名中已标明有图,此处不再重复著录)

2.5.2.3 只有文字和数字的图表、小插图等可不予著录。

2.5.3 尺寸

2.5.3.1 图书尺寸一般著录封面高度,以 cm(厘米)为单位,不足 1cm 的尾数,按 1cm 计算。其前用“ ; ”(空格、分号、空格)标识。

例: 298 页 : 图 ; 26cm

2.5.3.2 图书的宽度不及高度的二分之一或宽度超过高度者,应先著录高度,后著录宽度,中间用乘号连接。

例1: 327 页 ; 27 ×13cm

例2: 521 页 ; 16 ×27cm

2.5.3.3 多卷(册)图书综合著录,各册尺寸不同时,可依次著录,中间用逗号分隔;多于三种,著录最小至最大尺寸,中间用连字符。

例1: 12 册 ; 15,20 ×21,27cm

例2: 8 册 ; 21-27cm

2.5.4 附件

2.5.4.1 附件是指分离于图书主体部分,并与其结合使用的附加材料,如习题集、说明书、视听资料等。附件一般著录在尺寸之后,其前用“ + ”(空格、加号、空格)标识。

例1: 543 页 ; 20cm + 1光盘

例2: 1 册 ; 17cm + 1磁带

2.5.4.2 对附件的补充说明,著录于附件之后,并置于圆括号内,括号内的标识符参照本项前各单元。

例：　+ 机械图册(36 页 ：插图 ；19cm)

2.5.4.3　具有独立题名或能够单独使用的附件,也可以另行单独著录或著录于附注项。

2.6　从编项

目次

序则

丛编正题名

丛编并列题名 *

丛编其他题名信息 *

丛编责任说明 *

丛编国际标准连续出版物号 *

丛编编号

分丛编

多种丛编

(以上标有“ * ”者为选择著录单元)

2.6.0　序则

2.6.0.1　标识符

见第一章 1.6.0.1 条款。

著录内容中标点符号见以下有关条款。

2.6.0.2　结构形式

见第一章 1.6.0.2 条款。

2.6.1　丛编正题名

2.6.1.1　参照本章 2.1.1 正题名条款著录。

例：　民间住宅建筑 ：圆楼窑洞四合院 / 王其钧主编. -- 北京 ：中国建筑工业出版社, 2004

189 页 ：彩图 ；36cm. -- (中国古建筑大系)

2.6.1.2　当多卷(册)图书各部分单独著录时,多卷(册)图书的总题名可作为丛编正题名著录。

例：　光绪皇帝 / 寒波著. -- 上海 ：上海人民出版社, 2004

485 页 ；21cm. -- (晚清历史长篇)

盛宣怀 / 寒波著. -- 上海 ：上海人民出版社, 2004

507 页 ：照片 ；21cm. -- (晚清历史长篇)

2.6.1.3　由主丛编题名和分丛编题名组成的丛编正题名,参照本章 2.6.7 条款著录。

例：　跟着小河走 / 孙南雄著. -- 西宁 ：青海人民出版社, 2003

179 页 ；20cm. -- (湘水文丛 . 散文集)

2.6.1.4　未标明丛编字样而属于丛编性质的图书，应依本项条款著录。

例1：．--（中国民间故事集成）

例2：．--（历代名家墨迹传真）

例3：．--（大师名作坊）

2.6.2　丛编并列题名

参照本章2.1.3条款著录。

例：英美短篇时文选读 = Short articles selected reading / 陈翰笙选译 ; 张澎智注释. -- 北京 : 商务印书馆, 1983

367页 ; 19cm. --（英语世界丛书 = The world of English books）

2.6.3　丛编其他题名信息

2.6.3.1　丛编其他题名信息只有在认为对识别该丛编必要时才予以著录。著录时应参照本章2.1.4条款著录。

例：．--（徐家汇藏书楼西文精品 : 插图寓言）

2.6.3.2　与丛编有关的版本说明可以作为丛编其他题名信息著录。

2.6.4　丛编责任说明

丛编责任说明一般不予著录，必要时参照本章2.1.5条款著录。

例：汉字与汉字排检方法 / 黄俊贵执笔. -- 北京 : 书目文献出版社, 1990

192页 ; 19cm. --（图书馆学情报学知识丛书 / 黄俊贵，倪波主编）

2.6.5　丛编国际标准连续出版物号

见第一章1.6.5条款。

2.6.6　丛编编号

2.6.6.1　丛编编号用阿拉伯数字著录于相应丛编著录事项之后，其前用" ; "（空格、分号、空格）标识。

例1：．--（机械丛书 ; 第16种）

例2：．--（健康长寿之路丛书 ; 8）

例3：．--（建筑工人技术学习丛书 ; 2）

（原题为：建筑工人技术学习丛书之二）

2.6.6.2　丛编连续编号，应著录其起迄号码，之间用连字符；非连续编号，应分段依次著录，之间用逗号分隔。

例1：．--（金庸作品集 ; 32-36）

例2：．--（发现之旅 ; 3,6,9）

2.6.6.3　属于非数字形式的丛编编号，应原样照录。

例： . --(中国现代文学史资料汇编 ; 甲种)

2.6.7 分丛编

2.6.7.1 由主丛编题名和分丛编题名组成的丛编正题名按共同题名与从属题名组成的正题名著录。分丛编题名著录于主丛编题名之后,其前用“. ”(句点、空格)标识。

例： . --(中国少数民族民间文学丛书. 故事大全)

2.6.7.2 有分丛编题名标识又有分丛编题名时,先著录分丛编题名标识,其前用“. ”(句点、空格)标识,后著录分丛编题名,其前用“, ”(逗号、空格)标识。

例： . --(农村文化站文艺小丛书. 第六辑, 古代白话小说))

2.6.7.3 分丛编题名有独立识别意义,可将其作为丛编正题名著录于丛编项,主丛编题名著录在附注项。

例： 2003 走出阴霾 / 潘志平主编. -- 乌鲁木齐 : 新疆人民出版社, 2004

298 页 ; 21cm. --(欧亚战略丛书)

(附注：主丛编题名“新西域文库”)

2.6.7.4 图书既有主丛编编号又有分丛编编号,可将主丛编编号著录在附注项。

例： . --(新经典文库. 大师名作坊 ; 02)

(附注：主丛编编号 065)

2.6.8 多种丛编

2.6.8.1 图书属于多种丛编,应著录较为重要的丛编名,一般不超过两个,分别著录于圆括号内。

例： 历史文化名城建水 / 杨丰,汪海清编. -- 芒市 : 德宏民族出版社, 1994

172 页 : 插图 ; 19cm. --(建水文化丛书 ; 1)(建水古今丛书 ; 4)

2.6.8.2 图书各部分原分属不同丛编,在附注项说明。

例： 怂恿 ; 喜讯 / 彭家煌著

(本书由 1927 年和 1933 年出版的短篇小说《怂恿》和《喜讯》合订出版,原书分别收入《文学周报社丛编》和《现代创作丛刊》)

2.7 附注项

目次

序则

附注

2.7.0 序则

2.7.0.1 标识符

见第一章 1.7.0.1 条款。

著录内容中标点符号见以下有关条款。

引用文字用引号。

导引词后用冒号。

2.7.0.2 结构形式

见第一章 1.6.0.2 条款。

2.7.1 附注

凡未在题名与责任者项、版本项、出版发行项、载体形态项、丛编项、标准编号与获得方式项中著录而又有必要补充说明的内容,均可著录于本项。附注文字应简洁明了,尽可能采用固定导语和规范用语。若有多项附注内容,按下列顺序依次著录。

2.7.1.1 图书的性质、范围或艺术形式附注

例: 科学技术黄皮书

2.7.1.2 图书语种、改编或翻译附注

例1: 译自:Butterfly and Moths

例2: 据夏衍同名话剧改编

例3: 含中、英、德、法、日五种文字

2.7.1.3 题名附注

a. 取自规定信息源之外的正题名。

例: 题名据译者序和书口增补

b. 规定信息源各处的题名不同。

例: 版权页题:未来形而上学导论

c. 规定信息源中题名有印刷错误。

例: 当代中国油画 10 家风格与技法研究 / 范迪安,李豫闽著

题名取自版权页,题名页误题:当代中国油家 10 家风格与技法研究

d. 未在题名与责任说明项著录的并列题名或其他题名信息。

例: 并列英文题名:The computer and brain

e. 书名变更。

例: 本书原名:宋诗百一钞

f. 未在题名与责任说明项著录的合订作品题名。

例: 合订著作还有:中山狼 / (明)康海著

2.7.1.4 责任说明附注

a. 取自规定信息源之外或未在题名与责任说明项著录的责任说明。

例1: 著者还有:姚小义、乔海曙、田冬炜、吴立源

例2: 据《辞海》考订,本书责任者为李贽

b. 图书各处的责任说明有差异。

例: 著者冯伟国,前言题:冯卫国

c. 规定信息源中责任说明有印刷错误。

例: 盛德峰,题名页误题:盛德生

2.7.1.5 版本和书目沿革附注

与图书相关的其他版本或原稿说明等。

例1：据清道光二十三年刻本影印

例2：据1962年俄文缩译本转译

2.7.1.6 出版、发行附注

a. 未在出版、发行项著录的其他出版发行事项等。

例1：本书第5卷起改由大地出版社出版

例2：中老年人的自我保健／陈可冀，衷敬柏著. -- 北京：清华大学出版社，2003

书名页题：清华大学出版社、暨南大学出版社

b. 规定信息源中出版、发行文字有误。

例1：清华大学，出版者误题：清花大学

例2：本书出版年应为1996年，原书误题1896年

2.7.1.7 载体形态附注

未在载体形态项著录的重要补充内容。

例1：本书上册尺寸为19cm，下册尺寸为26cm

例2：附磁带：ISRC CN-Y23-03-0035-0

例3：另配3盒录音带，定价21.00元

2.7.1.8 丛编附注

未在丛编项著录的重要补充内容，如丛编名的变更、所编图书曾在某个丛编中出版过等。

例：本书所收“宁古塔纪略／（清）吴振臣著”编入《丛书集成初编》

2.7.1.9 学位论文附注

例：博士论文：华南理工大学，1993年

2.7.1.10 内容附注

a. 图书内容提要以及书中重要的目次、索引、参考书目等信息。

例1：本书第299-306页附有书目

例2：书末附：一代舞人：陈爱莲

b. 汇编著作及分层次著录的多卷(册)图书，必要时，可将各个单篇或分卷(册)作为子目著录于附注项，并依次著录其篇(书)名及责任者等。著录格式可参照以上各著录项目和著录单元。

例：第1册，先秦部分. -- 1966. -- 207页

第2册，两汉魏晋南北朝部分. -- 1966. -- 294页

第3册，隋唐五代元明部分. -- 1979. -- 374页

第4册，清代、现代部分. -- 1979. -- 366页

2.7.1.11 装订及获得方式附注

有关图书装订及获得方式方面的补充内容。

例1：内部资料，不对外发行

例2：价格取自书套

2.7.1.12 适用对象附注

描述文献的使用和适用对象的有关信息。

例1： 中央广播电视大学图书馆学专业用书

例2： 供本科学习和考研复习使用

例3： 建筑工人应知应会读物

2.7.1.13 其他附注

除上述附注内容外，凡有必要补充说明的其他内容，均可注明。

例1： 国家社科基金规划项目成果（批准号02BJL043）

例2： 国家“十五”出版规划重点项目

2.8 标准编号与获得方式项

目次

（以上标有“ * ”者为选择著录单元）

2.8.0 序则

2.8.0.1 标识符

见第一章1.8.0.1条款。

2.8.0.2 结构形式

见第一章1.8.0.2条款。

2.8.1 标准编号

2.8.1.1 国际标准书号（ISBN）依图书原题著录。号码著录于“ISBN”之后，中间空一格，编号之间用连字符。

例： ISBN 7-301-04625-1

2.8.1.2 图书标有多个标准书号，著录适用于所编图书的书号；同时标有整套和部分著作的标准书号的图书，先著录整套著作书号，后著录部分著作书号。

例： ISBN 7-552-67507-3. -- ISBN 7-552-67510-1

2.8.1.3 国际标准书号之后的附加号码，不予著录。

2.8.1.4 国际标准书号有误，原样照录。若同时标有正确书号和错误书号，先著录正确书号，后著录错误书号，在其后圆括号内注明“错误”字样。错误书号前用项目标识符。

例： ISBN 7-80070-028-3. -- ISBN 7-80070-023-2（错误）

2.8.2 获得方式和（或）定价

2.8.2.1 价格

价格用标准货币代码(见 GB 12406-90)和阿拉伯数字著录于标准编号或限定说明之后。其前用“ :”(空格、冒号、空格)标识。

例1: ISBN 7-5430-2823-9(精装) : CNY30.00

例2: ISBN 962-450-082-7 : HKD12.80

2.8.2.2 非卖品

以非购买方式获得的图书,按其实际情况著录。

例1: : 非卖品

例2: : 缴送

例3: : 赠阅

2.8.3 限定说明

2.8.3.1 限定说明文字(如装帧、卷册编号等)著录于国际标准编号或获得方式和(或)定价之后的圆括号内。

例1: ISBN 7-80170-219-0(精装) : CNY600.00(全14册)

例2: ISBN 7-228-08387-3 : CNY110.00, CNY180.00(精装)

例3: ISBN 7-222-01989-8 : CNY1.95(第1卷), CNY2.10(第2卷), CNY2.10(第3卷)

例4: CNY80.00(国内定价)

2.8.3.2 无国际标准编号的图书,其装帧说明直接著录于项目之首,加圆括号。除平装可省略外,其余均按原书装帧形式著录。

例1: ISBN 962-04-0028-3(精装)

例2: (精装) : CNY80.00

例3: ISBN 7-5063-2473-3(线装) : CNY16.00

2.9 复制品文献的著录

见第一章 1.9 条款。

2.10 多载体配套文献

见第一章 1.10 条款。

2.11 多卷(册)图书

多卷(册)图书,如果既有共同题名,又有各分卷(册)题名,可根据实际情况选用下列一种著录方法。著录信息源依据第一卷(册)的主要信息源著录,如不可能,则选用信息最充分的卷(册)著录,并在附注项注明“据×卷(册)著录”。

2.11.1 综合著录

将整套多卷(册)图书作为一个书目著录单元进行著录。即以各分卷(册)的共同题名作为正题名,各分卷(册)题名及出版日期、页数等著录于内容附注。

例：　中学班会团日活动范本 / 吴广川,袁承为主编. -- 长春 : 吉林人民出版社, 1997

6 册 ; 19cm

子目: 1. 爱国主义、社会主义、集体主义 / 田晓燕主编 ; 2. 世界观、人生观、价值观 / 韩雪梅,关守宁主编 ; 3. 道德法制教育 / 张耀军主编 ; 4. 中国近代史、中国现代史、中共党史教育 / 王晓书主编 ; 5. 国情、省情、乡情教育 / 张耀军,吴艳明主编 ; 6. 中学生社会实践活动 / 李英主编

2.11.2　分散著录

将分卷(册)图书各自作为一个书目著录单元进行著录。即各分卷(册)的题名有独立识别意义时,将各分卷(册)的题名分别作为正题名,而共同题名则著录于丛编项。如果各分卷(册)的题名无独立识别意义,则按共同题名和从属题名构成的正题名分别著录。

a. 分卷(册)的题名有独立识别意义

例：　创业史 / 柳青著. -- 西安 : 陕西人民出版社, 1991 (1996 重印)

14,863 页 : 肖像,照片 ; 20cm. -- (柳青文集)

铜墙铁壁 : 小说 · 散文 · 文论 / 柳青著. -- 西安 : 陕西人民出版社, 1991 (1996 重印)

848 页 ; 20cm. -- (柳青文集)

b. 分卷(册)的题名无独立识别意义

例：　高等学校英语应用能力考试导航丛书. 阅读理解篇 / 张红总主编 ; 毛晓英主编. -- 北京 : 清华大学出版社, 2004

高等学校英语应用能力考试导航丛书. 翻译写作篇 / 张红总主编 ; 徐希锦,张玉春主编. -- 北京 : 清华大学出版社, 2004

第三章　学位论文、科技报告、标准文献

3.0　通则

3.0.1　适用范围

本章适用于著录印刷型学位论文、科技报告及标准文献。

3.0.2　著录项目

著录项目分为下列八项:

题名与责任说明项

版本项

文献特殊细节项 * *

出版、发行项

载体形态项

丛编项 *

附注项

标准编号与获得方式项

上述每一项目含一个或若干著录单元,详见各项说明。

(以上标有“ * ”者为选择项目,“ * * ”者为不适用项目)

3.0.3　著录用标识符

标识符见第一章1.0.3条款。

著录内容中的标点符号按照中外文各自的书写规则著录。

3.0.4　著录详简级次

3.0.4.1　著录详简级次以主要项目和选择项目为区分依据。

a. 主要项目:题名与责任说明项的正题名、第一责任说明;版本项的版本说明;出版、发行项的出版地、出版者、出版日期;载体形态项的数量及特定文献类型标识、尺寸、附件;重要的附注;标准编号。

b. 选择项目:一般文献类型标识、并列题名、其他题名信息、其他责任说明;并列版本说明、与本版有关的责任说明、附加版本说明、附加版本说明的责任说明;印刷地、印刷者、印刷日期;其他形态细节;丛编项的丛编正题名、丛编编号、丛编并列题名、丛编其他题名信息、丛编责任说明;获得方式、限定说明。

3.0.4.2　著录详简级次分为简要级次(或称第一级次)、基本级次(或称第二级次)和详细级次(或称第三级次)。

a. 简要级次著录主要项目。

连续著录格式：

正题名 / 第一责任说明. -- 版本说明. -- 出版地 ：出版者，出版日期. -- 数量及特定文献类型标识 ；尺寸 + 附件. --（丛编正题名 ；丛编编号）. -- 附注. -- 标准编号

分段著录格式：

正题名 / 第一责任说明. -- 版本说明. -- 出版地 ：出版者，出版日期

数量及特定文献类型标识 ；尺寸 + 附件. --（丛编正题名 ；丛编编号）

附注

标准编号

b. 基本级次著录主要项目和部分选择项目。

连续著录格式：

正题名［一般文献类型标识］ = 并列题名 ：其他题名信息 / 第一责任说明 ；其他责任说明. -- 版本说明，附加版本说明. -- 出版地 ：出版者，出版日期（印刷地 ：印刷者，印刷日期）. -- 数量及特定文献类型标识 ：其他形态细节 ；尺寸 + 附件. --（丛编正题名 ：丛编其他题名信息 / 丛编责任说明 ；丛编编号）. -- 附注. -- 标准编号(限定说明) ：获得方式(限定说明)

分段著录格式：

正题名［一般文献类型标识］ = 并列题名 ：其他题名信息 / 第一责任说明 ；其他责任说明. -- 版本说明，附加版本说明. -- 出版地 ：出版者，出版日期（印刷地 ：印刷者，印刷日期）

数量及特定文献类型标识 ：其他形态细节 ；尺寸 + 附件. --（丛编正题名 ：丛编其他题名信息 / 丛编责任说明 ；丛编编号）

附注

标准编号(限定说明) ：获得方式(限定说明)

c. 详细级次著录主要项目和全部选择项目。

博士学位论文应采用详细级次著录，硕士学位论文、学士学位论文、单行本标准文献以及科技报告等应采用简要级次著录，亦可由文献编目机构自行选择。

3.0.5　著录信息源

著录信息源是学位论文、科技报告和标准文献本身。

3.0.5.1　主要信息源

学位论文、科技报告和标准文献的主要信息源为题名页，无题名页者为封面或摘要页。

3.0.5.2　规定信息源

同一著录信息在规定信息源之间有差异，选择其中信息完备的信息源著录。取

自规定信息源之外的信息置于方括号内,或在附注项说明。

a. 学位论文各著录项目的规定信息源及其选取的先后顺序如下表:

著录项目	规定信息源
题名与责任说明项	题名页、封面、摘要页
版本项	整本文献
出版、发行项	(不著录此项)
载体形态项	整本文献及附件
丛编项	(不著录此项)
附注项	任何信息源
获得方式项	整本文献

b. 科技报告各著录项目的规定信息源及其选取的先后顺序如下表:

著录项目	规定信息源
题名与责任说明项	题名页或封面
版本项	版权页、题名页或封面
出版、发行项	版权页
载体形态项	整本文献及附件
丛编项	版权页、题名页、文献其余部分
附注项	任何信息源
标准编号与获得方式项	整本文献

c. 标准文献各著录项目的规定信息源及其选取的先后顺序如下表:

著录项目	规定信息源
题名与责任说明项	封面或题名页、前言及附加说明
版本项	版权页、封面或题名页
出版、发行项	封面或题名页、版权页
载体形态项	整本文献及附件
丛编项	版权页、题名页、文献其余部分
附注项	任何信息源
标准编号与获得方式项	版权页、文献其余部分

3.0.6　著录用文字

见第一章 1.0.6 条款。

3.1　题名与责任说明项

目次

3.1.0　序则

3.1.0.1　标识符

见第一章 1.1.0.1 条款。

3.1.0.2　结构形式

见第一章 1.1.0.2 条款。

3.1.1　正题名

3.1.1.1　正题名按题名页所题著录，无题名页时按封面或摘要页著录。正题名中所含数字、汉语拼音字母、缩略词、外文字母、标点符号、分子式等均如实著录。

例 1：　他者：超越存在

例 2：　32×32 元神经网络处理器中光互连的研究

例 3：　上帝宇宙人

例 4：　尽心·知性·知天

例 5：　张衡，科学与人

例 6：　法的道德历程（论纲）

例 7：　普希金——俄罗斯精神文化的象征

例 8：　新型络阴离子$[(\mu\text{-RE})(\mu\text{-CO})Fe_2(CO)_6]^-$的化学反应活性及含$(\mu\text{-RE})Fe_2(CO)_6(E=S,Se,Te)$结构单元的新型金属有机配合物的合成和结构研究

例 9：　Generic 模，弱直向模及其代数的导出等价

例 10：　43kg/m-75kg/m 热轧钢轨订货技术条件

3.1.1.2　正题名由共同题名与从属题名标识和（或）从属题名组成，先著录共同题名，再著录从属题名标识和（或）从属题名。只有从属题名标识或从属题名，其前用“. ”（句点、空格）标识；既有从属题名标识又有从属题名，其前分别用“. ”（句点、空格）和“, ”（逗号、空格）标识。

例1：　梆子剧目论稿．三，梆子——农民的艺术

例2：　经济元、经济流与经济场．第一卷，理论基础

例3：　中国强制性国家标准汇编．机械卷．2

例4：　中国卫生标准汇编．环境卫生卷

3.1.1.3　规定信息源既有总题名,又有部分题名,著录总题名为正题名,部分题名在附注项说明。

例1：　改善等离子涂层界面结合性能及抗氧化性能的研究

（题名页载有部分题名：“激光熔覆改善等离子涂层界面结合性能的研究及热障涂层(TACS)中热氧化生长(TGO)导致涂层失效的机理及控制”）

例2：　实物期权方法在房地产领域的应用研究

（题名页载有章节题名：“概论;实物期权理论与方法;实物期权与房地产投资决策;实物期权与房地产估价问题;期权理论与房地产投资风险管理;我国房地产证券化的理论与实践;结论与建议”）

3.1.1.4　规定信息源无正题名,可根据其他信息源著录,并在附注项说明。

例1：　肝脏移植与移植免疫耐受的研究

（题名根据逐页题名著录）

例2：　飞机生存力评估与敏感性减缩设计

（题名根据学位论文报送简况表著录）

例3：　多功能系统 ROBOCUP 下机器人学习的研究与应用

（题名根据《国务院学位委员会公报》著录）

3.1.1.5　规定信息源无正题名,以能够揭示文献的部分题名或篇章题名为正题名,并在附注项说明。

例1：　肿瘤抗原致敏树突细胞瘤苗治疗颅内胶质瘤的实验研究

（题名按第一篇篇名著录）

例2：　脑缺血再灌注损伤机制的研究

（论文第一部分题名为文献综述,题名按第二部分题名著录）

3.1.1.6　规定信息源所载题名有误,应照原题著录,并在附注项说明。

例：　土地利用变化对西双版纳地区土壤及植被炭含量的影响

（原题名误题“炭”,应为“碳”）

3.1.1.7　题名在规定信息源之间有差异,一般应选择信息完备的信息源著录,并在附注项说明。

例：　小应变条件下土体本构关系的研究及其在工程中的应用

（题名页题名为“土体小应变特性的研究”,题名根据封面著录）

3.1.1.8　规定信息源有两种或两种以上文种题名,应选择中文题名作为正题名。若这一规定不适用,可根据规定信息源的版式或顺序选择正题名。

例1：　译、注、评松巴堪布诗论著作二种

（题名页载有英文、中文、蒙古文题名,题名根据中文题名著录）

例2：　现代日语名词谓语句的语用研究

（题名页、封面题名为日文,题名根据中文摘要页著录）

例3：　Approximation by Faber series and Bessel series
（规定信息源无中文题名，另有一德文题名）

3.1.1.9　学位论文、科技报告的规定信息源中的致谢、版权声明、原创声明等文字，国家重大科研项目以及具有检索意义的文字，可著录于附注项。

例1：　本人声明所呈交的论文是我个人在导师指导下进行的研究工作及取得的研究成果。尽我所知，除了文中特别加以标注和致谢的地方外，论文中不含其他人已经发表或撰写过的研究成果，也不包含为获得清华大学或其他教育机构的学位或证书而使用过的材料。与我一同工作的同志对本研究所做的任何贡献均已在论文中作了明确的说明并表示谢意。
（著录于附注项）

例2：　兹同意将授权人拥有著作权的上述论文全文（含摘要），非专属、无偿授权国家图书馆及本人毕业学校图书馆，不限地域、时间与次数，以微缩、光盘或其他各种数字化方式将上述论文重制，并将数字化的上述论文及论文电子格式以上传网络方式，提供读者基于个人非营利性质的在线检索、阅览、下载或打印。
（著录于附注项）

例3：　国家自然科学基金项目
（著录于附注项）

例4：　“863”国家生物高技术资助项目
（著录于附注项）

例5：　荷兰公司合同研究项目
（著录于附注项）

例6：　献给曾经帮助与支持我的人
（不予著录）

3.1.2　一般文献类型标识

3.1.2.1　一般文献类型标识只在含有多种文献类型的综合性目录中著录，单一文献类型的目录不予著录。

3.1.2.2　一般文献类型标识按 GB 3469－83《文献类型与载体代码》规定著录于正题名之后，并加方括号。

例1：　二维配对升降法理论及应用研究［学位论文］

例2：　儒学的意识形态化［科技报告］

3.1.3　并列题名

3.1.3.1　规定信息源有对应于正题名的另一文种或语种题名，无论其出现在同一题名页（或封面）上，还是出现在另一外文的题名页上，均可作为并列题名著录于正题名之后（省略一般文献类型标识时），其前用“ = ”（空格、等号、空格）标识。

例 1： 铁路特殊路基设计规范［标准文献］= Code for design on special subgrade of railway

例 2： 形态·创新［学位论文］：现代建筑创新理论与实践研究 = Morphology & creation : study on the theory and practice of creation in modern architecture

例 3： 学科分类与代码［标准文献］= Classification and code of disciplines

例 4： 现代韩语动词语义组合关系研究［学位论文］= A study of the semantic syntagmatic relations of modern Korean verbs

（并列题名根据论文摘要页著录）

3.1.3.2 规定信息源中有两个以上文种(或语种)的并列题名,其中有英文并列题名者,只著录英文并列题名,其余可在附注项说明。

例 1： 阿拉伯语修辞新探［学位论文］= A new survey of Arabic rhetoric

（题名页载有阿拉伯文和英文的并列题名,只著录英文并列题名）

例 2： 译、注、评松巴堪布诗论著作二种［学位论文］= Annotated translation with comments on Sumba Khampo's two essays concerning poetics

（题名页载有英文和蒙古文并列题名,只著录英文并列题名）

3.1.3.3 规定信息源中一个中文题名对应两个以上的英文并列题名,将两个英文题名著录在正题名之后,其间用“ ; ”(空格、分号、空格)标识。

例： 新型除草剂的创制研究和新型含氟砌块的合成及反应［学位论文］= The synthesis and bioactivities of novel herbicides ; The synthesis and reactivity study of novel fluorine-containing building blocks

3.1.3.4 出现在非规定信息源上与正题名相对应的其他文种题名应在附注项注明。

3.1.4 其他题名信息

3.1.4.1 用来限定、补充、解释正题名或并列题名等的其他题名信息,著录于正题名或并列题名等之后,其前用“ : ”(空格、冒号、空格)标识。

例 1： 组织结构的再造［学位论文］：企业有效供应链管理的必由之路

例 2： 里根政府的对华政策［学位论文］：1981－1983

例 3： 古生界潜山油气藏综合地质地球物理研究［学位论文］：以胜利油田车镇地区为例

例 4： 古大陆边缘铅同位素急变带与成矿控制作用［科技报告］：兼论东秦岭金属矿集区的构造格架和成矿系统

例 5： 胰岛素蛋白质工程［学位论文］：B10Glu、［B10Glu, B24-Asp-B25］和［B10Glu, B25-Glu-B26］人胰岛素类似物的制备及其功能研究

例 6： 壬午至甲午韩中关系研究［学位论文］：以韩中日矛盾冲突为背景

例 7： 审美活动中的作者与读者［科技报告］：主体间性视角下的美学理论

例 8： 明末清初中朝海上交往与移民研究［学位论文］：以辽东海上交通与在朝鲜的明遗民宗族活动为中心

例 9： 论罗伯特·斯通和梯姆·奥布莱恩有关越南战争的小说［学位论文］：英

文版

3.1.5　责任说明

责任说明包括责任者名称和各种责任方式，一般按规定信息源所题形式和顺序著录。若原题顺序不明确，应根据著作类型及其形成过程著录。第一责任说明著录于正题名之后，其前用" / "（空格、斜线、空格）标识；其他责任说明前用" ; "（空格、分号、空格）标识。

3.1.5.1　学位论文责任说明

a. 学位论文的责任说明，以论文撰写者（研究生）著录为第一责任说明，以指导教师（导师）著录为其他责任说明。

例：　猪圆环病毒 2 型 ORF2 基因表达及重组蛋白 ELISA 方法的建立［学位论文］/ 王忠田著 ; 杨汉春，郭鑫指导

b. 论文撰写者的责任方式在学位论文题名页或封面上虽未标明"著"字，但仍应著录为"著"；指导教师（导师）的责任方式著录"指导"二字，并且"著"和"指导"可不加方括号。

例：　土地利用变化对西双版纳地区土壤及植被碳含量的影响［学位论文］/ 杨景成著 ; 韩兴国，黄建辉指导

c. 指导教师（导师）、合作导师为多个者，全部按原题顺序著录。导师的职务、职称以及学术称号无特殊要求可不予著录。

例 1：　耳神经外科术中对内耳血供阻断行听觉监控的实验研究［学位论文］/ 朱明著 ; 李兆基，吴皓，陈向平，周水淼，张速勤指导

例 2：　脑动静脉畸形的临床、血管影像、组织病理、血液动力学及血管内治疗的研究［学位论文］/ 石祥恩著 ; 王忠诚，戴建平指导

（题名页题："王忠诚院士"）

d. 题名页或封面载有协助指导教师、副导师和指导小组成员，无特殊要求可不予著录。

例：　三维构造应力场与油气运移及其在辽河油田滩海地区的应用［学位论文］/ 王红才著 ; 夏柏如指导

（题名页载有"副导师王连捷、孙宝珊"，不予著录）

e. 外国留学生和指导教师（导师）的姓名的中译名按原题著录，并将其原文名置于中译名后圆括号内；若无中译名，则著录原文名。其所属国别著录于姓名前的圆括号内。国别用通用简称。

例 1：　新型稀土茂配合物的合成、结构、鉴定及催化研究［学位论文］/（巴基斯坦）穆罕默德·尤赛夫（Muhammad Yousaf）著 ; 钱延龙指导

例 2：　经济转型期的会计改革［学位论文］/（埃及）Ahmed Ashraf Abd El-Hamid 著 ; 曲晓辉指导

f. 规定信息源所载责任说明有误，应照原题著录，并在附注项说明。

例：　日本环境问题研究［学位论文］/ 李冬著 ; 余昺雕指导

(题名页指导教师姓名有误,正确姓名为：余昺鹍)

g. 规定信息源未载有指导教师(导师),按原题著录,并在附注项说明。

例： 陶瓷薄膜与金属间的界面研究［学位论文］/ 王家祥著

(致谢中载有指导教师吴缅,著录于附注项)

h. 题名页或封面载有论文答辩委员会主任或主席、论文评阅人等,不予著录。

例： 小应变条件下土体本构关系的研究及其在工程中的应用［学位论文］/ 伊颖锋著 ; 殷宗泽,施建勇指导

(题名页与封面载有答辩委员会主席：卓家寿;评阅人：蔡袁强、金丰年、周健)

3.1.5.2 科技报告责任说明

科技报告的责任说明,著录个人或团体责任者和责任方式。责任者在三个以上者,只著录第一个,后用“[等]”,其余在附注项说明。

3.1.5.3 标准文献责任说明

a. 标准的单行本,其责任说明依次著录提出单位或主编部门、起草单位和批准单位,即以提出单位作为第一责任说明,起草单位和批准单位作为其他责任说明。提出单位和起草单位的信息源一般在题名页、前言或正文末尾的“附加说明”,批准单位或发布单位的信息源为题名页、封面或正文首页。起草单位在三个以上者,只著录第一个,后加“[等]”字,其余在附注项说明。

例1： 文献著录总则 = General bibliographical description / 全国文献工作标准化技术委员会提出 ; 全国文献工作标准化技术委员会六分会起草 ; 国家标准局批准

例2： 珠宝玉石鉴定 = Gems-Testing / 国土资源部提出 ; 国家珠宝玉石质量监督检验中心起草 ; 国家质量监督检验检疫总局发布

例3： 消防通信指挥系统设计规范 / 公安部主编 ; 建设部批准

b. 标准汇编本的责任说明按普通图书著录,即著录其编者。

例： 中国卫生标准汇编. 环境卫生卷 / 中国预防医学科学院标准处编

3.1.6 无总题名文献

由两篇或两篇以上论文组成的无总题名的学位论文和科技报告,其题名按规定信息源所题顺序著录。属于同一责任说明的第二个及其后的题名前用“ ; ”(空格、分号、空格)标识,将责任者著录于所有题名之后;属于不同责任说明的第二个及其后的题名前用“. ”(句点、空格)标识,将各自责任说明著录于相关题名之后。

例1： 核仁中 rRNA 基因排布单位及新核仁模型的构建［科技报告］; 植物细胞核内小体的结构组分及其功能分析 ; 红细胞中不依赖于 Caspase3 的凋亡途径 / 陶伟著

例2： 正常人耳软骨和先天性小耳畸形病人的残耳软骨的组织学及生物化学研究［学位论文］; 人残耳软骨细胞体外培养的生物学特性 ; 人残耳软骨细胞种植于聚羟基丁酸酯 - 聚羟基己酸酯共聚物支架形成组织工程软骨 / 金骥著 ; 庄洪兴指导

例 3： 类风湿关节炎基因治疗的实验研究［学位论文］：携带人白介素 1 受体拮抗剂、人白介素 10 表达序列的重组逆转录病毒的构建及体外实验；核转录因子 κB 在类风湿关节炎滑膜组织中的表达及意义 / 韩飞著；唐福林指导

3.2　版本项

目次

序则

版本说明

与本版有关的责任说明 *

（以上标有“ * ”者为选择著录单元）

3.2.0　序则

3.2.0.1　标识符

见第一章 1.2.0.1 条款。

3.2.0.2　结构形式

见第一章 1.2.0.2 条款。

3.2.1　版本说明

除标准文献有不同版次外，学位论文和科技报告均只有初版本（学位论文经修订后正式出版，应视为普通图书）。学位论文和科技报告的油印本或复（影）印本应作为版本说明著录。

3.2.1.1　版本说明通常以序数词与“版”字相结合的术语或以区别其他版本的术语形式出现，数字一律用阿拉伯数字著录，省略“第”字，著录为“ ×版”，初版或第一版不予著录，其前用项目标识符。

例 1： . -- 2 版

例 2： . -- 2 版，修订版

例 3： . -- 油印本

例 4： . -- 影印本

3.2.2　与本版有关的责任说明

与本版有关的责任说明著录于版本说明之后，其前用“ / ”（空格、斜线、空格）标识。

例： 2 版，修订版 / 水利部水文局修订

3.3　文献特殊细节项

本项不适用于学位论文、科技报告、标准文献著录。

3.4　出版、发行项

目次

3.4.0　序则

本项只适用于单行本标准文献,科技报告和学位论文不著录此项(正式出版的科技报告与学位论文按普通图书处理)。

3.4.0.1　标识符

见第一章 1.4.0.1 条款。

3.4.0.2　结构形式

见第一章 1.4.0.2 条款。

3.4.1　出版地或发行地

3.4.1.1　出版地或发行地著录规定信息源所载出版机构或发行机构所在的城市名称,其后不著录“市”字。同时载有出版地和发行地,只著录出版地,不著录发行地。

例：　电压互感器 / 沈阳变压器研究所起草. -- 北京 : 中国标准出版社

3.4.1.2　版权页、题名页或封面未载明出版地,可根据出版者名称或考证所得出版地著录在方括号内;属于推测著录的出版地,其后加问号,并置于方括号内。具体的出版发行地不详,可著录所在省名。无法推测或考证,在方括号内注明“出版地不详”字样。

例 1：　. -- [台北?]

例 2：　. -- [成都]

例 3：　. -- [出版地不详]

3.4.2　出版者或发行者

出版者或发行者著录于出版地之后,其前用“ : ”(空格、冒号、空格)标识。规定信息源同时载有出版者和发行者,只著录出版者,不著录发行者。

例：　水文基础设施建设技术装备 / 中华人民共和国水利部批准. -- 北京 : 中国标准出版社

3.4.2.1　规定信息源载有两个出版者或发行者,应按原题顺序著录,著录于各自出版地或发行地之后。载有三个及其以上出版者或发行者,根据规定信息源版式或顺序著录第一个,其余在附注项说明。

例：　本地网通信线路工程验收规范 / 中华人民共和国邮电部批准. -- 北京 : 中国标准出版社 ; 北京邮电大学出版社

3.4.3　出版年或发行年

3.4.3.1　出版年或发行年著录于出版者或发行者之后，其前用“，”（逗号、空格）标识，并省略“年”字。

3.4.3.2　出版年或发行年一律用阿拉伯数字著录。

例：　. -- 北京 : 中国标准出版社, 2003

3.4.3.3　规定信息源未载明出版年，可著录发行年，并在其后注明“发行”字样，置于方括号内。若出版年、发行年等均未载明，可著录推测年代，后加问号，置于方括号内。如无法推测或考证，可注明“出版年不详”字样，并置于方括号内。

例1：　, 2002[发行]

例2：　, [出版年不详]

3.4.4　印刷地、印刷者、印刷年

学位论文、科技报告、标准文献不著录此项。

3.5　载体形态项

目次

序则

数量及特定文献类型标识

其他形态细节 *

尺寸

附件

（以上标有“ * ”者为选择著录单元）

3.5.0　序则

3.5.0.1　标识符

见第一章 1.5.0.1 条款。

3.5.0.2　结构形式

见第一章 1.5.0.2 条款。

3.5.1　数量及特定文献类型标识

3.5.1.1　数量指学位论文、科技报告、标准文献的页数、卷（册）数等，用阿拉伯数字著录。数量单位选择合适的术语，如页、卷、册、张等。

3.5.1.2　页数一般包括正文页数及正文前后的页数。若正文页数与正文前后页数均单独编码,可只著录正文页数。若正文前后的内容较为重要,页数较多时,应按照“正文前、正文、正文后”的顺序著录,在第二、第三段页码前用逗号分隔。

例1: 249页

例2: 116,15页
(正文后有参考文献15页)

例3: 11,155页
(正文前有文献综述11页)

例4: 140,32页
(正文后有详细摘要32页)

3.5.1.3 正文各部分(篇章)分别编排页码者,应顺序著录各部分页数。页数编码过于复杂或难以统计,可著录为“1册”。

例1: 30,58,60页

例2: 1册

3.5.1.4 正文前的序言、目次、详细摘要、综述和正文后的参考文献、实验数据、作者研究成果目录等,凡未标页码且数量较多者,应统计页数著录,并置于方括号内。

例1: [16],211页

例2: 174,[29]页

3.5.1.5 页码有错误、漏页和破损,依原样照录,并在附注项说明。

例1: 199页
(附注:实际页数169页)

例2: 210页
(附注:正文缺第26-35页)

例3: 167页
(附注:第94,98页有破损)

3.5.1.6 整套著录的多卷册文献,先著录总册数,再在其后圆括号内依次著录各册页数,各册页数之间用分号隔开。各册连续编页码者,应在圆括号内著录其总页码。

例1: 2册(11,186;203页)

例2: 3册(172;191;136页)

例3: 3册(521页)

3.5.2 其他形态细节

3.5.2.1 学位论文、科技报告、标准文献中的插图包括图(产品、样品图)、图表、图版、折图(建筑设计图、施工图等)、彩图、地图(地质、地形地貌图)、照片等。应根据其在文献中的重要程度和数量以及书中具体图的类型,采用相应的术语进行著录,其前用“ : ”(空格、冒号、空格)标识。当书中含有多种类型的图时,可依次著录,中间用逗号隔开;若超过三种类型,可统一著录为图或图表。

例1: 185页 : 图

例2: 237页 : 地图,部分彩图

例3：　11,127 页 ：折图,部分彩照

3.5.3　尺寸

3.5.3.1　尺寸一般著录封面高度,以 cm(厘米)为单位,不足 1cm 的尾数,按 1cm 计算。尺寸前用" ；"(空格、分号、空格)标识。

例：　185 页 ：图 ；31cm

3.5.3.2　图书的宽度不及高度的二分之一或宽度超过高度者,应先著录高度,后著录宽度,中间用乘号连接。

例1：　307 页 ；19 ×29cm

例2：　95,28 页 ；29 ×41cm

3.5.4　附件

3.5.4.1　附件是指分离于学位论文与科技报告主体部分,并与其结合使用的附加材料。如附图、计算机程序、调查问卷、软盘光盘、视听资料等。附件著录在尺寸之后,其前用" + "(空格、加号、空格)标识。

例：　243 页 ：图 ；26cm ＋ 1软盘

3.5.4.2　对附件的补充说明,著录于附件之后,并置于圆括号内,括号内的标识符参照本项前各单元。

例：　220 页 ；29cm ＋ 图册(28 页 ；26 ×41cm)

3.5.4.3　具有独立题名或能够单独使用的附件,也可以另行单独著录或著录于附注项。

3.6　从编项

本项不适用于学位论文著录。正式出版的科技报告和标准文献的汇编本著录见第一章 1.6 条款。

3.7　附注项

目次

序则

附注

3.7.0　序则

3.7.0.1　标识符

见第一章 1.7.0.1 条款。

著录内容中标点符号见以下有关条款。

引用文字用引号。

导引词后用冒号。

3.7.0.2 结构形式

见第一章1.7.0.2条款。

3.7.1 附注

凡未在题名与责任说明项、版本项、载体形态项、标准编号与获得方式项中著录而又有必要补充说明的内容,均可著录于本项。附注文字应简洁明了,尽可能采用固定导语和规范用语。若有多项附注内容,按下列顺序依次著录。

3.7.1.1 题名与责任说明项附注

a. 取自规定信息源之外的正题名与责任说明。

例1: 题名根据逐页题名著录

例2: 指导教师根据前言著录

b. 取自文献本身之外的正题名与责任说明。

例1: 题名根据《国务院学位委员会公报》著录

例2: 著者笔名:张一兵

c. 规定信息源各处的题名不同。

例: 题名页题:土体小应变特性的研究

d. 规定信息源中题名与责任者有错误。

例1: 题名页误题:“甲脂”,题名根据报送学位论文简况表改正

例2: 题名页误题余昺鹛为:余昺雕

e. 未在题名与责任说明项著录的并列题名或其他题名信息。

例1: 题名页和封面载有另一并列日文题名

例2: 题名页载有另一并列蒙古文题名

f. 未在题名与责任说明项著录的有关信息。

例1: 题名页与封面载有著者培养单位:中国科学院物理研究所

例2: 题名页题:博士论文指导小组孙关宏教授、臧志军教授

例3: 封面与题名页题:论文答辩委员会主席冯宗炜院士

3.7.1.2 语种附注

例1: 正文语种为蒙古文

例2: 文摘语种为英文

3.7.1.3 密级与保密期限附注

密级是指文献保密程度的等级单元,分为公开(GK)、限制(XZ)、秘密(MM)、机密(JM)、绝密(UM)等五级(参见GB/T 7156-2003《文献保密等级代码与标识》)。

a. 密级一般按照封面或题名页所题著录。公开、内部级可不著录。

例1: 秘密

例2: 机密

例3: 限军内

b. 保密期限应著录于保密等级之后的圆括号内。未注明保密期限的应按国家保密

规定执行，即秘密 10 年，机密 20 年，绝密 30 年。期满后自行解密，不著解密时间。在保密期限内解密的学位论文与科技报告，应著录解密日期。

例 1：　秘密（2 年）

例 2：　机密（10 年）

例 3：　解密（2007 年）

例 4：　限制（3 年）

3.7.1.4　载体形态项附注

例 1：　正文中间缺 10 页

例 2：　第 110－117 页字迹模糊

3.7.1.5　特殊细节附注

a. 学位论文特殊细节附注

学位论文特殊细节附注包括学位级别、学科专业和研究方向、学位授予单位和授予日期。学位论文特殊细节附注的结构形式如下：

学位名称与级别 ：学科专业名称. 研究方向 ；学位授予单位，学位授予日期

（a）学位名称与级别附注

学位名称与级别包括学士、硕士和博士学位，应按照 GB 6864－2003《中华人民共和国学位代码》中的名称著录，省略“学位”二字。

例 1：　哲学博士论文

例 2：　理学硕士论文

（b）学科专业与研究方向附注

a）学科专业名称应按照国务院学位委员会办公室和教育部研究生工作办公室 1997 年修订的《授予博士硕士学位和培养研究生的学科专业简介》中的规范名称著录，著录在学位名称与级别之后，其前用“ ：”（空格、冒号、空格）标识。

例 1：　工学博士论文 ：建筑设计及其理论

例 2：　理学博士论文 ：物理化学（含化学物理）

b）规定信息源中若载有研究方向，应将研究方向著录于专业名称之后，其前用“. ”（句点、空格）标识。专业名称和研究方向名称后不加“专业”或“研究方向”字样。

例：　飞行器设计. 飞机外形设计及数字图像分析

c）规定信息源出现两个以上专业名称时，只著录规范专业名称；两个都是规范专业，著录新专业名称。如果仍无法确定时，可根据题名页最先出现的专业名称著录。

例 1：　科学社会主义与国际共产主义运动
（封面载有不规范的专业名称：国际共运）

例 2：　经济思想史
（题名页另有旧的专业名称：中国经济思想史）

例 3：　外国哲学
（摘要页另有专业名称：德国哲学）

（c）学位授予单位附注

a)学位授予单位应著录具有学位授予权的机构名称,其前用“ ; ”(空格、分号、空格)标识。港、澳、台地区学位授予单位名称后应加注地区名称,置于方括号内。

例1: 城市规划与设计. 现代景观规划设计 ; 同济大学, 2003

例2: 资讯工程学 ; 清华大学[台湾], 2001

b)学位授予单位名称必须著录规范全称,不著录简称和英译名称。

例1: 解放军后勤指挥学院

(不用“后指”)

例2: 南京理工大学

(不用“南理工”)

c)封面与题名页同时载有两个以上的学位授予单位时,只著录合并或更名后的学位授予单位名称。

例1: 北京大学

(原题: 北京医科大学　北京大学)

例2: 北京交通大学

(不用“北方交通大学”)

(d)学位授予日期附注

a)学位授予日期著录于学位授予单位之后,只著录授予年代,用阿拉伯数字表示,并省略“年”字。其前用“, ”(逗号、空格)标识。

例: 中国人民大学, 2003

b)学位授予日期一律用阿拉伯数字著录。授予年为非公元纪年,依原样照录,在其后注明相应的公元纪年,并置于方括号内。

例: 国立北京大学, 民国三十五年[1946]

c)规定信息源未载有授予年代,应著录论文提交日期或答辩日期;若均未载明,可推测著录一个大致年代,后加问号,并置于方括号内。如无法推测或考证,可在方括号内注明“授予年代不详”。

例1: 清华大学, 2003

(封面与题名页未载学位授予日期,著录提交日期)

例2: 中共中央党校, 2004

(封面与题名页未载学位授予日期和提交日期,著录答辩日期)

例3: 浙江大学, 2002

(学位授予年代根据《国务院学位委员会公报》著录)

例4: [授予年代不详]

d)规定信息源中授予年代记载有误或有疑义时,依原题照录,并将考证出的年代著录于其后的方括号内。

例: 哈尔滨工业大学, 1989[1998]

b. 科技报告特殊细节附注

(a)科技报告总题名与责任说明

科技报告总题名与责任说明只在科技报告各个单行本全部分散著录时,才作为附注项著录。

例： 中国核科技报告 / 中国核情报中心编

(b)报告号

报告号一般由拉丁字母和阿拉伯数字组成，依原题著录于科技报告总题名与责任说明之后，其前用“ ; ”(空格、分号、空格)标识。

例： 中国核科技报告 / 中国核情报中心编 ; CNIC-00551SMC-0067

(c)科技报告完成日期或提交日期

科技报告完成日期或提交日期均包括年、月、日，用阿拉伯数字著录。年用四位数，月和日用双位数，单位数的月、日前必须加“0”；年、月、日之间用连字符连接。日期后分别加“完成”、“提交”字样。

例： 2003-10-21 完成

(d)博士后出站报告附注

博士后出站报告附注应著录一级学科、二级学科(专业)、研究方向、设站单位名称、研究报告提交日期。博士后出站报告附注的结构形式如下：

一级学科 : 二级学科(专业). 研究方向 ; 博士后流动站或工作站名称, 报告提交日期

例1： 材料科学与工程 : 材料加工工程. 压力加工 ; 哈尔滨工业大学, 1998.12

例2： 理论经济学 : 西方经济学 ; 北京大学, 1998.10

例3： 电子科学与技术 : 电磁场与微波技术 ; 上海贝尔阿尔卡特有限公司, 2003.5

c.标准文献的特殊细节附注

(a)标准类型名称

标准类型名称是指国家标准、行业标准(部标准)、地方标准及企业标准的名称。标准类型名称应按原题著录。

例1： 中华人民共和国国家标准

例2： 中华人民共和国铁道行业标准

例3： 北京市地方标准

例4： 中国南方电网有限责任公司企业标准

(b)标准号

标准号由汉语拼音字母表示的代号和以阿拉伯数字表示的顺序号组成，字母与数字之间空一格。标准号著录于标准类型名称之后，其前用“ ; ”(空格、分号、空格)标识。

例1： 中华人民共和国国家标准 ; GB 50313-2000

例2： 中华人民共和国水产行业标准 ; SC/T 3305-2003

例3： 重庆市地方标准 ; DB 50/5024-2002

例4： 中国南方电网有限责任公司企业标准 ; Q/CSC 10002-2004

(c)标准发布日期及实施日期附注

标准发布日期及实施日期均包括年、月、日，用阿拉伯数字著录。年用四位数，月和日用双位数，单位数的月、日前必须加“0”；年、月、日之间用连字符连

接。日期后分别加“发布”、“实施”字样。实施日期前用“ ; ”(空格、分号、空格)标识。

例: 2000-02-22 发布 ; 2000-08-01 实施

(d)标准文献“代替关系”附注

说明标准取代数年前制订的标准。标准文献“代替关系”附注,应著录本标准和代替标准的标准编号。同时代替两个以上标准时,其间用“, ”(逗号、空格)标识。

例1: 本标准 GB 14166-2003 代替 GB 14166-1993

例2: 本标准 GB/T 1.1-2000 部分代替 GB/T 1.1-1993, GB/T 1.2-1996

(e)标准文献的“采用关系”附注

说明国家标准与有关国际标准或国外先进标准的关系,包括等同采用、等效采用以及参照采用关系。标准文献的“采用关系”附注,一般应著录采用标准的编号与名称。

例1: 等同采用 ISO 15226 : 1999《技术产品文件生命周期模型及文档分配》(英文版)

例2: 等效采用 IEC 60079-11 : 1999《爆炸性气体环境用电器设备》

例3: 参照采用 ASTM D1655-92C《JetA-1 航空涡轮燃料》

例4: GB 4943-2001 eqv IEC 60950 : 1999

3.7.1.6 内容附注

a. 内容提要或主要目次、参考文献、学习期间科研成果目录等的附注

例1: 本文研究宋代诗坛上最重要的一个诗歌流派——江西诗派,考察其在中国文学史上的地位和作用。文章分析江西诗派产生的时代背景、代表人物及其作品、思想内容和艺术风格,认为江西诗派是北宋末期由黄庭坚所创立的诗歌流派,从思想内容的角度来看,没有太突出的特色,它既不像唐代的新乐府运动那样反映社会现实,也不像宋初的西昆派那样完全脱离现实;从艺术形式的角度来看,江西诗派是很有特色的诗歌流派,它是古典诗歌发展到宋诗阶段的重要环节,它的产生和发展,标志着宋诗彻底地突破唐诗的藩篱而形成自己独特的艺术风格,对于古典诗歌的发展起了积极的推动作用。

例2: 本书题名页另有章节题名:激光熔覆改善等离子涂层界面结合性能的研究及热障涂层(TACS)中热氧化生长(TGO)导致涂层失效的机理及控制

例3: 科研成果目录:

1. 李冬:发展绿色经济,促进我国外贸发展,《经济视角》,2000 年
2. 李冬:日本企业环境管理的发展,《现代日本经济》,2001 年
3. 李冬:日本的环境 NGO,《东北亚论坛》,2002 年
……

例4: 本标准包括生活饮用水、饮用天然矿泉水、化妆品卫生标准及检验方法以及公共场所卫生标准、工业企业卫生防护距离等环境卫生国家标准 134 个,行业标准 2 个。

b. 学位论文与科技报告受资助的附注

规定信息源载有项目资助，一般应著录受到某个机构所设立基金资助或资助项目的名称，如有具体项目名称及项目编号，应著录于项目名称之后。

例1：　国家自然科学基金项目：“热带中国碳贮量及其历史化格局(40071085)(韩兴国主持，2000～2003)”

例2：　“863”国家生物高技术资助项目

例3：　教育部“十五”规划研究项目01D890001

3.7.1.7　使用与适用范围附注

例：　本标准适用于卷烟企业建立标准体系

3.7.1.8　必要补充说明附注

例：　本标准是强制性国家标准

3.8　标准编号与获得方式项

目次

序则

标准编号

获得方式和(或)定价 *

限定说明 *

(以上标有“ * ”者为选择著录单元)

3.8.0　序则

3.8.0.1　标识符

见第一章1.8.0.1条款。

3.8.0.2　结构形式

见第一章1.8.0.2条款。

3.8.1　标准编号

3.8.1.1　国际标准书号(ISBN)依原题著录。号码著录于“ISBN”之后，中间空一格，编号之间用连字符。学位论文多为非正式出版物，无国际标准书号，可省略该著录单元。

例：　ISBN 7-109-08281-4

3.8.1.2　单行本标准文献无国际标准书号，可著录统一书号。统一书号按原题著录。

例：　155066.1

3.8.2　获得方式和(或)定价

3.8.2.1　价格用国家标准货币代码(GB 12406-90)和阿拉伯数字著录于标准书号或限定说明之后。其前用“ : ”(空格、冒号、空格)标识。

例1：　ISBN 7-114-01825-8 : CNY21.00

例2： 精装 ：HKD600.00

例3： 155635.12 ：CNY7.80

3.8.2.2 无价格的非正式出版物,其获得方式可著录为“非卖品”或“缴送”等,亦可不予著录。

例1： ：非卖品

例2： ：缴送

例3： ：赠送

3.8.3 限定说明

3.8.3.1 限定说明是指同一文献的精装本的标准书号的说明,以区别于其平装本。限定说明文字(如装帧、卷册编号等)著录于标准编号或获得方式和(或)定价之后的圆括号内。

例1： ISBN 962-04-0028-3(精装) ：CNY25.00

例2： 155066.1(精装) ：CNY81.00

3.8.3.2 无国际标准书号时,装帧说明直接著录于项目之首,加圆括号。除平装可省略外,其余均按原书装帧形式著录。

例1： (精装) ：缴送

例2： (精装) ：非卖品

例3： (精装) ：CNY75.00

第四章　古　籍

4.0　通则

4.0.1　适用范围

本章适用于著录1912年以前我国书写或印刷的汉语文书籍。我国各少数民族语言古籍和国外制作的汉语文古籍可参照使用。

4.0.2　著录项目

著录项目分为下列八项：

题名与责任说明项

版本项

文献特殊细节项＊＊

出版、发行项

载体形态项

丛编项

附注项

标准编号与获得方式项＊＊

上述每一项目含一个或若干著录单元，详见各项说明。

（以上标有“＊＊”者为不适用项目）

4.0.3　著录用标识符

标识符见第一章1.0.3条款。

著录内容中的标点符号按照中外文各自的书写规则著录。

4.0.4　著录详简级次

4.0.4.1　著录详简级次以主要项目和选择项目为区分依据。

a. 主要项目：题名与责任说明项的正题名、其他题名信息、第一责任说明、其他责任说明；版本项的版本说明、附加版本说明；出版、发行项；载体形态项的数量及特定文献类型标识、附件；丛编项的丛编正题名、丛编编号；附注。

b. 选择项目：一般文献类型标识、并列题名；其他形态细节、尺寸；丛编并列题名、丛编其他题名信息、丛编责任说明、分丛编题名标识、分丛编题名、分丛编其他题名信息、分丛编责任说明、分丛编编号。

4.0.4.2　著录详简级次分为简要级次（或称第一级次）、基本级次（或称第二级次）和详细级次（或称第三级次）。

a. 简要级次著录主要项目。

连续著录格式:

正题名 : 其他题名信息 / 第一责任说明 ; 其他责任说明. -- 版本说明, 附加版本说明. -- 出版地 : 出版者, 出版年 ; 修版地 : 修版者, 修版年 (印刷地 : 印刷者, 印刷年). -- 数量及特定文献类型标识 + 附件. -- (丛编正题名 ; 丛编编号). -- 附注

分段著录格式:

正题名 : 其他题名信息 / 第一责任说明 ; 其他责任说明. -- 版本说明, 附加版本说明. -- 出版地 : 出版者, 出版年 ; 修版地 : 修版者, 修版年 (印刷地 : 印刷者, 印刷年)

数量及特定文献类型标识 + 附件. -- (丛编正题名 ; 丛编编号)

附注

b. 基本级次著录主要项目和部分选择项目。

连续著录格式:

正题名 [一般文献类型标识] = 并列题名 : 其他题名信息 / 第一责任说明 ; 其他责任说明. -- 版本说明, 附加版本说明. -- 出版地 : 出版者, 出版年 ; 修版地 : 修版者, 修版年 (印刷地 : 印刷者, 印刷年). -- 数量及特定文献类型标识 : 其他形态细节 ; 尺寸 + 附件. -- (丛编正题名 : 丛编其他题名信息 / 丛编责任说明 ; 丛编编号). -- 附注

分段著录格式:

正题名 [一般文献类型标识] = 并列题名 : 其他题名信息 / 第一责任说明 ; 其他责任说明. -- 版本说明, 附加版本说明. -- 出版地 : 出版者, 出版年 ; 修版地 : 修版者, 修版年 (印刷地 : 印刷者, 印刷年)

数量及特定文献类型标识 : 其他形态细节 ; 尺寸 + 附件. -- (丛编正题名 : 丛编其他题名信息 / 丛编责任说明 ; 丛编编号)

附注

c. 详细级次著录主要项目和全部选择项目。

4.0.4.3 国家古籍书目和全国古籍联合编目一般采用详细级次;其他类型古籍目录的著录详简级次可根据古籍工作机构的类型、规模以及用户的检索需求作出选择。

4.0.5 著录信息源

著录信息源是古籍本身。古籍本身信息不足,可参考其他信息源。

4.0.5.1 主要信息源

古籍著录的主要信息源为正文首卷卷端。

4.0.5.2 规定信息源

古籍各个著录项目的规定信息源及其选取的先后顺序如下表。取自规定信息

源之外的著录信息置于方括号内,并在附注项说明出处。

著录项目	规定信息源
题名与责任说明项	正文首卷卷端、其他各卷卷端、各卷卷末、目次、凡例、题名页、版心、序跋、原印书签及书中其他部分。丛编著录以总目录为主要信息源,以总目录、上述各部分为规定信息源。
版本项	全书的版本类型特征及有关文字记述。
出版、发行项	全书中有关写刻印刷的文字记述、写刻印刷所具有的可以作为鉴定依据的特征和风格,如纸张、版式、字体、墨色、刻工、讳字等。
载体形态项	完整本全书。
丛编项	丛编总目录、正文首卷卷端、其他各卷卷端、目次、凡例、题名页、版心、序跋、原印书签及丛编其他部分。
附注项	任何信息源。

4.0.5.3　规定信息源提供的信息不足,可以查考有关资料著录于方括号内,并在附注项说明出处。

4.0.5.4　规定信息源提供的信息不足,有关资料亦无可靠信息,可按鉴别考证结果自拟著录内容,置于方括号内,并在附注项说明原因。

4.0.6　著录用文字

4.0.6.1　题名与责任说明项、版本项、出版发行项和丛编项一般按古籍本身的文字照录。若古籍所题文字已不用或不适用,应使用适当的替换字(如规范的繁体汉字)著录。

4.0.6.2　按本规则著录非汉语文古籍,应遵循相应文字的使用规则。

4.0.6.3　其他题名信息中的卷(集、编、辑、回)数、丛编其他题名信息中的总卷(集、编、辑)数、子目种数和版本年中的中国年号纪年,应依据原书所用汉字数码著录;其他项目中的数字一般用阿拉伯数字著录。

4.1　题名与责任说明项

目次

序则

正题名

一般文献类型标识 *

并列题名 *

其他题名信息

责任说明

无总题名古籍

(以上标有“ * ”者为选择著录单元)

4.1.0　序则

4.1.0.1　标识符

见第一章1.1.0.1条款。

4.1.0.2　结构形式

见第一章1.1.0.2条款。

4.1.1　正题名

4.1.1.1　正题名是本项第一个著录单元,一般依正文首卷卷端所题著录。

例1:　大佛顶如来密因修证了义诸菩萨万行首楞严经 : 十卷

例2:　钦定大清会典则例 : 一百八十卷

4.1.1.2　正文各卷卷端所题题名用字、组词的详简、排列的次序不同,一般依第一卷卷端所题著录,其他各卷卷端所题不同题名可在附注项说明。

例1:　评点春秋纲目左传句解汇镌 : 六卷

(卷2-6卷端题名: 评点春秋纲目句解左传汇镌)

例2:　明朝破邪集 : 八卷

(卷3、8卷端题名: 圣朝破邪集)

4.1.1.3　正文首卷卷端所题题名有误,应原样照录,同时在附注项说明。

例:　两汉博文

(附注: 博闻,首卷卷端误题“博文”)

4.1.1.4　正文首卷卷端所题题名不能代表全书或未题题名,应从规定信息源的其他部分选择适当的正题名著录,并在附注项说明。

例1:　读史偶吟 : 二卷

(卷端题名被窜改为“念一史弹词”,据诸序改回)

例2:　厚德堂集验方萃编 : 四卷

(题名据目录和题名页所题著录)

4.1.1.5　规定信息源中均未提供适当的正题名,而由其他资料查考得出,依查考得出的书名著录,置于方括号内,在附注项说明来源。

例:　[梅梦缘] : 四十回 / 风月轩人玄子著

(书中未题题名,据《中国通俗小说书目》“风月轩人玄子”条补入)

4.1.1.6　规定信息源中均未提供适当的正题名,亦未见于其他资料,可根据书中内容和著者情况拟定题名著录,置于方括号内,在附注项说明。

例:　[星宿论解]

(书名代拟)

4.1.1.7　规定信息源提供的正题名冗长,可照录,在附注项说明简要题名。

例：　皇清诰授光禄大夫经筵日讲起居注官太傅武英殿大学士管理工部事务翰林院掌院学士入直南书房上书房总师傅军机大臣赐谥文正入祀贤良祠显考俪笙府君行述

（简要题名：俪笙府君行述、曹振镛行述）

4.1.1.8　交替题名是正题名的一部分，著录于正题名第一部分之后。原题“原名”、“一名”、“又名”、“或”等连接词如实著录，连接词前后用逗号标识。

例：　三国演义，又名，第一才子书

4.1.1.9　丛编正题名一般依总目录所题丛编题名著录。

例：　平津馆丛书

4.1.1.10　丛编无总目录或总目录所题丛编题名确属不当，可依 4.1.1 的相关条款著录。

4.1.2　一般文献类型标识

见第一章 1.1.2 条款。

4.1.3　并列题名

4.1.3.1　规定信息源有对应于正题名的另一文种（或语种）题名，可作为并列题名著录于正题名之后（省略一般文献类型标识时）。其前用“ = ”（空格、等号、空格）标识。

例：　观物博异 = The Universe : 八卷

4.1.3.2　古籍规定信息源具有两种或两种以上文字的并列题名，将首先出现的两种其他文字并列题名著录在正题名之后，其余可顺序著录或在附注项注明。

4.1.3.3　出现在非规定信息源上与正题名相对应的其他文种题名应在附注项注明。

4.1.4　其他题名信息

4.1.4.1　正文卷数依正文原题著录于正题名或并列题名等之后，其前加“ : ”（空格、冒号、空格）。

例1：　四书章句集注 : 二十卷

例2：　周易 : 经二卷，传十卷

4.1.4.2　正文以上下、上中下、天干地支、元亨利贞、六艺、成语、诗韵等作为卷次标识，统计卷数应转换为汉字数码著录，并在附注项说明。

例1：　暗室灯 : 二卷，续增一卷

（本书目录分：上卷、下卷）

例2：　玉堂才调集 : 三十一卷

（本书版心按“东”至“麻”三十一个韵字分卷）

4.1.4.3　正文题为若干卷，其中全部或部分卷次又分出若干子卷，仍依正文所题卷数著录，不计子卷。

例：　世说新语 : 三卷

（本书每卷内又分上、下卷）

4.1.4.4 正文以外的卷首、卷末、补遗、附录、目录等部分连同自身所题的卷数著录于正文卷数之后,其间以逗号分隔。

例1: 王右丞集 : 二十八卷,卷首一卷,卷末一卷

例2: 白氏长庆集 : 七十一卷,目录二卷,附录一卷

4.1.4.5 正文分集(编),再分卷,应按正文所题依次著录,其间以逗号分隔。

例: 会稽偁山章氏家乘 : 初集二卷,汇集六卷,正集三十一卷

4.1.4.6 正文分章、节、回等,均以正文所题著录。

例1: 红楼梦 : 一百二十回

例2: 水浒后传 : 八卷四十回

4.1.4.7 正文或正文以外部分所题卷数与目录所题卷数不符,目录等处又未注明原因,以正文或正文以外部分所题卷数著录,并在附注项说明。

例: 大清律例通考 : 四十卷
(目录题39卷)

4.1.4.8 正文或正文以外部分所题卷数与目录所题卷数不符,目录已在有关卷次下注明"待刻"、"嗣出"、"原缺(阙)"、"未成"等字样,依目录所题卷数著录,并在附注项说明。

例1: 东塾读书记 : 二十五卷
(目录题25卷,卷13-14、17-20、22-25下注明"未成")

例2: 确庵文稿 : 四十卷
(目录题40卷,卷11、17-40下注明"嗣出")

4.1.4.9 残书依全书的卷数著录,实存的卷数和卷次在附注项复本附注中说明。

例1: 史记 : 一百三十卷
(缺4卷: 卷1-4)

例2: 新刊监本册府元龟 : 一千卷
(存8卷: 卷249、251-254、261-262、276)

4.1.4.10 丛编和分丛编的总卷(集、编、辑、帙、函)数、子目种数依规定信息源中所题著录。

例1: 皇清经解 : 一千四百卷

例2: 津逮秘书 : 十五集

例3: 粤雅堂丛书 : 三编三十集

例4: 小方壶斋舆地丛钞 : 十二帙,补编十二帙,再补编十二帙

例5: 函海 : 四十函

例6: 昭代丛书 : 甲集五十卷,乙集四十卷

例7: 龙冈山人古文尚书 : 四种

4.1.4.11 丛编或分丛编的总卷(集、编、辑、帙、函)数、子目种数如已包括在丛编正题名或分丛编题名之中,则不需在丛编其他题名信息或分丛编其他题名信息中重复著录。

例1: 大兴徐氏三种

例2: 六艺堂诗礼七编

4.1.4.12 凡题写于规定信息源所提供的题名之后的、有助于识别一种著作的文字,均可作为其他题名信息著录于正题名之后。

例1: 杞田集 : 半部或语潜州娱老四集类编 : 十四卷,遗稿一卷

例2：　上谕条例 ：乾隆五十一年之六十年

4.1.4.13 对识别一种古籍有意义的语种、年代、地区、体裁等信息，必要时可自拟著录于正题名之后，并置于方括号内。

例1：　翻译易经 ：[满汉对照] ：四卷

例2：　谕行旗务奏议 ：[雍正元年至十三年] ：十三卷

例3：　顺天府志 ：[万历] ：六卷

例4：　王氏族谱 ：[新城]

例5：　无双谱 ：[画传]

4.1.5　　责任说明

4.1.5.1 责任说明包括责任者朝代、名称和各种责任方式，一般按规定信息源原题名称形式和顺序著录。如籍贯、职衔或字号等信息不是识别该责任者所必需，可不予著录。第一责任说明著录于正题名之后，其前加“ / ”(空格、斜线、空格)；其他责任说明前加“ ; ”(空格、分号、空格)。

例1：　水经注 ：四十卷 / 汉桑钦撰 ；后魏郦道元注 ；明吴琯校

例2：　东坡先生诗集注 ：三十二卷 / 宋苏轼著 ；宋王十朋纂集
(原题：宋眉山苏轼子瞻著 ；宋永嘉王十朋龟龄纂集)

例3：　京氏易传 ：三卷 / 吴陆绩注 ；明范钦订
(原题：吴郁林太守陆绩注 ；明兵部侍郎范钦订)

例4：　书 ：六卷 / 朱子订定 ；蔡氏集传 ；董鼎辑录纂注

例5：　东夷考略 ：一卷 / 明苕上愚公撰

例6：　晋书 ：一百三十卷 / 唐太宗御撰

例7：　高上玉皇本行经集 ：三卷 / 张良校正

例8：　夹注辅教编要义 ：六卷 / 宋释契嵩撰

例9：　农桑辑要 ：七卷 / 元司农司撰

4.1.5.2 正文首卷卷端所题责任说明不完整、不规范，照录。必要的(如姓名、生卒年、字号、朝代、籍贯和国别等)补充和考证，著录于附注项。

例1：　春秋经传集解 ：三十卷 / 杜氏注
(杜预 222-284，字元凯，西晋京兆杜陵人)

例2：　周易 ：经二卷，传十卷 / 朱子本义
(朱熹 1130-1200，后世尊称朱子)

例3：　读易私记 ：十卷 / 葵峰茂明子著
(黄光升 ?-1586，字明举，号葵峰茂明子，福建晋江人)

例4：　麻衣道者正易心法 ：一卷 / 希夷先生受并消息
(陈抟 ?-989，自号扶摇子，宋太宗赐号希夷先生)

例5：　易义选参 ：二卷 / 宁都三魏著 ；邱维屏评选
(宁都三魏：魏际瑞 1620-1671，字善伯，号伯子，原名祥；魏禧 1624-1681，字叔子，一字冰叔，号裕斋；魏礼 1628-1693，字和公，号季子。邱维屏 1590-

1655,字邦士,宁都人)

例6： 寿山堂易说 ：[三卷,图解一卷] / 吕子著

(吕子指吕岩,字洞宾,号纯阳子,唐京兆人)

4.1.5.3 正文首卷卷端所题责任说明不能代表全书或未题有责任说明时,应从规定信息源的其他部分选择适当的责任说明著录,并在附注项说明。

例1： 周会魁校正易经大全 ：二十卷 / [胡广等纂修] ；周士显校正

(卷一卷端被窜改为：陈太史校正易经大全,长洲明卿陈仁锡校正)

例2： 几何原本 ：六卷 / [(希腊)欧几里得撰] ；泰西利玛窦口译 ；徐光启笔受

(利玛窦 Matteo Ricci,1552-1610,意大利人,天主教耶稣会传教士)

例3： 读易备忘 ：四卷 / 黄潜翁著

(责任说明据卷2、3、4卷端著录。黄克复 ?-1539,初号毅斋,晚年号潜翁)

4.1.5.4 规定信息源提供多种责任方式,照录,其间用“ ；”(空格、分号、空格)分隔。同一责任方式有多个责任者,其间用逗号分隔;超过三个只著录第一个,后用“[等]”,其余在附注项说明。责任说明来自原书正文首卷卷端以外的部位,应在附注项说明来源。

例： 重修桂林宋氏家谱 ：十卷,卷首一卷,卷终一卷 / 清宋珍祖[等]总理 ；清徐克榜纂

(总理者还有宋克纲、宋克杰和宋振铎,据后跋著录;纂者据前叙著录)

4.1.5.5 规定信息源兼有并列题名和并列责任说明,可将每一文种的责任说明分别著录于与其文种相同的题名之后。

例： 英语集全 ：六卷 / 唐廷枢著 = The Chinese and English instructor / Tong Ting Ku

4.1.5.6 正文首卷卷端所题责任说明有误,照录,将有关考证著录于附注项。

例： 金精廖公秘授地学心法正传画筴扒沙经 ：四卷,补遗一卷 / 宋廖禹著 ；宋彭大雄集 ；明江之栋辑

(原题：宋虔州金精山人廖禹著　豫章栗坞伯才甫彭大雄集　明新安星源孟隆甫江之栋辑。禹为瑀之误。廖瑀,字伯禹,宋虔州雩都人)

4.1.5.7 规定信息源中未提供责任说明,但可由其他资料查考出时,以查考出的责任说明著录,置于方括号内,并在附注项说明来源。

例： 易因 ：二卷 / [李贽讲] ；[汪本钶记]

(责任说明据李贽《易因小序》及汪本钶《哭李卓吾先师告文》著录)

4.1.5.8 规定信息源提供的责任说明未题责任方式,应据全书其他部位所题或斟酌编撰情况著录于责任者名称之后。

例： 周易本义辩证 ：六卷 / 惠栋撰

4.1.6 无总题名古籍

4.1.6.1 责任者相同的几种著作在抄写或刻印时被组合在一起,没有总题名,依次著录各书题名,其间以“ ；”(空格、分号、空格)分隔,最后著录责任说明。题名超过三个只著

录前三个，未予著录的其他题名和责任者在附注项说明。

例：　林文忠公政书　：三十七卷　；滇轺纪程　：一卷　；荷戈纪程　：一卷 ／ 林则徐撰（合订著作还有：政书搜遗　：一卷　；畿辅水利议　：一卷 ／ 林则徐撰）

4.1.6.2　责任者不同的几种著作在抄写或刻印时被组合在一起，没有总题名，依次著录各书题名及其责任说明，其间以“. ”（句点、空格）分隔。

例：　霜红龛集　：十二卷，附录一卷 ／ 傅山撰. 我诗集　：六卷 ／ 傅眉撰

4.2　版本项

目次

序则

版本说明

附加版本说明

4.2.0　序则

4.2.0.1　标识符

见第一章 1.2.0.1 条款。

4.2.0.2　结构形式

见第一章 1.2.0.2 条款。

4.2.1　版本说明

此项内容取自版本项的规定信息源。

4.2.1.1　版本说明记录古籍的版本类型，依据书中有关版本类型的文字记载，并结合版本类型特征所做的鉴定结论著录。

例 1：　. -- 稿本

例 2：　. -- 写本

例 3：　. -- 抄本

例 4：　. -- 刻本

例 5：　. -- 活字本

例 6：　. -- 石印本

例 7：　. -- 铅印本

例 8：　. -- 影印本

例 9：　. -- 钤印本

4.2.2　附加版本说明

4.2.2.1　著录刻本中以一种彩色颜料印刷或多种彩色颜料套印而成的本子时，应依据颜色和套印次数的不同，对版本类型作附加说明。

例1： . -- 刻本，朱印
例2： . -- 刻本，蓝印
例3： . -- 刻本，朱墨套印
例4： . -- 刻本，三色套印
例5： . -- 刻本，五色套印
例6： . -- 刻本，七色套印
例7： . -- 刻本，彩色套印

4.2.2.2 著录活字本应依据制字材料的不同，对版本类型作附加说明。

例1： . -- 活字本，木活字
例2： . -- 活字本，铜活字
例3： . -- 活字本，泥活字
例4： . -- 活字本，铅活字

4.2.2.3 著录以某一版本的书籍为底本，用影描方法抄写的抄本、用影摹方法刻印的刻本和用照相制版的石版、珂罗（玻璃）版和铜版等影印本，均应根据不同情况对版本类型作附加说明，并将其所据底本著录于附注项。

例1： . -- 抄本，影抄. -- 江阴 ：缪荃孙艺风堂，清光绪二十五年[1899]
（据宋临安尹家书籍铺刻本影抄）

例2： . -- 刻本，影刻. -- 扬州 ：曹寅，清康熙五十年[1711]
（据宋咸淳元年吴革刻本影刻）

例3： . -- 影印本，石版. -- 上海 ：图书集成印书局，清光绪十九年[1893]
（据清武英殿聚珍本影印）

4.2.2.4 书中标明的或在抄写刻印过程中形成的一些版本鉴别特征，可作为版本类型的补充说明扼要著录。

例： . -- 刻本，公文纸印

4.3 文献特殊细节项

本项不适用于古籍著录。

4.4 出版、发行项

目次

4.4.0 序则

4.4.0.1 标识符

a. 本项前用“. -- ”（句点、空格、连字符、连字符、空格）。

b. 出版者、修版者、印刷者前用“ ：”（空格、冒号、空格）。

c. 出版年、修版年、印刷年前用“， ”（逗号、空格）。

d. 修版地前用“ ；”（空格、分号、空格）。

e. 印刷地、印刷者、印刷年置于圆括号内。

4.4.0.2　结构形式

. -- 出版地 ：出版者，出版年

. -- 出版地 ：出版者，出版年（印刷地 ：印刷者，印刷年）

. -- 出版地 ：出版者，出版年 ；修版地 ：修版者，修版年

. -- 出版地 ：出版者，出版年 ；修版地 ：修版者，修版年（印刷地 ：印刷者，印刷年）

4.4.1　出版地、出版者、出版年

本项适用于著录稿本、写本、抄本、刻本、活字本、石印本、铅印本、影印本、钤印本等。

4.4.1.1　著录稿本时，出版地指著作者所在地；出版者指著作者（著作者室名可与其名称一并著录）；出版年指书稿写成时间。

例：. -- 稿本. -- 海宁 ：吴骞拜经楼，清乾隆五十五年［1790］

4.4.1.2　著录写本时，出版地指缮写主持者所在地；出版者指缮写主持者；出版年指全书写成时间。

例：. -- 写本. -- 京师 ：四库全书馆，清乾隆四十七年［1782］

4.4.1.3　著录抄本时，出版地指抄书者所在地；出版者指抄书者（抄书者室名可与其名称一并著录）；出版年指全书抄成时间。

例：. -- 抄本. -- 吴县 ：袁廷梼贞节堂，清乾隆四十五年［1780］

4.4.1.4　著录刻本、活字本时，出版地指刻书主持者所在地；出版者指刻书主持者（刻书主持者室名可与其名称一并著录）；出版年指书版刻成时间、活字版制成时间。

例1：. -- 刻本. -- 建安 ：余志安勤有堂，元延祐五年［1318］

例2：. -- 刻本，朱墨套印. -- 乌程 ：闵齐伋，明万历四十八年［1620］

例3：. -- 活字本，铜活字. -- 无锡 ：华燧会通馆，明弘治五年［1492］

4.4.1.5　著录石印本、铅印本、影印本、钤印本时，出版地指印书主持者所在地；出版者指印书主持者（印书主持者室名可与其名称一并著录）；出版年指全书印成时间。

例1：. -- 石印本. -- 上海 ：扫叶山房，清光绪二十四年［1898］

例2：. -- 铅印本. -- 京师 ：总理各国事务衙门，清光绪二十二年［1896］

例3：. -- 影印本，珂罗版. -- 上海 ：神州国光社，清光绪三十四年［1908］

例4：. -- 钤印本. -- 杭州 ：汪启淑，清乾隆二十五年［1760］

4.4.1.6　规定信息源中未提供出版地和（或）出版者，可参考有关资料。所取著录信息需置于方括号内，并在附注项注明出处；如无从查找，可以分析考证，所得结果也需置于方括号内；如著录内容存疑，则用问号表示，置于方括号内；如无从查考，则需在方括号内著录“抄书地不详”、“抄书者不详”、“刻书地不详”、“刻书者不详”等字样。

例1：.--抄本.--［抄书地不详］：柳大中，明嘉靖元年［1522］

例2：.--刻本.--南京：［刻书者不详］，明万历四十一年［1613］

4.4.1.7 规定信息源中未提供出版年时,可综合分析各方面情况,结合版本特征、版刻风格,确定大致出版时间;如对著录内容存有疑问,用问号表示,均置于方括号内。

例1：.--刻本.--海虞：毛晋汲古阁，［明崇祯(1628-1644)］

例2：.--刻本.--古吴：陈长卿，［明万历三十九年？(1611?)］

4.4.2 修版地、修版者、修版年

本项适用于著录书版刻成若干年后,增补、更改正文和(或)附录,重新印刷行世的古籍。

4.4.2.1 修版地指修版主持者所在地;修版者指主持修版事务者(修版主持者室名可与其名称一并著录);修版年指增补或更改书版的完成时间。

4.4.2.2 修版者可依修版行为的不同,在名称、室名后著录修版方式。主要修版方式有重修、增修等。

4.4.2.3 修版地、修版者、修版年在出版地、出版者、出版年之后著录。

例1：.--刻本.--休宁：商山义塾，元至正二十四年［1364］；［重修地不详］：高忠重修，明弘治六年［1493］

例2：.--刻本.--汾阳：曹学闵敬翼堂，清乾隆四十三年［1778］；汾阳：曹树谷增修，清道光十五年［1835］

4.4.2.4 规定信息源中未提供修版地和(或)修版者,可参考有关资料。所采用著录信息需置于方括号内,并在附注项注明出处;如无从查找,可以分析考证,所得结果也需置于方括号内;如著录内容存疑,则用问号表示,并置于方括号内;如无从考证,则需在方括号内著录“修版地不详”、“修版者不详”等字样。

例1：.--刻本.--［刻书地不详］：徐焴，明嘉靖三年［1524］；［重修地不详］：金氏重修，明万历二十六年［1598］

例2：.--刻本.--无锡：张氏梧荫书屋，清乾隆十五年［1750］；［增修地不详］：含英堂增修，清嘉庆十三年［1808］

4.4.3 印刷地、印刷者、印刷年

本项适用于著录在刻书主持者主持下由承担刻印者刻印行世的,以及在书版刻成若干年后由再次印刷者用原版再次印刷行世(通称后印)的古籍。

4.4.3.1 印刷地指承担刻印者、再次印刷者所在地;印刷者指承担刻印者、再次印刷者(二者的室名可与其名称一并著录);印刷年指印刷年代。

4.4.3.2 印刷地、印刷者、印刷年在出版地、出版者、出版年或修版地、修版者、修版年之后著录。

例：.--刻本.--会稽：章寿康式训堂，清光绪四年［1878］(吴县：朱记荣槐庐，清光绪三十年［1904］)

4.4.3.3 如印刷者与刻版者不同,印刷年与书版刻成年相同,印刷年不能省略。

例: . -- 刻本. -- 长洲 : 顾嗣立秀野草堂, 清康熙三十八年[1699](吴郡 : 邓明玑, 清康熙三十八年[1699])

4.4.3.4 著录再次印刷地、再次印刷者、再次印刷年时,规定信息源中未提供再次印刷地,且无从查考,再次印刷地可省略。

例: . -- 刻本. -- 京师 : 熊元献, 清康熙九年[1670](熊光, 清乾隆五十一年[1786])

4.4.3.5 如规定信息源中未提供再次印刷者,且无从查考,再次印刷者可省略,只著录再次印刷年,并在其后著录"印"字。

例: . -- 刻本. -- 济南 : 彭氏, 元至元六年[1340](明嘉靖[1522-1566]印)

4.4.3.6 书版刻成后的一个较长时间内,经过多次重修和印刷,修版和印刷的地点、责任者、年代无法一一著录,可仅著录修版和印刷的起迄年代,并在其后著录"递修"字样。未著录的其他递修信息在附注项说明。

例: . -- 刻本. -- 南京 : 国子监, 明万历三年[1575](清顺治至乾隆[1644-1795]递修)

4.5 载体形态项

目次

4.5.0 序则

4.5.0.1 标识符

见第一章 1.5.0.1 条款。

4.5.0.2 结构形式

见第一章 1.5.0.2 条款。

4.5.1 数量及特定文献类型标识

本项著录古籍完整本原有册(函)数。复本册(函)数著录于附注项复本附注。

4.5.1.1 线装、经折装、蝴蝶装、包背装等书籍著录原有册数。

例: 3 册

4.5.1.2 卷轴装书籍著录原有卷数。

例: 5 卷

4.5.1.3 单张折叠的书籍著录原有幅数。

例： 6幅。

4.5.1.4 散叶的书籍著录原有叶数。缺叶、增叶情况在附注项注明。

例： 8叶

4.5.1.5 原配函套的书籍在册数后补充说明原有函数，并置于圆括号内。匣、帙装书籍著录方法相同。

例： 10册(2函)

4.5.2 其他形态细节

本项著录古籍完整本原有图表，如插图、肖像、地图、景物图、器物图、谱系表、航海图、工程图、故事图、山石鸟兽图、神怪图、宗教图和乐谱等，其前用“ : ”(空格、冒号、空格)标识。复本的新增图表著录于附注项复本附注。

4.5.3 尺寸

本项著录古籍完整本原有开本尺寸。复本的开本尺寸著录于附注项复本附注。

4.5.3.1 古籍尺寸一般著录古籍自身的高度，以cm(厘米)为单位，不足1cm的尾数按1cm著录。尺寸前用“ ; ”(空格、分号、空格)标识。

4.5.3.2 古籍自身的宽度不及高度的二分之一或宽度超过高度者，应先著录高度，后著录宽度，中间用乘号连接。

例： ; 14×22cm

4.5.4 附件

本项著录古籍完整本原有附件。复本附件著录于附注项复本附注。

4.5.4.1 附件是与书籍的主体配合使用，而形式上又与书籍的主体脱离的书籍附属部分，其前用“ + ”(空格、加号、空格)标识。如有必要，附件名称后可著录附件的数量等载体形态信息，并置于圆括号内。

例： 108册(18函) + 皇朝直省府厅州县全图(1幅)

4.5.4.2 具有独立的题名，可以脱离古籍主体独立使用的附件应单独著录。

4.5.4.3 附件包括附属于古籍主体的非书实物。

例： 2册 : 冠图 + 牙牌(1副)

4.6 从编项

目次

序则

从编正题名

从编并列题名 *

从编其他题名信息 *

从编责任说明＊

从编编号

分丛编

（以上标有“＊”者为选择著录单元）

4.6.0　序则

4.6.0.1　标识符

见第一章1.6.0.1条款。

4.6.0.2　结构形式

见第一章1.6.0.2条款。

4.6.1　丛编正题名

参照本章4.1.1条款著录。

4.6.2　丛编并列题名

参照本章4.1.3条款著录。

4.6.3　丛编其他题名信息

参照本章4.1.4.10和4.1.4.11条款著录。

4.6.4　丛编责任说明

参照本章4.1.5条款著录。

4.6.5　丛编编号

本单元依书中所题编次著录，其前用“ ; ”（空格、分号、空格）标识。

例：. --（江阴季氏丛刻 / 季纶全辑 ; 第三）

4.6.6　分丛编

4.6.6.1　分丛编标识依书中所题标识著录，其前加“. ”（句点、空格），后著录分丛编题名，其前用“, ”（逗号、空格）标识。

例：. --（函海 / 李调元辑. 第十四函，升庵韵学七种 ; 六）

4.6.6.2　分丛编题名参照本章4.1.1.9和4.1.1.10条款著录。

4.6.6.3　分丛编其他题名信息参照本章4.1.4.10和4.1.4.11条款著录。

4.6.6.4　分丛编责任说明参照本章4.1.5条款著录。

4.6.6.5　分丛编子目编号依书中所题编次著录，其前用“ ; ”（空格、分号、空格）标识。

例：. --（白芙堂算学丛书 : 二十三种 / 丁取忠辑. 算书廿一种 / 吴嘉善著. 九章翼 : 十种 ; 六）

4.7 附注项

目次

序则

附注

4.7.0 序则

4.7.0.1 标识符

见第一章1.7.0.1条款。

引用文字用引号。

导引词后用冒号。

著录内容中标点符号见以下有关条款。

4.7.0.2 结构形式

见第一章1.7.0.2条款。

4.7.1 附注

凡未在题名与责任说明项、版本项、出版发行项、载体形态项、丛编项中著录又有必要补充说明的内容,在本项著录。附注文字应简单明了,尽可能采用固定导语和规范用语。若有多项附注内容,完整本附注在前,所编复本附注在后,具体按下列顺序依次著录。

4.7.1.1 书目参考附注

书目参考附注作为第一个附注著录。本附注包含所编古籍是否被一种或多种书目、索引收录的说明。

例1: 参考:《四库全书总目》,卷一百八十六,集部,总集类一,第1685页(中华书局1965年6月第1版);《中国古籍善本书目》,卷二十八,集部,总集类,通代,第1551页(上海古籍出版社1998年3月第1版);《北京图书馆古籍善本书目》,集部,总集类,通代,第2741页(书目文献出版社1987年版)

(说明:此三目著录梁萧统辑文选六十卷,明末毛氏汲古阁刻本)

例2: 《四库全书总目》、《中国古籍善本书目》和《中国善本书提要》均未著录

4.7.1.2 题名与责任说明附注

本项附注内容见本章4.1的相关规定。

4.7.1.3 版本和书目沿革附注

a. 复制本的底本版本在此注明。

例: 据明嘉靖元年刻本影印

b. 本项的其他附注见本章4.2的相关规定。

4.7.1.4 出版、发行附注

a. 出版发行项的著录来源在此注明。

例： 出版年据俞恒《重刊小学序》著录

b. 版本鉴定的特征依据，如：避讳、作伪、行款、版框版心形式、版框尺寸、刻工姓名、字体、牌记、纸张等均在此注明。

例1： 10行，18字，白口，左右双边，单鱼尾，半框18.9×12.5cm

例2： 牌记镌：咸丰丙辰秋九月开雕

c. 藏版（板）情况依原书所题在此注明。

例1： 本衙藏板

例2： 京都善成堂藏版

例3： 版存京都阜成门外衍法寺

例4： 盛京军督署藏版，板存盛京钟楼南路西抚街北永发刻字铺

d. 本项的其他附注见本章4.4的相关规定。

4.7.1.5 载体形态附注

a. 上图下文的古籍可在此注明。

例： 上图下文

b. 本项的其他附注见本章4.5的相关规定。

4.7.1.6 丛编附注

a. 所编古籍确系单刻印行，以后又编入丛编，可在此注明。

例： 本书后编入《一经庐丛编》

b. 丛编的著录来源在此注明。

例： 丛书名据《中国丛书综录》著录

c. 本项的其他附注见本章4.6的相关规定。

4.7.1.7 内容附注

a. 从编子目内容在此注明。

例： 子目：1.玉娇梨 ：五卷 ；2.平山冷燕 ：五卷

b. 所编古籍含有的书目或索引及其位置在此注明。

例： 本书卷12为著述目录

4.7.1.8 装订和获得方式附注

古籍完整本原有装帧形式和获得方式在此注明。

a. 装帧成册的古籍，按其实际形式著录为“线装”、“经折装”、“包背装”、“蝴蝶装”、“卷轴装”、“毛装”、“精装”和“平装”等。

b. 散叶古籍，著录为“散叶”。

c. 装订有轴的整幅古籍，著录为“卷轴装”（可注明横轴或立轴）。

d. 限量印刷或限量发行方面的情况在此注明。

例： 本谱木活字排印6部，各房签领保管1部

4.7.1.9 其他附注

古籍完整本其他必要的补充说明在此注明，如复制品情况、文物级别、可参看的有关著作等。

例1： 有清光绪三十年上海锦章书局影印本

例2： 有16mm缩微胶卷

例3： 有全文电子版

例4： 二级

例5： 相关作品：汉书艺文志条理 ：六卷，卷首一卷 / （清）姚振宗撰

例6： 有毛氏汲古阁刻本

4.7.1.10 提要

本项根据不同要求把完整本古籍的内容和(或)形式特征概括综合著录于完整本附注之末。在特定情况下可将完整本附注并入提要。若以复本为著录单位，也可将所编复本附注并入提要。

提要行文可根据书目性质选择语体文或白话文进行编写。

a. 编写简要揭示古籍内容特点及主题思想的叙述型提要，可包括古籍的作者简介、类型特点、编写体例、内容要点及写作特色等内容。

例： 良谟，字忠夫，号棣塘，正德十二年进士，官湖广参议。《湖志 · 政绩》有传。此书据自序谓：山居多暇，追忆平生耳目所睹，记略有关于世教者，随笔直书，不支不次，惟以示吾子孙。《四库》列存目，《提要》则谓其杂纪见闻，多陈因果，虽大旨出于劝戒，而语怪者太多。

（此为陈良谟撰《见闻记训》提要）

b. 编写扼要揭示古籍内容并做简略评介的推荐型提要，可包括古籍的内容梗概和推荐性文字。

例： 白朴的代表作，写的是唐明皇和杨贵妃的爱情故事。唐边将安禄山战败当斩，唐明皇赦了他，喜欢他很会趋奉，令他在宫中侍候。杨贵妃和他有私情，杨国忠奏请唐明皇，调他为渔阳节度使。……正当欢娱之极，安禄山叛变，夺取潼关，直逼长安。文武大臣都无计御敌，劝明皇逃往四川。龙武将军陈玄礼护驾至马嵬坡，六军不发，杀死了杨国忠，又要求杀杨贵妃以谢天下。明皇不得已命令贵妃自尽。安禄山叛乱平定后，明皇重新回到长安，终日思念贵妃，于秋雨之夜，听到雨打梧桐的声音，倍极伤情，引为终身之恨。

（此为白朴撰《梧桐雨》提要）

c. 编写较详细地叙述古籍内容的评介型提要，可包括作者生平、古籍主题叙述及学术得失分析、社会价值影响等内容概述。

例： 我国第一部纪传体断代史，也是后汉著名的历史散文。东汉班固撰。本书有一部分是袭用《史记》，在文字上稍加改定；有一部分补充《史记》的不足，使史实更完备；有一部分是根据班彪后传六十五篇整理补充成的；有一部分是自撰的。……十志所载的是典章制度的文化史。本书在《史记》八书的基础上，作了进一步的探本穷源，其中依据《平准书》而创立了《食货志》，依据刘歆《七略》创立了《艺文志》，依据《尚书 · 禹贡》、《逸周书 · 职方解》创立了《地理志》，这都是本书的特色，并为后代“正史”开创了新的门类。……由于作者还重视客观史实，因而在一些传记中也揭露了社会矛盾，暴露了统治阶级的罪行，……在人物评价上，它表现一些不失为进步的观点……

（此为班固撰《汉书》提要）

d. 编写反映古籍内容结构的罗列型提要，可汇录古籍目次标题或各卷内容名称。

例：　聿求，事迹已详前。此书据光绪《嘉兴府志》引于志。《郑堂读书记》称：五峰居海上桑麻之乡，因就群书所载桑之故实为志。凡桑之始、桑之类、桑之事、桑之具、桑所宜、桑所植及取材、祥异、品题、丛话十类，类各一卷。冠以三朝御制诗赋论共八篇，分目近陆鸿渐《茶经》，而体例与释赞宁《笋谱》、陈翥《桐谱》之属相类。有虎溪山房刊本。

（此为李聿求撰《桑志》提要）

e. 编写以引用文字为主的辑录型提要，除引用文字外，也可包括作者生平等信息。佚书和知见书提要常用此法。

例：　文蠡，字风林，又字树声，康熙五十三年举人，官成都知县。此书《四库》存目。《提要》略云："是书虽以《大学偶言》为名。多论理气心性，辨诸家是非，说《中庸》者为多，说《大学》仅数条。文蠡受业于毛奇龄，词气较为和平，其论人无二性，与颜元《存性编》之说同，论朱子补《大学格物传》全为禅学，则纯乎门户之见矣。"《八千卷楼书目》有藏本。

（此为张文蠡撰《大学偶言》提要）

f. 编写简要考订古籍的作者、内容、版本及存佚源流的考证型提要，可包括古籍的要旨特点和流传演变等内容。

例：　《宋史·艺文志》农家类著录。刘攽字贡父，清江人，《宋史》有传。这书收入祝穆《事文类聚后集》中。《四库提要》说世上已没有此书流传，仅在陈景沂《全芳备祖》及《嘉靖维扬志》中载有它的节略，实在是不对的，近人余嘉锡已经辨正了。书中所记扬州芍药品种凡三十有一，序其等级为七，凡上之上六品，上之下二品，中之上六品，中之下四品，下之上四品，下之中四品，下之下五品。自序称："熙宁六年（1073 年）至广陵，正四月花时，与诸友观赏，因作此谱所记诸品，均使画工写之。"是知原书尚附有图。清钱谦益《绛云楼书目·杂艺类》著录，作"维扬芍药谱"，是后世别题的书名。

（此为刘攽撰《芍药谱》提要）

4.7.1.11 所编复本附注

本项著录所编古籍流传、收藏过程中新产生各项特征的补充说明。

a. 复本书目参考附注作为第一个复本附注著录。本附注包含所编古籍复本是否被一种或多种书目、索引收录的说明。本附注可以包含多部复本的被收录说明。

例 1：　复本参考：《天禄琳琅书目·后编》，卷十六，明版子部，第九页（清光绪十年长沙王先谦刻本）

（说明：此目著录宋真德秀撰大学衍义四十三卷明嘉靖六年司礼监重刻本之泰兴季氏藏本，卷首钤"季振宜藏书"阳文印、"御史之章"阴文印、"季振宜印"阳文印、"沧苇"阳文印，每册首钤"谦牧堂藏书记"阴文印，每册末钤"谦牧堂书画记"阳文印）

例 2：　《天禄琳琅书目》未著录

b. 古籍的现有、残存情况在此注明。

例 1：　60 册（10 函）

例 2：　存 9 册（2 函）9 卷 ：卷 1–9

c. 书中残缺部分的抄配情况在此注明。

例1： 卷12-16、18抄补

例2： 卷3-6、23-38配清乾隆四年武英殿刻本

d. 书中题有或过录有较有价值的批点、校勘、题词、跋语等，可作为版本类型的补充说明著录。

例1： 黄丕烈跋

例2： 丁丙批点

e. 版本鉴定的复本特征依据，如挖改等情况在此注明。

f. 书中钤有的收藏者、寓目者等印记在此注明。

例： 钤“乾隆御赏”朱印

g. 复本的载体形态附注见本章4.5条款的规定。

h. 发行编号、获得方式、入藏代价等采访信息附注（如捐赠人、捐赠时间等）在此注明。

例1： 本谱钤“恤字号”阳文朱戳，为宋祇祖收领之第6部谱

例2： 周叔弢捐赠

例3： 购自北京中国书店

i. 复本所具有的不同装帧形式按本章4.7.1.8条款的规定在此注明。

j. 重新装订、修复等原书加工情况在此注明。

例1： 1986年重揭修复

例2： 改装为金镶玉

k. 古籍复本其他必要的补充说明在此注明。

例： 国家图书馆藏本有卷6

4.8 标准编号与获得方式项

本项不适用于古籍著录。

4.9 古籍复制品的著录

古籍复制品包括影印复制、照像复制、缩微复制、数字化复制等各种形式的复制品。复制品的著录依据是复制品本身。有关底本古籍的原信息按著录项目的次序著录于同一条附注中。

第五章　拓　片

5.0　通则

5.0.1　适用范围

本章适用于著录甲骨、金属、玉、石、砖、瓦、陶、泥、木、竹等各种器物的拓片。

5.0.2　著录项目

著录项目分为下列八项：

题名与责任说明项

版本项

文献特殊细节项＊＊

出版、发行项(刻立项)

载体形态项

丛编项

附注项＊

标准编号与获得方式项＊＊

上述每一项目含一个或若干个著录单元。详见各项说明。

(以上标有“＊”者为选择项目,“＊＊”者为不适用项目)

5.0.3　著录用标识符

标识符见第一章1.0.3条款。

著录内容中的标点符号按照中外文各自的书写规则著录。

5.0.4　著录详简级次

5.0.4.1　著录详简级次以主要项目和选择项目为区分依据。

a. 主要项目:题名与责任说明项的正题名、其他题名信息、第一责任说明;版本项的版本说明;刻立项的刻立地区、刻立年代、传拓地、传拓者、传拓年;载体形态项的数量及特定文献类型标识、尺寸、附件;丛编项的丛编正题名、丛编编号。

b. 选择项目:一般文献类型标识、并列题名、其他责任说明;其他形态细节;丛编其他题名信息、丛编责任说明;附注。

5.0.4.2　著录详简级次分为简要级次(或称第一级次)、基本级次(或称第二级次)和详细级次(或称第三级次)。

a. 简要级次著录主要项目。

连续著录格式:

正题名 : 其他题名信息 / 第一责任说明. -- 版本说明. -- 刻立地区, 刻立年代(传拓地 : 传拓者, 传拓年). -- 数量及特定文献类型标识 ; 尺寸 + 附件. --(从编正题名 ; 从编编号)

分段著录格式:

正题名 : 其他题名信息 / 第一责任说明. -- 刻立地区, 刻立年代(传拓地 : 传拓者, 传拓年)

数量及特定文献类型标识 ; 尺寸 + 附件. --(从编正题名 ; 从编编号)

b. 基本级次著录主要项目和部分选择项目。

连续著录格式:

正题名 : 其他题名信息 / 第一责任说明 ; 其他责任说明. -- 版本说明. -- 刻立地区, 刻立年代(传拓地 : 传拓者, 传拓年). -- 数量及特定文献类型标识 : 其他形态细节 ; 尺寸 + 附件. --(从编正题名 : 从编其他题名信息 / 从编责任说明 ; 从编编号). -- 附注

分段著录格式:

正题名 : 其他题名信息 / 第一责任说明 ; 其他责任说明. -- 版本说明. -- 刻立地区, 刻立年代(传拓地 : 传拓者, 传拓年)

数量及特定文献类型标识 : 其他形态细节 ; 尺寸 + 附件. --(从编正题名 : 从编其他题名信息 / 从编责任说明 ; 从编编号)

附注

c. 详细级次著录主要项目和全部选择项目。

国家拓片目录和全国拓片联合编目应采用详细级次;其他类型拓片目录著录的详简级次可由编目机构自行选择。

5.0.5 著录信息源

5.0.5.1 主要信息源

拓片的主要信息源为文献整体的主要部分。

5.0.5.2 规定信息源

拓片各个著录项目的规定信息源及其选取的先后顺序如下表;取自规定信息源之外的著录信息置于方括号内,并在附注项说明。

著录项目	规定信息源
题名项与责任说明项	首题、中题、尾题、额题及墓志盖题及其内容
版本项	拓片整体
刻立项	拓片整体

载体形态项	拓片整体
丛编项	拓片整体
附注项	任何信息源
标准编号与获得方式项	任何信息源

5.0.5.3　拓片资料为多件一套或著录信息源有两个以上的,按如下办法处理:

a. 依第一件(册)著录。若第一件(册)缺藏,应查明其他各件(册)情况著录。

b. 选取最能反映拓片资料特征的作为著录依据,若无法确定,按依据最充分的著录。

5.0.6　著录用文字

5.0.6.1　拓片著录按所拓器物的不同历史时期使用规范的简体或繁体汉字。

5.0.6.2　我国少数民族文字和外国文字拓片应依原文字著录,无法依原文字著录的可用汉字著录,并在附注项说明。

5.0.6.3　刻立年代中换算后的公元纪年及载体形态的数量、尺寸一般用阿拉伯数字著录。

5.1　题名与责任说明项

目次

- 序则
- 正题名
- 一般文献类型标识 *
- 并列题名 *
- 其他题名信息
- 责任说明
- 无总题名拓片

(以上标有“ * ”者为选择著录单元)

5.1.0　序则

5.1.0.1　标识符

见第一章 1.1.0.1 条款。

5.1.0.2　结构形式

见第一章 1.1.0.2 条款。

5.1.1　正题名

5.1.1.1　拓片文献中有明确题名(首题、中题、尾题、额题、墓志盖题)的,一般依其题名著录。

例1: 诰授光禄大夫晋赠太子太傅兵部尚书予告陕甘总督一等昭勇侯忠武杨公神道碑

例2: 龙泉寺瞻礼二十韵

例3: 唐故颜君墓志

例4: 九九消寒之图

例5: 宝晋斋法帖

5.1.1.2 无明确题名的,应依前人著录的习见题名著录,并在附注项说明其出处;如前人无著录,应依其内容自拟题名。自拟通则有:人物名+金石器物形式;地名+金石器物形式;文字+金石器物形式;内容+金石器物形式等。各类自拟题名规则如下(有明确题名拓片的自拟题名的拟取规则同此):

a. 青铜器

一般以作器者加器物名称拟定题名;无作器者一般以受器者(受器者前有"乍"照录)加器物名称拟定题名;以上两项均无的,一般以器物铭文中辞语定名(含人名、地名、词语首字、尾字等或族徽、符号、短句加器物名称)。有关作器者、受器者等的铭文及个别器物有习用多年的旧称,可在附注项说明。

例1: 曆鼎

(原文曰:……毛公曆对扬天子皇休,用乍尊鼎……。附注: 习称:毛公鼎)

例2: 虢季子白盘

(原文曰:佳十又二年正月初吉丁亥,虢季子白乍宝盘)

例3: 乍父乙鼎

(原文曰:乍父乙)

例4: 妇好鼎

(原文曰:妇好)

例5: 秦公簋

(原文曰:秦公曰:丕显朕皇祖,受天命……)

例6: 亚鼎廿七年

(原文曰:廿七年□□)

例7: 修武府杯

(原文曰:修武府)

例8: 乍宝尊彝

(原文曰:乍宝尊彝)

b. 墓碑、墓志、墓碣、神道碑、谕祭碑、墓表、功德碑、德政碑、诰封碑、塔铭、传赞等记述墓主、碑主生平事迹的碑刻

(a)一般以墓主、碑主姓名(讳)后缀石刻形式作为正题名(有明确题名拓片文献的自拟题名拟取时,其首题、中题、尾题、额题、墓志盖题中墓主、碑主姓氏前所冠出身、籍贯、职官、头衔等均不著录)。

例1: 曹全碑

例2: 寇臻墓志

例3：　伊桑阿谕祭碑

例4：　诰授光禄大夫晋赠太子太傅兵部尚书予告陕甘总督一等昭勇侯忠武杨公神道碑

（附注：自拟题名：杨遇春神道碑）

例5：　龙泉寺瞻礼二十韵

（附注：自拟题名：龙泉寺瞻礼诗）

(b)墓主、碑主的别名、字、号等一般不作为题名组成部分著录。若墓主、碑主以此著称，应将其别名、字、号等著录在附注项。

例：　司马绍墓志

（附注：绍以字元兴著称）

(c)墓主、碑主除别名、字、号外无法考证其确切姓名（例如碑文本身未题或碑石剥泐缺文的），其别名、字、号亦可作为自拟题名组成部分著录。

(d)墓主、碑主为女性，应在墓主、碑主姓名前冠以其夫姓名以"××妻××"形式著录。若帝王之女，不冠其夫姓名，可将其封号"××公主"后缀石刻形式作为自拟题名著录。其姓名后缀石刻形式的题名著录于附注项。

例1：　王以言妻徐氏墓志

例2：　代国长公主墓碑

（附注：自拟题名：李华墓碑）

(e)墓主、碑主为二人或二人以上者，是否著录为"合葬"，应以首题（或盖题）为准。凡首题（或盖题）无"合葬"字样者，均不予著录。

c. 寺、庙、观、庵、堂、会馆碑刻

(a)以会馆、寺、庙、观、庵、堂名称后缀石刻形式作为自拟题名。

例1：　碧霞元君庙碑

例2：　晋翼会馆碑

(b)与寺庙等有关的资料（包括捐资题名碑），若不具有独立识别意义，应前冠寺庙名称作为题名著录。

例1：　文庙下马碑

例2：　关帝庙捐资题名碑

d. 诗词铭刻

依据其内容或所在地区、责任者名称等拟取题名。

例1：　丛植堂诗刻

例2：　海瑞诗刻

e. 题名、题字、题词、题记

(a)按题名、题字、题记、题词者的姓名、石刻所在的地区、处所名称或题字的内容加题名、题字、题记、题词的形式拟取题名。

例1：　王仁洽题记

例2：　江空普等题名

例3：　周恩来题词

例4：　勇敢坚强保卫祖国题字

(b)题名为两人或两人以上者,只著录主要题名者姓名,后加"等题名"字样拟取题名。

例: 张逢春等题名

f. 造像

造像以造像者姓名后缀金石形式拟取题名。

例: 鲁彦昌造像记

(a)造像无记仅有题字、题名者,以题名者姓名拟取题名。

例: 潘大娘造像题名

(b)若题名者为两人或两人以上,只著录列居首位的题名者姓名,后加"等×人造像记"、"等×人造像题名"拟取题名。

例1: 苏景问等十四人造像记

例2: 张守忠等造像题名

(c)佛像名称前的修饰性文字均不著录。

(d)记中无造像人姓名而有被造像人姓名者,以"为×××(被造像人)造像记"拟取题名。

例: 为七世父母等造像记

(e)造像及被造像人姓名均无,以所造佛像名称前加"造"字拟取题名。

例: 造天尊像记

g. 画像、图(包括地图)

依其图像所表达的内容拟取题名。

例1: 后羿射日图

例2: 竹鹤图

h. 石经

(a)历史上著名石刻儒经按传统名称著录。

例1: 熹平石经

例2: 开成石经

(b)与经文无直接关系的题名、题记应单独著录。

i. 榜书、匾额、瓦当等

一般依其全文后缀金石形式拟取题名。

例1: 嵩高峻极榜书

例2: 御书楼匾额

例3: 长乐未央瓦当

j. 法帖

依其第一件(册)标识的帖名著录。如第一件(册)缺损,可根据其他各件(册)和有关参考资料考订帖名著录。

k. 丛刻

整套著录时(一般作单独著录),其总题名应反映时代、地区特点,历史上著名的石刻群组,可按习惯名称拟取题名。

例: 百汉碑砚

l. 集拓

(a)集拓综合著录时(一般作单独著录),若有集拓人题名,依其题名。

例：　龙门五十品

(b)无题名而知集拓人的,以其室名、斋号等拟取题名。

例：　木堂集拓

(c)以上二者均无,可自拟概括性题名。

例：　隋唐碑刻。

m. 拓片出现包括汉字在内的两种或两种以上文字,一般按汉字内容拟取题名,其他文字名称著录于附注项。

n. 残碑以其习惯名称著录,并在附注项说明。

例：　李秀残碑

o. 题名不能反映其完整特征的,可以自拟简短词句作为其他题名信息著录,用方括号标识。

例：　田猎图 ：[南阳汉画像之一]

p. 各类碑刻的碑阴,其文字若不与碑阳相连而有独立检索意义的,应单独著录。

5.1.2　一般文献类型标识

见第一章 1.1.2 条款。

5.1.3　并列题名

并列题名著录于正题名和一般文献类型标识之后,其前用“ = ”(空格、等号、空格)标识。

5.1.4　其他题名信息

5.1.4.1　拓片(大都为丛帖)的其他题名信息中最重要的内容是卷数,依正文所题著录。

例：　御刻三希堂石渠宝笈法帖 ：三十二卷

5.1.4.2　以上下、上中下、天干地支、元亨利贞等作为卷次标识时,统计卷数应转换为汉字数码著录。

5.1.5　责任说明

拓片资料的责任说明包括撰文者、书篆者和镌刻者等责任者及其责任方式并依其顺序著录。

5.1.5.1　责任者朝代

a. 责任者朝代简称(见本书附录 2)置于圆括号内,著录在责任者姓名前。

例：　/ (清)张斗山撰 ；(清)杨广达正书 ；(清)王庆长篆额 ；(清)石唆刻

b. 清代及其以前的责任者需著录朝代,民国及其以后的责任者无需著录朝代。

5.1.5.2　责任者名称

a. 责任者依原题著录,其别名、字、号或姓名尽可能在附注项注明。僧人责任者应在其法名前加"释"字样,与责任者朝代一同置于圆括号内。责任者如系帝王宗室,应将其庙号、封号及姓氏一同著录于附注项。

例 1: /(唐释)玄奘撰

例 2: /(清)乾隆御笔

(附注:即清高宗弘历)

例 3: /(清)成亲王(正)书

(附注:即永瑆)

b. 责任者前所载出身、籍贯、官职名称如不是识别该责任者的必要信息,可省略。

例: /柯劭撰

(附注:原题:诰授荣禄大夫赐进士出身前山东宣慰使典礼院学士加一级胶西柯劭撰文)

c. 责任者名称辨认不清,可参考有关资料著录。若无法确认,可不予著录。

d. 拓片未记载责任者,可省略。

5.1.5.3 责任方式

a. 责任方式一律以拓片所载形式著录。主要有:

文字图像责任类:撰、纂、述、绘、贞、辑、集、御笔等。

文字书写责任类:书、篆、御笔等。

文字图像镌刻责任类:镌、刻、刊、铁笔等。

其他责任类:译、摹、勒、模、立等。

b. 书体形式(篆书、隶书、正书、草书、行书等)可在书写人之后责任方式之前予以说明,并将其置于圆括号内,或在附注项说明。无责任者的,书体形式在附注项说明。

例 1: /范思敬(行)书

例 2: /罗为赓(正)书

c. 同一责任者兼有两种责任方式,其间用"并"、"及"连接。

例 1: /吕逢时撰并(正)书

例 2: /赵孟頫撰并(行)书及(篆)书额

d. 著录同一责任方式的多个责任者的数量由编目机构决定,但一般不超过三个,除第一个外,其余均用逗号标识;超过三个只著录一个,后用"[等]"表示,其余在附注项说明。

例: /安德坚[等]镌

(附注:镌者还有:安德用、安德信、安仲玉)

e. 其他类责任说明在附注项注明。

5.1.6 无总题名拓片

无总题名拓片分别著录。参照第一章 1.1.6 条款。

5.2 版本项

目次

序则

版本说明

5.2.0　序则

5.2.0.1　标识符

见第一章 1.2.0.1 条款。

5.2.0.2　结构形式

见第一章 1.2.0.2 条款。

5.2.1　版本说明

本项著录内容包括传拓形式(蝉翼拓、乌金拓、蜡拓、隔麻拓、全形拓等)、墨色(朱拓、蓝拓、彩拓等,墨拓著录为"拓本"),其前用项目标识符。

例 1：. -- 朱拓

例 2：. -- 乌金全形拓

5.3　文献特殊细节项

本项不适用于拓片著录。

5.4　出版、发行项(刻立项)

目次

序则

刻立地区

刻立年代

传拓地、传拓者、传拓年

5.4.0　序则

5.4.0.1　标识符

a. 本项前用". -- "(句点、空格、连字符、连字符、空格)。

b. 刻立(刻制、葬、成文、书写)年代和传拓年前用", "(逗号、空格)。

c. 传拓者前用" : "(空格、冒号、空格)。

d. 传拓地、传拓者、传拓年置于圆括号内。

5.4.0.2　结构形式

. -- 刻立地区

. -- 刻立地区, 刻立年代

. -- 刻立地区, 刻立年代 (传拓地 : 传拓者, 传拓年)

5.4.1 刻立地区

刻立地区著录金石刻制成后存放的地点。

5.4.1.1 拓片资料记载的立石地区、处所,依现行地区名称(省、县)著录,原载古地名如需要可在附注项说明。

例1: 北京市西城区白云观

例2: 河南省洛阳市龙门石窟

5.4.1.2 墓志著录其下葬或首次出土地区、处所名称。

5.4.1.3 石刻拓片资料未记载立石及下葬地区,可根据有关资料考订出其地区的,依考订结果著录,并加方括号。重新出土地点在附注项说明。

5.4.1.4 石刻拓片资料未记载立石地区,又无从考证的,不予著录。

5.4.1.5 石刻拓片原石曾收藏于某处及现存处,应在附注项说明。

5.4.2 刻立年代

刻立年代著录青铜器铸造、砖瓦陶烧制、甲骨及石刻等镌刻的时间。

5.4.2.1 拓片所载刻石年月、立石年月等均可视为刻立年代著录。撰文的时代著录于附注项。

5.4.2.2 刻立年代依朝代名称、年号、年代顺序著录(干支、太岁等不作为著录内容,应换算成"×年×月×日",不加方括号,并在年代后著录公元纪年,置于方括号内)。

例1: ,清道光二十年[1840]六月三日

例2: ,明宣德十年[1435]九月十一日

(原题:宣德乙卯九月己卯)

5.4.2.3 拓片只记载刻立朝代、年号而无具体年月,先著录刻立朝代、年号,再将该年号的公元纪年起迄年著录于年号之后方括号内。

例: ,明嘉靖[1522-1566]

5.4.2.4 拓片未记载刻立年代,但根据参考资料考证得知其刻立年代,应著录考证结果,并加方括号。

5.4.2.5 拓片未记载刻立年代又无从考订者,可在方括号内注明"年代不详"字样;残损者可在方括号内注明"年代泐"字样。

5.4.2.6 拓片记载的刻立年代有误,应著录正确年代,并在附注项注明考证依据。

5.4.2.7 拓片记载的刻立年中天干地支不符,应全部如实著录,并在附注项说明。

例1: ,三月十二日甲子

(附注:三月十二日非甲子日,当有一误)

例2: ,清道光元年[1821]正月壬子

(附注:是月无壬子日)

5.4.2.8 墓志无刻石年月的,均以墓主葬年著录。未载墓主葬年的,著录墓主卒年,并在年月后加"卒"字样。有刻石年月的,应在附注项注明葬年。

5.4.2.9 丛帖著录刻制年代。子目依书写年代著录。

5.4.2.10 题名、题字等依其题写时间著录。

5.4.2.11 其他类碑刻若无刻立石年月，为了便于查找，可将其成文、书写年代著录为刻立石年代，并在其后注明“文、书”字样。

5.4.2.12 碑帖属重刻，著录重刻年月，原刻年月著录于附注项。

5.4.2.13 翻刻、摹刻（依拓片刻）未注明刻立年的，依原刻立年著录，并在附注项注明翻刻、摹刻。

5.4.3　传拓地、传拓者、传拓年

5.4.3.1 传拓地、传拓者、传拓年置于圆括号内，著录于刻立年代之后。

5.4.3.2 传拓年月不详，但知其出于某代，可按其朝代著录为“宋”、“明”、“清乾隆”、“民国”等。若时代不详，可予以省略。

例 1：陕西省合阳县，东汉中平二年[185]十月二十一日（陕西，明）
（附注：“悉”字未损本）

例 2：陕西省合阳县，东汉中平二年[185]十月二十一日（陕西，清乾隆嘉庆年间）

例 3：陕西省合阳县，东汉中平二年[185]十月二十一日（陕西 ：周希丁，民国）

5.5　载体形态项

目次

序则

数量及特定文献类型标识

其他形态细节 *

尺寸

附件

（以上标有“ * ”者为选择著录单元）

5.5.0　序则

5.5.0.1 标识符

见第一章 1.5.0.1 条款。

5.5.0.2 结构形式

见第一章 1.5.0.2 条款。

5.5.1　数量及特定文献类型标识

5.5.1.1 数量是指拓片的张数、册数、开数、叶数、轴数等，用阿拉伯数字著录；数量单位选择合适的术语，如张、叶、册等。

5.5.1.2 张数指一种完整的中文拓片的总张（页）数（包括额、阴、侧、座、盖等张数）。若一种碑刻的碑身、碑额各拓一张，著录为“1 张”。若系碑侧，著录为“2 张”。塔额单独计数。

5.5.1.3 册数用以计量裱本形式的拓片资料。裱本外的函、套等一般不著录。若干种拓片合裱为一册，著录为“1 册”，其每种拓片的开数、叶数在附注项说明。

例： 1 册

5.5.1.4 开数是同一面上的两页拓片的合称；叶数为不同一面的两页的合称。开数、叶数是用来计量以裱本形式为著录对象的拓片资料。若拓片正文前后的内容较为重要、开数较多，应分段依次著录(拓片正文前、拓片正文、拓片正文后)，其间用逗号分隔。

例： 1 册(7,32,5 开)

5.5.1.5 轴数用以计量卷轴的拓片。

5.5.2 其他形态细节

本项著录拓片原有的图表，如图像、谱系等，其前用“ : ”(空格、冒号、空格)标识。

5.5.3 尺寸

5.5.3.1 尺寸是指拓片着墨部分的尺寸，以 cm(厘米)为单位，不足 1cm 的尾数，按 1cm 计算。较小的拓片可保留小数点后一位数。尺寸前用“ ; ”(空格、分号、空格)标识。

a. 整幅拓片(含卷轴形式)的尺寸著录为“高 × 广”。

b. 裱本形式尺寸的计量方法为裱本内着墨部分尺寸；裱本外形尺寸可另外著录于其后圆括号内。

5.5.3.2 碑版的阳、额、阴、侧、座、盖等，亦用“高 × 广”依次表示拓片尺寸，在相应尺寸后注明其名称。同一张拓片的不同部分尺寸之间用加号连接。不同张拓片尺寸之间用逗号分隔。

例 1： ; 211 × 89 + 39 × 24(额)cm

例 2： ; 210 × 80,210 × 79(阴),210 × 18(侧)cm

5.5.3.3 将碑的阳、额、阴、侧、座等合拓或合裱为一纸，其尺寸可只计算一个并在其后注明“(通)”。

5.5.3.4 一种石刻拓片为两张，尺寸又相同者，例如墓志的志文、志盖和碑的阴、阳，其尺寸可重复著录。

例： ; 105 × 105,105 × 105(盖)cm

5.5.4 附件

本项著录与拓片有关的又和拓片主体脱离的附属部分，如墨跋等，其前用“ + ”(空格、加号、空格)标识。

例： 2 册 + 张伯英跋(1 张)

5.6 从编项

目次

序则
从编正题名
从编其他题名信息 *
从编责任说明 *
从编编号
分丛编
(以上标有“ * ”者为选择著录单元)

5.6.0　序则

5.6.0.1　标识符

见第一章 1.6.0.1 条款。

5.6.0.2　结构形式

见第一章 1.6.0.2 条款。

5.6.1　从编正题名

参照本章 5.1.1 条款著录。

5.6.2　从编其他题名信息

参照本章 5.1.4 条款著录。

5.6.3　从编责任说明

参照本章 5.1.5 条款著录。

5.6.4　从编编号

参照第一章 1.6.6 条款著录。

5.6.5　分丛编

参照第一章 1.6.7 条款著录。

5.7　附注项

目次
序则
附注

5.7.0　序则

5.7.0.1　标识符

见第一章 1.7.0.1 条款。

5.7.0.2 结构形式

见第一章1.7.0.2条款。

5.7.1 附注

凡未在题名与责任说明项、版本项、刻立项、载体形态项、丛编项中著录而又有必须补充说明的内容,均可著录于本项。附注文字应简洁明了,尽可能采用固定导语和规范用语。若有多项附注内容,按下列顺序依次著录。

5.7.1.1 题名附注

a. 正题名之外的其他客观题名在此注明。

b. 有明确题名之自拟题名在此注明。如根据首题等拟取自拟题名时,寺、庙、观、庵、堂、会馆名称前所冠"敕建"、"重修"、地区名称及其他修饰性文字一般不予著录,亦可视需要保留"重修"等文字。

例: 自拟题名:法华寺碑、重修法华寺碑
(正题名著录:重修银山法华寺记)

5.7.1.2 责任者附注

责任者的规范名称在此注明。

5.7.1.3 原器物附注

a. 原器物出土的时间、地点、收藏沿革、尺寸在此注明。出土地点与刻立地点一致予以省略。

b. 重刻资料原石的刻立年代及地区在此注明。

c. 原器物载体性质(甲、骨、铜、铁、木、泥、竹等,石质省略不著)及残缺情况在此注明。

d. 甲骨、青铜器字数、碑版行款字数在此注明。

e. 文字的书写特征(篆书、隶书、正书、草书、行书等),本国民族文字及外国文字,阳文、双勾、反文、回文、倒文、左行等在此注明。

f. 装饰花纹等在此注明。

g. 刻跋的责任者、年代在此注明,亦可单独著录。

5.7.1.4 拓片状况附注

a. 拓片残损缺佚情况在此注明。

b. 拓片椎拓年代,以"×字不损本"形式著录。

5.7.1.5 拓片收藏人附注

收藏人情况在此注明。

5.7.1.6 跋文附注

凡镌刻在某种载体上,经椎拓后在拓片上可显示其文字的,以"……刻跋"形式著录于附注项。必要时,可作分析著录或单独著录。

在拓片着墨之外墨书形式的跋文,以"……题跋"著录于附注项。

5.7.1.7 拓片题跋题签、印章释文附注以收藏人先后为序。印章释文一般全录，相同印章只著录一次；印章繁多的，可只著录收藏者、鉴赏者姓名印章，后加“等印（章）×方”。

5.7.1.8 装裱形式附注

a. 经装裱有轴的整幅拓片，著录为“卷轴”（横轴、立轴）；无轴的整幅拓片，装裱形式从略。

b. 经装裱而成册的拓本，按其实际形式著录为“经折装”、“蝴蝶装”、“毛装”、“线装”、“剪贴本”等。

5.7.1.9 获得方式附注

例：　丁福保捐赠

5.7.1.10 其他不明确而需说明者在此注明。

5.8　标准编号与获得方式项

本项不适用于拓片著录。

5.9　拓片复制品的著录

拓片复制品包括以宣纸印制并以传统形式装裱的及静电复制、照像复制、缩微复制等各种形式的复制品。复制品的著录一般依据是复制品本身。有关原作品的信息按著录项目的顺序著录于同一条附注中。

第六章　测绘制图资料

6.0　通则

6.0.1　适用范围

本章适用于著录各类型测绘制图资料,包括印刷、晒印、手绘及其他制作方法生产的古今地图、地球仪、天球仪、地理模型等各种介质的文献。

6.0.2　著录项目

著录项目分为下列八项:
题名与责任说明项
版本项
文献特殊细节项(制图数学数据项)
出版、发行项
载体形态项
丛编项
附注项 *
标准编号与获得方式项
上述每一项目含一个或若干个著录单元,详见各项说明。
(以上标有“ * ”者为选择项目)

6.0.3　著录用标识符

标识符见第一章 1.0.3 条款。
制图数学数据项中所用标识符见本章 6.3.0.1 条款。
著录内容中的标点符号按照中外文各自的书写规则著录。

6.0.4　著录详简级次

6.0.4.1　著录详简级次以主要项目和选择项目为区分依据。著录详简级次可根据文献编目机构的类型和规模以及文献用户的检索要求作出选择。

a. 主要项目:题名与责任说明项的正题名、第一责任说明;版本项的版本说明;制图数学数据项的比例尺;出版发行项的第一出版地、出版者、出版日期;载体形态项的数量及特定文献类型标识、尺寸、附件;丛编项的丛编正题名、丛编编号;标准编号。

b. 选择项目:一般文献类型标识、并列题名、其他题名信息、其他责任说明;并列版本说明、与本版有关的责任说明、附加版本说明、附加版本说明的责任说明;投影说明、坐标说明；其他出版地、出版者、出版日期，印制地、印制者、印制日期；其他形态细节；从编并列题名、从编其他题名信息、从编责任说明、从编国际标准连续出版物号；附注；获得方式、限定说明。

6.0.4.2　著录详简级次分为简要级次、基本级次和详细级次。

a. 简要级次著录主要项目。

连续著录格式：

正题名 / 第一责任说明. -- 版本说明. -- 比例尺. -- 出版地 ：出版者，出版日期. -- 数量及特定文献类型标识 ；尺寸 ＋ 附件. --（从编正题名 ；从编编号）. -- 标准编号

分段著录格式：

正题名 / 第一责任说明. -- 版本说明. -- 比例尺. -- 出版地 ：出版者，出版日期

数量及特定文献类型标识 ；尺寸 ＋ 附件. --（从编正题名 ；从编编号）

标准编号

b. 基本级次著录主要项目和部分选择项目。

连续著录格式：

正题名 [一般文献类型标识] ＝ 并列题名 ：其他题名信息 / 第一责任说明 ；其他责任说明. -- 版本说明 / 与本版有关的责任说明. -- 比例尺 ；投影说明（坐标说明）. -- 出版地 ：出版者，出版日期（印制地 ：印制者，印制日期）. -- 数量及特定文献类型标识 ：其他形态细节 ；尺寸 ＋ 附件. --（从编正题名 ：从编其他题名信息 / 从编责任说明 ；从编编号）. -- 附注. -- 标准编号（限定说明）：获得方式（限定说明）

分段著录格式：

正题名 [一般文献类型标识] ＝ 并列题名 ：其他题名信息 / 第一责任说明 ；其他责任说明. -- 版本说明 / 与本版有关的责任说明. -- 比例尺 ；投影说明（坐标说明）. -- 出版地 ：出版者，出版日期（印制地 ：印制者，印制日期）

数量及特定文献类型标识 ：其他形态细节 ；尺寸 ＋ 附件. --（从编正题名 ：从编其他题名信息 / 从编责任说明 ；从编编号）

附注

标准编号（限定说明）：获得方式（限定说明）

c. 详细级次著录全部项目的所有著录单元。

6.0.5　著录信息源

测绘制图资料的著录信息源是测绘制图资料本身，包括盛装测绘制图资料的图袋、图盒、图夹等包装品等。测绘制图资料本身信息不足，可参考其他信息源。

6.0.5.1　主要信息源

测绘制图资料的主要信息源是测绘制图资料本身,不包括盛装测绘制图资料的图袋、图盒、图夹等包装品。

6.0.5.2 规定信息源

测绘制图资料各著录项目的规定信息源及选取顺序如下表;著录用信息取自规定信息源之外的信息置于方括号内,或在附注项说明。

著录项目	规定信息源
题名与责任说明项	题名页/图廓内外、版权页/版权栏、封面/折页封面、书脊、序言、题跋、后记、出版说明、说明书、索引、图夹/图袋/图盒等。
版本项	版权页/版权栏、题名页/图廓内外、封面/折页封面、出版说明、序言、题跋、后记、说明书等,或测绘制图资料的版本类型特征,或任何信息源。
制图数学数据项	测绘制图资料本身。
出版、发行项	版权页/版权栏、题名页/图廓内外、封面/折页封面、出版说明、序言、题跋、后记、说明书等。
载体形态项	测绘制图资料本身。
丛编项	测绘制图资料本身。
附注项	任何信息源。
标准编号与获得方式项	任何信息源。

6.0.5.3 在规定信息源的不同处出现著录信息差异时,应按照规定的选取顺序著录。若此规定不适用,则选择信息相对完备的信息源著录,必要时在附注项说明相关情况。

例: 最新天文图志

(封面上题名:二十世纪最新天文图志)

6.0.6 著录用文字

见第一章1.0.6条款。

6.1 题名与责任说明项

目次

序则

正题名

一般文献类型标识 *

并列题名 *

其他题名信息 *
责任说明
无总题名测绘制图资料
（以上标有“ * ”者为选择著录单元）

6.1.0　序则

6.1.0.1　标识符

见第一章 1.1.0.1 条款。

6.1.0.2　结构形式

见第一章 1.1.0.2 条款。

6.1.1　正题名

6.1.1.1　正题名是测绘制图资料的主要题名，是第一著录单元。即使题名页的责任说明、版本说明、丛编说明、出版事项或其他非题名事项位于正题名之前，正题名仍然是第一著录单元。正题名包括交替题名以及由共同题名与从属题名标识和（或）从属题名组成的题名等。

6.1.1.2　正题名原则上按照规定信息源所载题名著录。题名中有语法作用的标点、起标点作用的空格及其他符号、数字、比例尺、外文字母等也应照录；无法照录的符号或图形，可用相应符号或文字代替，并置于方括号内；题名中如有方括号应著录为圆括号，以区别于编目员自拟或取自规定信息源以外的信息。

例 1：　中国・珠海

例 2：　北京——九龙铁路沿线经济旅游地图

例 3：　渤海海峡△T 磁力异常图

例 4：　北半球 500 毫巴月平均高度及距平图

例 5：　河北省十万分一图

例 6：　中国 1∶1000000 地图

6.1.1.3　规定信息源有两种或两种以上文种题名，应选择中文题名作为正题名；若这一规定不适用，可根据规定信息源的版式或顺序选择正题名，其余题名作为并列题名著录。

例：　中国旅行略图

（“中国旅行略图”是与正文文字相同的题名，该图另一题名为英文：Sketch Tourist Map of China，作为正题名的并列题名著录）

6.1.1.4　题名前冠有责任者或出版发行者名称，或冠有“实测”、“实用”、“两用”、“最新”、“新编”、“新增”、“新撰”、“重订”、“钦定”、“详校”、“精密”、“笺注”、“甲种”、“袖珍”等类似字样，无论其字体形式或大小是否与题名一致，一律视为题名的一部分照录。

例 1：　泰晤士世界历史地图集

例 2：　东方中华新地图

例3： 实测黄河水利流域图

例4： 最新适用中国地图册

例5： 精密世界大地图

例6： 详校首善全图

例7： 新撰朝鲜地舆全图

例8： 甲种中华析类分省地图

6.1.1.5 交替题名是题名的一部分,应按规定信息源原有顺序著录。原题“原名”、“一名”、“又名”等连接词,如实著录,并在连接词前后用逗号。主要信息源之外的名称,如学界或社会上的习惯称谓,不属于交替题名,应在附注项著录。

例1： 最新世界现势地图,又名,世界平方图

例2： 清乾隆内府舆图

（附注项中著录：该图又称“乾隆十三排图”）

6.1.1.6 在主要信息源出现多个不同题名时,应按规定信息源所定顺序选取正题名,其他题名在附注项著录。

例： 皇朝中外一统舆图

（封面等处题名“皇朝中外一统舆图”,附注项中著录:版心和序言题名“大清一统舆图”）

6.1.1.7 一种测绘制图资料中有多个地图,且有共同题名,则著录总题名,各分题名可以子目形式著录在附注项。

例1： 南京市交通旅游地图

（该图是由“南京市区交通图”和“南京近郊交通图”组成,印于一张纸上）

例2： 北京游览地图

（该图由《北京游览全图》、《北京皇城全图》、《内城一览图》、《外城一览图》四幅构成）

6.1.1.8 正题名由共同题名与从属题名标识和(或)从属题名构成时,应首先著录共同题名,再著录从属题名标识和(或)从属题名。只有从属题名标识或从属题名时,其前用“. ”(句点、空格)标识。如既有从属题名标识又有从属题名时,则其前分别用“. ”(句点、空格)和“, ”(逗点、空格)标识。

例1： 历代舆地沿革险要图. 第四册, 嬴秦郡县图

例2： 渤海、黄海、东海海洋图集. 水文

例3： 世界历史地图册. 第一册

例4： 中国海及临海气候图集. 风、浪和风暴图

（该图集另有两个分册:《云、天气现象和能见度图》、《高空风、温度和湿度图》,应在附注项说明）

6.1.1.9 著录测绘制图资料无正题名,或正题名不完整时,编目员可自拟题名或补充题名,并将自拟题名或自拟部分置于方括号内。自拟题名的文字应与正文中的语言文字一致。自拟题名的依据可在附注项中注明。

例： [九域守令图]

（附注：题名据《四川通志》、《嘉定府志》、《荣县志》等考证自拟）

例 2：［江西省府县分图］

例 3：［中国各省物产图］

6.1.1.10 规定信息源所载题名有误，应原样照录，同时在附注项说明。

6.1.2　一般文献类型标识

6.1.2.1 测绘制图资料与其他类型文献处于同一目录体系时，应在正题名之后著录一般文献类型标识，并置于方括号内。测绘制图资料的一般文献类型标识本规则推荐使用“［地图］”。若测绘制图资料的目录自成一体，则可不著录此项。

例：闽江全图［地图］

6.1.2.2 一般文献类型标识应按所著录对象的文献类型标识著录。若著录对象是由电子资源转换而成的纸质或其他非电子介质的测绘制图资料，一般文献类型标识著为“［地图］”；若著录对象是由纸质或其他非电子介质的测绘制图资料转换而成的电子资源，或著录对象本身就是电子资源，则著录为“［电子资源］”。

例：中国地图集［电子资源］

6.1.2.3 若测绘制图资料由主体部分和附件部分构成，且这两部分属于不同文献类型时，只著录主体部分的文献类型标识。

例：中国地质图集［地图］

（该图集中附加一电子资源光盘）

6.1.2.4 著录无总题名测绘制图资料时，一般文献类型标识应著录于第一个正题名之后。

例：深圳商旅综合图［地图］；房地产导向图

6.1.3　并列题名

6.1.3.1 规定信息源有对应于正题名的另一文种（或语种）题名，可作为并列题名著录于正题名之后（省略一般文献类型标识时），其前用“ = ”（空格、等号、空格）标识。

例 1：中国土壤图集 = The soil atlas of China

例 2：泰晤士世界历史地图集 = The Times atlas of world history

6.1.3.2 规定信息源有两种以上文种（或语种）题名，将首先出现的其他文种题名作为并列题名著录，其余文种的题名可依次著录，或在附注项说明。每种语言和/或文字的大小写应遵照该语言和/或文字的书写规则书写。

例 1：国际地图集 = The international atlas = Der Internationale Atlas

例 2：集邮者的世界地图 = The world map of stamp-collectors

（另有德文、西班牙文和法文题名，在附注项照录、说明）

6.1.3.3 出现在非规定信息源上与正题名相对应的其他文种题名应在附注项注明。

例：帝国主义时代的世界政治经济地图

（附注：该图集根据“Atlas fuer Rolitik，Wirschaft，Arbeiterbewegung”翻译）

6.1.4　其他题名信息

6.1.4.1 用来限定补充、解释或修饰正题名、并列题名、丛编题名等的其他题名信息,著录在与其相关的题名之后,其前用“ : ”(空格、冒号、空格)标识。

例1: 南美洲 : 政区

例2: 北京地区震害图 : 1976年7月28日

例3: 济南向导图 : 衣、食、住、行、游、娱乐、服务指南

例4: 今古舆地图 : 三卷

6.1.4.2 其他题名信息按规定信息源所题顺序著录于所隶属的整个或部分正题名或并列题名等之后。

例: 俄国历史地图解说 : 一千一百年来俄国疆界的变动 = An atlas of Russian history : Eleven centuries of changing borders

6.1.4.3 规定信息源有多个其他题名信息,应按规定信息源顺序依次著录在正题名之后。每一个其他题名信息前均用“ : ”(空格、冒号、空格)标识。

例: 近海水化学要素 : 溶解氧 : 夏

6.1.4.4 正题名由简称或缩写词组成,同时其全称形式也出现在规定信息源中,其全称形式应作为其他题名信息著录。

6.1.4.5 如果正题名含义不清,可自拟说明性短语,作为其他题名信息著录在方括号内。

例1: 市内交通路线示意图 : [沈阳]

例2: 峨眉山 : [游览路线图]

6.1.4.6 规定信息源有并列题名和并列其他题名信息,可将每一并列其他题名信息著录于与其文种相同的题名后。

例: 渤海、黄海、东海海洋图集 : 地质、地球物理 = Marine atlas of Bohai Sea, Yellow Sea, East China Sea : Geology and geophysics

6.1.4.7 规定信息源有多个并列题名,但只有一个文种的其他题名信息,可将其他题名信息著录于最后一个并列题名之后。

例: 中国土地利用图 = Land-use map of China : 海南岛

6.1.5 责任说明

6.1.5.1 责任说明包括责任者名称及各种责任方式,如编、主编、纂、编纂、著、编著、制、编制、绘制、绘、测绘、编绘、摹绘、制图、辑、编辑、数据处理、译、编译、摄、拍摄、摄影、校、校订、修订、增订等,一般按规定信息源原题名称形式和顺序如实著录。第一责任说明著录于题名之后,其前用“ / ”(空格、斜线、空格)标识。

例1: 最新实用中华全图 / 苏甲荣编制

例2: 最新东洋史要地图 / 商务印书馆编纂

6.1.5.2 著录同一责任方式的多个责任者的数量由编目机构决定,一般不超过三个。同一责任方式的不同责任者之间用逗号标识。超过三个或编目机构所定著录数量的,只著录第一个,后用“[等]”表示,其余的在附注项说明。

例1: 最新世界各国图 / 李长傅,洪懋熙编

例 2：　两湖水道图 / 李国栋，范新培，邓士强绘

例 3：　中国古代地图集 ：战国—元 / 曹婉如［等］编

（附注：题名页原题编者为曹婉如、郑锡煌、黄盛璋、钮仲勋、任金城、鞠德源）

6.1.5.3　著录不同责任方式，按规定信息源原题顺序著录，著录数量可由编目机构自行规定，一般不超过四种。除第一责任说明外，其他责任说明前用“ ；”（空格、分号、空格）标识。

例 1：　璧山县图 / 饶尚沣绘 ；胡正平修正

例 2：　中华人民共和国国家农业地图集 / 周立三主编 ；周世颐［等］编辑 ；陈月娥［等］编绘

例 3：　1∶1000000 中国植被图集 / 侯学煜主编 ；李照华［等］计算机制图

6.1.5.4　中国古代（1912 年前）责任者应在姓名前用朝代简称（见本书附录 2）注明所属朝代，并加圆括号；僧人责任者的法名照录，法名前冠“释”字著录在圆括号内；如果僧人是古代的人，则朝代在前，“释”在后，置于圆括号内。

例 1：　二十世纪中外大地图 / （清）周世棠，（清）孙海环编辑

例 2：　中国近世舆地图说 ：二十三卷 / （清）罗汝南编纂 ；（清）方新校绘

6.1.5.5　规定信息源载有外籍责任者的国别，应将国别简称（见本书附录 4）著录于姓名前，并加圆括号；如果是经考证认定的国别，则应置于方括号内。

例：　第二次世界大战史图解 / （美）鲁道夫 · 马德利著 ；詹宣国，丁会恒编译 ；张隆治，蒋兆龙绘图

6.1.5.6　规定信息源同时载有外籍责任者中文译名和原文，均应著录，原文著于译名后，并加圆括号。

例 1：　坤舆万国全图 / （意）利玛窦（Ricci，Matteo）绘

例 2：　长江全图 / 维拉德（R. A. Villard）绘

6.1.5.7　规定信息源出现并列题名和并列责任说明，可将每一文种的责任说明分别著录在与其对应的题名之后。

例：　俄国历史地图集 / （英）马丁 · 吉尔勃特 = Russian history atlas / Martin Gilbert

6.1.5.8　规定信息源有并列题名而无并列责任说明，应将责任说明著录于并列题名之后。

例 1：　中国土壤图集 = The soil atlas of China / 熊毅主编 ；王鹤林，黄翠琴编绘

例 2：　山东省人口经济地图集 = Atlas of population and economy of Shandong Province / 周文昌，翟焕波主编

6.1.5.9　责任者名称前后原题表示职务、学位、职称、出身、籍贯等字样，无特殊要求或不是对识别个人和团体所必须时不予著录。

6.1.5.10　规定信息源既有团体责任者，又有个人责任者，若能分清个人责任者和团体责任者所负责任的主次，则按责任方式的主次依次著录；若无法分清责任主次，则按规定信息源所载先后顺序著录。

例 1：　中国物理气候图集 / 高国栋，陆渝蓉主编 ；南京大学气象系编辑

例 2：　浙江省城市地图册 / 浙江省测绘局综合测绘大队编 ；盛秋等审校

例3： 中华人民共和国人口环境与可持续发展地图集 / 中国科学院地理研究所,中国社会学会人口与环境专业委员会,中国环境监测总站主编 ; 刘岳,万本太主编

(规定信息源上团体责任者在前)

6.1.5.11 分卷(册)测绘制图资料,既有全套资料的主要责任者,又有各分卷(册)的主要责任者,应先著录全套资料的主要责任者,后著录分卷(册)主要责任者。如有必要,可在各分卷(册)的主要责任者与责任方式之间加著“本卷”等类似字样,并置于方括号内。

例： 国家文物地图集. 吉林分册 / 国家文物局主编 ; 方起东[本册]主编 ; 傅家欣等编辑

6.1.5.12 凡翻译的测绘制图资料,应先著录原著责任者,再著录翻译者。若规定信息源无原著责任者,应以翻译者为第一责任者。对于转译著作,只著录原著者和汉语文翻译者,其他中间文字翻译者可在附注项说明。

例1： 西洋历史地图 / (美)巴玛(R. R. Palmer)主编 ; 王曾才编译

例2： 世界政区 : 蒙文 / 地图出版社编制 ; 内蒙古教育出版社翻译

6.1.5.13 凡重绘、摹绘、缩绘、改编、修订、增补等测绘制图资料,应先著录原责任者,再著录重绘者等责任者。

例1： 万国舆图 / (清)陈兆桐原本 ; 李节斋重绘

例2： 历代沿革图 / (清)六严原绘 ; (清)马征麟订正

例3： 皇朝一统舆地全图 / (清)李兆洛编 ; (清)六严缩摹

6.1.5.14 规定信息源未载明责任者,可考证著录。考证的责任者加方括号,并在附注项中说明考证依据;无法考证者,可不著录;规定信息源载有“佚名”字样,应照实著录。

例1： 古今形胜之图 / [(明)喻时]编

(附注：编者据《筹海图编》及《千顷堂书目》补)

例2： 盛朝七省沿海图

(无法考证责任者)

6.1.5.15 规定信息源所载责任者为笔名、别名、非全称、误名等非规范名称,应原样照录。

6.1.5.16 规定信息源上责任者为“本社编”等类似字样,应原样照录。

例： 中国地图册 / 本社编

(该图册由地图出版社出版,责任者全名应为地图出版社)

6.1.5.17 规定信息源所载责任说明有误,应原样照录,并在附注项说明。

6.1.6 无总题名测绘制图资料

6.1.6.1 两个或两个以上测绘制图资料无总题名,若责任者相同,依次著录各个题名,在第二个及其后的题名前用“ ; ”(空格、分号、空格)标识;若责任者不同,分别著录题名及相对应的责任者,第二个及其以后的,在题名前用“. ”(句点、空格)标识;超过三个题名,只著录前三个,未在正题名中著录的题名和相关责任者在附注项中说明。

例1： 长春市区旅游交通图 ; 长春市区工业企业分布图 / 吉林省测绘学会编制

例2：　吉林省行政区地图／吉林省测绘局编. 吉林省地名图／吉林省地名委员会编

例3：　青州府乐安县造送舆图；调署青州府博山县呈送境内各社庄村暨铁路支路里数地舆全图；署理青州府博兴县呈送城图

（该图共25幅，无总题名，另外22幅应在附注项说明）

6.1.6.2　测绘制图资料中有多个地图，无总题名，但各图题名不完整或不能独立，则应由编目员自拟总题名作为正题名著录，各图题名在附注项以子目形式列出。

例：［北平至房山县一带地图］

（附注：子目：平西府镇；清河镇；北平；马家铺；万字地；黄村；沙河镇；万寿山；蓝靛厂；卢沟桥；狼垡；梨村；军庄；三家店；大灰厂；王庄；良乡；新房；驼（坨）里；房山）

6.2　版本项

目次

序则

版本说明

并列版本说明 *

与本版有关的责任说明 *

附加版本说明 *

附加版本说明的责任说明 *

（以上标有“ * ”者为选择著录单元）

6.2.0　序则

6.2.0.1　标识符

见第一章1.2.0.1条款。

6.2.0.2　结构形式

见第一章1.2.0.2条款。

6.2.1　版本说明

此项内容取自版本项的规定信息源。

6.2.1.1　版本说明通常以序数词与“版”字相结合的术语或以区别其他版本的术语形式出现。按版次特征有初版或第一版、再版或第二版、第三版等，按印制特征有绘本、刻本、石印本、铜版印本、摄影本、晒印本、影印本等，按版本演进特征有增订本、修订本等。初版或第一版、铅印本、胶印本一般不予著录。其前用项目标识符。

例1：. -- 再版

例2：. -- 修订版

例3：. -- 影印本

6.2.1.2 版本说明一般按规定信息源所载形式著录,但所涉及的数字一律用阿拉伯数字著录;规定信息源无明确版本说明,可根据规定信息源的相关信息判别版本情况,再按规范版本说明著录。

例1: . -- 2 版

(规定信息源上为“第二版”)

例2: . -- 刻本

(规定信息源上只有某年刻的记录)

例3: . -- 绘本

(在编地图是手绘的)

6.2.1.3 版本说明属于题名或其他著录项目的组成部分,并按有关规定著录后,本项不再重复著录。如通俗本、点校本、工商本、沿海本、初级本、海外版、世纪版等与题名相关、反应内容特征的版本说明文字应视为其他题名信息,著录在题名与责任者项。若版权页/版权栏有明确的版权说明,应在此著录。

例1: 中华全图(增订三版)

(版本说明不著录“修订三版”)

例2: 修订浙江全省舆图并水陆道里记

(版本说明不著录“修订本”)

例3: 再版中国分省新图

(版权页上明确载明再版,因此,版本说明应著录为“2 版”)

6.2.1.4 一种测绘制图资料包括两种版本形式,如刻印本中夹有抄配件(手抄本),均在此著录。

例1: . -- 刻本与抄本

例2: . -- 影印本与晒印本

6.2.1.5 测绘制图资料各部分版本类型超过两个,第三个及以后版本类型可在附注项说明。

6.2.1.6 规定信息源的版本说明有误的,应在版本说明中照实著录,同时,在附注项中说明情况。

6.2.2 并列版本说明

规定信息源有其他语言和/或文字的版本说明著录于版本说明之后,其前用“ = ”(空格、等号、空格)标识。

例: . -- 2 版 = 2nd ed.

6.2.3 与本版有关的责任说明

与本版有关的责任说明著录于版本说明或并列版本说明之后,其前用“ / ”(空格、斜线、空格)标识。

例1: . -- 缩印本 / 苏州市城建局缩绘

例2: . -- 增订本 / 曾世英,方俊增订

6.2.4 附加版本说明

6.2.4.1　附加版本说明是指规定信息源中对版本说明的补充说明，著录于版本说明之后，其前用“，”（逗号、空格）标识。

例1：．-- 3版，修订本

例2：．-- 新1版，修订版

6.2.4.2　规定信息源既有版次，也有版本类型，如石印本、油印本、晒蓝本、绢绘本、绘本等，应将版次视为版本说明著录，而版本类型则视为版本附加说明著录；若只有版本类型，则视版本类型为版本说明；只有版本类型，且有反映印制特征的版本类型和反映版本演进特征的版本类型，则应将前者作为版本说明著录，后者作为版本附加说明著录。

例1：．-- 6版，修订本

例2：．-- 石印本，增订本

例3：．-- 修订本

例4：．-- 绢绘本

6.2.5　附加版本说明的责任说明

附加版本说明的责任说明著录于附加版本说明之后，其前用“ / ”（空格、斜线、空格）标识。

例1：．-- 3版，增订本 / 邹新垓增订

例2：．-- 石印本，修订本 / 徐则恂修订

6.3　制图数学数据项

目次

序则

比例尺

投影说明 *

坐标说明 *

（以上标有“ * ”者为选择著录单元）

6.3.0　序则

6.3.0.1　标识符

a. 本项前用“. -- ”（句点、空格、连字符、连字符、空格）。

b. 各种不同比例尺之间用“，”（逗号、空格）。

c. 表示比例尺范围、坐标中经度或纬度范围用“ - ”（空格、连字符、空格）。

d. 投影说明前用“ ；”（空格、分号、空格）。

e. 投影说明与其附加说明之间用“，”（逗号、空格）。

f. 坐标说明用圆括号。

g. 坐标说明中经度范围与纬度范围之间用“ / ”（空格、斜线、空格）。

h. 坐标说明中经纬度范围与二分点之间用" ; "(空格、分号、空格)。

6.3.0.2 结构形式

. -- 比例尺

. -- 比例尺 ; 投影说明

. -- 比例尺 ; 投影说明(坐标说明)

. -- 比例尺(坐标说明)

6.3.1 比例尺

6.3.1.1 比例尺是测绘制图资料的重要因素,著录时任何情况下都不能省略,即使没有比例尺或正题名中已有比例尺,均应在此著录。

例: 河北五万分一地形图 / 军政部陆地测量局制. -- 1:50000

6.3.1.2 比例尺的著录应按规定信息源实录(除线段比例尺外),即无论比例尺是以分数式表示,还是用文字叙述,均应原样照录。

例1: . -- 1:5000000

例2: . -- 1 厘米代表 1 公里

例3: . -- 1 厘米 =1 公里

例4: . -- 五里方

6.3.1.3 如果规定信息源只有线段式比例尺,应换算成分数式比例尺著录;分数式比例尺含有汉字,应换算成纯数码分数式比例尺;若难以准确换算,可著录为"有比例尺";经考证所得比例尺,也可著录在此。以上四种情况的著录内容均应置于方括号内。

例1: . -- [1:5000000]

(将地图上的线性比例尺换算成分数式比例)

例2: . -- [1:1210000]

(根据研究成果著录,此依据应在附注项中说明)

例3: . -- [1:300000]

(原图示题 1:30 万)

例4: . -- [有比例尺]

6.3.1.4 规定信息源既有分数式比例尺,也有文字叙述式比例尺,只选择分数式比例尺著录。

例1: . -- 1:100000

(在规定信息源同时有"1 厘米代表 1 公里"的字样)

例2: . -- 1:4000000

(在规定信息源同时有"图上 1 厘米等于地面距离 40 千米"的字样)

6.3.1.5 同一种测绘制图资料上有两个或两个以上比例尺,著录最大和最小的比例尺,大者在前,小者在后,其间用" - "(空格、连字符、空格)连接;如果仅有两个比例尺,则两者间用", "(逗号、空格)分隔;如果无法或不必要判断比例尺大小,则可著录为"比例尺不等"、"画方计里不等",且置于方括号内。

例1: . -- 1:50000, 1:100000

(一种多幅地图,其上有两个比例尺)

例2：　. -- 1:750000 – 1:20000000
（一种地图集，其上有多个比例尺）
例3：　. -- [比例尺不等]
（一种地图集，其上比例尺太多，一时无法辨别比例尺大小）
例4：　. -- [画方计里不等]

6.3.1.6　规定信息源未载比例尺，且无法估算或考证，则著录为“比例尺不详”，并置于方括号内；在中国古代地图中，如果规定信息源只画方不计里，则著录为“画方不计里”，并置于方括号内。
例1：　. -- [比例尺不详]
例2：　. -- [画方不计里]

6.3.1.7　若规定信息源指明所载比例尺为特定部位的比例尺，则应照实予以说明。
例：　. -- 赤道处比例 1:3982200

6.3.1.8　同一种测绘制图资料既有水平比例尺，又有垂直比例尺或其他种类的比例尺，应先著录水平比例尺，再著录垂直比例尺，其间用“，”（逗号、空格）隔开。垂直比例尺及除水平比例尺之外的其他比例尺之前加“垂直比例”字样或其他相关字样，以区别不同比例尺。
例1：　. -- 1:744080，垂直比例 1:96000
例2：　. -- [1:7500000]，垂直比例[1:500000]

6.3.1.9　天文图或相关天球图的比例尺用角比例尺表示，应原样照录。

6.3.1.10　规定信息源的比例尺明显有误，应原样照录，同时在附注项说明。
例：　. -- 1:100000
（附注：该图比例尺应为 1:1000000）

6.3.2　投影说明

6.3.2.1　规定信息源载有投影说明，应如实著录在比例尺说明之后，用“ ; ”（空格、分号、空格）标识。规定信息源没有投影说明，如果确有必要，可推测或考证著录，并置于方括号内。
例1：　. -- 1:500000 ; 双标准纬线等角圆锥投影
例2：　. -- [1:4000000] ; 等积圆锥投影

6.3.2.2　规定信息源除投影说明外，还有相关辅助说明性文字，也应照录，用“，”（逗号、空格）标识。
例：　. -- 1:6000000 ; 正轴双标准纬线等角圆锥投影，标准纬线 N25°、N47°。

6.3.3　坐标说明

6.3.3.1　规定信息源有坐标说明，应照录；如果没有，可空缺。坐标说明包括测绘制图资料的空间和时间坐标，置于圆括号内，时间坐标与空间坐标之间用“ ; ”（空格、分号、空格）分隔。

6.3.3.2 空间坐标一般用图幅所跨经纬度表示,天文图用赤经纬度表示。(赤)经纬度起迄用“ - ”(空格、连字符、空格)表示,(赤)经度与(赤)纬度之间用“ / ”(空格、斜线、空格)分隔。

例1: (E79° - E86° / N20° - N12°)

例2: (W74°50′ - W17°30′ / N1°30′12″ - N45°00′00″)

例3: (E15°00′00″ - E17°30′45″ / N1°30′12″ - S2°30′35″)

例4: (RA 16hr. 30min. - 19hr. 30min. / Decl. -16° - -49°)

6.3.3.3 时间坐标用二分点和历元表示,在二分点和历元的标识“eq.”、“epoch”之后著年代。二分点与历元之间用“, ”(逗号、空格)分隔。

例1: (eq. 1970)

例2: (RA 2hr. 00min. - 2hr. 30min. / Decl. -30° - 45° ; eq. 1950, epoch1948)

6.4 出版、发行项

目次

6.4.0 序则

6.4.0.1 标识符

见第一章1.4.0.1条款。

6.4.0.2 结构形式

见第一章1.4.0.2条款。

6.4.1 出版地或发行地

6.4.1.1 出版地或发行地是指规定信息源所载出版者或发行者所在的城市名称,其后不著录“市”字。若规定信息源只提供了非城市地名,又无法考证出所属城镇名,也可作为出版地或发行地著录。规定信息源同时载有出版地和发行地,只著录出版地,不著录发行地。

6.4.1.2 为识别鲜为人知或重名的出版地或发行地,应将国名、省(州)名等限定地名加注于出版地之后。如果限定地名取自规定信息源,可置于圆括号内;如果取自其他信息源,则置于方括号内。

例1: . -- 伦敦[英国]

例2: . -- 伦敦[加拿大]

例3：　. -- 剑桥(马萨诸塞州)

例4：　. -- 剑桥[英格兰]

例5：　. -- 雪兰莪(马来西亚)

6.4.1.3　规定信息源载有两个出版地或发行地应一并著录，在第二个出版地或发行地前用“ ; ”(空格、分号、空格)标识；三个及其以上出版地或发行地应按规定信息源的版式或顺序著录最显著或第一个出版地或发行地，后加“[等]”，其余在附注项说明。

例1：　. -- 北京 ; 香港

例2：　. -- 武昌 ; 新化

例3：　. -- 纽约[等]

例4：　. -- 广州[等]

6.4.1.4　规定信息源所载出版地或发行地为旧地名，应原样照录。如有必要，可将现行地名附加在后，并置于方括号内。

例1：　. -- 京师

例2：　. -- 奉天府[沈阳]

例3：　. -- 列宁格勒[圣彼得堡]

6.4.1.5　规定信息源未载明出版地，应著录发行地。如果出版地、发行地均无，则应考证出版地，著录在方括号内；如考证存疑，可在存疑地名后加问号；出版地无从考证时，可在方括号内注明“出版地不详”字样。

例1：　. -- [上海]

例2：　. -- [重庆?]

例3：　. -- [出版地不详]

6.4.1.6　出版者名称中已含有出版地名称时，出版地仍要著录。

例1：　重庆 : 重庆建筑工程学院

例2：　成都 : 成都地图出版社

6.4.1.7　规定信息源所载出版地或发行地有多种文字，应著录与正题名文种相同的出版地或发行地。若这一规定不适用，则按规定信息源所载版式或顺序著录最显著或第一个出版地或发行地。

6.4.1.8　规定信息源所载出版地或发行地有误时应原样照录，同时在附注项说明。

6.4.2　出版者或发行者

6.4.2.1　出版者或发行者著录于出版地之后，其前用“ : ”(空格、冒号、空格)标识。规定信息源同时载有出版者和发行者，只著录出版者，不著录发行者。

6.4.2.2　规定信息源载有两个出版者或发行者，应著录在各自出版地或发行地后；如果出版地或发行地相同，则只在第一个出版者前著录出版地，两个出版者或发行者前用“ : ”(空格、冒号、空格)标识；三个及以上出版者或发行者，应按规定信息源所载版式或顺序著录最显著或第一个出版者或发行者，后加“[等]”，其余在附注项说明。

例1：　. -- 北京 : 人民教育出版社 : 测绘出版社

例2：　. -- 北京 : 中国地图出版社 ; 成都 : 成都地图出版社

例3： . -- 北京 ：地图出版社[等]

（出版社还有测绘出版社、科学出版社,应在附注项注明这两个出版者）

6.4.2.3 出版者或发行者有多种文字,应著录与正题名文种相同者。若这一规定不适用,应根据规定信息源所载版式顺序著录最显著或第一个出版者或发行者。

6.4.2.4 规定信息源未载明出版者,可著录发行者或经销者,并在其后方括号内注明“发行者”或“经销者”字样。

例： . -- 北京 ：新华书店[发行者]

6.4.2.5 规定信息源未载明出版者或发行者,能考证的,可著录考证结果,并置于方括号内;无法考证的,可注明“出版者不详”字样,并置于方括号内。

例： . -- 北平[北京] ：[出版者不详]

6.4.2.6 规定信息源载出版者为“编绘者”等类似显示与在编文献责任者相同的字样,一律按出版者的全称著录。

例1： 景洪县地图 / 景洪县人民政府编. -- 景洪县 ：景洪县人民政府

（规定信息源上出版者为“编者”）

例2： 中华人民共和国及其毗邻海区构造体系图 / 中国地质科学院地质力学研究所编制. -- 北京 ：中国地质科学院地质力学研究所

（规定信息源上出版者为“编制者”。）

6.4.2.7 刻印和拓印测绘制图资料的刻版者和刻石者可视为出版者著录。

例： . -- [出版地不详] ：恽氏家塾, 清光绪十四年[1888]

6.4.2.8 规定信息源所载出版者或发行者有误时,应原样照录,同时在附注项说明。

6.4.3 出版日期或发行日期

6.4.3.1 出版日期或发行日期著录于出版者或发行者之后,其前用“, ”(逗号、空格)标识。规定信息源既有出版日期,又有发行日期,只著录出版日期;没有出版日期时著录发行日期。著录中省略“年”字。

6.4.3.2 用公元纪年表示的出版年一律用阿拉伯数字著录。非公元纪年,应如实著录,在其后注明相应的公元纪年,并置于方括号内。

例1： , 1994

例2： , 民国二十年[1931]

例3： , 清乾隆三十二年[1767]

6.4.3.3 规定信息源未载明出版日期,可著录发行日期或版权日期,并在其后方括号内注明“发行”或“版权”字样。

例1： , 民国三十年[1941][发行]

例2： , 1971[版权]

6.4.3.4 若出版日期、发行日期、版权日期等均未在规定信息源载明,可考证或推测著录出版日期,后加问号,并置于方括号内。如无法推测或考证,可在方括号内注明“出版年不详”字样。

例1： , [1930?]

例 2：　，[193-？]

（推测在二十世纪三十年代的十年范围内）

例 3：　，[清光绪末年]

例 4：　，[出版年不详]

6.4.3.5　测绘制图资料的多卷(册、幅)出版日期各不相同,应著录出版的起始年与终止年,其间用连字符连接;正在出版的多卷(册、幅)测绘制图资料,只著录出版起始年,其后用连字符表示,待全部出版完成后再著录终止年。

例 1：　，1992-1994

例 2：　，1996-

6.4.3.6　绘本地图以成图年代为出版年著录。拓本地图以刻石年代为出版年著录。刻印地图以刻版年代为出版年。

例 1：　清同治二年[1863]

（长芦直豫二省运河总分图,绘本,同治二年绘）

例 2：　明嘉靖十四年[1535]

（黄河图说,拓本,明嘉靖十四年立石）

例 3：　清同治十年[1871]

（长江图说,刻本,清同治十年刻）

6.4.3.7　规定信息源所载出版年或发行年有误,依原样照录,并在附注项说明正确出版年。

6.4.4　印制地、印制者、印制日期

6.4.4.1　规定信息源未载明出版地或发行地、出版者或发行者、出版日期或发行日期,应将印制地、印制者、印制日期著录在出版发行项的相应位置,并置于圆括号内。

例 1：　. -- [出版地不详] : [出版者不详], [出版年不详] (1956 年印)

例 2：　. -- [出版地不详] : [出版者不详], [出版年不详] (三河县 : 河北三河艺苑胶印厂, 1992)

6.4.4.2　若规定信息源出版、发行事项齐全,又有必要著录印制事项,亦可著录于出版发行事项之后圆括号内。

例 1：　. -- 北京 : 测绘出版社, 1995 (上海 : 中华印刷厂印制)

例 2：　. -- 北京 : 地图出版社, 1980 (西安 : 陕西人民印刷厂印制, 1981)

例 3：　. -- 西安 : 西安地图出版社, 1995 (西安 : 陕西人民印刷厂 4 印, 2000)

6.4.4.3　拓本地图的拓印时间可作为印制日期著录。

例：　. -- 镇江 : [出版者不详], 宋绍兴十二年[1142 刻石] (民国年间拓印)

6.5　载体形态项

目次

序则

数量及特定文献类型标识

其他形态细节 *

尺寸
附件
(以上标有“＊”者为选择著录单元)

6.5.0　序则

6.5.0.1　标识符
见第一章1.5.0.1条款。
6.5.0.2　结构形式
见第一章1.5.0.2条款。

6.5.1　数量及特定文献类型标识

6.5.1.1　测绘制图资料的数量用阿拉伯数字著录,数量单位视测绘制图资料的类型而定,并应遵循国家有关标准。
6.5.1.2　以单张形式存在的测绘制图资料按一个独立、完整的图幅计数著录;若一幅分切数张,应在幅数后加著分切张数;若一张纸上有若干独立的图幅,则以张数著录。
例1：5幅
例2：1幅分切2张
例3：3幅各分切4张
例4：5幅共分切18张
例5：1张
6.5.1.3　以单本形式存在的测绘制图资料按图集(册)最末标记页码数著录。图集(册)按正文及其他内容分数段分别编制页码数,应分段依次著录各自页码,其间用逗号分隔,在最后一个页数后加数量单位“页”;若正文之外的其他内容并不重要,且页数甚少,可省略不著。
例1：107页
例2：8,154,54页
例3：205页
(该图集分别标码为：目录2页,前言2页)
6.5.1.4　集中著录的多卷（册）测绘制图资料，各卷（册）连续编码时，先著录卷（册）数，再著录总页数，页数置于圆括号内；若各卷（册）单独编码，则只著录总卷（册）数。
例1：3册(350页)
例2：5卷(1210页)
例3：20册
6.5.1.5　分散著录的多卷(册)测绘制图资料单独编制页码,应著录单独页码;连续编制页码的,则著录该段的起讫页码,其间用连字符连接。
例1：320页

例 2：　410－753 页

6.5.1.6　单本形式的测绘制图资料的页码数只标注在单面上，数量应按信息源标注的实际数量著录，数量单位应为“面”或“叶”，“叶”主要用于古代地图中。

例 1：　47 面

例 2：　135 叶

6.5.1.7　单本活页形式的测绘制图资料，除著录实际页（叶/面）数外，其后还应加注“函”、“盒”等盛装物的数量和单位，并置于圆括号内。

例 1：　27 面（1 盒）

例 2：　252 页（2 盒）

例 3：　89 叶（1 函）

6.5.1.8　单本测绘制图资料未标明页码，一般应清点计数，并将结果著录于方括号内；难以统计页数的，只著录册数。

例 1：　[18 面]

例 2：　[93 页]

例 3：　1 册

6.5.1.9　在编文献的数量一时无法确定，可著录为“ - 幅”或“ - 册”等，供日后确定数量后填入。

6.5.1.10 测绘制图资料的类型标识用简单的数量单位无法明确时，应将资料类型较完整的名称著录于数量之后。

例 1：　1 架地球仪

例 2：　1 架天球仪

例 3：　1 件模型

6.5.1.11 规定信息源的数量标识有误，应照录，并在附注项中说明。

6.5.2　其他形态细节

6.5.2.1　其他形态细节是指测绘制图资料的数量和尺寸以外的形态、色彩、载体材料等，著录于数量及特定文献类型标识之后，其前用“ ：”（空格、冒号、空格）标识，各形态细节之间用逗号分隔。

例 1：　189 页 ：彩色

例 2：　1 幅 ：彩色，的确良

例 3：　1 架地球仪 ：彩色，石膏

6.5.2.2　规定信息源的色彩为黑白时，不著录；为黑白之外的两色或三色，著录为“二色”或“三色”；三种色彩以上的著录为“彩色”；墨印或晒蓝着色的，著录为“墨印着色”或“晒蓝着色”。载体材料为纸质时，不著录；载体材料由多种物质组成，著录主要材料，如以石膏为主要材料制成的地球仪，只著录石膏。

例 1：　135 页 ：二色

例 2：　1 幅 ：彩色，绢

例 3：　1 幅 ：晒蓝着色

例4： 1册 : 墨印着色

6.5.2.3 测绘制图资料因实施修复或保护措施而造成形态等方面的改变,应按原有形态著录,变化后的形态状况应在附注项予以说明。

例： 1幅分切6张 : 彩色,绢
（附注：现已装裱为1张）

6.5.3 尺寸

6.5.3.1 测绘制图资料用“纵×横”、“纵×横×高”或直径等形式表示尺寸,尺寸大小用阿拉伯数字表示,单位为cm(厘米),不足1cm的尾数按1cm著录。其前用“ ; ”(空格、分号、空格)标识。

6.5.3.2 单幅地图的尺寸以图框内廓的“纵×横”计量;单本地图的尺寸以开本的“纵×横”计量;立体模型用“纵×横×高”计量尺寸;二维圆面的测绘制图资料、地球仪或天球仪用圆或球的直径计量尺寸。

例1： 1幅 : 彩色 ; 50×68cm

例2： 24面 : 彩色 ; 42×28cm

例3： 8, 186页 : 彩色 ; 39×27cm

例4： 1件地形模型 : 石膏 ; 45×35×2cm

例5： 1架地球仪 : 彩色,塑料 ; 28cm

6.5.3.3 一种多幅的测绘制图资料,如果图框内廓尺寸不同,只著录“图廓不等”字样,不再著录具体尺寸。

例1： 22幅 : 二色 ; 47×79cm
（表示所有地图的尺寸相同）

例2： 3幅 : 彩色 ; 图廓不等

6.5.3.4 由多张拼接成完整图幅的分切地图,应按拼接后的内廓尺寸计量。

例： 1幅分切4张 : 彩色 ; 170×126cm

6.5.3.5 一张地图上有多幅地图,能分清主次的,应著录主要图幅的图框内廓尺寸和纸张的尺寸;若难以分清主次,则只著录纸张尺寸。

例1： 1幅 : 彩色 ; 52×64cm 印于60×70cm 纸上

例2： 1幅 : 彩色 ; 印于90×120cm 纸上

6.5.3.6 无图廓或难以确定图幅范围的单幅地图,其尺寸大小以纸张的尺寸计量。

例： 1幅 ; 印于55×60cm 纸上

6.5.4 附件

6.5.4.1 测绘制图资料的附件是指独立于主体之外、与主体结合使用的附加材料,如说明书、索引、光盘。附件著录于尺寸之后,其前用“ + ”(空格、加号、空格)标识。附件的相关附加说明可根据需要著录,并置于圆括号内。

例1： 1幅 : 彩色 ; 46×68cm + 地名索引(13页 ; 26×12cm)

例 2：　16 幅 ：彩色 ；60 × 52cm　+ 1 册说明书

例 3：　359 页 ：彩色 ；39 × 27cm　+ 1 盒光盘

6.5.4.2　附件可脱离主体单独使用时，也可单独著录，但须在各自的附注项内作相应说明。

6.6　从编项

目次

序则

从编正题名

从编并列题名 *

从编其他题名信息 *

从编责任说明 *

从编国际标准连续出版物号

从编编号

分丛编

（以上标有“ * ”者为选择著录单元）

6.6.0　序则

6.6.0.1　标识符

见第一章 1.6.0.1 条款。

6.6.0.2　结构形式

见第一章 1.6.0.2 条款。

6.6.1　从编正题名

6.6.1.1　参照本章“6.1.1 正题名”条款著录。

6.6.1.2　由各自独立的多幅/册或多卷/辑地图构成的系列测绘制图资料，各幅/册或各卷/辑单独著录时，即分散著录，其共同题名可作为从编正题名著录。

例 1：　. --（上海市分区系列图）

（《上海市分区系列图》是按区绘制的系列图，在对各单幅图分别著录时，“上海市分区系列图”应作为从编正题名著录）

例 2：　. --（北京游览地图）

（该图由《北京游览全图》、《北京皇城全图》、《内城一览图》和《外城一览图》四幅组成）

例 3：　. --（山东各府县河道城池地舆图）

（该图共 25 幅，各图均有独立图名，分别著录每幅图时，“山东各府县河道城池地舆图”可视为从编正题名著录）

6.6.1.3　由主从编题名和分从编题名组成的从编正题名，参照本章 6.6.7 条款著录。

6.6.2 从编并列题名

参照本章“6.1.3 并列题名”条款著录。

6.6.3 从编其他题名信息

6.6.3.1 对有利于识别该从编的从编其他题名信息,必要时参照本章“6.1.4 其他题名信息”条款著录。

6.6.3.2 与从编有关的版本说明应作为从编其他题名信息著录。

6.6.4 从编责任说明

与从编相关的责任说明如有必要,可参照本章“6.1.5 责任说明”条款著录。

6.6.5 从编国际标准连续出版物号

从编国际标准连续出版物号(ISSN)著录于从编题名之后,其前冠“, ”(逗号、空格),“ISSN”与两组数字之间空一格。

6.6.6 从编编号

从编编号是指从编测绘制图资料上所载的表示序次的编码,著录时应按规定信息源的编码形式著录于相应的从编著录事项之后,其前用“ ; ”(空格、分号、空格)标识。

例1: ; J-35

例2: ; 21

6.6.7 分从编

6.6.7.1 由主从编题名和分从编题名组成的从编正题名按共同题名与从属题名组成的正题名著录。分从编题名著录于主从编题名之后,其前用“. ”(句点、空格)标识。

例1: . --(江苏城市商贸地图系列. 扬州商贸地图)

例2: . --(中华人民共和国省级行政单位系列图. 江西省地图)

例3: . --(西南经济协作区城市经济交通旅游系列图. 宜州市)

6.6.7.2 既有分从编题名标识又有分从编题名时,先著录分从编题名标识,其前用“. ”(句点、空格)标识,后著录分从编题名,其前用“, ”(逗号、空格)标识。

例1: . --(世界历史挂图. 第一组, 上古之部)

例2: . --(小学历史地理. 上册, 第一辑)

6.6.7.3 如果分从编题名有独立识别意义,将其作为从编正题名著录于从编项,主从编题名著录在附注项。

例: . --(中古历史挂图. 第一辑)

(《世界历史地理教学图》是主从编题名,应在附注项说明)

6.6.7.4 既有主从编编号又有分从编编号,可将主从编编号著录在附注项。

6.6.7.5 主丛编和分丛编均有国际标准连续出版物号(ISSN)时,可将主丛编的ISSN著录于附注项。

6.7 附注项

目次

序则

附注

6.7.0 序则

6.7.0.1 标识符

见第一章1.7.0.1条款。

著录内容中标点符号见以下有关条款。

引用文字用引号。

导引词后用冒号。

6.7.0.2 结构形式

见第一章1.7.0.2条款。

6.7.1 附注

凡未在题名与责任者项、版本项、文献特殊细节项、出版发行项、载体形态项、丛编项、标准编号与获得方式项中著录而又有必要补充说明的内容,均可著录于本项。这些信息可以取自文献本身,也可以取自任何信息源。附注文字应简洁明了,尽可能采用固定导语和规范用语。若有多项附注内容,按下列顺序依次著录。

6.7.1.1 题名附注

a. 测绘制图资料的异名或别名。

b. 测绘制图资料的原名、修改名、印刷错误名。

c. 译制测绘制图资料的原文题名。

d. 未在题名与责任说明项著录的并列题名或其他题名信息。

e. 无总题名文献未在题名与责任说明项著录的测绘制图资料题名。

f. 考证题名的依据。

例1: 原名“皇舆全览图”,又称“乾隆十三排图”。北平故宫博物院据清内府藏乾隆二十五年(1760)铜版重印时改现名。

(此为《清乾隆内府舆图》的附注)

例2: 原名“抄绘水利图”。

(此为《江苏黄淮运河水利图说》的附注)

例3: 封面题名:“黄河发源各厅工程情形全图”。

(此图正题名为“黄河水道全图”)

例4: 原文题名为:Atlas fuer Rolitik, Wirschaft, Arbeiterbewegung

(此为《帝国主义时代的世界政治经济地图》的附注)

6.7.1.2 责任说明附注

a. 规定信息源以别名、帝王庙号或年号等为责任者的本名。

b. 未以全称著录的责任者全称。

c. 被题名责任者项省略的其他责任者。

d. 取自规定信息源之外责任者的来源说明或责任者考证的依据。

e. 规定信息源中责任说明有印刷错误。

例1: 题名页原题编者为曹婉如、郑锡煌、黄盛璋、钮仲勋、任金城、鞠德源。

(此为《中国古代地图集:战国—元》的责任者附注,题名责任者项中责任者著录为"曹婉如[等]编")

例2: 该图由吴学俨、朱绍本、朱国达、朱国干等四人编,李釜源作序。全书仿罗洪先《广舆图》的体系和绘图方法。

(此为《地图综要》的附注说明)

例3: 原图无图名,以首图"舆地总图"代之,为顾祖禹《读史方舆纪要》中的"舆图要览部分",系原书刊印前之传抄本。由此知该图作者为顾祖禹。

6.7.1.3 版本及其沿革附注

被著录测绘制图资料与其相关版本之间的关系细节,以及版次正误等。主要反映测绘制图资料的版本沿革。

例1: 魏源在《海国图志》五十卷本的基础上,又续辑厘定为六十卷,增加了"造战船诸议"、"火轮船图说"、"西洋用炮测量说"、"西洋自来火铳说"、"攻船水雷图说"等内容,于道光二十七年(1847)在扬州刊刻六十卷本。

(此为《海国图志》六十卷本的附注)

例2: 本图根据清乾隆三十二年(1767)黄证孙的同名图放大、增补、重刻并蓝色套印而成。

(此为嘉庆本《大清万年一统地理全图》的附注)

例3: 原图纵190厘米,横180厘米,绢地彩绘,现藏法国国家图书馆。

(此为摄影本《舆地图》的附注)

6.7.1.4 制图数学数据附注

a. 说明测绘制图资料比例尺的正误或其他与比例尺有关的情况。

b. 说明天文图、遥感图等相关数据情况。

c. 其他需要说明的制图细节。

例1: 本图采用"尖锥容圆法"(圆锥投影之一种)绘成。

(此为《大清皇舆全图》的附注)

例2: 总图为百里方,府、州图为五十里方,县图为十里方。

(此为《陕西全省舆地图》的附注。该图的制图数学数据项著录为"十里方—百里方")

例3: 本图所绘星球的星光度为3.5级。

(此为一星图的附注)

例4: 该图比例尺印刷有误,应为1:1000000。

（规定信息源上少印了一个“0”）

6.7.1.5　出版、发行附注

a. 未在出版、发行项著录的其他出版发行事项。

b. 译本、影印本等原版本的出版、发行事项。

c. 出版发行地、出版发行者、出版发行年的考证依据。

d. 出版发行的相关细节，如有限版本说明。

e. 规定信息源中出版、发行有印刷错误。

例 1：　此图系翻译者根据俄文地图译印于圣彼得堡。

（此为《俄罗斯国全境简明图》的附注）

例 2：　图中开封府兰阳县已改名为兰仪县，故此图当绘于 1825 年至 1855 年间。

（此为《六省黄河工程埽坝情形图》的附注）

例 3：　1937 年上海亚东图书馆再版，实为申报馆《中国分省新图》第 3 版之再版本。

（此为上海亚东图书馆《中国分省新图》的附注）

例 4：　该图据大连市图书馆藏清宣统三年（1911）上海商务印书馆第 5 版复制。

（此为复制本《京城详细地图》的附注）

例 5：　该图凡乾隆末年至嘉庆初年府、州、县建置之增改情况均有反映，而道光年间的建置变化则无，由此确定该图为清嘉庆年间绘制。

（此为《大清万年一统地理全图》的附注）

6.7.1.6　载体形态附注

未在载体形态项著录的其他重要补充内容。

例：　该图分裱 8 排，折成 8 册，合装在一个木盒中，题名“舆地全图”。

（此为《皇朝一统舆地全图》的附注，原图共 64 幅，载体形态项著录为“64 幅 ; 20 × 24cm”）

6.7.1.7　丛编附注

未在丛编项著录的有关重要补充内容。

6.7.1.8　标准编号与获得方式附注

未在标准编号与获得方式项著录的有关重要补充内容。

例：　该图为非卖品。

（此为《观光特区——明洞》一图的附注）

6.7.1.9　内容附注

重要的目次、索引、附录、附件及整体内容等。

例 1：　该图据英文舆图译绘，凡 42 幅。首为天文图及其图说，次为“天下五大洲方图”和“平圆地球全图”，以及各洲各国分图等。

（此为《万国舆图》的附注）

例 2：　图凡 46 幅，绘出各省邮务局所及各邮路。末附英文地名索引。

（此为《中华邮政舆图》的附注）

例 3：　图凡 33 幅，各图附说。主要反映 1875 年至 1934 年世界政治、经济形势变化情况。

（此为《帝国主义时代的世界政治经济地图》的附注）

例4： 附北平官署学校、街巷更名、游览处所、公寓旅馆名称地址、会馆以及电车站等一览表。
(此为《最新北平全市详图》的附注)

例5： 附陕西省地势图、西安市街道图。
(此为一幅《陕西分县详图》的附注)

6.7.1.10 其他附注

除上述附注内容外,凡必要补充说明的其他内容,如测绘制图资料的密级、使用范围、适用对象等。

例1： 该图为民间团体出版的一部较早的教学用地图。
(此为《皇朝直省图》的附注)

例2： 该图为内部用地图。

例3： 该图中法文并注。

6.7.1.11 所编复本附注

复本残缺、题跋、批注、形态与内容修改、修复改变等有关重要内容说明。

例1： 残本。现存全国总图1幅,分省图15幅,缺直隶、盛京、吉林、黑龙江、山东、山西、河南、江苏、安徽等省图。
(此为《大清帝国全图》的附注)

例2： 残存临淄、乐安、临朐、昌乐、寿光、博兴、高苑等县舆图各一幅。
(此为《山东省舆图》的附注)

例3： 该图由普意雅先生捐赠。
(此为《北京东交民巷图》的附注)

例4： 该图通过竞买入藏。
(此为《黄河图》的附注)

6.8 标准编号与获得方式项

目次

序则
标准编号
获得方式和(或)定价 *
限定说明 *
(以上标有“ * ”者为选择著录单元)

6.8.0 序则

6.8.0.1 标识符

见第一章1.8.0.1条款。

6.8.0.2 结构形式

见第一章1.8.0.2条款。

6.8.1 标准编号

6.8.1.1 标准编号包括国际标准书号(ISBN)、国际标准连续出版物号(ISSN)等,各组编号分别著录于“ISBN”、“ISSN”之后,中间空一格,编号之间用连字符连接。

例1: ISBN 7-5031-0820-7

例2: ISBN 0-7230-0161-8

6.8.1.2 同时著录整套和分卷(册、幅)测绘制图资料的国际标准编号,应先著录整套编号,后著录分卷(册、幅)编号,并用项目标识符标识分卷(册、幅)编号。

6.8.1.3 国际标准编号之外的其他编号,不在本项著录,如有必要,可著录于附注项。

6.8.1.4 标准编号有误,应先著录正确编号,后著录错误编号,并在其后的圆括号内标注“错误”字样。错误编号前用项目标识符。

例: ISBN 7-5031-0560-6. -- ISBN 7-5032-0560-6(错误)

6.8.1.5 已知规定信息源的国际标准编号有误,但不知正确编号,应照录错号,并在其后加注“错误”字样,置于圆括号内。

6.8.2 获得方式和(或)定价

获得方式和(或)定价著录于标准编号之后,其前冠以“ : ”(空格、冒号、空格)。价格用阿拉伯数字与标准货币代码(GB 12406-90)一并著录,保留两位小数。

例1: : 赠送

例2: : 非卖品

例3: : 交换

例4: : CNY258.00

例5: : HKD90.00

例6: : USD100.00

6.8.3 限定说明

标准编号或获得方式之后可附加限定说明,并置于圆括号内。附加说明包括测绘制图资料的装帧形式(精装、平装、活页)、价格适用区域(如国内价等)、价格所指范围(单价或全价)等说明。平装和单幅测绘制图资料可省略著录装帧形式。

例1: CNY430.00(国内定价)

例2: ISBN 7-5031-1817-2(精装) : CNY57.60

例3: (精装) : CNY17.00

例4: ISBN 7-5031-0104-0 : CNY5.50(全套)

例5: ISBN 7-5031-0672-0(上册). -- ISBN 7-5031-0829-0(下册) : CNY 25.00(全套)

第七章　乐　谱

7.0　通则

7.0.1　适用范围

本章主要适用于著录印刷型乐谱。关于其他载体乐谱的著录,可以参照本章以及其他相关章节的规定。

7.0.2　著录项目

著录项目分为下列八项:
题名与责任说明项
版本项
文献特殊细节项(乐谱特殊细节项)
出版、发行项
载体形态项
丛编项
附注项 *
标准编号与获得方式项
上述每一项目含一个或若干著录单元,详见各项说明。
(以上标有“ * ”者为选择项目)

7.0.3　著录用标识符

标识符见第一章 1.0.3 条款。
著录内容中的标点符号按照中外文各自的书写规则著录。

7.0.4　著录详简级次

7.0.4.1　著录详简级次以主要项目和选择项目为区分依据。

a. 主要项目:题名与责任说明项的正题名、第一责任说明;版本项的版本说明;乐谱特殊细节;出版、发行项的第一出版地、出版者、出版日期;载体形态项的数量及特定文献类型标识、尺寸、附件;丛编项的丛编正题名、丛编编号;标准编号。

b. 选择项目:一般文献类型标识、并列题名、其他题名信息、其他责任说明;并列版本说明、与本版有关的责任说明、附加版本说明、附加版本说明的责任说明;印制地、印制者、印制日期;其他形态细节;丛编并列题名、丛编其他题名信息、丛编责任说明、丛编 ISSN;附注;获得方式、限定说明。

7.0.4.2　著录详简级次分为简要级次(或称第一级次)、基本级次(或称第二级次)和详细级次(或称第三级次)。

a.简要级次著录主要项目。

连续著录格式:

正题名 / 第一责任说明. -- 版本说明. -- 乐谱特殊细节. -- 出版地 : 出版者, 出版日期. -- 数量及特定文献类型标识 ; 尺寸 + 附件. --(丛编正题名 ; 丛编编号). -- 标准编号

分段著录格式:

正题名 / 第一责任说明. -- 版本说明. -- 乐谱特殊细节. -- 出版地 : 出版者, 出版日期

数量及特定文献类型标识 ; 尺寸 + 附件. --(丛编正题名 ; 丛编编号)

标准编号

b.基本级次著录主要项目和部分选择项目。

连续著录格式:

正题名[一般文献类型标识] = 并列题名 : 其他题名信息 / 第一责任说明 ; 其他责任说明. -- 版本说明 / 与本版有关的责任说明. -- 乐谱特殊细节. -- 出版地 : 出版者, 出版日期(印制地 : 印制者, 印制日期). -- 数量及特定文献类型标识 : 其他形态细节 ; 尺寸 + 附件. --(丛编正题名 : 丛编其他题名信息 / 丛编责任说明 ; 丛编编号). -- 附注. -- 标准编号(限定说明) : 获得方式

分段著录格式:

正题名[一般文献类型标识] = 并列题名 : 其他题名信息 / 第一责任说明 ; 其他责任说明. -- 版本说明 / 与本版有关的责任说明. -- 乐谱特殊细节. -- 出版地 : 出版者, 出版日期(印制地 : 印制者, 印制日期)

数量及特定文献类型标识 : 其他形态细节 ; 尺寸 + 附件. --(丛编正题名 : 丛编其他题名信息 / 丛编责任说明 ; 丛编编号)

附注

标准编号(限定说明) : 获得方式

c.详细级次著录主要项目和全部选择项目。

国家书目和全国联合编目必须采用详细级次;其他类型目录的著录详简级次可根据文献机构的类型与规模以及文献用户的检索要求作出选择。

7.0.5 著录信息源

著录信息源是文献本身。文献本身信息不足,可参考其他信息源。

7.0.5.1 主要信息源

乐谱的主要信息源是题名页。如果乐谱没有题名页,或题名页上缺少应有的信息,则可选取具有最完整著录信息的正文首页、封面、其他正文前书页、版权页等作为代题名页。

7.0.5.2　规定信息源

乐谱各著录项目的规定信息源及选取顺序详见下表。取自规定信息源以外的信息置于方括号内,或在附注项说明。

著录项目	规定信息源
题名与责任说明项	题名页或代题名页
版本项	题名页、其他正文前书页、乐谱的第一页、封面、版权页
乐谱特殊细节项	题名页、其他正文前书页、乐谱的第一页、封面、版权页
出版、发行项	题名页、其他正文前书页、乐谱的第一页、封面、书末出版说明
载体形态项	乐谱本身
丛编项	题名页、其他正文前书页、乐谱的第一页、封面、书末出版说明
附注项	任何信息源
标准编号与获得方式项	任何信息源

无总题名的作品集,没有总的题名页而各作品各有自己的题名页时,应将这些题名页作为一个总的信息源。

7.0.6　著录用文字

见第一章1.0.6条款。

7.1　题名与责任说明项

目次

序则

正题名

一般文献类型标识 *

并列题名 *

其他题名信息 *

责任说明

无总题名乐谱

(以上标有“ * ”者为选择著录单元)

7.1.0　序则

7.1.0.1　标识符

见第一章 1.1.0.1 条款。

7.1.0.2　结构形式

见第一章 1.1.0.2 条款。

7.1.1　正题名

7.1.1.1　正题名是文献的主要题名，可有多种形式，包括一般通用术语、责任者名称、缩写词、数字、字母、交替题名，以及由共同题名与从属题名标识和（或）从属题名组成的题名等。

例 1：　奏鸣曲

（一般通用术语）

例 2：　贝多芬

（题名页上只有责任者名称而没有题名）

例 3：　MM51

例 4：　英雄

7.1.1.2　正题名一般按照规定信息源所载题名著录，对于有语法关系的标点符号、空格也应照录。题名中如有方括号应著录为圆括号。无法照录的图形及符号或其他内容，可以用相应的文字代替，并加方括号，同时在附注项说明。

例 1：　贝多芬大七重奏，Op.20

例 2：　A 大调第一弦乐五重奏，作品第 18 号

7.1.1.3　正题名是第一著录单元，即使题名页上的责任说明、版本说明、丛编说明、出版事项或其他非题名事项位于正题名之前，正题名仍然是第一著录单元。

7.1.1.4　规定信息源有两种或两种以上文种（或语种）题名，应选择与乐谱内容所用的文种相同的题名作为正题名（这里题名文种或语种指声乐作品的歌词、器乐作品的前言、注释等，而有关音乐的力度、速度等方面的术语不作为判断文种或语种的依据）。若这一规定不适用，可根据规定信息源的版式或顺序选择正题名。

例：　符任之声乐作品选 = Fu Yam Chi vocal works collection

7.1.1.5　属于正题名组成部分的责任者名称等其他附加信息或居于题名起首的“重订”、“图解”、“袖珍”等字样，应如实著录。

例 1：　莫扎特钢琴协奏曲集

例 2：　企鹅意大利牧歌手册

7.1.1.6　交替题名按规定信息源上的顺序依次著录于正题名第一部分之后。原题“原名”、“一名”、“又名”、“或”等连接词如实著录，连接词前后用逗号标识。

例：　贝尔蒙特和康斯坦策，又名，后宫诱逃

7.1.1.7　正题名由共同题名与从属题名标识和（或）从属题名构成时，首先著录共同题名，再著录从属题名标识和（或）从属题名。只有从属题名标识或从属题名，其前用“. ”（句点、空格）标识。如既有从属题名标识又有从属题名时，则其前分别用“. ”（句点、空格）和“, ”（逗点、空格）标识。

例1： 外国手风琴曲选. 五, 进行曲专辑

例2： 京剧唱腔. 第二集. 上编, 青衣

例3： 第五交响曲. 第一乐章

如果被著录的文献是某一作品中的一个部分,而这部分的题名又不足以识别该文献时,正题名应包括共同题名和从属题名。如果这一部分的题名足以识别该文献,则将共同题名著录于丛编项。

7.1.1.8 有关作品的编号、调性、表演形式等,当题名为通用术语时,应作为题名的一部分著录;如正题名为专用术语,则作为其他题名信息著录。

例1： 降E大调第五钢琴协奏曲

例2： 英雄 : 第三交响曲

7.1.1.9 规定信息源无正题名,可根据其他信息源著录,或由编目人员自拟,均著录于方括号内,并在附注项说明。

例： [大海]

(附注：题名取自序言)

7.1.1.10 题名出现印刷错误时应照录,同时在附注项说明。

例： 三泉映月

(附注：正确题名应为"二泉映月")

7.1.2 一般文献类型标识

7.1.2.1 乐谱的一般文献类型标识按照 GB 3469-83《文献类型与文献载体代码》的规定著录。如果目录所有条目都是乐谱,可以不著录一般文献类型标识。

7.1.2.2 如果乐谱含有附件(例如唱片或磁带),仅著录主要部分的一般文献类型标识。

7.1.2.3 如果乐谱由两种或多种作品组成而没有正题名,一般文献类型标识著录于第一个题名之后。

例： 听松 [乐谱] / 瞎子阿炳曲. 月夜 / 刘天华曲

7.1.3 并列题名

7.1.3.1 规定信息源有两种或两种以上文种题名,选中文题名为正题名,未被著录为正题名的其他文种题名可作为并列题名著录于正题名之后。每一并列题名前用" = "(空格、等号、空格)标识。

例： 符任之声乐作品选 = Fu Yam Chi vocal works collection

7.1.3.2 规定信息源有两种以上文种(或语种)题名,可将首先出现的其他文种题名作为并列题名著录在正题名之后,其余可顺序著录或在附注项注明。每种语言和/或文字的大小写应遵照该语言和/或文字的书写规则。

例： 费加罗的婚礼 = Le nozze di Figaro = The marriage of Figaro

7.1.3.3 对于无总题名的乐谱,应依次著录多个作品的题名,各并列题名应分别著录在与其相关的题名之后。

例： 月夜 = Moonlight / 舒曼作曲. 夏日泛舟海上 = Over the summer sea / 威尔第作曲. 昨夜 = Last night / 克杰茹尔夫作曲

7.1.4 其他题名信息

7.1.4.1 用来限定、补充、解释正题名或并列题名等的文字，一般按规定信息源所题顺序著录在与其相关的正题名或并列题名等之后，其前用“ : ”(空格、冒号、空格)标识。

例1： 展览会上的图画 : 十首钢琴曲

例2： 第41交响曲 : 朱庇特

例3： 清明祭 : 第一交响曲

7.1.4.2 其他题名信息按规定信息源所题顺序著录于所相应的整个或部分正题名或并列题名等之后。

例1： 一个黑人姑娘在歌唱 : 女中音 / 艾青词 ; 杜鸣心曲. 宝宝不要吵 : 女低音 / 黄开民词 ; 罗放曲

例2： 二泉映月 ; 听松 : 二胡独奏晚会 ; 森吉德马 : 管弦乐

7.1.4.3 规定信息源有并列题名和并列其他题名信息，可将每一文种其他题名信息著录于与其文种相同的题名之后。

例： 我的索尔基础 : 简易吉他独奏曲选 = Mein erster Sor : Sammlung leichter Gitarrensoli = My first Sor : selection of easy guitar-solos

7.1.4.4 规定信息源有多个并列题名和一个文种其他题名信息，可将其他题名信息著录于最后一个并列题名之后。

例1： 夜莺 = The nightingale = Die Nachtigall : 三幕喜剧

例2： 春节 = Праздник весны = Spring festival : 第一组曲

7.1.4.5 规定信息源无并列题名而有并列其他题名信息，可先著录与正题名文种相同的其他题名信息，其他文种的其他题名信息也可著录。若这一规定不适用，可根据规定信息源的版式或顺序著录。

例： 三重奏 : 钢琴、小提琴、大提琴 = für Klavier, Violine und Violoncell

7.1.4.6 如正题名由简称或缩写词组成，同时其全称形式也出现在规定信息源中，其全称形式应作为其他题名信息著录。

7.1.4.7 如果正题名含义不清，可自拟说明性短语，作为其他题名信息著录在方括号内。

例： 胜利花开遍地红 : [混声合唱] / 希扬词 ; 劫夫，丁鸣，中艺曲

7.1.5 责任说明

7.1.5.1 责任说明包括责任者名称和各种责任方式，一般按规定信息源原形式和顺序著录。第一责任说明著录于题名之后，其前用“ / ”(空格、斜线、空格)标识。

例： 弦索十三套 / 明谊传谱 ; 曹安和，简其华译谱

7.1.5.2 著录同一责任方式的多个责任者的数量一般不超过三个，除第一个外，其余均用逗号标识；超过三个只著录一个，后用“[等]”表示，其余可在附注项说明。

例： 红色娘子军 / 杜鸣心[等]作曲

7.1.5.3 著录不同责任方式,一般按规定信息源原题顺序著录,不超过四种,其余可在附注项说明。除第一责任说明外,其他责任说明前用“ ; ”(空格、分号、空格)标识。

例： 战士第二个故乡 / 张焕臣原词 ; 向彤改词 ; 沈亚威曲

7.1.5.4 责任者名称前后原题表示职务、学位、职称、出身、籍贯等字样,无特殊要求不予著录。

7.1.5.5 规定信息源上有多语种责任说明时,可选择与正题名语种一致的责任说明。如这一规则不适用,则按出现的顺序或排版格式选择,其他语种可作为并列责任说明著录。

例： 欧罗巴康塔塔之六 : 莱斯特 1976 / 威利 · 戈尔为欧洲青年合唱队联盟编辑 = au nom de la Fédération européenne des jeunes chorales édité par Willi Gohl = for the European Federation of Young Choirs edited by Willi Gohl

7.1.5.6 规定信息源兼有并列题名和并列责任说明,可将每一文种的责任说明分别著录于与其文种相同的题名之后。

例 1： 二十五首钢琴进阶练习曲 / 布格米勒 = Twenty-five easy and progressive studies for piano / Friedrich Burgmüller

例 2： 黄鹤的故事 : 交响诗 / 施咏康 = Легенда о жёлтом аисте / Ши Юн-кан = Legend about a yellow crane / Shi Yung-kang

7.1.5.7 规定信息源有并列题名而无并列责任说明,可将责任说明著录于最末并列题名之后。

例： 儿童钢琴初步教程. 第三册 = Elementary piano lesson for children / 盛建颐[等]编

7.1.5.8 责任说明出现印刷错误时,应原样照录,同时在附注项说明。

7.1.6 无总题名乐谱

由两个或两个以上作品组成而无总题名的乐谱,可按规定信息源原题顺序依次著录。题名超过三个只著录前三个,未予著录的其他题名和责任者在附注项说明。属于同一责任说明的第二、第三个题名前用“ ; ”(空格、分号、空格)标识,将责任者著录于所有题名之后;属于不同责任说明的第二、第三个题名前用“. ”(句点、空格)标识,将各自责任说明著录于相关题名之后。

例 1： 幻想即兴曲, 作品 66 号 ; 谐谑曲, 作品 31 号 / 肖邦

例 2： 黄昏山景 / S. 索黑-布尔努瓦. 科西嘉组钟 / 乔治 · 劳罗

7.2 版本项

目次

- 序则
- 版本说明
- 并列版本说明 *
- 与本版有关的责任说明 *
- 附加版本说明 *

附加版本说明的责任说明 *
(以上标有“ * ”者为选择著录单元)

7.2.0　序则

7.2.0.1　标识符
见第一章 1.2.0.1 条款。

7.2.0.2　结构形式
见第一章 1.2.0.2 条款。

7.2.1　版本说明
此项内容一般取自版本项的规定信息源。

7.2.1.1　版本说明通常以序数词与“版”字相结合的术语或以区别其他版本的术语形式出现。其前用项目标识符。
例 1：. -- 2 版
例 2：. -- 修订版
例 3：. -- 影印本

7.2.1.2　版本说明按文献所载形式著录,数字一律用阿拉伯数字著录。

7.2.1.3　版本说明属于其他著录项目的组成部分,并按有关规定著录后,本项不再重复著录。即版本说明仅著录受编文献的版本说明。

7.2.1.4　初版或第一版一般不予著录。

7.2.1.5　对于表示声乐音域的词(例如“高音用”),应作为版本说明处理。
例：孔空声乐练习曲 50 首 : 作品 9 / 约瑟·孔空. -- 高音用

7.2.1.6　如无版本说明,但文献确与其他版本有所不同,可用与正题名相同的文字补充一个版本说明,置于方括号内。
例 1：. -- [新版]
例 2：. -- [第 3 版]

7.2.1.7　整个出版物中只有与其中一个或几个作品有关的版本说明,则它们不著录于版本项,而是著录于题名与责任者项中相关的题名与责任者之后,前面用“. ”(句点、空格)标识。

7.2.2　并列版本说明
并列版本说明著录在版本说明之后。规定信息源载有多文种版本说明,可著录其中与并列题名文种相同的版本说明。若这一规定不适用,应根据规定信息源的版式或顺序著录。其前用“ = ”(空格、等号、空格)标识。
例：学生版 = Students' ed.

7.2.3　与本版有关的责任说明

与本版有关的责任说明著录于版本说明或并列版本说明之后,其前用“ / ”(空格、斜线、空格)标识。

例: 新版 / 汉斯·约阿希姆·莫泽编辑和修订

7.2.4 附加版本说明

附加版本说明是指规定信息源中对版本说明的补充说明,其前用“, ”(逗号、空格)标识。

例: . -- 3 版, 增订本

7.2.5 附加版本说明的责任说明

附加版本说明的责任说明著录于附加版本说明之后,其前用“ / ”(空格、斜线、空格)标识。

7.3 乐谱特殊细节项

目次

序则

乐谱特殊细节

并列乐谱特殊细节 *

(以上标有“ * ”者为选择著录单元)

7.3.0 序则

7.3.0.1 标识符

a. 本项前用“. -- ”(句点、空格、连字符、连字符、空格)。

b. 并列乐谱特殊细节前用“ = ”(空格、等号、空格)。

7.3.0.2 结构形式

. -- 乐谱特殊细节

. -- 乐谱特殊细节 = 并列乐谱特殊细节

7.3.1 乐谱特殊细节

乐谱特殊细节按乐谱所载如实著录。乐谱具有多个不同文种的特殊细节,应著录与正题名文种相同的乐谱特殊细节。若这一规定不适用,应按排版顺序著录首先出现的乐谱特殊细节。

例1: . -- 总谱

例2: . -- 钢琴伴奏谱

7.3.2 并列乐谱特殊细节

规定信息源有另一种语言和/或文字的乐谱特殊细节,可著录在乐谱特殊细节之后,其前用“ = ”(空格、等号、空格)标识。

例：　. -- 小总谱 = Miniature score

7.4　出版、发行项

目次

序则

出版地或发行地

出版者或发行者

出版日期或发行日期

印制地、印制者、印制日期＊

（以上标有“＊”者为选择著录单元）

7.4.0　序则

7.4.0.1　标识符

见第一章 1.4.0.1 条款。

7.4.0.2　结构形式

见第一章 1.4.0.2 条款。

7.4.1　出版地或发行地

见第一章 1.4.1 条款。

7.4.2　出版者或发行者

见第一章 1.4.2 条款。

7.4.3　出版日期或发行日期

见第一章 1.4.3 条款。

7.4.4　印制地、印制者、印制日期

见第一章 1.4.4 条款。

7.5　载体形态项

目次

序则

数量及特定文献类型标识

其他形态细节＊

尺寸

附件

（以上标有“＊”者为选择著录单元）

7.5.0　序则

7.5.0.1　标识符

见第一章1.5.0.1条款。

7.5.0.2　结构形式

见第一章1.5.0.2条款。

7.5.1　数量及特定文献类型标识

7.5.1.1　文献数量用阿拉伯数字著录于特定文献类型标识(参见《国际标准书目著录(乐谱)》的附录C)之前。如果没有合适的推荐特定文献类型标识可用,则可按普通图书的方式著录。

例1：66页

例2：15张

例3：1合唱总谱(980页)

例4：5册(1350页)

例5：1分谱(32页)

例6：1声乐缩编谱(259页)

例7：[80]张

例8：[100页](多种页码)

例9：1总谱(多种页码)

例10：713-797页

例11：2总谱(每份总谱100页)

例12：1总谱(2卷)

7.5.1.2　文献数量无法确定,可著录为"-册"等,供日后填入。

7.5.2　其他形态细节

其他形态细节是指文献数量和尺寸以外的载体形态描述,如插图、色彩等,应根据其在文献中的重要程度著录于数量及特定文献类型标识之后,其前用" : "(空格、冒号、空格)标识。若一文献的其他形态细节存在两个及其以上时,第二个及以后的其他形态细节前用逗号标识。

例：　:图,肖像

7.5.3　尺寸

见第一章1.5.3条款。

7.5.4　附件

附件是分离于文献主体部分,并与其结合使用的附加材料,著录于尺寸之后,其前用" + "(空格、加号、空格)标识,物理细节置于圆括号内。附件可根据不同情况选择不同的著录方式。除著录于尺寸之后的一般附件外,凡有独立名称或可单独使用的附件,均可单独著录或著录于附注项。

例1: 271 页 : 图 ; 21cm + 作品目录

例2: 1 总谱(92 页) ; 18cm + 4 分谱

例3: 1 总谱(329 页) ; 18cm + 25 分谱 + 台本

例4: 271 页 ; 21cm + 1 唱片(16min : 33⅓rpm,单声道 ; 17.5cm)

7.6 从编项

目次

序则

从编正题名

从编并列题名 *

从编其他题名信息 *

从编责任说明 *

从编国际标准连续出版物号 *

从编编号

分丛编

多种丛编

(以上标有“ * ”者为选择著录单元)

7.6.0 序则

7.6.0.1 标识符

见第一章 1.6.0.1 条款。

7.6.0.2 结构形式

见第一章 1.6.0.2 条款。

7.6.1 从编正题名

见第一章 1.6.1 条款。

7.6.2 从编并列题名

见第一章 1.6.2 条款。

7.6.3 从编其他题名信息

见第一章 1.6.3 条款。

7.6.4 从编责任说明

见第一章 1.6.4 条款。

7.6.5　从编国际标准连续出版物号

见第一章 1.6.5 条款。

7.6.6　从编编号

见第一章 1.6.6 条款。

7.6.7　分丛编

见第一章 1.6.7 条款。

7.6.8　多种丛编

见第一章 1.6.8 条款。

7.7　附注项

目次

序则

附注

7.7.0　序则

7.7.0.1　标识符

连续著录时,每一附注前均用“. -- ”(句点、空格、连字符、连字符、空格)。分段著录时可省略“. -- ”。

7.7.0.2　结构形式

附注. -- 附注. -- 附注

或

附注

附注

7.7.1　附注

参见第一章 1.7.1 条款。

7.7.1.1　作品形式或演奏形式不明确,予以注明。

例1：本曲实际为小提琴协奏曲

(此为对拉罗的《西班牙交响曲》所作的附注)

例2：人声、2 小提琴与钢琴

例3：改编为单簧管与钢琴

例4：三幕歌剧

7.7.1.2　文献语种、改编或翻译附注

例1：译自：Schubert's songs to texts by Goethe

例 2：　英、德文歌词

例 3：　法文词，其后有中文译文

7.7.1.3　题名附注

a. 取自规定信息源之外的正题名。

b. 规定信息源与文献其他各处的题名不同。

c. 规定信息源中题名有印刷错误。

d. 未在题名与责任说明项著录的并列题名或其他题名信息。

e. 题名变更、连续出版物各期题名不同等。

f. 无总题名文献未在题名与责任说明项著录的作品题名。

例 1：　正题名取自封面

例 2：　书脊题名：钢琴曲

7.7.1.4　责任说明附注

a. 取自规定信息源之外或未在题名与责任说明项著录的责任说明。

b. 规定信息源中责任说明有印刷错误。

c. 责任者名称的不同形式对于识别乐谱至关重要者，予以注明。不属于责任者而与乐谱有重要关系者，亦可予以注明。

例 1：　责任者取自封面

例 2：　作者原名华彦钧，本曲献给编订者

例 3：　剧本根据梅里美同名小说改编

7.7.1.5　版本和书目沿革附注

一文献与其他版本或其他文献之间的关系等。

例 1：　据日本音乐之友社 1989 年版译出

例 2：　版本说明取自题名页背面

例 3：　第一版的摹真复制品，原出版者：人民音乐出版社

7.7.1.6　乐谱特殊细节附注

未在乐谱特殊细节项著录的其他重要特殊细节等。

例 1：　钢琴独奏分谱

例 2：　吉他六线谱

例 3：　比例记谱

例 4：　图示谱

7.7.1.7　出版、发行附注

a. 未在出版、发行项著录的其他出版发行事项等。

b. 规定信息源中出版、发行有印刷错误。

例 1：　出版者还有：人民音乐出版社

例 2：　版权日期为 1954 年

例 3：　原出版信息被如下标签覆盖 ：国际书店发行

7.7.1.8　载体形态附注

未在载体形态项著录的其他重要补充内容，如尺寸变更、无规律出版的附件说明等。

例 1: 各卷编号分别为:1,2A,2B,2C,3

例 2: 包括可选的大提琴分谱

例 3: 另有缩微制品

7.7.1.9 丛编附注

未在丛编项著录的有关重要补充内容,如丛编名的变更、所编文献曾在某个丛编中出版过等。

例 1: 主丛编的 ISSN 为: ISSN 0342-2259

例 2: 主丛编编号为 24

7.7.1.10 装订及获得方式附注

有关文献资料装订及获得方式方面的补充内容。

例 1: 封底价格: CNY30.00

例 2: 印刷 250 套

例 3: 前 25 套用皮革装订

例 4: 本册为签名并编号的 50 册中的第 5 册

7.7.1.11 内容附注

提要以及重要的目次、索引、书目等。

例 1: 内容: 12 首牧歌

例 2: 录音作品目录: 第 291 页

例 3: 含索引

7.7.1.12 乐谱所载演奏时间,予以注明。

例: 演奏时间约为 1′25″

7.7.1.13 适用对象附注

描述乐谱的使用和适用对象的有关信息。

例: 音乐学校一、二年级适用

7.7.1.14 其他附注

除上述附注内容外,凡编目人员认为有必要补充说明的其他内容,均可注明。

例: 每册均有作者签名

7.8 标准编号与获得方式项

目次

序则

标准编号

识别题名 *

获得方式和(或)定价 *

限定说明 *

(以上标有“ * ”者为选择著录单元)

7.8.0 序则

7.8.0.1　标识符

见第一章 1.8.0.1 条款。

7.8.0.2　结构形式

见第一章 1.8.0.2 条款。

7.8.1　标准编号

7.8.1.1　标准编号包括国际标准书号(ISBN)、国际标准连续出版物号(ISSN)、国际标准音像编码(ISRC)或其他国际公认的标准号,各组编号分别著录于“ISBN”、“ISRC”或“ISSN”之后,中间空一格,编号之间用连字符。

例 1：　ISBN 7-5000-0381-1

例 2：　ISSN 1005-099X

例 3：　ISRC CN-C08-2000-079-00

7.8.1.2　同时著录整套文献和部分文献的国际标准编号,应先著录整套文献编号,后著录部分文献编号,并用项目标识符标识部分文献编号。

7.8.1.3　如无国际标准编号,可用出版号或印版号代替,并在前面注明“出版号”或“印版号”字样。

例：　出版号 Z1309

a. 乐谱有多个出版号或印版号又连续编号,应著录起迄号。编号不连续者,分别著录每个号码。不连续的号码超过三个,可著录第一与最后一个,其间用斜线分隔。

例：　出版号 6201/9935

(该套乐谱出版号为 6201,6654,7006,8447,9664,9935)

b. 号码的前缀置于号码之前,后缀置于号码之后。号码兼有前缀和后缀者,应如实著录。

例 1：　印版号 9674-9676H. L.

例 2：　印版号 R. 10150E.- R. 10155E.

7.8.1.4　标准编号有误,应先著录正确编号,后著录错误编号,并在其后圆括号内注明“错误”字样。错误编号前用项目标识符。

例：　ISBN 7-5343-2006-2. -- ISBN 7-5343-2008-2(错误)

7.8.2　识别题名

识别题名著录于国际标准连续出版物号(ISSN)之后,其前用“ = ”(空格、等号、空格)标识。无国际标准连续出版物号者,识别题名不予著录。

7.8.3　获得方式和(或)定价

获得方式和(或)定价著录于标准编号或限定说明之后,其前用“ : ”(空格、冒号、空格)标识。价格用阿拉伯数字与各种标准货币代码著录。

例 1：　: 赠送

例 2：　: 非卖品

例3：　：CNY25.00

例4：　：HKD30.00

例5：　：USD18.00

7.8.4　限定说明

标准编号或获得方式之后可附加限定说明,并置于圆括号内。

例1：　CNY 67.70(国内定价)

例2：　ISBN 7-03-002725-6(精装)：CNYl9.70

例3：　ISSN 1005-281X ：CNY50.00(1977 全年)

7.9　乐谱复制品的著录

见第一章 1.9 条款。

7.10　多载体配套文献

见第一章 1.10 条款。

7.11　多部分组成的乐谱

见第一章 1.11 条款。

附:《国际标准书目著录(乐谱)》附录 C:推荐的特定文献类型标识表

IAML ISBD(PM)项目小组推荐在基于 ISBD(PM)的英语记录中使用如下适用于印刷乐谱的特定文献类型标识(附定义)。

项目小组认识到,下表并非包括全部标识符,类似于如下术语的其他术语也可以用于特定的音乐环境。

总谱 Score	表示应同时发声之合奏的所有声部的音乐记谱法,通常不同的声部记在上下不同的谱表上,它也是这种形式记谱法的变种的类称。
合唱总谱 Chorus score	用于声乐和器乐结合的作品,但只用总谱形式表示合唱音乐而没有器乐音乐的音乐记谱法。
缩编谱 Close score	在最少的谱表上表示所有声部的音乐记谱法,通常有两个谱表。
缩写谱 Condensed score	在最少的谱表上只表示主要声部的音乐记谱法,通常按器乐组组织。
分谱	在合奏中一个或若干演奏者所用的乐谱。

Part(s) 钢琴(小提琴等)指挥声部 Piano(violin, etc.) conductor part	表演声部,但加上了提示,使得演奏者还可以充当指挥,有时称为“钢琴(小提琴等)指挥总谱”。
研习总谱 Study score	主要不是用于演奏的总谱,这种总谱经常在规模上有所缩减(“小总谱”(miniature score)、“袖珍总谱”(pocket score))。
声乐缩编谱 Vocal score	用于声乐和器乐结合的作品,用总谱形式表示声乐声部,但用键盘缩编形式表示器乐声部的音乐记谱法。

第八章　录音资料

8.0　通则

录音资料是将声音记录下来的音频资料。其载体包括各种录音带和唱片。录音资料既可以是模拟信号,又可以是数字信号,并需用各种相应设备进行播放。录音带是指记录有音频信号的各种磁带;唱片是指记录有音频信号的塑料或其他材质的圆盘。

8.0.1　适用范围

本章适用于著录盒式录音带、循环录音带、开盘录音带、唱片(包括:钢丝唱片、粗纹唱片、密纹唱片、薄膜唱片、CD 唱片)等录音载体。凡新出现的录音载体,可参照本规则著录,CD 也可参见第十三章电子资源。

8.0.2　著录项目

著录项目分为下列八项:

题名与责任说明项

版本项

文献特殊细节项 * *

出版、发行项

载体形态项

丛编项(系列项)

附注项 *

标准编号与获得方式项

上述每一项目含一个或若干著录单元,详见各项说明。

(以上标有“ * ”者为选择项目,“ * * ”者为不适用项目)

8.0.3　著录用标识符

标识符见第一章 1.0.3 条款。

著录内容中的标点符号按照中外文各自的书写规则著录。

8.0.4　著录详简级次

8.0.4.1　著录详简级次以主要项目和选择项目为区分依据。

a. 主要项目:题名与责任说明项的正题名、一般文献类型标识、第一责任说明;版本项的版本说明;出版、发行项的出版地、出版者、出版日期;载体形态项的数量及特定文献类型标识、尺寸、附件;系列项的系列正题名、系列编号;标准编号。

b. 选择项目：并列题名、其他题名信息、其他责任说明；与本版有关的责任说明、附加版本说明、附加版本说明的责任说明；制作地、制作者、制作日期；其他形态细节；系列并列题名、系列其他题名信息、系列责任说明、系列国际标准连续出版物号；附注；获得方式、限定说明。

8.0.4.2　著录详简级次分为简要级次（或称第一级次）、基本级次（或称第二级次）和详细级次（或称第三级次）。

a. 简要级次著录主要项目。

连续著录格式：

正题名［一般文献类型标识］/ 第一责任说明. -- 版本说明. -- 出版地 : 出版者, 出版日期. -- 数量及特定文献类型标识 ; 尺寸 + 附件. --（系列正题名 ; 系列编号）. -- 标准编号

分段著录格式：

正题名［一般文献类型标识］/ 第一责任说明. -- 版本说明. -- 出版地 : 出版者, 出版日期

数量及特定文献类型标识 ; 尺寸 + 附件. --（系列正题名 ; 系列编号）

标准编号

b. 基本级次著录主要项目和部分选择项目。

连续著录格式：

正题名［一般文献类型标识］= 并列题名 : 其他题名信息 / 第一责任说明 ; 其他责任说明. -- 版本说明, 附加版本说明. -- 出版地 : 出版者, 出版日期（制作地 : 制作者, 制作日期）. -- 数量及特定文献类型标识 : 其他形态细节 ; 尺寸 + 附件. --（系列正题名 : 系列其他题名信息 / 系列责任说明 ; 系列编号）. -- 附注. -- 标准编号(限定说明) : 获得方式(限定说明)

分段著录格式：

正题名［一般文献类型标识］= 并列题名 : 其他题名信息 / 第一责任说明 ; 其他责任说明. -- 版本说明, 附加版本说明. -- 出版地 : 出版者, 出版日期（制作地 : 制作者, 制作日期）

数量及特定文献类型标识 : 其他形态细节 ; 尺寸 + 附件. --（系列正题名 : 系列其他题名信息 / 系列责任说明 ; 系列编号）

附注

标准编号(限定说明) : 获得方式(限定说明)

c. 详细级次著录主要项目和全部选择项目。

8.0.5　著录信息源

8.0.5.1　主要信息源

录音资料的主要信息源为资料本身。

8.0.5.2　规定信息源

录音资料各著录项目的规定信息源如下表：

著录项目	规定信息源
题名与责任说明项	资料本身、载体标签、盒封、封套、说明书
版本项	资料本身、载体标签、盒封、封套、说明书
出版、发行项	资料本身、载体标签、盒封、封套、说明书
载体形态项	资料本身、载体标签、盒封、封套
系列项	资料本身、载体标签、盒封、封套、说明书
附注项	任何信息源
标准编号与获得方式项	任何信息源

8.0.5.3　著录信息源说明

a. 取自规定信息源之外的著录信息置于方括号内,或在附注项说明。

b. 同一著录信息在规定信息源之间有差异,按规定的选取顺序著录。若此规定不适用,选择信息完备的信息源著录,必要时在附注项说明。

例 1：　中国成语故事

（盒面题名：小学生成语故事）

例 2：　ISRC CN-M46-04-0047-0

（盒面错题为：ISRC CN-46-04-0047-0）

8.0.6　著录用文字

见第一章 1.0.6 条款。

8.1　题名与责任说明项

目次

序则

正题名

一般文献类型标识

并列题名 *

其他题名信息 *

责任说明

无总题名录音资料

（以上标有“ * ”为选择著录单元）

8.1.0　序则

8.1.0.1　标识符

见第一章1.1.0.1条款。

著录内容中标点符号见以下有关条款。

8.1.0.2　结构形式

见第一章1.1.0.2条款。

8.1.1　正题名

8.1.1.1　正题名是录音资料的主要题名，具有多种形式，包括一般通用术语、责任者名称、缩写词、数字、字母等。正题名包括交替题名以及由共同题名与从属题名标识和(或)从属题名组成的题名等。

8.1.1.2　正题名原则上按照规定信息源所载题名著录，对于有语法关系的标点符号、空格也应照录。题名中如有方括号应著录为圆括号。无法照录的图形及符号或其他内容，可用相应的文字代替，著录在方括号内，同时在附注项说明。

例1：　喀秋莎

例2：　相声集

例3：　卡门. 序曲

(题名原题“卡门——序曲”)

例4：　民族汉考(二级)短期强化教程

例5：　奇志、大兵100%绝版

例6：　CNN高频词汇速听速记

例7：　日本歌谣·香港榜

例8：　Symphony No. 12 "Lenin"

例9：　新版决战4级

例10：　永远的……，梅艳芳

例11：　爱 & 诚

8.1.1.3　正题名是第一著录单元，无论正题名前出现何种著录信息，正题名仍著录于本项之首。

8.1.1.4　规定信息源有两种或两种以上文种题名，应选择中文题名作为正题名。若这一规定不适用，可根据规定信息源的版式或顺序选择正题名。

例：　新概念英语

(此资料题名有中文“新概念英语”和英文“New Concept English”两种文字)

8.1.1.5　属于正题名组成部分的责任者名称、出版者名称、版本说明等，或题名起首的“新编”等，都应如实著录。

例1：　梅艳芳2003经典金曲演唱会

例2：　新编许国璋英语

8.1.1.6　交替题名按规定信息源上的顺序依次著录于正题名第一部分之后。原题“原名”、“一名”、“又名”、“或”等连接词如实著录，连接词前后用逗号。第三个及其余的交替题名，著录于附注项。

例： 一千零一夜,又名,天方夜谭

8.1.1.7 正题名由共同题名与从属题名标识和(或)从属题名组成,先著录共同题名,再著录从属题名标识和(或)从属题名。只有从属题名标识或从属题名,其前用“. ”(句点、空格)标识;既有从属题名标识又有从属题名,其前分别用“. ”(句点、空格)和“, ”(逗点、空格)标识。

例1： 2001初中毕业会考指导丛书. 英语

例2： 一口气英语. 1

例3： 跟我学日语. 1, 语音讲解

8.1.1.8 教学参考资料、复习指导资料等,无论原题名信息如何排列,均作为完整的正题名著录。

例1： 英语高分指导初中卷阅读理解

例2： 英语单词手册小学第四册

例3： 《英语周报》2003-2004学年下学期英语检测题听力部分初一版

8.1.1.9 规定信息源无正题名或正题名不完整的录音资料,可根据其他信息源著录,或由编目人员自拟,置于方括号内,并在附注项说明。

例： [北京市十大杰出青年报告会]
(自拟正题名)

8.1.1.10 规定信息源所载题名有误,应原样照录,同时在附注项说明。

例： 浮土德天遗选曲
(附注：正题名原题“浮土德”系“浮士德”之误)

8.1.1.11 录音资料包含多部作品,并在规定信息源一并出现总题名和多个作品题名,应选择总题名为正题名,将各个作品的题名著录于附注项。

例1： 俄罗斯舞曲
(附注：A面:1.骑兵舞曲 ; 2.斯巴达克思和弗里几亚慢板 ; 3.三套车 ; 4.波罗维塞亚舞曲 ; B面:1.序曲 ; 2.华尔兹 ; 3.荒山之夜 ; 4.进行曲 ; 5.民间的盛宴)

例2： 西部歌王王洛宾作品专辑
子目:1.在那遥远的地方 ; 2.阿拉木汗 ; 3.我愿变成一杯香茶 ; 4.达坂城马车夫之恋 ; 5.半个月亮爬上来 ; 6.沙里洪巴 ; 7.我俩永隔一条水 ; 8.阿娜尔汗 ; 9.唱完月亮唱太阳 ; 10.掀起你的盖头来 ; 11.卖苹果 ; 12.棕色头发不要再卷起 ; 13.柯尔克孜大娘坐火车

8.1.2 一般文献类型标识

8.1.2.1 录音资料的一般文献类型标识为“录音制品”,著录于正题名之后的方括号内。

例1： 礼仪曲[录音制品]
(该资料是一盒录音带)

例2： 为人民服务[录音制品] ; 愚公移山 ; 纪念白求恩
(该资料是一张胶木唱片)

8.1.2.2　含有附件的录音资料,只著录主件的一般文献类型标识。

例：　小学英语听说训练［录音制品］

（该资料附小册子1册）

8.1.3　并列题名

8.1.3.1　规定信息源有对应于正题名的另一文种(或语种)题名,可作为并列题名著录于一般文献类型标识之后,其前用" = "(空格、等号、空格)标识。

例1：　爱之梦［录音制品］ = Dream of love

例2：　CNN财经词汇速听速记［录音制品］ = CNN financial words

8.1.3.2　规定信息源有两种以上文种(或语种)题名,将首先出现的其他文种题名著录在正题名之后,其余可顺序著录或在附注项注明。

例：　春节［录音制品］ = Праздник Весны = Spring Festival

或:春节［录音制品］ = Праздник Весны

（附注：英文题名:Spring Festival）

8.1.3.3　录音资料包含多部作品而无总题名,每一(或任一)作品又具有并列题名,应将并列题名著录于相关的题名之后,或者随作品题名在附注项著录。

例：　爱之梦［录音制品］ = Dream of love ; 玛莉亚·玛丽 = Maria Mari

或:爱之梦［录音制品］ = Dream of love

（附注：玛莉亚·玛丽 = Maria Mari）

8.1.4　其他题名信息

8.1.4.1　用来限定、补充、解释正题名或并列题名等的文字,一般按规定信息源所题顺序著录在与其相关的正题名或并列题名等之后,其前用" : "(空格、冒号、空格)标识。其他题名信息有两个或两个以上者,分别著录,其前均用" : "(空格、冒号、空格)标识。

例1：　苗圃之歌［录音制品］: 童声合唱十首

例2：　东方红［录音制品］: 大型革命音乐史诗

例3：　如鱼得水记单词［录音制品］: 考研词汇语境记忆

例4：　井冈杜鹃红［录音制品］: 女声小合唱 : 钢琴伴奏

例5：　北方汉族民歌［录音制品］; 南方少数民族民歌 ; 艺术歌曲 : 音乐欣赏

例6：　草原晨曲［录音制品］: 马头琴独奏 ; 天山牧歌 : 器乐小合奏

8.1.4.2　正题名含义不清,为解释录音资料的内容、体裁、语种、年代等,可参考非规定信息源或自拟说明性文字,作为其他题名信息著录在方括号内。

例：　中华人民共和国国歌［录音制品］; 中国少年先锋队队歌 ; 共产儿童团团歌 : [音乐课试用教材]

8.1.4.3　规定信息源有并列题名和并列其他题名信息,可将每一并列其他题名信息著录于与其文种相同的题名之后。

例： 第二协奏曲降 E 大调［录音制品］：单簧管与钢琴 = Konzert Nr. 2 Es dur : Klarinette und Klavier

8.1.4.4 规定信息源有多个并列题名和一个文种其他题名信息,可将其他题名信息著录于最末并列题名之后。

8.1.4.5 与录音资料内容及形式无关,属于一般宣传、广告性的文字说明,可著录于附注项或不予著录。

8.1.5 责任说明

8.1.5.1 责任说明包括责任者名称和各种责任方式,一般按规定信息源所题形式和顺序著录。第一责任说明著录于正题名之后,其前用“ / ”(空格、斜线、空格)标识;其他责任说明前用“ ; ”(空格、分号、空格)标识。责任方式不明确,可附加说明词并置于方括号内。如责任者名称为简称,可将其全称著录于附注项。

例1： 初级口语［录音制品］/ 黄大成主讲

例2： 关中民歌［录音制品］/ 陕西民间音乐征集办公室[编]

例3： NHK 效果音集. 第1集, 自然, 生物［录音制品］/ 日本 NHK 效果部指导

例4： 苏三起解［录音制品］：京剧 / 张君秋,郭元祥演唱

8.1.5.2 著录同一责任方式的多个责任者的数量由编目机构决定,但一般不超过三个,除第一个外,其余均用逗号隔开;超过三个只著录第一个,后用“[等]”,其余在附注项说明。

例1： 西北民歌集［录音制品］/ 陈瑞平,李纪章,刘亦农乐谱整理

例2： 西部歌王王洛宾作品专辑［录音制品］/ 李福山[等]演唱 ; 上海首席乐队演奏

8.1.5.3 规定信息源出现多种责任说明,其著录数量由编目机构确定,一般按规定信息源的排版格式或序列著录四种,其余可在附注项说明。录音资料的常用责任方式有:作曲、作词、演唱、演讲、主讲、演奏、指挥、朗诵、朗读、配音、口述、主持、著、主编、改编、撰文、制作、录音、表演、翻译、整理等。

例1： 民乐小合奏［录音制品］/ 郑志平二胡独奏 ; 曾世伟笛子演奏 ; 刘新生琵琶演奏 ; 蒋如常指挥

(附注：吴三雄三弦演奏 ; 柯鸿峰阮演奏)

例2： 东方浪漫曲［录音制品］：双簧管独奏 / 于晶石选编、双簧管演奏

例3： 歌剧江姐选曲［录音制品］/ 阎肃编剧 ; 羊鸣,姜春阳,金砂作曲 ; 蒋祖缋,孙维敏,王志勇独唱 ; 中国人民解放军空军政治部歌剧团演唱、伴奏 ; 胡国宁指挥

8.1.5.4 规定信息源载有外国责任者国别时,将国别简称(见本书附录4)著录于姓名前圆括号内,若同时载有汉译姓名和姓名原文,姓名原文著录于汉译姓名后圆括号内。

例1： 序曲集［录音制品］/ (意)威尔第(Giuseppe Verdi)作曲

例2： 中国名曲选［录音制品］：小提琴与吉他 / (日)西崎崇子小提琴演奏 ; 谢家齐吉他演奏

例3：　高中英语目标测试一年级上学期［录音制品］／Barrie Sims, Judi Hodgson 朗读

例4：　爱 & 诚／（韩）宝儿（BoA）演唱

例5：　天堂之门［录音制品］／大无限乐团演出

8.1.5.5　规定信息源兼有并列题名和并列责任说明，可将每一文种的责任说明分别著录在与其文种相同的题名之后。若此规定不适用，可将全部责任说明一并著录于最末正题名之后。

例：　黄鹤的故事［录音制品］：交响诗／施咏康 ＝ Легенда о жёлтом аисте／Ши Юн-кан ＝ Legend about a yellow crane／Shi Yung-kang

8.1.5.6　规定信息源有并列题名而无并列责任说明，可将责任说明著录于最末并列题名之后。

例：　攻克高考英语听力 ＝ Mastering listening／共同文化工作室编著

8.1.5.7　责任者名称前后所载出身、籍贯、单位、职位、学位、头衔等均不予著录。但省略后责任说明含义不清时，应原样照录。

8.1.5.8　规定信息源有古代个人责任者所处朝代（1912 年以前）简称（见本书附录 2），著录于姓名前圆括号内。僧人责任者的法名原样照录，法名前原题冠“释”字，著录于圆括号内。

8.1.5.9　凡与作品内容及艺术内容有关的各种责任说明，均需如实著录，但不包含题词、题字、献辞、赞助、道具提供、获奖、致谢，以及职务、职称、学位等个人身份的称谓。

8.1.5.10　录音资料的责任说明一般按规定信息源的排列格式或序列著录。音乐资料责任说明数量较多，可参照如下顺序作出选择：

曲作者

词作者

编撰者

表演者（以独唱或独奏者、主讲者、朗诵者、演出者为序）

合唱团体

合唱指挥

演奏团体

演奏指挥

演出导演（含对演出负全面责任者）

录音制品的制作者（编辑、录音、拟音等）

其他

8.1.5.11　规定信息源所载责任说明有误，应原样照录，同时在附注项说明。

8.1.6　无总题名录音资料

8.1.6.1　由两部或两部以上作品组成的无总题名的录音资料，按规定信息源所题顺序依次著录。题名超过三个只著录前三个，未予著录的其他题名和责任者在附注项说明。属于同一责任说明的第二、第三个题名前用“ ; ”（空格、分号、空格）标识，将责任说明

著录于所有题名之后;属于不同责任说明的第二、第三个题名前用“. ”(句点、空格)标识,将各自责任说明著录于相关题名之后。

例1: 埃格蒙特序曲[录音制品]/贝多芬作曲. 卡门序曲/比才作曲. E小调小提琴协奏曲/门德尔松作曲

例2: 让我们荡起双桨[录音制品];卖报歌;嘀哩嘀哩/银河少年儿童合唱团演唱

例3: 商品经济[录音制品]/杨立英主讲. 特区经济/田盛玉主讲. 货币/宋诚主讲

8.1.6.2 无总题名录音资料的一般文献类型标识著录于第一个作品正题名之后。

例1: 钟表店[录音制品];玩具进行曲;彼得与狼

例2: 歌唱祖国[录音制品];没有共产党就没有新中国;社会主义好

8.1.6.3 多部作品既有各自的责任说明又有属于整部资料的责任说明,如过于繁杂,可将整部资料的责任说明著录于所有作品题名之后,将各单部作品的责任说明著录于附注项。

例1: 英雄交响曲[录音制品];C大调交响曲;钢琴协奏曲/中央乐团演奏

例2: 歌唱祖国[录音制品];没有共产党就没有新中国;社会主义好/中国广播艺术合唱团演唱;胡增荣指挥

8.1.6.4 无总题名录音资料的每一(或任一)作品具有其他题名信息时,这些题名信息应著录于与其相关的题名之后。

a. 与同一责任说明的多部作品相关的其他题名信息,应著录于多部作品题名之后。若此规定不适用(例如同一责任说明的作品不连贯),可著录于附注项。

例: 北方汉族民歌[录音制品];南方少数民族民歌;艺术歌曲:音乐欣赏/陈聆群主讲

b. 多个其他题名信息分别与同一责任说明的不同作品相关时,应分别著录于与其相关的题名之后。若此规定不适用,可著录于附注项。

例: 草原晨曲[录音制品]:马头琴独奏;天山牧歌:器乐小合奏/张婉员编辑

c. 责任说明不同的多部作品的其他题名信息,分别著录于与其相关联的题名之后。与不同责任说明的全部作品相关的其他题名信息,可著录于附注项。

例1: 中华人民共和国国歌[录音制品]:大合唱. 国际歌:管弦乐合奏

例2: 听妈妈讲那过去的事情[录音制品]/瞿希贤曲;管桦词. 烈士墓前/赵行道曲;袁鹰词. 闪亮的水晶心/徐锡宜曲;李幼容词

(附注:童声合唱)

8.2 版本项

目次

与本版有关的责任说明 *
附加版本说明 *
附加版本说明的责任说明 *
(以上标有“ * ”者为选择著录单元)

8.2.0　序则

8.2.0.1　标识符

见第一章 1.2.0.1 条款。

著录内容中标点符号见以下有关条款。

8.2.0.2　结构形式

见第一章 1.2.0.2 条款。

8.2.1　版本说明

此项内容取自版本项的规定信息源。

8.2.1.1　版本说明通常以序数词与“版”字相结合的术语或以区别其他版本的术语形式出现,数字一律用阿拉伯数字著录,省略“第”字,著录为“ ×版”,初版或第一版不予著录,其前用项目标识符。

例 1：. -- 改编版
例 2：. -- 2 版
例 3：. -- 伴奏版
例 4：. -- 加拿大版
例 5：. -- 卡拉 OK 版
例 6：. -- 实况录音版

8.2.1.2　版本说明属于题名或其他著录项目的组成部分,并按有关规定著录后,本项不应重复著录。

8.2.1.3　规定信息源无版本说明,但确知该资料区别于其他版本,可将版本说明著录于方括号内,并在附注项加以说明。

例 1：. -- [素材版]
例 2：. -- [播出版]

8.2.1.4　录音资料依据的原作品(例如录音制品的乐谱)的版本说明,本项不予著录,需要时可著录于附注项。

8.2.1.5　无总题名录音资料所含各部作品的不同版本说明,可著录于附注项,过于繁杂可省略。

8.2.2　并列版本说明

规定信息源有另一种语言和/或文字的版本说明,著录在版本说明之后,其前用“ = ”(空格、等号、空格)标识。

8.2.3　与本版有关的责任说明

与录音资料版本有关的责任说明著录于版本说明或并列版本说明之后,其前用“ / ”(空格、斜线、空格)标识。

8.2.3.1　与录音资料版本有关的责任说明包括修订者、改编者、组织者、材料补充者等再创作版本的责任者及其责任方式,亦包括参与该版的演出者。

8.2.3.2　规定信息源以两种或两种以上文种记载版本说明和责任说明时,应选择与正题名相同的文种著录。若此规定不适用,则选择版式显著或居于首位者著录。必要时亦可著录并列版本说明及其责任说明。

8.2.4　附加版本说明

附加版本说明是指规定信息源中对版本说明的补充说明,著录于版本说明之后,其前用“, ”(逗号、空格)标识。

例1： . -- 2 版, 再版

例2： . -- 2 版, 增订版 / 王志佑补充材料

8.2.5　附加版本说明的责任说明

附加版本说明的责任说明著录于附加版本说明之后,其前用“ / ”(空格、斜线、空格)标识。

8.3　文献特殊细节项

本项不适用于录音资料著录。

8.4　出版、发行项

目次

序则

出版地或发行地

出版者或发行者

出版日期或发行日期

制作地、制作者、制作日期 *

(以上标有“ * ”者为选择著录单元)

8.4.0　序则

8.4.0.1　标识符

a. 本项前用“. -- ”(句点、空格、连字符、连字符、空格)。

b. 第二个出版地或发行地前用“ ; ”(空格、分号、空格)

c. 出版者、发行者、制作者前用“ : ”(空格、冒号、空格)。

d. 出版日期、发行日期、制作日期前用“，　”（逗号、空格）。

e. 制作地、制作者、制作日期置于圆括号内。

8.4.0.2　结构形式

. -- 出版地 : 出版者, 出版日期

. -- 出版地 : 出版者, 出版日期 (制作地 : 制作者, 制作日期)

. -- 出版地 : 出版者 ; 出版地 : 出版者, 出版日期

. -- 出版地 ; 出版地 : 出版者, 出版日期

. -- 出版地 : 出版者 : 出版者, 出版日期

8.4.1　出版地或发行地

8.4.1.1　出版地或发行地著录规定信息源所载出版者或发行者所在的城市名称,其后不著录“市”字。同时载有出版地和发行地,只著录出版地,不著录发行地。

例1：. -- 伦敦

例2：. -- 南京

8.4.1.2　规定信息源载有两个出版地或发行地应一并著录。三个及其以上出版地或发行地按规定信息源的版式或顺序著录最显著的一个或第一个,后加“[等]”,其余在附注项说明。

例1：. -- 北京 ; 上海 : 人民教育出版社

例2：. -- 北京[等] : 人民教育出版社

8.4.1.3　多个出版地分别与多个出版者相关,应将其著录于相关出版者之前。

例：. -- 北京 : 高等教育出版社 ; 太原 : 山西电化教育馆

8.4.1.4　规定信息源出现两种或两种以上文种的出版地或发行地,应著录中文地名。若此规定不适用,可按规定信息源的排版格式或序列著录,也可选择与资料内容所用文种相一致的语言形式著录。

8.4.1.5　规定信息源无出版地或发行地,可著录推测地名,后加问号;确无地名推测,可注明“出版地不详”,并置于方括号内。

例1：. -- [汉堡?]

(此为推测著录的出版地)

例2：. -- [日本]

(此为无城镇名称而著录的出版者所在国家名称)

例3：. -- [出版地不详]

8.4.1.6　外国出版地如无城市名称,而规定信息源中有出版发行该资料的国家名称,可直接著录国家名称。

例：. -- 德国

8.4.1.7　为便于识别,可对出版地或发行地附加限定词,例如同名地点所属的国家(省、区)、同一地方的别名等。取自规定信息源的限定词应著录于圆括号内;取自非规定信息源的限定词,应著录于方括号内。

例1：. -- 伦敦(安大略)

（“安大略”为同名地点“伦敦”的上级行政区名称）

例2： . -- 渝[重庆]

（“重庆”为同一地点“渝”的别名）

8.4.1.8 规定信息源所载出版、发行地有误,依原样照录,同时在附注项说明。

8.4.2 出版者或发行者

8.4.2.1 出版者或发行者应著录出版单位或发行单位,不著录个人出版者或发行者。规定信息源同时出现出版者和发行者,一般只著录出版者,出版者名称后不著录“出版”字样;若无出版者,必须著录发行者,并在其后方括号内注明“发行者”字样。

例1： . -- 广州 : 太平洋影音公司

例2： . -- 北京 : 新华书店[发行者]

例3： . -- 上海 : 中国唱片上海公司

8.4.2.2 规定信息源载有两个出版者或发行者,应著录于各自出版地或发行地之后;载有三个及其以上出版者或发行者,按规定信息源版式或顺序著录最显著的一个或第一个,其余在附注项说明。

例1： . -- 东京 : 东映公司[等]

例2： . -- 北京 : 世图音像电子出版社 : 世界图书出版公司

8.4.2.3 规定信息源所载出版者或发行者有多种文字,应著录与正题名文种相同的出版者或发行者。若此规定不适用,可按规定信息源的版式或序列著录。

8.4.2.4 与出版者或制作公司名称一并出现的标签名称本项不予著录。资料未载明出版者和发行者,可在方括号内注明“出版者不详”字样。

例： . -- 北京 : [出版者不详]

8.4.2.5 载于录音资料的原文献(例如转录于录音带的原唱片)的出版发行事项,应作为该作品的沿革说明著录于附注项。

8.4.2.6 非正式出版的录音资料不著录出版地和出版者,但应著录制作地、制作者、制作日期。

8.4.2.7 规定信息源所载出版、发行者有误,依原样照录,同时在附注项说明。

8.4.3 出版日期或发行日期

8.4.3.1 出版日期或发行日期著录本版次或本印次的日期,一律用阿拉伯数字著录,省略“年”、“月”、“日”字样。非公元纪年日期,应在其后方括号内著录公元纪年。

例1： . -- 广州 : 太平洋影音公司, 1982

例2： . -- 北京 : 中央电大出版社 ; 太原 : 山西电化教育馆, 1980-1983

例3： . -- 南京 : 大华电影公司, 民国31年[1942]

8.4.3.2 连续多年出版的录音资料,起迄日期用连字符标识。尚未出齐的资料,可著录最先出版、发行年,其后亦用连字符标识。

例1： , 1990-1995

例 2：　, 1999-

8.4.3.3　无出版日期,可著录对识别资料具有重要意义的版权年(通常用“c”标识)或录制年(又称定版年,通常用“p”标识),并在其后注明“版权”、“录制”字样,置于方括号内。若上述日期在规定信息源上均无记载,可著录发行日期,并予以说明。成套资料的多个版权年或录制年,应著录于附注项。

例 1：　, 1990[版权]

例 2：　, 2003[录制]

例 3：　, 2001[发行]

8.4.3.4　若出版年、版权年、录制年和发行年等均未载明,可著录推测年代,置于方括号内。对推测准确的年代,直接写年代,并置于方括号内;对不能确定的年代可加问号,置于方括号内。如无法推测或考证,可注明“出版日期不详”字样,置于方括号内。

例 1：　, [1997]
(肯定在 1997 年)

例 2：　, [199-]
(肯定在 20 世纪 90 年代内)

例 3：　, [199- ?]
(推测在 20 世纪 90 年代内)

例 4：　, [2003?]
(推测在 2003 年)

例 5：　, [19-- ?]
(推测在 20 世纪内)

例 6：　, [出版日期不详]

8.4.3.5　规定信息源有出版年时,版权年或录制年可在附注项著录。

例 1：　, 1972
(附注：版权年为 1954)

例 2：　, 1998(版权)
(附注：录制年为 1972)

例 3：　. -- 北京 : 中国唱片社, 1998
(附注：1942 年录制)
(该唱片于 1998 年出版,上面记录有 1942 年灌制的歌曲)

8.4.3.6　规定信息源所载出版、发行年有误,依原样照录,同时在附注项说明。

例：　, 2014
(附注：正确出版年为 2004)

8.4.4　制作地、制作者、制作日期

8.4.4.1　若规定信息源无出版发行事项,必须著录制作事项,并置于圆括号内。制作事项仅指本载体的制作,其沿革可著录到附注项。著录方法参见出版发行项有关著录规定。

例： . --［出版地不详］：［出版者不详］，［199-？］（北京 ：中央音乐学院，1990）

8.4.4.2 必要时,可将制作事项与出版发行事项同时著录。若制作日期与出版日期相同,只著录出版日期。

例： . -- 北京 ：中央音像教材出版社，1990（沈阳 ：辽宁电教馆）

8.4.4.3 制作事项不全,可单独著录制作日期,并注明“制作”字样。

例： . --［出版地不详］：［出版者不详］，［199-？］(1995 制作)

8.5 载体形态项

目次

序则

数量及特定文献类型标识

其他形态细节 *

尺寸

附件

（以上标有“ * ”者为选择著录单元）

8.5.0 序则

8.5.0.1 标识符

a. 连续著录时,本项前用“. -- ”(句点、空格、连字符、连字符、空格)。分段著录时可省略“. -- ”。

b. 第一个其他形态细节前用“ ：”(空格、冒号、空格)。

c. 第一个尺寸前用“ ；”(空格、分号、空格)。

d. 附件前用“ + ”(空格、加号、空格)。

8.5.0.2 结构形式

a. 基本结构形式:

数量及特定文献类型标识 ：其他形态细节

数量及特定文献类型标识 ；尺寸

数量及特定文献类型标识 ：其他形态细节 ；尺寸 + 附件

b. 录音资料结构形式:

数量及特定文献类型标识(商标名称或其他技术标志)(时间) ：材料,速度,录制方法,磁迹,声道,降噪或补偿说明 ；尺寸 + 附件

8.5.1 数量及特定文献类型标识

数量及特定文献类型标识是本项第一个著录单元,依次著录构成录音资料载体的数量、载体类型名称及其商标名称或其他技术标志、作品播放时间等附加说明。

8.5.1.1 特定文献类型标识

录音资料的特定文献类型标识是具体标识在编资料载体类型的专用术语,录音

资料的特定文献类型标识隶属于一般文献类型“录音制品”。见本章附表1。

8.5.1.2　数量

录音资料的载体数量一律用阿拉伯数字著录于特定文献类型标识之前。除成套资料外，一般不用“盒”、“盘”、“张”等量词。若录音资料载体记录的数量有误，应如实著录，并将正确数量在附注项说明。

例1：　1盒式录音带

例2：　1唱片

8.5.1.3　商标名称或其他技术标志

当特定文献类型标识不足以识别录音资料时，应著录其商标名称或其他技术标志，如：DAT（数字式录音带）等。

例1：　1盒式录音带（DAT）

例2：　2唱片（CD）

8.5.1.4　时间

录音资料的时间著录实际作品时间，作品时间置于圆括号内。一般著录作品的总时间。若有多个作品亦可分别著录时间，其间用逗号标识。当规定信息源上无时间记载时，可通过上机操作获取时间信息。时间的国际计量单位为时、分、秒，用“h”、“min”、“s”标识。参见本章附表2。

例1：　1开盘录音带（60min）

例2：　1盒式录音带（DAT）（50min）

例3：　1盒式录音带（10，30，17min）

或：1盒式录音带（57min）

例4：　1唱片（37min）

例5：　2唱片（CD）（40，45min）

8.5.2　其他形态细节

其他形态细节是本项第二个著录单元，依次著录录音资料的材料、速度、录制方法、磁迹、声道、降噪或补偿说明等。第一个形态细节前用冒号“ ：”（空格、冒号、空格）标识，第二个及以后的其他形态细节前用逗号标识。

8.5.2.1　材料

著录对设备选用有重要意义的录音制品的物质材料，如：金属（录音带）、塑料（唱片）等。

例1：　1盒式录音带（DAT）（60min） ：金属

例2：　1唱片（45min） ：塑料

8.5.2.2　其他技术特性

录音资料的速度、录制方法、磁迹、声道、降噪或补偿说明等对识别或设备选用有意义时，应予著录。

a. 速度

录音带的速度著录录音磁带每秒钟传送的长度，用“cm/s”（厘米/秒）标识。

标准录音带可不著录速度。常见录音带速度见本章附表3。

唱片的速度著录唱片每分钟旋转的转数(数字式唱片为线速度),用“rpm/min”(转/分)和“m/s”(米/秒)标识。“rpm/min”可简写为“rpm”。常见唱片速度见本章附表4。

b. 录制方法、磁迹数和声道数

录音制品的录制方法(如单声道、立体声)、磁迹数和声道数对设备使用有重要意义,应予著录。

例1: 1盒式录音带(60min) : 金属,立体声

例2: 2循环录音带(20min) : 立体声,双声道,4磁迹

例3: 2开盘录音带(78min) : 19cm/s,4磁迹相连

c. 纹槽方向、纹槽粗细

若唱片的纹槽方向(如横向、纵向)和纹槽粗细(如粗纹、密纹、超细纹、立体声纹)对设备选用有意义,应予著录。

例1: 1唱片(m1)(35min) : 33⅓rpm,立体声,密纹

例2: 1唱片(14min) : 78rpm,单声道,粗纹,横向

d. 降噪或补偿说明

规定信息源上记录有录音制品的降噪系统(如:杜比)、补偿系统(如:NAB)等标识,应予著录。

例: 1盒式录音带(60min) : 金属(CrO2),立体声,杜比

8.5.3 尺寸

录音资料的尺寸若对设备选择有意义应予著录。录音资料的尺寸指录音资料本身,用cm(厘米)表示。若录音资料的装具、支架等已构成其整体的不可分割的一部分时,可以著录整体尺寸,也可分别著录两种尺寸。第一尺寸前用“ ; ”(空格、分号、空格)标识,其他尺寸前用逗号标识。对尺寸的附加说明著录于圆括号内。

8.5.3.1 以圆形载体为特征的唱片和开盘录音带著录其载体的直径尺寸。标准开盘录音带的直径尺寸(6.3cm)可不予著录。

例1: 1唱片(11min) : 45rpm,立体声,密纹 ; 17.5cm

例2: 1唱片(CD)(51min) : 立体声 ; 12cm

8.5.3.2 盒式录音带、循环录音带著录其磁带的宽度尺寸。标准磁带的尺寸不予著录。标准磁带的宽度尺寸为:

盒式录音带	循环录音带	开盘录音带
3.8cm	6.3cm	6.3cm

例: 1盒式录音带(35min) : 立体声

8.5.3.3 非标准唱片著录其播放部分的尺寸,非常规的外围尺寸著录于附注项。

例: 1唱片(DI)(20min) : 16⅔rpm,立体声,密纹 ; 30cm

(附注: 唱片外围为20×20cm正方形)

8.5.4　附件

录音资料的附件是指分离于录音资料主体独立存在、对主体起辅助作用的部分,其前用“ + ”(空格、加号、空格)标识,物理细节置于圆括号内。对附件的附加说明著录于圆括号内。

例1：　1盒式录音带(60min) ：金属,立体声 + 说明书(3页)

例2：　1盒式录音带(50min) ：单声道 + 书(125页 ；12cm)

例3：　5盒式录音带(300min) ：单声道 + 1VCD(50min)

8.6　从编项(系列项)

目次

序则

系列正题名

系列并列题名 *

系列其他题名信息 *

系列责任说明 *

系列国际标准连续出版物号

系列编号

分系列

多种系列

(以上标有“ * ”者为选择著录单元)

8.6.0　序则

8.6.0.1　标识符

见第一章1.6.0.1条款。

著录内容中标点符号见以下有关条款。

8.6.0.2　结构形式

见第一章1.6.0.2条款。

8.6.1　系列正题名

8.6.1.1　系列正题名参见本章8.1.1条款有关规定著录。

8.6.1.2　当多部分组成的录音资料各部分单独著录时,录音资料的总题名可作为系列正题名著录。

例：　. --(乖宝宝系列)

8.6.1.3　由主系列题名和分系列题名组成的系列正题名的著录,见本章8.6.7条款。

8.6.1.4　未标明系列或系列字样而属于系列或系列性质的录音资料,应在此著录。

例：　. --(幼儿益智童话)

8.6.2 系列并列题名

参照本章8.1.3条款著录。

例1: . --(二十世纪中国音乐家. 小提琴与钢琴 = 20th century Chinese composer. Violin and piano)

例2: . --(Sounds of the theatre. Music = Voci del teatro. La musica ; 4)

8.6.3 系列其他题名信息

8.6.3.1 对识别系列有意义的系列其他题名信息应予以著录。著录时参照本章8.1.4条款。

例: . --(红蓝英语模拟试卷系列 : 在校、留学考试 ; 1)

8.6.3.2 与系列有关的版本说明可作为系列其他题名信息著录。

例: . --(人体 : 第2版)

8.6.4 系列责任说明

当系列责任说明对识别该系列必需时,应依照本章8.1.5条款著录。

例: . --(小学数学 : 鹏博士多媒体教学软件 / 北京人教信息技术公司)

8.6.5 系列国际标准连续出版物号

系列国际标准连续出版物号(ISSN)著录于系列题名之后,其前用", "(逗号、空格)标识,"ISSN"与两组数字之间空一格。

例: . --(Classic orators. Europe, ISSN 0082-927x)

8.6.6 系列编号

8.6.6.1 系列编号用阿拉伯数字著录于相应系列著录事项之后,其前用" ; "(空格、分号、空格)标识。

例: . --(Forsytesagaen ; 1)

8.6.6.2 系列连续编号时,著录起讫号码,其间用连字符;非连续编号,应分段依次著录,其间用逗号标识。

例1: ; 4-7

例2: ; 2,6,13

8.6.6.3 属于非数字形式的系列编号,应原样照录。

例: ; A-F

8.6.7 分系列

8.6.7.1 由主系列题名和分系列题名组成的系列正题名按共同题名与从属题名组成的正题名形式著录。分系列题名著录于主系列题名之后,其前用". "(句点、空格)标识。

例：．--（世界名曲集．欧洲篇）

8.6.7.2　既有分系列题名标识又有分系列题名时,先著录分系列题名标识,其前用“．”(句点、空格)标识,后著录分系列题名,其前用“，”(逗号、空格)标识。

例：．--（专业音响效果汇集．续集，第2编）

8.6.7.3　分系列题名有独立识别意义,可将其作为系列正题名著录于系列项,主系列题名著录在附注项。

例：．--（东方音乐选集．4）

（附注：主系列题名:世界音乐大全）

8.6.7.4　影像资料既有主系列编号又有分系列编号,可将主系列编号著录在附注项。

例：．--（Arte moderna stranlera．Serie C，Disegnation ；n.1）

（附注：主系列编号:n.8）

8.6.7.5　主系列和分系列均有国际标准连续出版物号(ISSN)时,可将主系列的ISSN著录于附注项。

例：．--（Classic orators．Europe，ISSN 0082-927x）

（附注：主系列编号:ISSN 0081-1236）

8.6.8　多种系列

8.6.8.1　一资料属于多种系列,可根据规定信息源的顺序分别著录于圆括号内。

8.6.8.2　影像资料各部分分属不同系列,在附注项说明。

8.7　附注项

目次

序则

附注

8.7.0　序则

8.7.0.1　标识符

见第一章1.7.0.1条款。

著录内容中标点符号见以下有关条款。

引用文字用引号。

导引词后用冒号。

8.7.0.2　结构形式

见第一章1.7.0.2条款。

8.7.1　附注

附注项著录其他各著录项目不适合描述而又必须说明的信息。参见第一章1.7.1条款。

8.7.1.1　录音资料的性质、范围或艺术形式附注

例：　本录音带为卡拉 OK 伴奏带

8.7.1.2　录音资料的语种附注

例：　用粤语演唱

8.7.1.3　题名附注

包括:不同题名、自译题名、自拟题名、原题名、被省略题名、题名勘误、题名的省略部分、取自规定信息源之外的题名等。

例 1：　另一题名：边寨情歌

例 2：　自译题名：寂静的声音

例 3：　正题名原文为繁体汉字

例 4：　题名尚有：巴比伦河，我的太阳，饮酒歌。
(此为无总题名的录音资料)

例 5：　并列题名尚有：Endless love

例 6：　原名：飞天猩猩大战严咏春

例 7：　盒面题名为：小学生成语故事

例 8：　译自英国 Science and technology ：an introduction to the literature

例 9：　正题名有误

例 10：　题名取自盒面标签

例 11：　尚有阿拉伯文题名

8.7.1.4　责任说明附注

包括:原作品的责任说明、并列责任者、责任者的异名、责任者的原名、责任者的全称、省略的责任说明、取自规定信息源之外的责任说明以及有关责任说明的其他情况等。

例 1：　责任说明尚有：王庆民改编 ；李萍旁白

例 2：　责任说明取自说明书

例 3：　并列责任者：弗雷德里克·肖邦

例 4：　约翰·施特劳斯 II(1825-1899)，奥地利作曲家

例 5：　演唱者还有：张也、刘欢

例 6：　原唱片制作者李惠民、向时志

例 7：　第 2、5、6 首曲目由中央乐团演奏

8.7.1.5　版本项附注

包括录音资料的版本沿革、与其他文献或版本的关系、版本说明的出处等。

例 1：　由 1942 年原版灌制

例 2：　尚有泰文版、印尼版

例 3：　原作品为 1978 年修订版

8.7.1.6　出版、发行项附注

未在出版、发行项著录的其他出版发行事项,包括出版发行制作者的全称或名称变更、出版发行沿革、版权信息、原作品出版发行事项、附加说明的出版发行日期

以及规定信息源中出版、发行文字的勘误等。

例1：　版权年为1987

例2：　AVEX Asia Limited提供版权

例3：　制作者全称：上海社会科学院世界经济研究所

例4：　1989年之前由四川音像出版社出版发行

例5：　原唱片于1948年出版

例6：　四首歌曲版权年依次分别为：1954，1957，1962，1968

例7：　录制年：第1、2、8、9首为1968，第3、4、10首为1971，第12、13首为1972，第11首为1976，第5-7首为1978。

例8：　内部发行

例9：　本磁带出版日期应为1998年，错为1989年。

8.7.1.7　载体形态项附注

未在载体形态项著录的其他重要补充内容，包括：数量及特定文献类型标识附注、其他形态细节附注、尺寸附注、多种类型载体附注、复制转录次数附注以及附件附注等。

例1：　原版资料类型为唱片

例2：　播放时间依次分别为：17，23，9min

例3：　单面录音

例4：　附书：ISBN 7-88479-396-2

例5：　唱片外围为20×20cm的正方形

例6：　亦发行本片歌曲的CD唱片

例7：　母带

例8：　指导书题名：初中生物教学指导书

例9：　附件编者：林义明

8.7.1.8　系列项附注

对系列项的补充说明。

例1：　主系列题名：世界音乐大全. No.8

例2：　主系列标准编号：ISSN 0081-1236

例3：　共同题名编号：No.8

例4：　本系列其他题名信息：试用教材

8.7.1.9　标准编号附注

对标准编号的补充说明。

例1：　原版编号：ISBN 0-552-67507-3

例2：　盒面错题为：ISRC CN-46-04-0047-0

8.7.1.10　内容附注

内容附注包括：封面、标签等所载目次、内容提要、索引等。

例1：　A面：1.山泊回忆；2.黛玉葬花；3.盘妻；4.佘赛花；B面：1.北帝王；2.白蛇传

例2：　本片介绍越剧范派、徐派、戚派、王派和吕派唱腔艺术例3： 子目：1.采槟榔；2.四季歌；3.无锡景；4.草原之夜；5.在那遥远的地方；6.半个月亮爬上来；7.玛依拉；8.阿拉木汗；9.掀起你的盖头来；10.在银色的月光下；11.嘎达梅林

8.7.1.11 适用对象附注

描述资料的使用和适用对象的有关信息。

例1： 适用于初中语文第一册上学期

例2： 适合3-8岁儿童

8.7.1.12 播放设备附注

对录音资料的播放所需的特殊设备所作的特别说明。

例： 本唱片需78rpm/min的粗纹唱机播放

8.7.1.13 获得方式附注

对录音资料获得方式的补充说明。

例1： (日)志鸟荣八郎赠

例2： 缴送

8.7.1.14 其他附注

有关未在前面说明的录音资料的附注,必要时可著录于本项。

例1： 根据九年义务教育教学大纲编制

例2： 九五国家重点音像出版工程,中国青少年发展基金会监制

8.8 标准编号与获得方式项

目次

序则

标准编号

获得方式和(或)价格 *

限定说明 *

(以上标有“ * ”者为选择著录单元)

8.8.0 序则

8.8.0.1 标识符

见第一章1.8.0.1条款。

著录内容中标点符号见以下有关条款。

8.8.0.2 结构形式

见第一章1.8.0.2条款。

8.8.1 标准编号

8.8.1.1 标准编号包括国际标准书号(ISBN)、国际标准音像制品编码(ISRC)或其他国际公认的标准号。各组编号分别著录于“ISBN”或“ISRC”之后,中间空一格,编号之间用

连字符。

例1：　ISRC CN-A18-93-301-00

例2：　ISBN 7-88791-145-3

例3：　CUHA 12576；JPN 7800
(JVC公司)

例4：　CL-604
(中国唱片上海公司)

8.8.1.2　规定信息源出现多个标准编号，著录适用于所编录音资料的编号；同时载有整套和部分资料的标准编号，先著录整套资料的编号，后著录部分资料的编号，每一标准编号前用项目标识符。具体著录方法如下：

a. 即有 ISBN 编号，又有 ISRC 编号时，两者均予著录。ISBN 号置前，ISRC 号置后。尚有其他标准编号时，继续依次著录。

例：　ISBN 7-88751-271-9. -- ISRC CN-M46-04-0173-0(整套)

b. 兼有国际标准编号和国内标准编号时，先著录前者，再著录后者。

c. 只有整套资料编号，或既有整套资料编号又有部分资料编号，并作综合著录时，著录整套资料编号。

例：　ISRC CN-B32-95-312-00(整套)

d. 兼有整套资料编号和部分资料编号，并作分散著录时，应将整套资料编号著录于前，部分资料编号著录于后，并对前者予以注明。

例1：　ISRC CN-A06-96-301-00(整套). -- ISRC CN-A06-96-301-05

例2：　BMS 01000(整套). -- BMS 01063

e. 无整套资料编号，只有部分资料编号，并作综合著录时，逐一著录各部分资料编号。

例1：　ISRC CN-C14-96-0010-0. -- ISRC CN-C14-96-0011-0

例2：　ISBN 7-7992-0803-1. -- ISRC CN-E01-04-360-00(第1盒). -- ISBN 7-7992-0804-X. -- ISRC CN-E01-04-361-00(第2盒)

8.8.1.3　规定信息源上出现与录音资料沿革有关的标准编号(例如录音制品以前发行的标签名称或发行号)，不应著录于本项。必要时可著录于附注项。

8.8.1.4　标准编号可附加限定说明，并置于圆括号内。限定说明包括装帧说明、整套与部分资料的关系说明、标准编号信息源说明等。

例：　ISRC CN-M46-03-0269-0(精装)

8.8.1.5　若规定信息源的标准编号有误，应先著录正确编号，后著录错误编号，并在其后的圆括号内注明“错误”字样。

例1：　ISBN 0-340-16427-1. -- ISBN 7-340-16427-2(错误)

例2：　ISRC CN-M46-04-0047-0. -- ISRC CN-46-04-0047-0(错误)

8.8.2　获得方式和(或)价格

8.8.2.1　价格

获得方式和(或)价格著录于标准编号或限定说明之后,其前用“ : ”(空格、冒号、空格)标识。价格由货币代码和阿拉伯数字组成,保留两位小数。未标明价格则不予著录。

例1: ISBN 7-210-01755-3 : CNY75.00

例2: ISRC CN-R04-95-0045-0

(未标明价格)

8.8.2.2 非卖品

以非购买方式获得的录音资料,按其实际情况著录。

例: : 非卖品

8.8.3 限定说明

对来自规定信息源获得方式的限定说明著录于圆括号内。

例1: CNY10.00(限国内发行)

例2: CNY75.00(缴送)

例3: ISRC CN-A05-87-317-00(全套)

8.9 多件(套)录音资料

多件(套)录音资料,如果既有共同题名,又有各件(套)题名,可根据实际情况选用综合著录或分散著录。著录信息源依据第一件(套)的主要信息源著录,如不适用,则选用信息最充分的件(套)著录,并在附注项注明“据×件(套)著录”。

8.9.1 综合著录

将多件(套)录音资料作为一个书目著录单元进行著录。即以各件(套)录音资料的共同题名作为正题名,各件(套)资料的题名及出版日期、数量等著录于内容附注。

例: 司法考试名师辅导语音磁带 [录音制品] / 中法网法律服务教育文化国际机构制作. -- 北京 : 中国检查出版社音像中心, 2003

39盒式录音带(2380min) ; 单声道

子目: 刑法 ; 刑事诉讼法 ; 民法 ; 民事诉讼法 ; 行政法与行政诉讼法 ; 经济法商法 ; 宪法

8.9.2 分散著录

将多件(套)录音资料各自作为一个书目著录单元进行著录。即各件(套)录音资料的题名有独立识别意义时,将各件(套)资料的题名分别作为正题名,而共同题名则著录于系列项。如果各件(套)录音资料的题名无独立识别意义,则按共同题名和从属题名构成的正题名分别著录。

例1: 电影中的声音制作 [录音制品] / 李岚华主讲. -- 北京 : 北京广播学院音像教材出版社, 1996

3盒式录音带(180min) : 单声道. -- (中国录音艺术大全. 艺术卷)

李岚华,高级电影录音师
ISRC CN-A06-96-301-19 ：CNY60.00

例 2：　司法考试名师辅导语音磁带. 刑法 1-7 法条 / 中法网法律服务教育文化国际机构制作. -- 北京 ：中国检察出版社音像中心，2003
7 盒式录音带(420min) ：单声道
2003 年 7 月最新版
ISBN 7-88736-012-9. -- ISRC CN-M39-03-302-00 ：CNY49.00

附录:

附表 1:常见录音制品载体类型

一般文献类型标识	特定文献类型标识
录音制品	循环录音带 盒式录音带 开盘录音带 唱片

附表 2:录音资料常用计量单位

名称	计量单位	单位符号
时间	秒 分 时	s min h
长度	厘米	cm
速度	厘米/秒 米/秒	cm/s m/s
旋转速度	转/分	rpm/min

附表3:常见录音带速度

开盘式录音带	盒式录音带	循环录音带
76cm/s 38cm/s 19cm/s 9.5cm/s 4.8cm/s 2.4cm/s	9.5cm/s 4.8cm/s 2.4cm/s 1.2cm/s	9.5cm/s

附表4:常见唱片转速规格

粗纹唱片	薄膜唱片	密纹唱片	数字唱片
78rpm/min	25.00rpm/min 17.05rpm/min	33⅓rpm/min 16⅔rpm/min 45rpm/min	215-500rpm/min 900rpm/min 300-700rpm/min 450rpm/min

附表5:录音制品著录格式

正题名[录音制品] = 并列题名 : 其他题名信息 / 第一责任说明 ; 其他责任说明. -- 版本说明 / 与本版有关的责任说明. -- 出版地或发行地 : 出版者或发行者, 出版日期或发行日期(制作地 : 制作者, 制作日期)

数量及特定文献类型标识(商标名称或其他技术标志)(时间) : 材料, 速度, 录制方法, 磁迹, 声道, 降噪或补偿说明 ; 尺寸 + 附件. -- (系列题名 / 系列责任说明, 系列国际标准连续出版物号 ; 系列编号. 分系列)

附注

标准编号 : 获得方式

第九章　影像资料

9.0　通则

影像资料通常是指记录有运动影像的视频资料，一般都带有声音信息。影像资料既可以是模拟信号，又可以是数字信号，并需用各种相应设备进行播放。影像资料分为录像制品和电影制品。录像制品是指记录有运动影像(通常录有音频信号)的各种载体；电影制品是指含有一组连续图像、配有(或无)磁性声迹或光学声迹、利用高速放映产生运动效果的载体。

9.0.1　适用范围

本章适用于盒式录像带、循环录像带、开盘录像带、视盘(包括：VHD、LD、VCD、DVD 等)、盒式电影片、循环电影片、开盘电影片和环式电影片等影像资料的著录。VCD、DVD 也可参见第十三章电子资源。

记录在影像资料上的普通图书、连续性资源、档案、测绘制图资料、古籍、乐谱等文献可参照各标准的规定著录。凡新出现的影像资料，亦应参照本规定著录。

9.0.2　著录项目

著录项目分为下列八项：
题名与责任说明项
版本项
文献特殊细节项＊＊
出版、发行项
载体形态项
丛编项(系列项)
附注项＊
标准编号与获得方式项
上述每一项目含一个或若干著录单元，详见各项说明。
(以上标有“＊”者为选择项目，“＊＊”者为不适用项目)

9.0.3　著录用标识符

标识符见第一章 1.0.3 条款。

著录内容中的标点符号按照中外文各自的书写规则著录。

9.0.4　著录详简级次

9.0.4.1　著录详简级次以主要项目和选择项目为区分依据。

a. 主要项目:题名与责任说明项的正题名、一般文献类型标识、第一责任说明;版本项的版本说明;出版、发行项的出版地、出版者、出版日期;载体形态项的数量及特定文献类型标识、尺寸、附件;系列项的系列正题名、系列编号;标准编号。

b. 选择项目:并列题名、其他题名信息、其他责任说明;与本版有关的责任说明、附加版本说明、附加版本说明的责任说明;制作地、制作者、制作日期;其他形态细节;系列并列题名、系列其他题名信息、系列责任说明、系列国际连续出版物号;附注;获得方式、限定说明。

9.0.4.2 著录详简级次分为简要级次(或称第一级次)、基本级次(或称第二级次)和详细级次(或称第三级次)。

a. 简要级次著录主要项目。

连续著录格式:

正题名[一般文献类型标识]/第一责任说明. -- 版本说明. -- 出版地 : 出版者, 出版日期. -- 数量及特定文献类型标识 ; 尺寸 + 附件. --(系列正题名 ; 系列编号). -- 标准编号

分段著录格式:

正题名[一般文献类型标识]/第一责任说明. -- 版本说明. -- 出版地 : 出版者, 出版日期

数量及特定文献类型标识 ; 尺寸 + 附件. --(系列正题名 ; 系列编号)

标准编号

b. 基本级次著录主要项目和部分选择项目。

连续著录格式:

正题名[一般文献类型标识] = 并列题名 : 其他题名信息 / 第一责任说明 ; 其他责任说明. -- 版本说明, 附加版本说明. -- 出版地 : 出版者, 出版日期(制作地 : 制作者, 制作日期). -- 数量及特定文献类型标识 : 其他形态细节 ; 尺寸 + 附件. --(系列正题名 : 系列其他题名信息 / 系列责任说明 ; 系列编号). -- 附注. -- 标准编号(限定说明) : 获得方式(限定说明)

分段著录格式:

正题名[一般文献类型标识] = 并列题名 : 其他题名信息 / 第一责任说明 ; 其他责任说明. -- 版本说明, 附加版本说明. -- 出版地 : 出版者, 出版日期(制作地 : 制作者, 制作日期)

数量及特定文献类型标识 : 其他形态细节 ; 尺寸 + 附件. --(系列正题名 : 系列其他题名信息 / 系列责任说明 ; 系列编号)

附注

标准编号(限定说明) : 获得方式(限定说明)

c. 详细级次著录主要项目和全部选择项目。

9.0.5 著录信息源

9.0.5.1　主要信息源

影像资料和电影资料的主要信息源为内部信息源。

9.0.5.2　规定信息源

影像资料各著录项目的规定信息源及其选取顺序如下表:

著录项目	规定信息源
题名与责任说明项	内部信息源、标签、盒封、说明书
版本项	内部信息源、标签、盒封
出版、发行项	内部信息源、标签、盒封
载体形态项	任何信息源
系列项	内部信息源、标签、盒封、说明书
附注项	任何信息源
标准编号与获得方式项	任何信息源

9.0.5.3 著录信息源说明

a. 取自规定信息源之外的著录信息置于方括号内,或在附注项说明。

b. 同一著录信息在规定信息源之间有差异,按规定的选取顺序著录,若此规定不适用,选择信息完备的信息源著录,必要时在附注项说明。

9.0.6　著录用文字

见第一章 1.0.6 条款。

9.1　题名与责任说明项

目次

序则

正题名

一般文献类型标识

并列题名 *

其他题名信息 *

责任说明

无总题名影像资料

(以上标有“ * ”者为选择著录单元)

9.1.0　序则

9.1.0.1　标识符

见第一章 1.1.0.1 条款。

著录内容中标点符号见以下有关条款。

9.1.0.2 结构形式

见第一章1.1.0.2条款。

9.1.1 正题名

9.1.1.1 正题名是影像资料的主要题名,具有多种形式,包括一般通用术语、责任者名称、缩写词、数字、字母等。正题名包括交替题名以及由共同题名与从属题名标识和(或)从属题名组成的题名等。

9.1.1.2 正题名原则上按照规定信息源所载题名著录,对于有语法关系的标点符号、空格也应照录。题名中如有方括号应著录为圆括号。无法照录的图形及符号或其他内容,可用相应的文字代替,著录在方括号内,同时在附注项说明。

例1: 甲方乙方

例2: 太极推手,短穗双剑

例3: 平面设计师认证 Photoshop6.0

例4: 红太阳、新节奏联唱——毛泽东颂歌

例5: 邓小平·1928

例6: A计划

例7: 英语高中二年级上学期

例8: 《医疗事故处理条例》理解与适用中的有关问题

例9: 代号“爱默诺”

例10: 教父续集

例11: 生在“八·一”

例12: 世[界]您好!

(附注:题名中的“界”原为地球图案)

9.1.1.3 正题名是第一著录单元,无论正题名前出现何种著录信息,正题名仍著录于本项之首。

9.1.1.4 规定信息源有两种或两种以上文种题名,应选择中文题名作为正题名。若这一规定不适用,可根据规定信息源的版式或顺序选择正题名。规定信息源之外的不同题名应著录于附注项。

例: 跟我学

(此资料题名有中文“跟我学”和英文“Follow me”两种文字)

9.1.1.5 属于正题名组成部分的责任者名称、出版者名称、版本说明等,或题名起首的“新编”等,都应如实著录。

例1: 新编迪斯科教程

例2: 宋祖英维也纳金色大厅独唱音乐会

例3: 陈佩斯、朱时茂小品专集

9.1.1.6 交替题名按规定信息源上的顺序依次著录于正题名第一部分之后。原题“原名”、“一名”、“又名”、“或”等连接词如实著录,连接词前后用逗号标识。第三个及其余

的交替题名,著录于附注项。

例1：　北非谍影,又名,卡萨布兰卡

例2：　暖春,又名,我想有个家

9.1.1.7　正题名由共同题名与从属题名标识和(或)从属题名组成,先著录共同题名,再著录从属题名标识和(或)从属题名。只有从属题名标识或从属题名,其前用“. ”(句点、空格)标识;既有从属题名标识又有从属题名,其前分别用“. ”(句点、空格)和“, ”(逗点、空格)标识。

例1：　放眼看天下. 11, 安徒生的童话故事

例2：　追踪盘古. 2

例3：　世界珍奇动物. 鸟类

9.1.1.8　教学参考资料、复习指导资料等,无论原题名信息如何排列,均作为完整的正题名著录。

例1：　语文高中三年级下学期

例2：　英语小学四年级全一册

9.1.1.9　规定信息源无正题名或正题名不完整的影像资料(例如广告片、新闻片、素材片等),可根据其他信息源著录,或由编目人员自拟,置于方括号内,并在附注项说明。

例：　[铁路交通安全广而告之]

(此为广而告之片的自拟题名)

9.1.1.10　规定信息源所载题名有误,应原样照录,同时在附注项说明。

例：　列宁在一九一九

(附注:正题名原题“一九一九”系“一九一八”之误)

9.1.1.11　影像资料包含多部作品,并在规定信息源一并出现总题名和多个作品题名,应选择总题名为正题名,将各个作品的题名著录于附注项。

例1：　北京风情

子目:北京玉器 ; 北京牙雕 ; 北京漆器 ; 掐丝珐琅 ; 京城百姓 ; 龙潭庙会 ; 北京服装 ; 京华三膳 ; 风味饮食 ; 雍和宫 ; 孔庙巡礼 ; 清真寺

例2：　踏出国门

子目:生活篇 ; 工作篇 ; 旅游篇

9.1.2　一般文献类型标识

9.1.2.1　盒式录像带、循环录像带、开盘录像带和视盘的一般文献类型标识著录“录像制品”;盒式电影片、循环电影片、开盘电影片和环式电影片的一般文献类型标识著录“电影制品”。一般文献类型标识著录于正题名之后的方括号内。

例1：　卖火柴的小女孩 [录像制品]

(该资料是一盒录像带)

例2：　黄土高原 [电影制品]

(该资料是一部电影片)

例3：　小学体育指导全集. 1, 田径 [录像制品]

(该资料是一张视盘)

9.1.2.2 包含多部作品而无总题名的影像资料,一般文献类型标识著录于第一个题名之后。

例: 有理数[录像制品];整式的加法;图形的认识

9.1.2.3 含有附件的影像资料,只著录主件的一般文献类型标识。

9.1.3 并列题名

9.1.3.1 规定信息源有对应于正题名的另一文种(或语种)题名,可作为并列题名著录于一般文献类型标识之后。其前用“ = ”(空格、等号、空格)标识。

例1: 高山流水[录像制品] = Lofty mountain and running river

例2: 壮志凌云[录像制品] = Top gun

9.1.3.2 规定信息源有两种以上文种(或语种)题名,将首先出现的其他文种题名著录在正题名之后,其余可顺序著录或在附注项注明。

9.1.3.3 影像资料包含多部作品而无总题名,每一(或任一)作品又具有并列题名,应将并列题名著录于相关的题名之后,或者随作品题名在附注项著录。

9.1.4 其他题名信息

9.1.4.1 用来限定、补充、解释正题名或并列题名等的文字,一般按规定信息源所题顺序著录在与其相关的正题名或并列题名等之后,其前用“ : ”(空格、冒号、空格)标识。其他题名信息有两个或两个以上者,分别著录,其前均用“ : ”(空格、冒号、空格)标识。

例1: 东方红[电影制品]:大型音乐舞蹈史诗

例2: 天仙配[电影制品]:黄梅戏

例3: 中华之光[录像制品]:孙中山在南京

例4: 金色山城[录像制品]:台湾山坡地的开发

9.1.4.2 正题名含义不清,为解释影像资料的内容、体裁、语种、年代等,可参考非规定信息源或自拟说明性文字,作为其他题名信息著录在方括号内。

9.1.4.3 规定信息源有并列题名和并列其他题名信息,可将每一并列其他题名信息著录于与其文种相同的题名之后。

9.1.4.4 规定信息源有多个并列题名和一个文种其他题名信息,可将其他题名信息著录于最末并列题名之后。

9.1.4.5 与影像资料内容及形式无关,属于一般宣传、广告性的文字说明,可著录于附注项或不予著录。

9.1.5 责任说明

9.1.5.1 责任说明包括责任者名称和各种责任方式,一般按规定信息源所题形式和顺序著录。第一责任说明著录于正题名之后,其前用“ / ”(空格、斜线、空格)标识;其他责任说明前用“ ； ”(空格、分号、空格)标识。责任方式不明确,可附加说明词并置于方括号内。如责任者名称为简称,可将其全称著录于附注项。

例1: 种子是怎样发芽的［电影制品］／王志宏编导

例2: 天鹅湖［录像制品］／(俄)柴科夫斯基作曲

例3: 数学高考得分技巧［录像制品］／张运筹讲授

例4: 天仙配［电影制品］: 黄梅戏／石辉导演 ; 严凤英,王少舫主演

例5: 平湖秋月［录像制品］; 听松 : 二胡独奏／王明清二胡演奏

例6: 辛德勒的名单［录像制品］／(美)斯蒂文·斯皮尔伯格(Steven Sipelberg)导演 ; (美)利亚姆·尼森(Liam Neeson),(美)本·金斯利(Ben Kingsley)主演

9.1.5.2 凡与作品内容及艺术内容有关的各种责任说明,均需如实著录,但不包括题词、题字、献辞、赞助、道具提供、获奖、致谢等。

9.1.5.3 著录同一责任方式的多个责任者的数量由编目机构决定,但一般不超过三个,除第一个外,其余均用逗号隔开;超过三个只著录第一个,后用“［等］”,其余在附注项说明。

例1: 千机变. II, 花都大战［录像制品］／元奎,梁柏坚导演 ; 蔡卓研,瞿影,钟欣桐主演

例2: 中华五岳［录像制品］／李双成导演 ; 韩庆国［等］摄像

9.1.5.4 规定信息源出现的多种责任说明,其著录数量由编目机构确定,一般按规定信息源的排版格式或序列著录四种。被省略者,必要时可著录于附注项。影像资料的常用责任方式有:导演、主演、制作、出品、摄像、摄影、原作、改编、美工、翻译、译制、特技、剪接、灯光、制作、制片、监制、策划、动画、音乐、作曲、作词、演唱、演讲、主讲、合唱、演奏、指挥、配音、主持、著、主编、录音、表演、场记和拟音等。

例1: 甲方乙方［录像制品］／冯小刚导演 ; 葛优,刘蓓主演

例2: 白毛女［录像制品］: 现代芭蕾舞剧／茅慧芳,石钟琴表演 ; 上海舞蹈学校演出

9.1.5.5 规定信息源载有外国责任者国别时,将国别简称(见本书附录4)著录于姓名前圆括号内;若同时载有汉译姓名和姓名原文,姓名原文著录于汉译姓名后圆括号内。

例: 幽灵［录像制品］／(美)杰里·朱克(Jerry Zucker)导演 ; (美)帕特里克·斯韦兹(Patpick Swayze),(美)黛米·摩尔(Denu Moore)主演

9.1.5.6 规定信息源兼有并列题名和并列责任说明,可将每一文种的责任说明分别著录在与其文种相同的题名之后。若此规定不适用,可将全部责任说明一并著录于最末正题名之后。

9.1.5.7 规定信息源有并列题名而无并列责任说明,可将责任说明著录于最末并列题名之后。

9.1.5.8 责任者名称前后所载出身、籍贯、单位、职位、学位、头衔等均不予著录。但省略后责任说明含义不清时,应原样照录。

9.1.5.9 影像资料的责任说明一般应按规定信息源的排列格式或序列著录。若信息源复杂,且责任说明数量较多,可参照如下顺序作出选择:

编撰者

导演(含对演出负全面责任者)

表演者(以主演者、主持人或主讲人、旁白者、其他演出者为序)

曲、词作者

合唱团体

合唱指挥

演奏团体

演奏指挥

影像资料的制作者(编辑、翻译、译制、制作、出品、策划、制片、摄影、美工、特技、照明、录音、剪接、场记、拟音等)

9.1.5.10 规定信息源所载责任说明有误,应原样照录,同时在附注项说明。

9.1.6 无总题名影像资料

9.1.6.1 由两部或两部以上作品组成的无总题名的影像资料,按规定信息源所题顺序依次著录。题名超过三个只著录前三个,未予著录的其他题名和责任者在附注项说明。属于同一责任说明的第二、第三个题名前用“ ; ”(空格、分号、空格)标识,将责任者著录于所有题名之后;属于不同责任说明的第二、第三个题名前用“. ”(句点、空格)标识,将各自责任说明著录于相关题名之后。

例1: 评梅景区[录像制品] ; 娘子关景区 / 山西电影制片厂摄制

例2: 观赏鱼[录像制品] / 宁和编辑 ; 刘新民摄影. 岭南佳果 / 韩小鹰编导 ; 陈廉摄影. 自然博物馆漫游记 : 动物的进化 / 李惠娟编导 ; 高洪业摄影

9.1.6.2 无总题名影像资料的一般文献类型标识著录于第一个作品正题名之后。

例: 中国造纸[录像制品] ; 灵渠——中国古代水利

9.1.6.3 多部作品既有各自的责任说明又有属于整部资料的责任说明,如过于繁杂,可将整部资料的责任说明著录于所有作品题名之后,将各单部作品的责任说明著录于附注项。

9.2 版本项

目次

(以上标有“ * ”者为选择著录单元)

9.2.0 序则

9.2.0.1　标识符

见第一章 1.2.0.1 条款。

著录内容中标点符号见以下有关条款。

9.2.0.2　结构形式

见第一章 1.2.0.2 条款。

9.2.1　版本说明

此项内容取自版本项的规定信息源。

9.2.1.1　影像资料的版本是指由同一母本产生的所有复本。同样素材经过不同编辑后，应视为新的版本。

9.2.1.2　版本说明通常以序数词与“版”字相结合的术语或以区别其他版本的术语形式出现，数字一律用阿拉伯数字著录，省略“第”字，著录为“×版”，初版或第一版不予著录，其前用项目标识符。

例：. -- 海外引进版

9.2.1.3　版本说明属于题名或其他著录项目的组成部分，并按有关规定著录后，本项不应重复著录。

9.2.1.4　规定信息源无版本说明，但确知该资料出现区别于其他版本的重要变化，可将版本说明著录于方括号内，并在附注项加以说明。

例1：. -- [素材版]

例2：. -- [播出版]

9.2.1.5　无总题名影像资料所含各部作品的不同版本说明，可著录于附注项，过于繁杂可省略。

9.2.2　并列版本说明

见第八章 8.2.2 条款。

9.2.3　与本版有关的责任说明

与影像资料版本有关的责任说明著录于版本说明或并列版本说明之后，其前用“ / ”（空格、斜线、空格）标识。

9.2.3.1　与影像资料版本有关的责任说明包括修订者、改编者、组织者、材料补充者等再创作版本的责任者及其责任方式，亦包括参与该版的演出者。

9.2.3.2　规定信息源以两种或两种以上文种记录版本说明和责任说明时，应选择与正题名相同的文种著录。若此规定不适用，应选择版式显著或居于首位者著录。必要时，亦可著录并列版本说明及其责任说明。

9.2.4　附加版本说明

见第八章 8.2.4 条款。

9.2.5　附加版本说明的责任说明

见第八章8.2.5条款。

9.3　文献特殊细节项

本项不适用于影像资料的著录,但当影像资料上记录有地图的比例尺或其他文献的相关信息时,应根据这些文献的著录规则著录此项。

9.4　出版、发行项

目次

序则

出版地或发行地

出版者或发行者

出版日期或发行日期

制作地、制作者、制作日期 *

(以上标有“ * ”者为选择著录单元)

9.4.0　序则

9.4.0.1　标识符

见第八章8.4.0.1条款。

9.4.0.2　结构形式

见第八章8.4.0.2条款。

9.4.1　出版地或发行地

9.4.1.1　出版地或发行地著录规定信息源所载出版者或发行者所在的城市名称,其后不著录“市”字。同时载有出版地和发行地,只著录出版地,不著录发行地。

例1：. -- 北京

例2：. -- 呼和浩特

9.4.1.2　规定信息源载有两个出版地或发行地应一并著录。三个及其以上出版地或发行地按规定信息源的版式或顺序著录最显著的一个或第一个,后加“[等]”,其余在附注项说明。例参见第八章8.4.1.2条款。

9.4.1.3　多个出版地分别与多个出版者相关,应将其著录于相关出版者之前。例参见第八章8.4.1.3条款。

9.4.1.4　规定信息源出现两种或两种以上文种的出版地或发行地,应著录中文地名。若此规定不适用,可按规定信息源的排版格式或序列著录,也可选择与资料内容所用文种相一致的语言形式著录。

9.4.1.5　规定信息源无出版地或发行地,可著录推测地名,后加问号;确无推测地名,可注明

"出版地不详",并置于方括号内。

例1：．--［香港?］

（此为推测著录的出版地）

例2：．--［英国］

（此为无城镇名称而著录的出版者所在国家名称）

例3：．--［出版地不详］

9.4.1.6 外国出版地如无城市名称,而规定信息源中有出版发行该资料的国家名称,可直接著录国家名称。

例：．-- 日本

9.4.1.7 为利于识别,可对出版地或发行地附加限定词,例如同名地点所属的国家(省、区)、同一地方的别名等。取自规定信息源的限定词应著录于圆括号内,取自非规定信息源的限定词应著录于方括号内。例参见第八章8.4.1.7条款。

9.4.1.8 规定信息源所载出版、发行地有误,依原样照录,同时在附注项说明。

9.4.2 出版者或发行者

9.4.2.1 出版者或发行者应著录出版单位或发行单位,不著录个人出版者或发行者。规定信息源同时出现出版者和发行者,一般只著录出版者,出版者名称后不著录"出版"字样;若无出版者,必须著录发行者,并在其后方括号内注明"发行者"字样。

例1：．-- 银川 ：宁夏文化音像出版社

例2：．-- 广州 ：广州俏佳人文化传播有限公司［发行者］

9.4.2.2 规定信息源载有两个出版者或发行者,应著录于各自出版地或发行地之后;载有三个及其以上出版者或发行者,按规定信息源版式或顺序著录最显著的一个或第一个,其余在附注项说明。

例：．-- 北京 ：北京外语音像出版社 ：外语教学与研究出版社

9.4.2.3 规定信息源所载出版者或发行者有多种文字,应著录与正题名文种相同的出版者或发行者。若此规定不适用,可按规定信息源的版式或序列著录。

9.4.2.4 与出版者或制作公司名称一并出现的标签名称本项不予著录。资料未载明出版者和发行者,可在方括号内注明"出版者不详"字样。

例：．-- 广州 ：［出版者不详］

9.4.2.5 非正式出版的影像资料不著录出版地和出版者,但应著录制作地、制作者、制作日期。

例：中国国家图书馆巡礼［录像制品］．--（北京 ：北京图书馆, 1996）

9.4.2.6 规定信息源所载出版、发行者有误,依原样照录,同时在附注项说明。

9.4.3 出版日期或发行日期

9.4.3.1 出版日期或发行日期著录本版次或本印次的日期,一律用阿拉伯数字著录,省略"年"、"月"、"日"字样。非公元纪年日期,应在其后方括号内著录公元纪年。

例： . -- 北京 ：中国唱片总公司，1993

9.4.3.2 连续多年出版的影像资料，起迄日期用连字符连接。尚未出齐的资料，可著录最先出版、发行年，其后亦用连字符标识。

例1： , 1993-1995

例2： , 2001-

9.4.3.3 无出版日期，可著录对识别资料具有重要意义的版权年（通常用“c”标识）或录制年（又称定版年，通常用“p”标识），并在其后注明“版权”、“录制”字样，置于方括号内。若上述日期在规定信息源上均无记载，可著录发行日期，并予以说明。成套资料的多个版权年或录制年，应著录于附注项。

例1： , 1990[版权]

例2： , 2003[录制]

例3： , 2001[发行]

9.4.3.4 若出版年、发行年、版权年等均未载明，可推测著录年代，置于方括号内。对推测准确的年代，直接写年代，并置于方括号内；对不能确定的年代可加问号，置于方括号内；如无法推测或考证，可注明“出版日期不详”字样，置于方括号内。

例1： , [1999]
（肯定在1999年）

例2： , [199-]
（肯定在20世纪90年代内）

例3： , [199-?]
（推测在20世纪90年代内）

例4： , [2001?]
（推测为2001年）

例5： , [19--?]
（推测在20世纪内）

例6： , [出版日期不详]

9.4.3.5 规定信息源有出版年时，版权年或录制年可在附注项著录。

例1： , 1972
（附注：版权年为1954）

例2： , 1998(版权)
（附注：录制年为1997）

9.4.3.6 规定信息源所载出版、发行年有误，依原样照录，同时在附注项说明。

9.4.4 制作地、制作者、制作日期

9.4.4.1 若规定信息源无出版发行事项，必须著录制作事项，并置于圆括号内。制作事项仅指本载体的制作，其沿革可著录到附注项。著录方法参见本章9.4有关条款。

例： . -- [出版地不详] : [出版者不详], [199-?] (北京 ：中国声像中心)

9.4.4.2 必要时，可将制作事项与出版发行事项同时著录。若制作日期与出版日期相同，只著录出版日期。

9.4.4.3　制作事项不全,可单独著录制作日期,并注明“制作”字样。

例:　. --［出版地不详］:［出版者不详］,［200- ?］(2002 制作)

9.5　载体形态项

目次

序则

数量及特定文献类型标识

其他形态细节 *

尺寸

附件

(以上标有“ * ”者为选择著录单元)

9.5.0　序则

9.5.0.1　标识符

a. 连续著录时,本项前用“. -- ”(句点、空格、连字符、连字符、空格)。分段著录时可省略“. -- ”。

b. 第一个其他形态细节前用“ : ”(空格、冒号、空格)。

c. 第一个尺寸前用“ ; ”(空格、分号、空格)。

d. 附件前用“ + ”号(空格、加号、空格)。

e. 数量及特定文献类型标识、其他形态细节以及附件的补充说明均置于圆括号内。

9.5.0.2　结构形式

a. 基本结构形式

数量及特定文献类型标识 : 其他形态细节

数量及特定文献类型标识 ; 尺寸

数量及特定文献类型标识 : 其他形态细节 ; 尺寸 + 附件

b. 录像制品结构形式

数量及特定文献类型标识(商标名称或其他技术标志)(时间) : 材料,色彩,速度,声音,磁迹,声道,降噪或补偿说明 ; 尺寸 + 附件

c. 电影制品结构形式

数量及特定文献类型标识(商标名称或其他技术标志)(时间) : 材料,色彩,速度,声音 ; 尺寸 + 附件

9.5.1　数量及特定文献类型标识

数量及特定文献类型标识是本项第一个著录单元,依次著录构成影像资料载体的数量、载体类型名称、时间及其附加说明。

9.5.1.1　特定文献类型标识

影像资料的特定文献类型标识是具体标识在编资料的载体类型的专用术语。录像资料的特定文献类型标识隶属于一般文献类型“录像制品”;电影资料的特定文献类型标隶属于一般文献类型“电影制品”。见本章附表1。

9.5.1.2 数量

录像制品和电影制品的载体数量一律用阿拉伯数字著录于特定文献类型标识之前。除成套资料外,一般不用“盒”、“盘”、“张”等量词。若影像资料载体记录的数量有误,应如实著录,并将正确数量在附注项说明。

例1: 1盒式录像带

例2: 2视盘

例3: 10开盘电影片

9.5.1.3 商标名称或其他技术标志

特定文献类型标识不足以识别影像资料者,应著录其商标名称或其他技术标志。常见的技术标志见本章附表2。

例1: 1盒式录像带(VHS,PAL)

例2: 2视盘(LD,NTSC3.58)

例3: 1视盘(VHD,NTSC3.58)

例4: 2视盘(VHD,PAL)

例5: 1视盘(DVD,NTSC3.58)

9.5.1.4 时间

影像资料的时间著录实际播放时间,播放时间和单位“min”置于圆括号内。时间一般著录播放时间的总数,若需要亦可分别著录,其间用逗号标识。若视盘记录有静止画面,应在附注项说明静止画面的数量。时间的国际计量单位见本章附表3。

例1: 2盒式录像带(VHS,PAL)(120,90min)

或:2盒式录像带(VHS,PAL)(210min)

例2: 1视盘(LD,NTSC3.58)(32min)

(附注:B面有156个静止画面)

例3: 1开盘电影片(90min)

9.5.2 其他形态细节

其他形态细节是载体形态项第二个著录单元,依次著录影像资料的材料、色彩、声音以及其他技术特征。第一个形态细节前用“ : ”(空格、冒号、空格)标识,第二个及以后的其他形态细节前用逗号标识。

9.5.2.1 材料

著录对设备选用和保管有重要意义的影像资料的物质材料,如:金属(录像带)、易燃片(电影片)等。

例1: 1盒式录像带(60min) : 金属

例2: 1开盘电影片(11min) : 硝酸纤维片基

9.5.2.2　色彩

以视频信号为主要特征的影像资料应著录色彩。

例1：1盒式录像带（VHS）（120min）：彩色

例2：10开盘电影片（85min）：棕色

例3：1视盘（LD，NTSC3.58，薄型）（35，30min）：彩色间黑白

9.5.2.3　速度

当影像资料的速度对设备使用有特殊要求时应予著录。影像资料的速度著录在单位时间内录像带传送的长度、视盘旋转的转数、电影胶片通过放映机的画幅数。电影制品的标准速度（有声片24格/秒、无声片16格/秒）可不予著录。

例：5开盘电影片（48min）：彩色，18格/秒

9.5.2.4　声音

有声影像资料一般著录“有声”字样，但对放音有特殊要求的影像资料，需详细著录时，可省略“有声”字样。无声电影片著录“无声”。

例1：1盒式录像带（Betacam-SP，PAL）（90min）：彩色，有声（HiFi）

例2：1视盘（LD，NTSC3.58）（约55min）：彩色，B面无声

（附注：该视盘B面为静止画面）

例3：2视盘（LD，NTSC3.58）（112min）：彩色，AC-3

例4：5盒式录像带（VHS，PAL）（300min）：彩色，立体声

例5：1盒式循环电影片（30min）：黑白，无声

9.5.3　尺寸

影像资料的尺寸若对设备选择有意义应予著录。影像资料的尺寸按载体形态和装载方式的不同分别著录，其前用“；”（空格、分号、空格）标识。多个尺寸之间用逗号分隔。

9.5.3.1　录像制品的尺寸

以圆形载体为特征的开盘录像带和视盘著录其载体的直径尺寸。循环录像带、盒式录像带著录其磁带的宽度。常见录像带的带宽见本章附表2。标准磁带不著录尺寸。

例1：1视盘（LD，NTSC3.58，薄型）（14min）：彩色，立体声；30cm

例2：1视盘（DVD，PAL）（114min）：彩色，立体声；12cm

9.5.3.2　电影制品的尺寸

电影制品的尺寸著录电影胶片的宽度，计量单位为“mm”（毫米）。电影胶片的宽度是：8mm、超8mm、9.5mm、16mm、28mm、35mm、70mm等。

例1：10开盘电影片（75min）：彩色，有声；16mm

例2：1循环电影片（3min）：黑白，有声；8mm

9.5.4　附件

影像资料的附件是指分离于影像资料主体独立存在、对主体起辅助作用的部分，其前用“ + ”（空格、加号、空格）标识。对附件的附加说明著录于圆括号内。

例： 1 盒式录像带(U-matic,NTSC4.43)(60min) ：彩色,有声 + 1 册说明书

9.6 从编项(系列项)

目次

(以上标有“ * ”者为选择著录单元)

9.6.0 序则

9.6.0.1 标识符

见第一章 1.6.0.1 条款。

著录内容中标点符号见以下有关条款。

9.6.0.2 结构形式

见第一章 1.6.0.2 条款。

9.6.1 系列正题名

9.6.1.1 系列正题名参见本章 9.1.1 条款有关规定著录。

例： . -- (实用手术学系列)

9.6.1.2 当多部分组成的影像资料各部分单独著录时,影像资料的总题名可作为系列正题名著录。

例 1： 素描 [录像制品] / 颜铁良,黄珂主讲. -- 北京 ：清华大学出版社, 1996
5 盒式录像带(VHS,PAL)(500min) ：彩色,有声. -- (美术基础系列片)

例 2： 山水画 [录像制品] / 张凭主讲. -- 北京 ：清华大学出版社, 1996
5 盒式录像带(VHS,PAL)(509min) ：彩色,有声. -- (美术基础系列片)

9.6.1.3 由主系列题名和分系列题名组成的系列正题名的著录,见本章 9.6.7 条款。

9.6.1.4 未标明系列或系列字样而属于系列或系列性质的影像资料,应在此著录。

例： . -- (Leaders of the 20th Century)

9.6.2 系列并列题名

参照本章 9.1.3 条款著录。

9.6.3　系列其他题名信息

9.6.3.1　对识别系列有意义的系列其他题名信息应予以著录。著录时参照本章 9.1.4 条款。
9.6.3.2　与系列有关的版本说明可作为系列其他题名信息著录。

9.6.4　系列责任说明

当系列责任说明对识别该系列必需时,应依照本章 9.1.5 条款著录。

9.6.5　系列国际标准连续出版物号

系列国际标准连续出版物号(ISSN)著录于系列题名之后,其前用“， ”(逗号、空格)标识,“ISSN”与两组数字之间空一格。

9.6.6　系列编号

9.6.6.1　系列编号用阿拉伯数字著录于相应系列著录事项之后,其前用“ ； ”(空格、分号、空格)标识。
9.6.6.2　系列连续编号时,著录起迄号码,之间用连字符连接;非连续编号,应分段依次著录,之间用逗号标识。

例 1：　；1-3

例 2：　；2,4,6

9.6.6.3　属于非数字形式的系列编号,应原样照录。

9.6.7　分系列

9.6.7.1　由主系列题名和分系列题名组成的系列正题名按共同题名与从属题名组成的正题名形式著录。分系列题名著录于主系列题名之后,其前用“. ”(句点、空格)标识。例参见第八章 8.6.7.1 条款。
9.6.7.2　既有分系列题名标识又有分系列题名时,先著录分系列题名标识,其前用“. ”(句点、空格)标识,后著录分系列题名,其前用“， ”(逗号、空格)标识。例参见第八章 8.6.7.2 条款。
9.6.7.3　分系列题名有独立识别意义,可将其作为系列正题名著录于系列项,主系列题名著录在附注项。例参见第八章 8.6.7.3 条款。
9.6.7.4　影像资料既有主系列编号又有分系列编号,可将主系列编号著录在附注项。例参见第八章 8.6.7.4 条款。
9.6.7.5　主系列和分系列均有国际标准连续出版物号(ISSN)时,可将主系列的 ISSN 著录于附注项。例参见第八章 8.6.7.5 条款。

9.6.8　多种系列

9.6.8.1 一资料属于多种系列,可根据规定信息源的顺序分别著录于圆括号内。

9.6.8.2 影像资料各部分分属不同系列,在附注项说明。

9.7 附注项

目次

9.7.0 序则

9.7.0.1 标识符

见第一章 1.7.0.1 条款。

著录内容中标点符号见以下有关条款。

引用文字用引号。

导引词后用冒号。

9.7.0.2 结构形式

见第一章 1.7.0.2 条款。

9.7.1 附注

附注项著录其他各著录项目不适合描述而又必须说明的信息。参见第一章 1.7.1条款。

9.7.1.1 影像资料的性质、范围或艺术形式附注

例 1： 本激光视盘为卡拉 OK 节目盘

例 2： 本录像带为马克思传记电视短剧

9.7.1.2 影像资料的语种附注

例 1： 本片为英语对白,中文字幕

例 2： CH-1 英语,CH-2 汉语

（CH-1 和 CH-2 分别表示“1 声道”、“2 声道”）

9.7.1.3 题名附注

包括:不同题名、自译题名、自拟题名、原题名、被省略题名、题名勘误、题名的省略部分、取自规定信息源之外的题名等。

例 1： 本片原名：Gladiator

（正题名为：角斗士）

例 2： 自译题名：古希腊文明

（正题名为：Greek Civilization）

例 3： 本片的其他译名：《决战中的较量》,《敌对边缘》,《大敌当前》,《较量》

（正题名为：兵临城下）

例4：　本片盒面题名为：吐鲁番风韵
　　　（片头题名：吐鲁番风景名胜）

例5：　题名取自题名屏幕

例6：　正题名幸福家[园]的“园”原为一方型图案

9.7.1.4　责任说明附注

包括：原作品的责任说明、并列责任者、责任者的异名、责任者的原名、责任者的全称、省略的责任说明、取自规定信息源之外的责任说明以及有关责任说明的其他情况等。

例1：　主演者还有：王绘春，王辉，杜雨露等
　　　（电视连续剧《雍正王朝》的其他主演）

例2：　责任说明取自说明书

例3：　1948 年文华影片公司出品

例4：　查理·卓别林（Charlie Chaplin）（1889-1977），美国著名演员

例5：　全部曲目由中央乐团演奏

例6：　责任者还有：张艺谋摄影，何群美术，赵季平作曲
　　　（电影《黄土地》的其他责任者）

9.7.1.5　版本项附注

见第八章 8.7.1.5 条款。

9.7.1.6　出版、发行项附注

未在出版、发行项著录的其他出版发行事项，包括出版发行制作者的全称或名称变更、出版发行沿革、版权信息、原作品出版发行事项、附加说明的出版发行日期以及规定信息源中出版、发行文字的勘误等。

例1：　中国国际电视总公司版权所有

例2：　本节目由中央电教馆提供

例3：　美国派拉蒙公司出品并提供版权
　　　（出版、发行项：北京：中国录音录像出版总社，1990）

例4：　本片由 Pickwick Video Ltd. 录制

9.7.1.7　载体形态项附注

载体形态项的附注包括：数量及特定文献类型标识附注、其他形态细节附注、尺寸附注、多种类型载体附注、复制转录次数附注以及附件附注等。

例1：　B 面有 83 幅静止画面
　　　（此例为视盘的时间说明）

例2：　易燃片

例3：　录音机六声道同步放音

例4：　磁还音
　　　（此例为超 8mm 电影片）

例5：　伊士曼彩色

例6：　反转片

例7：　尺寸有误

例8： 使用R片机

例9： 多银幕放映

例10： 还有U-matic录像带

例11： 说明书内套各附首演照片3张

例12： 附书：ISBN 7-313-03867-4

例13： B面无节目
（此例为激光视盘）

例14： 本片为宽银幕

9.7.1.8 系列项附注

对系列项的补充说明。例参见第八章8.7.1.8条款。

9.7.1.9 标准编号附注

对标准编号的补充说明。例参见第八章8.7.1.9条款。

9.7.1.10 内容附注

内容附注包括：封面、标签等所载目次、内容提要、索引等。

例1： 内容：介绍故宫博物院及其珍宝

例2： 第一颗原子弹爆炸及欢呼场面

例3： 用动画技巧描述旋轮曲线及其应用

例4： 目次：1. 五四运动 ; 2. 北伐战争 ; 3. 遵义会议 ; 4. 西安事变 ; 5. 抗日战争

例5： 子目：1. 天体运动 ; 2. 地球自转与公转 ; 3. 太阳月亮地球 ; 4. 行星与太阳系 ; 5. 恒星的性质 ; 6. 银河系与宇宙 ; 7. 大气中的水 ; 8. 气压和压强 ; 9. 天象变化与预报 ; 10. 日本的天气 ; 11. 气象观测 ; 12. 包着地球的大气

9.7.1.11 适用对象附注

描述文献的使用和适用对象的有关信息。

例1： 儿童不宜

例2： 内部资料片

9.7.1.12 播放设备附注

对影像资料的播放所需的特殊设备所作的特别说明。

例： 本录像带需用可播放慢录录像带的录像机。

9.7.1.13 获得方式附注

对影像资料获得方式的补充说明。

例1： 赠送

例2： 缴送

9.7.1.14 其他附注

有关适用范围、馆藏记录、缺损情况等说明，必要时可著录于本项。

例1： 馆藏缺第8集

例2： 根据九年义务教育教学大纲编制

9.8 标准编号与获得方式项

目次

序则
标准编号
获得方式和(或)价格 *
限定说明 *
(以上标有“ * ”者为选择著录单元)

9.8.0　序则

9.8.0.1　标识符

见第一章 1.8.0.1 条款。

著录内容中标点符号见以下有关条款。

9.8.0.2　结构形式

见第一章 1.8.0.2 条款。

9.8.1　标准编号

9.8.1.1　标准编号包括国际标准书号(ISBN)、国际标准音像制品编码(ISRC)或其他国际公认的标准号。各组编号分别著录于“ISBN”或“ISRC”之后,中间空一格,编号之间用连字符。

例 1：　ISRC CN-A03-93-0004-0

例 2：　ISBN 0-929756-15-0

例 3：　CT93-1138
(中国国际电视公司)

9.8.1.2　规定信息源出现多个标准编号,著录适用于所编影像资料的编号;同时载有整套和部分资料的标准编号,先著录整套资料的编号,后著录部分资料的编号,每一标准编号前用项目标识符。具体著录方法如下：

a. 即有 ISBN 编号,又有 ISRC 编号时,两者均予著录。ISBN 号置前,ISRC 号置后。尚有其他标准编号时,继续依次著录。

例：　ISBN 7-88720-516-6. -- ISRC CN-M22-03-0111-0

b. 兼有国际标准编号和国内标准编号时,先著录前者,再著录后者。

c. 只有整套资料编号,或既有整套资料编号又有部分资料编号,并作综合著录时,著录整套资料编号。

例：　ISRC CN-F27-03-0057-0(整套)

d. 兼有整套资料编号和部分资料编号,并作分散著录时,应将整套资料编号著录于前,部分资料编号著录于后,并对前者予以注明。

例：　ISRC CN-A18-96-321-00(整套). -- ISRC CN-A06-96-301-01

e. 无整套资料编号,只有部分资料编号,并作综合著录时,逐一著录各部分资料编号。

9.8.1.3　规定信息源上出现与影像资料沿革有关的标准编号(例如影像制品以前发行的标签

名称或发行号),不应著录于本项。必要时可著录于附注项。

9.8.1.4 标准编号可附加限定说明,并置于圆括号内。限定说明包括装帧说明、整套与部分资料的关系说明、标准编号信息源说明等。例参见第八章8.8.1.4条款。

9.8.1.5 若规定信息源的标准编号有误,应先著录正确编号,后著录错误编号,并在其后的圆括号内注明“错误”字样。

例: ISRC CN-A06-96-301-01. -- ISRC CN-A06-96-301-1(错误)

9.8.2 获得方式和(或)价格

9.8.2.1 价格

获得方式和(或)价格著录于标准编号或限定说明之后,其前用“ : ”(空格、冒号、空格)标识。价格由货币代码和阿拉伯数字组成,保留两位小数。未标明价格则不予著录。

例: ISRC CN-A02-95-0033-0 : CNY38.00

9.8.2.2 非卖品

以非购买方式获得的影像资料,按其实际情况著录。

例: : 非卖品

9.8.3 限定说明

获得方式之后可附加限定说明,并置于圆括号内。

例1: CNY56.00(限国内发行)

例2: CNY48.00(缴送)

例3: ISRC CN-F27-03-0057-0 : CNY213.00(全套)

9.9 多件(套)影像资料

多件(套)影像资料,如果既有共同题名,又有各件(套)题名,可根据实际情况选用综合著录或分散著录。著录信息源依据第一件(套)的主要信息源著录,如不适用,则选用信息最充分的件(套)著录,并在附注项注明“据×件(套)著录”。

9.9.1 综合著录

将多件(套)影像资料作为一个书目著录单元进行著录。即以各件(套)影像资料的共同题名作为正题名,各件(套)资料的题名及出版日期、数量等著录于内容附注。

例: 便携式机动工具 [录像制品]

子目 : 第1集, 便携式电锯 ; 第2集, 便携式电钻 ; 第3集, 便携式开槽机

9.9.2 分散著录

将多件(套)影像资料各自作为一个书目著录单元进行著录。即各件(套)影像资料的题名有独立识别意义时,将各件(套)资料的题名分别作为正题名,而共同题

名则著录于丛编系列项。如果各件(套)影像资料的题名无独立识别意义,则按共同题名和从属题名构成的正题名分别著录。

例1： 便携式电锯［录像制品］

. --(便携式机动工具；第1集)

例2： Charles Dickens［录像制品］

1录像带(VHS,PAL)(28min)：彩色,有声. --(World famous authors. Vol. I)

附录：

附表1:特定文献类型标识

一般文献类型标识	特定文献类型标识
录像制品	循环录像带 盒式录像带 开盘录像带 视盘
电影制品	盒式电影片 循环电影片 开盘电影片 环式电影片 穹幕电影片

附表2:录像制品常见的技术标志

录像带(带宽)	视盘(直径)	制式
U-matic(¾英寸) VHS(½英寸) S-VHS(½英寸) W-VHS(½英寸) Betacam(½英寸) Betacam-SP(½英寸)	LD(20cm) VHD(20cm)	PAL NTSC SECAM

附表3:影像资料常用计量单位

名　称	计量单位	单位符号
时　间	秒 分 时	s min h
长度	厘米	cm
速度	米/秒	m/s

附表4:著录格式

录像制品著录格式

正题名［录像制品］＝并列题名 ：其他题名信息 / 第一责任说明 ；其他责任说明. -- 版本说明 / 与本版有关的责任说明. -- 出版地或发行地 ：出版者或发行者，出版日期或发行日期（制作地 ：制作者，制作日期）

数量及特定文献类型标识(商标名称或其他技术标志)(时间) ：材料,色彩,速度,声音,磁迹,声道,降噪或补偿说明 ；尺寸 ＋ 附件. --（系列题名 / 系列责任说明，系列国际标准连续出版物号 ；系列编号. 分系列）

附注

标准编号 ：获得方式

电影制品著录格式

正题名［电影制品］＝并列题名 ：其他题名信息 / 第一责任说明 ；其他责任说明. -- 版本说明 / 与本版有关的责任说明. -- 出版地或发行地 ：出版者或发行者，出版日期或发行日期（制作地 ：制作者，制作日期）

数量及特定文献类型标识(商标名称或其他技术标志)(时间) ：材料,色彩,速度,声音 ；尺寸 ＋ 附件. --（系列题名 / 系列责任说明，系列国际标准连续出版物号 ；系列编号. 分系列）

附注

标准编号 ：获得方式

第十章　静画资料

10.0　通则

静画资料包括投影制品和图形制品。投影制品是指利用透射光技术将拍摄(或绘制)后的形象重现出来的二维图像的制品。图形制品是记录有二维图像和(或)文字的各种制品的统称。

10.0.1　适用范围

本章适用于著录幻灯条片、幻灯卷片、幻灯插片、投影片、显微标本片、立体开盘片等各种静态放映的投影制品和美术复制品、闪现卡、图表、照片、招贴画、挂图、工程图等各种图形制品。凡新出现的静画资料亦应参照本规定著录。

10.0.2　著录项目

著录项目分为下列八项:

题名与责任说明项

版本项

文献特殊细节项 *

出版、发行项

载体形态项

丛编项(系列项)

附注项 *

标准编号与获得方式项

上述每一项目含一个或若干著录单元,详见各项说明。

(以上标有“ * ”者为选择项目)

10.0.3　著录用标识符

标识符见第一章 1.0.3 条款

著录内容中的标点符号按照中外文各自的书写规则著录。

10.0.4　著录详简级次

10.0.4.1　著录详简级次以主要项目和选择项目为区分依据。

a. 主要项目:题名与责任说明项的正题名、一般文献类型标识、第一责任说明;版本项的版本说明;出版、发行项的出版地、出版者、出版日期;载体形态项的数量及特定文献类型标识、尺寸、附件;系列项的系列正题名、系列编号;标准编号。

b. 选择项目：并列题名、其他题名信息、其他责任说明；与本版有关的责任说明、附加版本说明、附加版本说明的责任说明；制作地、制作者、制作日期；其他形态细节；系列并列题名、系列其他题名信息、系列责任说明、系列国际连续出版物号；附注；获得方式、限定说明。

10.0.4.2 著录详简级次分为简要级次（或称第一级次）、基本级次（或称第二级次）和详细级次（或称第三级次）。

a. 简要级次著录主要项目。

连续著录格式：

正题名［一般文献类型标识］/ 第一责任说明. -- 版本说明. -- 出版地 : 出版者, 出版日期. -- 数量及特定文献类型标识 ; 尺寸 + 附件. --（系列正题名 ; 系列编号）. -- 标准编号

分段著录格式：

正题名［一般文献类型标识］/ 第一责任说明. -- 版本说明. -- 出版地 : 出版者, 出版日期

数量及特定文献类型标识 ; 尺寸 + 附件. --（系列正题名 ; 系列编号）

标准编号

b. 基本级次著录主要项目和部分选择项目。

连续著录格式：

正题名［一般文献类型标识］= 并列题名 : 其他题名信息 / 第一责任说明 ; 其他责任说明. -- 版本说明, 附加版本说明. -- 出版地 : 出版者, 出版日期（制作地 : 制作者, 制作日期）. -- 数量及特定文献类型标识 : 其他形态细节 ; 尺寸 + 附件. --（系列正题名 : 系列其他题名信息 / 系列责任说明 ; 系列编号）. -- 附注. -- 标准编号（限定说明）: 获得方式（限定说明）

分段著录格式：

正题名［一般文献类型标识］= 并列题名 : 其他题名信息 / 第一责任说明 ; 其他责任说明. -- 版本说明, 附加版本说明. -- 出版地 : 出版者, 出版日期（制作地 : 制作者, 制作日期）

数量及特定文献类型标识 : 其他形态细节 ; 尺寸 + 附件. --（系列正题名 : 系列其他题名信息 / 系列责任说明 ; 系列编号）

附注

标准编号（限定说明）: 获得方式（限定说明）

c. 详细级次著录主要项目和全部选择项目。

10.0.5 著录信息源

10.0.5.1 主要信息源

静画资料的主要信息源为资料本身。

10.0.5.2　规定信息源

静画资料各著录项目的规定信息源及其选取顺序如下表：

著录项目	规定信息源
题名与责任说明项	资料本身、标签、题头文字、盒封、封套、说明书
版本项	资料本身、标签、题头文字、盒封、封套、说明书
文献特殊细节项	资料本身、标签、封套、盒封
出版、发行项	资料本身、标签、盒封、封套
载体形态项	资料本身、标签、盒封、封套
系列项	资料本身、标签、盒封、封套、说明书等
附注项	任何信息源
标准编号与获得方式项	任何信息源

10.0.5.3　著录信息源说明

a. 取自规定信息源之外的著录信息置于方括号内，或在附注项说明。

b. 同一著录信息在规定信息源之间有差异，按规定的选取顺序著录。若此规定不适用，选择信息完备的信息源著录，必要时在附注项说明。

10.0.6　著录用文字

见第一章 1.0.6 条款。

10.1　题名与责任说明项

目次

序则

正题名

一般文献类型标识

并列题名 *

其他题名信息 *

责任说明

无总题名静画资料

（以上标有“ * ”者为选择著录单元）

10.1.0　序则

10.1.0.1　标识符

见第一章 1.1.0.1 条款。

著录内容中标点符号见以下有关条款。

10.1.0.2　结构形式

见第一章1.1.0.2条款。

10.1.1　正题名

10.1.1.1　正题名是静画资料的主要题名,具有多种形式,包括一般通用术语、责任者名称、缩写词、数字、字母等。正题名包括交替题名以及由共同题名与从属题名标识和(或)从属题名组成的题名等。

10.1.1.2　正题名原则上按照规定信息源所载题名著录,对于有语法关系的标点符号、空格也应照录。题名中如有方括号应著录为圆括号。无法照录的图形及符号或其他内容,可用相应的文字代替,著录在方括号内,同时在附注项说明。

例1：　呼吸系统

例2：　看图说话

例3：　祖国！祖国！祖国！

例4：　Edelweiss

例5：　纪念中国抗日战争和世界反法西斯战争胜利50周年！

例6：　一朵小[红花]

(附注：正题名原为花形图案,著录为“红花”字样)

10.1.1.3　正题名是第一著录单元,无论正题名前出现何种著录信息,正题名仍著录于本项之首。

10.1.1.4　正题名的选择

规定信息源有两种或两种以上文种题名,应选择中文题名作为正题名。若这一规定不适用,可根据规定信息源的版式或顺序选择正题名。例参见第八章8.1.1.4条款。

10.1.1.5　属于正题名组成部分的责任者名称、出版者名称、版本说明等,或题名起首的“新编”等,都应如实著录。例参见第八章8.1.1.5条款。

10.1.1.6　交替题名按规定信息源上的顺序依次著录于正题名第一部分之后。原题“原名”、“一名”、“又名”、“或”等连接词如实著录,连接词前后用逗号。第三个及其余的交替题名著录于附注项。例参见第八章8.1.1.6条款。

10.1.1.7　正题名由共同题名与从属题名标识和(或)从属题名组成,先著录共同题名,再著录从属题名标识和(或)从属题名。只有从属题名标识或从属题名,其前用“. ”(句点、空格)标识;既有从属题名标识又有从属题名,其前分别用“. ”(句点、空格)和“, ”(逗点、空格)标识。例参见第八章8.1.1.7条款。

10.1.1.8　教学参考资料、复习指导资料等,无论原题名信息如何排列,均作为完整的正题名著录。

10.1.1.9　规定信息源无正题名或正题名不完整的静画资料,可根据其他信息源著录,或由编目人员自拟,置于方括号内,并在附注项说明。

10.1.1.10　规定信息源所载题名有误,应原样照录,同时在附注项说明。

10.1.2　一般文献类型标识

10.1.2.1　投影片和幻灯片的一般文献类型标识著录“投影制品”；美术复制品、闪现卡、图表、照片、招贴画、挂图、工程图等的一般文献类型标识著录“图形资料”。一般文献类型标识著录于正题名之后的方括号内。

例1：　中国民族服饰［投影制品］
（该例为一套投影片）

例2：　动物怎样保护自己？［投影制品］
（该例为一套幻灯片）

例3：　蒙娜丽莎［图形资料］
（该例为一套照片）

10.1.2.2　含有附件的静画资料，只著录主件的一般文献类型标识。

10.1.3　并列题名

10.1.3.1　规定信息源有对应于正题名的另一文种（或语种）题名，可作为并列题名著录于一般文献类型标识之后。其前用“ = ”（空格、等号、空格）标识。

10.1.3.2　规定信息源有两种以上文种（或语种）题名，将首先出现的其他文种题名著录在正题名之后，其余可顺序著录或在附注项注明。

10.1.4　其他题名信息

10.1.4.1　用来限定、补充、解释正题名或并列题名等的文字，一般按规定信息源所题顺序著录在与其相关的正题名或并列题名等之后，其前用“ : ”（空格、冒号、空格）标识。其他题名信息有两个或两个以上者，分别著录，其前均用“ : ”（空格、冒号、空格）标识。

10.1.4.2　正题名含义不清，为解释静画资料的内容、体裁、语种、年代等，可参考非规定信息源或自拟说明性文字，作为其他题名信息著录在方括号内。

10.1.4.3　规定信息源有并列题名和并列其他题名信息，可将每一并列其他题名信息著录于与其文种相同的题名之后。

10.1.4.4　规定信息源有多个并列题名和一个文种其他题名信息，可将其他题名信息著录于最末并列题名之后。

10.1.4.5　与静画资料内容及形式无关，属于一般宣传、广告性的文字说明，可著录于附注项或不予著录。

10.1.5　责任说明

10.1.5.1　责任说明包括责任者名称和各种责任方式，一般按规定信息源所题形式和顺序著录。第一责任说明著录于正题名之后，其前用“ / ”（空格、斜线、空格）标识；其他责任说明前用“ ; ”(空格、分号、空格)标识。责任方式不明确,可附加说明词并置于方括号内。如责任者名称为简称,可将其全称著录于附注项。

例1： 海洋鱼类资源宝库［投影制品］/ 张志平编 ; 于惠明绘

例2： 识字游戏［图形资料］/ 齐天常设计

例3： 小学自然. 生物［投影制品］/ 生物教研组［编］

10.1.5.2 著录同一责任方式的多个责任者的数量由编目机构决定,但一般不超过三个,除第一个外,其余均用逗号隔开;超过三个只著录第一个,后用“[等]”,其余在附注项说明。例参见第八章8.1.5.2条款。

10.1.5.3 规定信息源出现多种责任说明,其著录数量由编目机构确定,一般按规定信息源的排版格式或序列著录四种,其余可在附注项说明。静画资料的常用责任方式有:编辑、绘、摄影、设计、画、美术、主编、改编、撰文、策划、制作、整理等。例参见第八章8.1.5.3条款。

10.1.5.4 规定信息源载有外国责任者国别时,将国别简称(见本书附录4)著录于姓名前圆括号内;若同时载有汉译姓名和姓名原文,姓名原文著录于汉译姓名后圆括号内。例参见第八章8.1.5.4条款。

10.1.5.5 规定信息源兼有并列题名和并列责任说明,可将每一文种的责任说明分别著录在与其文种相同的题名之后。若此规定不适用,可将全部责任说明一并著录于最末正题名之后。例参见第八章8.1.5.5条款。

10.1.5.6 规定信息源有并列题名而无并列责任说明,可将责任说明著录于最末并列题名之后。例参见第八章8.1.5.6条款。

10.1.5.7 责任者名称前后所载出身、籍贯、单位、职位、学位、头衔等均不予著录。但省略后责任说明含义不清时,应原样照录。

10.1.5.8 凡与作品内容和艺术内容有关的各种责任说明,均需如实著录,但不含题词、题字、献辞、赞助、获奖、致谢等,以及职务、职称、学位等个人身份的称谓。

10.1.5.9 静画资料的责任说明一般按规定信息源的排列格式或序列著录。若信息源复杂,责任说明数量较多,可参照如下顺序作出选择:

编撰者

设计者

静画资料的制作者(绘、画、摄影、美术、制作等)

其他

10.1.5.10 规定信息源所载责任说明有误,应原样照录,同时在附注项说明。

10.1.6 无总题名静画资料

见第八章8.1.6条款。

例： 中国分省地图［投影制品］; 中国地形图

10.2 版本项

目次

序则

版本说明
并列版本说明 *
与本版有关的责任说明 *
附加版本说明 *
附加版本说明的责任说明 *
（以上标有“ * ”者为选择著录单元）

10.2.0　序则

10.2.0.1　标识符

见第一章1.2.0.1条款。

著录内容中标点符号见以下有关条款。

10.2.0.2　结构形式

见第一章1.2.0.2条款。

10.2.1　版本说明

此项内容取自版本项的规定信息源。

10.2.1.1　版本说明通常以序数词与“版”字相结合的术语或以区别其他版本的术语形式出现，数字一律用阿拉伯数字著录，省略“第”字，著录为“ ×版”，初版或第一版不予著录，其前用项目标识符。

10.2.1.2　版本说明属于题名或其他著录项目的组成部分，并按有关规定著录后，本项不应重复著录。

10.2.1.3　规定信息源无版本说明，但确知该资料区别于其他版本，可将版本说明著录于方括号内，并在附注项说明。

10.2.1.4　静画资料依据的原作品（例如拍摄幻灯片依据的图册）的版本说明，本项不予著录，需要时可著录于附注项。

10.2.1.5　无总题名静画资料所含各部作品的不同版本说明，可著录于附注项，过于繁杂可省略。

10.2.2　并列版本说明

规定信息源有另一种语言和/或文字的版本说明，著录在版本说明之后，其前用“ = ”（空格、等号、空格）标识。

10.2.3　与本版有关的责任说明

与静画资料版本有关的责任说明著录于版本说明或并列版本说明之后，其前用“ / ”（空格、斜线、空格）标识。

10.2.3.1　与静画资料版本有关的责任说明包括修订者、改编者、组织者、材料补充者等再创作版本的责任者及其责任方式。

10.2.3.2 规定信息源以两种或两种以上文种记载版本说明和责任说明时,应选择与正题名相同的文种著录。若此规定不适用,则应选择版式显著或居于首位者著录。必要时,亦可著录并列版本说明及其责任说明。

10.2.4 附加版本说明

附加版本说明是指规定信息源中对版本说明的补充说明,著录于版本说明之后,其前用“, ”(逗号、空格)标识。例参见第八章8.2.4条款。

10.2.5 附加版本说明的责任说明

附加版本说明的责任说明著录于附加版本说明之后,其前用“ / ”(空格、斜线、空格)标识。

10.3 文献特殊细节项

本项一般不适用于静画资料的著录,但当静画资料上记录有地图的比例尺或其他文献的相关信息时,应根据这些文献的著录规则著录此项。

例: 中国行政区划图 [投影制品]. -- 1:4000000

(该例为记录有中国地图的幻灯片)

10.4 出版、发行项

目次

序则

出版地或发行地

出版者或发行者

出版日期或发行日期

制作地、制作者、制作日期 *

(以上标有“ * ”者为选择著录单元。)

10.4.0 序则

10.4.0.1 标识符

见第八章8.4.0.1条款。

10.4.0.2 结构形式

见第八章8.4.0.2条款。

10.4.1 出版地或发行地

见第八章8.4.1条款。

10.4.2 出版者或发行者

见第八章 8.4.2 条款。

10.4.3　出版日期或发行日期

见第八章 8.4.3 条款。

10.4.4　制作地、制作者、制作日期

见第八章 8.4.4 条款。

10.5　载体形态项

目次

10.5.0　序则

10.5.0.1　标识符

a. 连续著录时，本项前用“. -- ”（句点、空格、连字符、连字符、空格）。分段著录时可省略“. -- ”。

b. 第一个其他形态细节前用“ : ”（空格、冒号、空格）。

c. 第一个尺寸前用“ ; ”（空格、分号、空格）。

d. 附件前用“ + ”号（空格、加号、空格）。

e. 数量及特定文献类型标识、其他形态细节以及附件的补充说明均置于圆括号内。

10.5.0.2　结构形式

a. 基本结构形式：

数量及特定文献类型标识 : 其他形态细节

数量及特定文献类型标识 ; 尺寸

数量及特定文献类型标识 : 其他形态细节 ; 尺寸 + 附件

b. 投影制品结构形式：

数量及特定文献类型标识（商标名称或其他技术标志）（幅数） : 材料，幅式，色彩，声音 ; 尺寸 + 附件

c. 图形制品结构形式：

数量及特定文献类型标识（商标名称或其他技术标志）（数量说明） : 材料，色彩，声音 ; 尺寸 + 附件

10.5.1　数量及特定文献类型标识

数量及特定文献类型标识是本项第一个著录单元,依次著录构成静画资料载体的数量、载体类型名称及其附加说明。

10.5.1.1 特定文献类型标识

静画资料的特定文献类型标识是具体标识在编资料的载体类型的专用术语。幻灯片和投影片的特定文献类型标识隶属于一般文献类型“投影制品”。各种美术复制品、闪现卡、图表、照片、招贴画、挂图、工程图等的特定文献类型标识隶属于一般文献类型“图形制品”。静画资料特定文献类型标识见本章附表1。

10.5.1.2 数量

a. 静画资料的载体数量一律用阿拉伯数字著录于特定文献类型标识之前。除成套资料外,一般不用“幅”、“件”等量词。若静画资料载体记录的数量有误,应如实著录,并将正确数量在附注项说明。

例1: 4幻灯条片

例2: 5投影片

例3: 1挂图

b. 成套使用的静画资料,除著录“套”数外,还可在其后圆括号内说明具体的幅、框、片、张数。所载数量有误,应如实著录,并将正确数量在附注项说明。

例1: 1套投影片(35幅)

例2: 1套照片(24张)

例3: 1幻灯卷片(56-89幅)

例4: 1幻灯卷片(69幅)

(附注: 正确幅数应为96幅)

c. 必要时,可对投影制品的“复合片”、“双格片”作进一步说明。复合片是指多张叠映的投影片;双格片是指画面的长边与胶片的走片齿孔平行的幻灯片。

例1: 1幻灯卷片(26双幅)

例2: 2套投影片(42复合片)

例3: 1套投影片(4张分开的复合片)

d. 静画资料的数量不准确或混杂过多或无记载,可著录近似数量。无法判断者,可省略不予著录。

例: 2盒拼巧板(约30块)

10.5.1.3 商标名称或其他技术标志

当特定文献类型标识不足以识别静画资料时,应著录其商标名称或其他技术标志,置于特定文献类型标识后的圆括号内。

10.5.2 其他形态细节

其他形态细节依次著录静画资料的材料、幅式、色彩、声音等。第一形态细节前用冒号“ : ”(空格、冒号、空格)标识,第二个及以后的其他形态细节前用逗号标识。

10.5.2.1　材料

对资料使用和设备选用等具有重要意义的物质材料著录于本项。

例：1 拼巧板(17 块) ：塑料

10.5.2.2　幅式

著录阅读幻灯片或投影片时每幅图像的放置位置，用“竖片”、“横片”表示。

例：1 幻灯卷片(42 双幅) ：竖片

10.5.2.3　色彩

静画资料的色彩应予著录。染色的显微标本片亦应说明。

例 1：2 幻灯卷片(64 幅) ：彩色间有黑白

例 2：1 套学习卡片(50 张) ：彩色

例 3：6 显微标本片 ：染色

10.5.2.4　声音

配有声音的幻灯片著录“有声”。偶尔配有声音并与内容无直接联系的幻灯片不应著录“有声”，必要时可在附注项说明。

例：1 幻灯卷片(36 幅) ：横片，有声

10.5.3　尺寸

静画资料的尺寸按载体形态和装载方式的不同分别著录。

10.5.3.1　平面形式的静画资料著录其周边尺寸“长 × 宽 cm”。资料有折叠页或大小不一者，应在其后圆括号内说明。静画资料常用计量单位见本章附表 2。

例 1：20 幻灯插片 ：横片，彩色 ；5 ×5cm

例 2：1 套投影片(16 幅) ：黑白 ；180 ×140mm

例 3：1 套投影片(36 幅) ：黑白 ；24 ×25cm(最大)

例 4：1 挂图 ：彩色 ；160 ×120cm(折叠后 40 ×30cm)

10.5.3.2　立体开盘片著录其载体的直径尺寸。

例：3 立体开盘片(21 幅) ：彩色 ；9cm

10.5.3.3　以胶片为载体的投影制品著录胶片的宽度，计量单位为“mm”(毫米)。

例：1 幻灯卷片(35 幅) ：横片，彩色 ；35mm

10.5.4　附件

静画资料的附件是指分离于资料主体独立存在、对主体起辅助作用的部分，其前用“ + ”(空格、加号、空格)标识。对附件的附加说明著录于圆括号内。

例：1 幻灯卷片(35 幅) ：横片，彩色 ；35mm + 说明书

10.6　从编项(系列项)

参见第八章 8.6 条款。

10.7　附注项

目次

10.7.0 序则

10.7.0.1 标识符

a. 连续著录时,本项前用". -- "(句点、空格、连字符、连字符、空格)。分段著录时可省略". -- "。

b. 附注内容尽可能采用各项规定标识符。

c. 引用内容用引号。

d. 导引词后用冒号。

10.7.0.2 结构形式

见第一章 1.7.0.2 条款。

10.7.1 附注

10.7.1.1 静画资料的性质、范围或艺术形式附注

参见第八章 8.7.1.1 条款。

10.7.1.2 静画资料的语种附注

参见第八章 8.7.1.2 条款。

10.7.1.3 题名附注

参见第八章 8.7.1.3 条款。

10.7.1.4 责任说明项附注

参见第八章 8.7.1.4 条款。

10.7.1.5 版本项附注

参见第八章 8.7.1.5 条款。

10.7.1.6 出版、发行项附注

参见第八章 8.7.1.6 条款。

10.7.1.7 载体形态项附注

载体形态项的附注包括:数量及特定文献类型标识附注、其他形态细节附注、尺寸附注、多种类型载体附注以及附件附注等。

例 1: 形态不规格

例 2: 木、纸、织物之拼贴画

例 3: 原件尺寸 94 ×96cm

例 4: 尺寸大小不一

例 5: 容器尺寸: 25 ×15 ×10cm

例 6: 母片

例 7: 配汉语解说静画带

例 8：　蓝图
（该资料为工程图）
例 9：　说明书内套各附首演照片 3 张

10.7.1.8　系列项附注

参见第八章 8.7.1.8 条款。

10.7.1.9　标准编号附注

参见第八章 8.7.1.9 条款。

10.7.1.10 内容附注

内容附注包括静画资料的封面、标签等所记录的目次、内容提要、索引等。

例 1：　目次：1. 长拳 ；2. 剑术 ；3. 刀术 ；4. 棍术 ；5. 形意拳 ；6. 八卦掌 ；7. 太极拳 ；8. 查拳

例 2：　内容：介绍十三种水彩画的特殊技法

例 3：　内容：介绍哥伦布发现新大陆的经过及贡献

10.7.1.11 其他附注

有关未在前面说明的静画资料的附注，必要时可著录于本项。

例 1：　根据高中物理教学大纲编制

例 2：　原件藏于故宫博物院

例 3：　缺第 9、12、26 框

10.8　标准编号与获得方式项

参见第八章 8.8 条款。

附录：

附表 1：静画资料特定文献类型标识

一般文献类型标识	特定文献类型标识
投影制品	幻灯插片　投影片　显微标本片 幻灯卷片　幻灯条片　立体开盘片
图形制品	照片　工程图　美术复制品 挂图　明信片　翻页式图表 图片　招贴画　游戏纸牌 闪现卡　学习卡片　立体图片 拼巧板　版画（或木刻画、石刻画、蚀刻画等）

附表2:静画资料常用计量单位

量的名称	单位名称	单位符号
长度	毫米 厘米 米	mm cm m

附表3:著录格式

投影制品著录格式

正题名［投影制品］＝并列题名：其他题名信息／第一责任说明；其他责任说明. -- 版本说明／与本版有关的责任说明. -- 文献特殊细节. -- 出版地或发行地：出版者或发行者，出版日期或发行日期（制作地：制作者，制作日期）

数量及特定文献类型标识(商标名称或其他技术标志)(幅数）：材料,幅式,色彩,声音；尺寸 ＋ 附件. --（系列题名／系列责任说明，系列国际标准连续出版物号；系列编号. 分系列）

附注

标准编号：获得方式

图形制品著录格式

正题名［图形制品］＝并列题名：其他题名信息／第一责任说明；其他责任说明. -- 版本说明／与本版有关的责任说明. -- 文献特殊细节. -- 出版地或发行地：出版者或发行者，出版日期或发行日期（制作地：制作者，制作日期）

数量及特定文献类型标识(商标名称或其他技术标志)(数量说明）：材料,色彩,声音；尺寸 ＋ 附件. --（系列题名／系列责任说明，系列国际标准连续出版物号；系列编号. 分系列）

附注

标准编号：获得方式

第十一章　连续性资源

11.0　通则

11.0.1　适用范围

本章规则覆盖连续性资源的著录,无论是连续发行(如连续出版物)或结合成一体的(如更新的散页、更新的网站)。这些规则还覆盖以下类型的有限资源(如一些预先规定期限的资源):显示连续出版物特性的资源,例如连续出版,有编号和有出版频率,但是其生命期是有限的(如一些事件的通信);连续出版物的重印本;以及有限的一体化资源。本规则不用于多部分文献的著录。

这些规则集中于连续出版物和一体化资源的连续特性,并且用来连接本书第一部分各章的规则。例如,在著录电子杂志时,要参考特别用于杂志的电子方面的规则和本章关于连续性方面的规则。

如果一条规则不能用于所有连续性资源,则该规则会说明其应用的范围。连续出版物后来各册或部分有改变,或者一体化资源的后来各期有改变,而需要重新著录,则按本章有关改变的规则的规定。

11.0.2　著录项目

著录项目(除国家标准规定的八个项目外,增加馆藏记录项):

题名与责任说明项

版本项

文献特殊细节项(卷、期、年、月或其他标识项)

出版、发行项

载体形态项

丛编项

附注项

标准编号与获得方式项

馆藏记录项

上述每一项目可含一个或若干著录单元,详见各项说明。

11.0.3　著录用标识符

标识符参见第一章 1.0.3 条款。

以下著录单元的著录内容用标识符见本章有关条款。

11.0.4　著录详简级次

11.0.4.1 著录详简级次以主要项目和选择项目为区分依据。

a. 主要项目:题名与责任说明项的正题名、第一责任说明;版本项的版本说明;卷、期、年、月或其他标识项;出版、发行项的第一出版地、出版(发行)者、出版(发行)日期;载体形态项的数量及特定文献类型标识、尺寸、附件;丛编项的丛编正题名、丛编编号;重要的附注(如电子资源正题名来源附注);标准编号。

b. 选择项目:一般文献类型标识、并列题名、其他题名信息、其他责任说明;并列版本说明、与本版有关的责任说明、附加版本说明、附加版本说明的责任说明;印制地、印制者、印制日期;其他形态细节;丛编并列题名、丛编其他题名信息、丛编责任说明、丛编 ISSN;获得方式、限定说明。

11.0.4.2 著录详简级次分为简要级次(或称第一级次)、基本级次(或称第二级次)和详细级次(或称第三级次)

a. 简要级次著录主要项目。

连续著录格式:

正题名 / 第一责任说明. -- 版本说明. -- 卷、期、年、月或其他标识. -- 出版地 : 出版(发行)者, 出版(发行)日期. -- 数量及特定文献类型标识 ; 尺寸 + 附件. -- (丛编正题名 ; 丛编编号) . -- 附注. -- 标准编号

分段著录格式:

正题名 / 第一责任说明. -- 版本说明. -- 卷、期、年、月或其他标识. -- 出版地 : 出版(发行)者, 出版(发行)日期

数量及特定文献类型标识 ; 尺寸 + 附件. -- (丛编正题名 ; 丛编编号)

附注

标准编号

b. 基本级次著录主要项目和部分选择项目。

连续著录格式:

正题名 [一般文献类型标识] = 并列题名 : 其他题名信息 / 第一责任说明 ; 其他责任说明. -- 版本说明 / 与本版有关的责任说明. -- 卷、期、年、月或其他标识. -- 出版地 : 出版(发行)者, 出版(发行)日期 (印制地 : 印制者, 印制日期) . -- 数量及特定文献类型标识 : 其他形态细节 ; 尺寸 + 附件. -- (丛编正题名 : 丛编其他题名信息 / 丛编责任说明 ; 丛编编号) . -- 附注. -- 标准编号 (限定说明) : 获得方式

分段著录格式:

正题名 [一般文献类型标识] = 并列题名 : 其他题名信息 / 第一责任说明 ; 其他责任说明. -- 版本说明 / 与本版有关的责任说明. -- 卷、期、年、月或其他标识. -- 出版地 : 出版(发行)者, 出版(发行)日期 (印制地 : 印制者, 印制日期)

数量及特定文献类型标识 : 其他形态细节 ; 尺寸 + 附件. -- (丛编正题名 : 丛编其他题名信息 / 丛编责任说明 ; 丛编编号)

附注

标准编号(限定说明)：获得方式

c. 详细级次著录主要项目和全部选择项目。

11.0.5　著录信息源

著录信息源是文献本身。文献本身信息不足,可参考其他信息源。取自文献本身以外的信息应在附注项中说明。

11.0.5.1　著录依据

a. 连续出版物

连续出版物的著录依据是本题名下第一期或第一部分,若无法获得本题名下第一期或第一部分,应以可获得的最早发行的一期或部分著录,但应在附注项说明著录所依据的卷期或部分。具体各项著录依据如下：

著录项目	著录依据
题名与责任说明项	第一期或手头最早的一期或部分
版本项	第一期或手头最早的一期或部分
卷、期、年、月或其他标识项	每种标识系统的第一期和/或最后一期或部分
出版、发行项 出版地或发行地或印制地 出版者或发行者或印制者 出版日期或发行日期或印制日期	 第一期或手头最早的一期或部分 第一期或手头最早的一期或部分 第一期和最后一期或部分
载体形态项	所有卷期或部分
丛编项	所有卷期或部分
附注项	任何信息来源
标准编号与获得方式项	任何信息来源

b. 一体化资源

一体化资源的著录依据是资料的最新一期(第一期不作为著录依据)。

著录项目	著录依据
题名与责任说明项	最新一期
版本项	最新一期

出版、发行项 出版地或发行地或印制地 出版者或发行者或印制者 出版日期或发行日期或印制日期	 最新一期 最新一期 第一期和/或最后一期
载体形态项	最新一期
丛编项	最新一期
附注项	任何信息来源
标准编号与获得方式项	任何信息来源

11.0.5.2 主要信息源

主要信息源是为文献著录提供信息的首选来源。

a. 印刷型连续性资源

印刷型连续性资源的主要信息源为题名页。无题名页,以封面、报头、目次页、编辑页、版权页作为代题名页。当同一期出版物上反映的同一信息(如题名、出版说明等)不一致时,应优先选择题名页作为主要著录信息源。若无题名页,应按代题名页依次作为著录信息源,同时应参考其他部分(例如前言、编辑说明、卷首语等)以及出版物之外的信息。

b. 非印刷型连续性资源

参照本书第一部分有关文献各章×.0.5.1 条款著录,如:连续出版的录音资料见第八章8.0.5.1 条款。

11.0.5.3 规定信息源

a. 印刷型连续出版物

印刷型连续出版物各著录项目的规定信息源如下表;取自规定信息源之外的著录信息置于方括号内,并在附注项说明;取自文献以外的信息只能著录在附注项中。

著录项目	规定信息源
题名与责任说明项	题名页或代题名页
版本项	题名页、版权页、目次页、书末出版说明或其他书页
卷、期、年、月或其他标识项	出版物本身
出版、发行项	题名页、版权页、目次页、书末出版说明或其他书页
载体形态项	出版物本身

丛编项	出版物本身
附注项	任何信息源
标准编号与获得方式项	任何信息源

b. 非印刷型连续出版物

参照本书第一部分有关文献各章 ×.0.5.2 条款著录，如：连续出版的录音资料见第八章 8.0.5.2 条款。

11.0.6　著录用文字

见第一章 1.0.6 条款。

11.1　题名与责任说明项

目次

序则

正题名

一般文献类型标识 *

并列题名 *

其他题名信息 *

责任说明

（以上标有“ * ”者为选择著录单元）

11.1.0　序则

11.1.0.1　标识符

a. 一般文献类型标识置于方括号内，印刷型连续出版物一般可省略一般文献类型标识。

b. 并列题名前用“ = ”（空格、等号、空格）。

c. 其他题名信息前用“ : ”（空格、冒号、空格）。

d. 第一责任说明前用“ / ”（空格、斜线、空格）。

e. 其他责任说明属于同一责任者的第二、第三个题名前用“ ; ”（空格、分号、空格）。

f. 有从属题名标识的从属题名前用“, ”（逗号、空格）。

g. 从属题名标识或无从属题名标识的从属题名前用“. ”（句点、空格）。

11.1.0.2　结构形式

正题名［一般文献类型标识］

正题名［一般文献类型标识］：其他题名信息

正题名［一般文献类型标识］ = 并列题名

正题名［一般文献类型标识］/ 责任说明

正题名［一般文献类型标识］ = 并列题名 / 责任说明

正题名［一般文献类型标识］ = 并列题名 = 并列题名 / 责任说明
正题名［一般文献类型标识］ = 并列题名 : 其他题名信息
正题名［一般文献类型标识］ = 并列题名 : 其他题名信息 / 责任说明
正题名［一般文献类型标识］: 其他题名信息 : 其他题名信息 / 责任说明
正题名［一般文献类型标识］: 其他题名信息 / 责任说明
正题名［一般文献类型标识］/ 责任说明 = 并列题名 / 并列责任说明
正题名［一般文献类型标识］/ 第一责任说明 ; 其他责任说明
正题名［一般文献类型标识］/ 责任说明 = 并列责任说明
正题名［一般文献类型标识］: 其他题名信息 = 并列题名 : 并列其他题名信息 / 责任说明
共同题名. 从属题名［一般文献类型标识］
共同题名. 从属题名［一般文献类型标识］/ 责任说明
共同题名. 从属题名标识, 从属题名［一般文献类型标识］
共同题名. 从属题名标识, 从属题名［一般文献类型标识］/ 责任说明
共同题名. 从属题名标识, 从属题名［一般文献类型标识］ = 并列共同题名. 并列从属题名
共同题名. 从属题名［一般文献类型标识］: 其他题名信息
共同题名. 从属题名［一般文献类型标识］: 其他题名信息 / 责任说明
共同题名 / 责任说明. 从属题名标识, 从属题名［一般文献类型标识］/ 责任说明 = 并列共同题名 : 其他题名信息 / 责任说明. 并列从属题名 : 其他题名信息 / 责任说明

11.1.1 正题名

正题名是出现在所著录的任何连续出版物题名页或代题名页上的主要题名。

11.1.1.1 正题名是文献的主要题名,具有多种形式。

例1: 图书馆学研究
(期刊)

例2: 人民日报
(报纸)

例3: 中国期刊年鉴
(年鉴)

例4: 大电网会议会议录
(会议录)

例5: 中华中医药继续教育杂志
(录像资料)

11.1.1.2 正题名原则上按照规定信息源所载题名著录,对于有语法关系的标点和起标点作用的空格也应照录。

例: 中国现代、当代文学研究

（期刊）

11.1.1.3　正题名是本项第一著录单元，即使题名页或代题名页上的责任说明、版本说明、丛编说明、出版事项或其他非题名事项位于正题名之前，正题名仍然是第一著录单元。

例1：　计算机技术
（副题名“电子工业科技情报网”载于正题名上方）

例2：　有泉
（副题名“诗与散文”载于正题名上方）

11.1.1.4　通用术语

某些正题名只是一个或几个通用名词。

例1：　局报 / 上海铁路管理局

例2：　馆刊 / 上海图书馆

11.1.1.5　正题名所含责任者或出版者名称，应如实著录。

例1：　太钢科技 / 太原钢铁公司科技处

例2：　南开大学学报

11.1.1.6　除责任者外无其他题名，以责任者为正题名。

例1：　复旦 / 复旦大学

例2：　北京大学

例3：　日立

11.1.1.7　除数字外无其他题名，则以数字著录为正题名。

例：　2000

11.1.1.8　正题名的选择

a. 题名页有同一语种或文字的两个或多个题名，应参考题名页排版格式或次序选择正题名。

b. 题名有多种语种和（或）文字，应以该出版物正文或主要部分所用语种和（或）文字的题名著录为正题名。若这一规定不适用，应参考题名页排版格式或次序选择正题名。

c. 一册出版物含有一种连续出版物，但有多张题名页，或多语种与字体的出版物各有一张题名页，应取该册出版物主要部分的语种和（或）字体的题名页所载题名为正题名。若这一规定不适用（例如由于多种语种字体而不分主次），应取迎面两页或第一组迎面两页右侧题名页所载题名为正题名。

d. 含有中文与其他语种对照的出版物，应取中文题名为正题名，未选作正题名的其他语种题名著录为并列题名。

e. 出版物含有两种或两种以上合订出版的连续出版物，其中每一种连续出版物各有题名页和标识系统，则视为两种或两种以上出版物，应分别著录，并在附注项说明。

f. 当封面题名、书脊题名、附加页题名、逐页题名等题名与正题名不同时，应将不同于正题名的别名（非并列题名）著录于附注项。

g. 题名页或代题名页只有题名的简称形式，应以该简称题名著录为正题名。主要信息源兼有简称题名和全称题名,应以简称题名著录为正题名,全称题名著录为其他题名信息;反之,如正题名为全称,应以简称题名著录为其他题名信息。

11.1.1.9 分辑或副刊、附刊、增刊、补编等题名

以特定名称单独出版的分辑或副刊(或附刊、增刊、补编等),其题名比共同题名或主刊题名更重要,应以分辑题名或副刊(或附刊、增刊、补编等)题名作为正题名。

确定一种连续出版物以分辑题名或副刊(或附刊、增刊、补编等)题名作为正题名,还是以共同题名与分辑题名(主刊题名与副刊(或附刊、增刊、补编等)题名)或以共同题名与分辑标识共同组成正题名,可以考虑下列几种情况:

a. 分辑题名或副刊(或附刊、增刊、补编等)题名是否可以单独存在。一般说来,有分辑标识的分辑题名不能单独存在。

b. 分辑或副刊(或附刊、增刊、补编等)是否有独立的卷期标识。

c. 从排版格式或编辑说明看,分辑题名是否比共同题名更为重要。

d. 从出版物的信息源看,共同题名与分辑题名是否一并出现。

e. 各种书目、索引所见题名是以总题名出现,还是以分辑题名单独出现。

11.1.1.10 当分辑题名为正题名时,应将共同题名著录为丛编名。

例: 海外劳动经济与人力资源管理

(丛编项著录为“. -- (复印报刊资料)”)

11.1.1.11 副刊

当副刊(或附刊、增刊、补编等)题名为正题名时,应在附注项中说明其主刊(或正刊、正编等)题名(参见本章11.7.1.4k(a)条款)。

11.1.1.12 多语种题名

正文有多种语种,其中有中文,应以中文题名为正题名。

11.1.1.13 正题名的著录

著录正题名应遵循“如实反映”原则。根据《国际标准书目著录》(ISBD)的要求,按照原题名的用词及其次序著录,但与本项规定著录用标识符容易混淆的标点符号“ : ”、“ / ”、“ = ”,可根据情况用文字代替,并在附注项如实著录,所用代替文字应以方括号括起。原题标点符号“[ ]”和“…”可用圆括号和破折号代替。

a. 题名含有阿拉伯数字或化学、数学符号,各期又无变化,应如实著录。

例1: 第3世界

例2: 21世纪

b. 题名含有逐期或逐年变化的日期或编号,应予省略,并用省略号(...)表示;但居于题名之首的日期或编号,省略后不用省略号。

例1: 文化发展计划...年度报告

(省略“1993”)

例2: 年度报告

(省略题名之首的年份)

c. 规定信息源所载题名有误,应原样照录,同时在附注项说明。

d. 当正题名由共同题名与从属题名组成时,应首先著录共同题名,其后著录从属题

名标识和(或)从属题名。从属题名前用"， "(逗号、空格)标识,从属题名标识或无从属题名标识的从属题名前用". "(句点、空格)标识。

例1：　世界图书. B辑

例2：　上海市微生物学会会报. A，医学微生物分册

例3：　国外科技资料目录. 公路运输

e. 分辑出版的连续性资源,正题名由各分辑共有的总题名(或称共同题名)和分辑题名组成。其中,分辑题名可能有分辑标识(例如第二辑、A辑、C、第一分册等)或只有分辑标识而无分辑题名,或无分辑标识只有分辑题名。无论是否有分辑标识,其集合题名是一个整体。组成集合题名的两个或三个单元一并构成正题名。出现这一情况,可以不按主要信息源的题名各部分出现的先后次序著录,而应先著录各辑的共同题名,后著录分辑标识及分辑题名。

f. 副刊正题名含有主刊题名的著录,参见本章11.1.4.8条款著录。

g. 正题名为集合题名,主要信息源所见副题名(一个或多个)无论属于共同题名还是分辑题名,均应著录于整个正题名之后。

h. 与正题名不同的封面题名、书脊题名、逐页题名、附加题名页题名以及某些未作为正题名著录的简称题名或全称题名,均应著录于附注项。

i. 从属题名变为独立题名,应编制新款目。

11.1.1.14 正题名的变化

a. 出版物正题名的任何变化,应视为正题名已经改变,必须编制新款目。

b. 题名在出版过程中未经说明而稍有改变,但ISSN却未作相应改变,并在一、二期或二、三期后又改为原名,如:正题名末尾期号的时有时无、正题名中团体名称全称与简称的频繁交替等,这种变化可不视为改名,无须编制新款目,但应在附注项说明。

例1：　V.3,no.3 - 4　题名有微小变化

例2：　V.12,no.8 - 10　题名为:《×××××》

11.1.2　一般文献类型标识

11.1.2.1　一般文献类型标识是用概括性术语区分不同文献类型的标识。各类型文献分别编制目录时,本项可不予著录。编制包括多种类型或多种载体文献的目录时,应将一般文献类型标识著录于正题名之后的方括号内。

11.1.2.2　出版物与其所附一种或多种次要出版物不属于同一种载体,应只著录主要出版物所属载体,例如印刷型出版物附有微型唱片、光盘或磁盘,只著录印刷型出版物的所属载体。

11.1.2.3　出版物由多种载体组成,其中任何一种均非主要载体,应著录"多种载体"。

11.1.3　并列题名

11.1.3.1　多语种题名

主要信息源有多语种题名,除按本章11.1.1.8条款选择正题名外,其余语种题名均为并列题名,每一并列题名前用“ = ”(空格、等号、空格)标识。见于非主要信息源的多语种题名不可作为并列题名,可著录于附注项。若本题名下第一册无并列题名,其后各册主要信息源出现的其他语种题名不应作为并列题名著录,可著录于附注项。多个并列题名一般著录两个,其余可著录于附注项。

11.1.3.2 共同题名和分辑题名

题名由共同题名和分辑题名组成,并列题名也由共同题名和分辑题名组成时,应将等号著录于并列共同题名之前。

例1: 国外医学. 军事医学分册 = Foreign medicine. Militatry medicine section

例2: 华东船舶工业学院学报. 自然科学版 = Journal of East China Shipbuilding Institute. Natural science edition

11.1.3.3 并列题名改变

并列题名(含简单题名和集合题名)在出版过程中有所改变,应将改变的题名著录于附注项,并注明改变的卷、期号。

例: 1990, V.10,no.4 起, 并列题名改为: Library research

11.1.4 其他题名信息

11.1.4.1 从属于正题名或并列题名等的其他题名信息

从属于正题名或并列题名等的其他题名信息,应分别著录于各自相关的正题名或并列题名等之后。

11.1.4.2 一个或多个其他题名信息

连续出版物有一个或多个其他题名信息,应按原题名顺序依次著录。每一其他题名信息前用“ : ”(空格、冒号、空格)标识。

11.1.4.3 其他题名信息有多种语种

其他题名信息有多种语种,但无并列题名,应著录与正题名相同语种的其他题名信息,省略其余语种的其他题名信息,若有必要,应在附注项中说明。

11.1.4.4 全称题名与简称题名

正题名由简称或缩写词组成,同时全称形式也出现在规定信息源中,正题名为简称形式,应将全称题名著录为其他题名信息;若以全称题名著录为正题名,该出版物又有简称题名,应将简称题名著录为其他题名信息。

11.1.4.5 其他题名信息冗长

冗长的其他题名信息可著录于附注项。在不失主要信息含义的前提下,其他题名信息可以省略中间或结尾部分,其后用省略号(…)表示。

11.1.4.6 多个并列题名而其他题名信息只有一种语种

出版物有多个并列题名,但其并列其他题名信息只有一种语种,应将其他题名信息著录于最末并列题名之后。

11.1.4.7 若其他题名信息中含有团体责任者名称,应如实照录。

例: 新美术 : 浙江美术学院学报

11.1.4.8 分辑与副刊(题名含有主刊题名)的其他题名信息、共同题名(或主刊题名)和分辑(或副刊题名)构成的集合题名的其他题名信息,均应著录于整个集合题名之后。分辑的其他题名信息,应著录在分辑题名之后。副刊的其他题名信息,应著录于副刊题名之后。

例:　萌芽. 增刊 : 电视、电影、文学

11.1.4.9 共同题名和从属题名各有其他题名信息

共同题名和从属题名各有足以明确区分的其他题名信息,必要时可将各其他题名信息分别著录于所属题名之后。其他题名信息后的从属题名标识或无从属题名标识的从属题名前用“. ”(句点、空格)标识。

11.1.4.10 其他题名信息的变化

其他题名信息在出版过程中多有变化,应在附注项说明。

11.1.4.11 一体化资源的其他题名信息,若认为重要,应予著录,但当其他题名信息包含的仅是当前一期最新内容的描述时,可不予转录。

11.1.5　责任说明

11.1.5.1 责任者

连续性资源的责任者系指对出版物的知识创作或艺术创作,或对出版物得以问世而负有责任的团体或个人,一般均为团体编辑者。只有在对一种出版物(非某一册或几册)的创作、编辑内容全部负责的情况下才著录个人。商业出版社或其所属部门均不作为责任者著录,例如某某编辑部(组)、某某杂志编辑部或某某杂志社,以及本刊编辑部等。

11.1.5.2 第一责任说明与其他责任说明

a. 第一责任说明

规定信息源的用词是表示同一职能,可以是一个或多个个人或团体名称。第一责任说明前用“ / ”(空格、斜线、空格),其中第二、第三个责任说明前用逗号标识。

例:　海洋湖沼通报 = Transactions of oceanology and limnology / 山东海洋湖沼学会,青岛海洋湖沼学会

b. 其他责任说明

除第一责任说明外,具有不同职能的多个个人或团体责任者等其他责任说明前用“ ; ”(空格、分号、空格),其余第二、第三个责任说明前用逗号标识。

例:　冶金文摘. 第 2 分册 / 苏联科学院科学情报研究所编辑 ; 中国科学技术情报研究所,重庆大学冶金系译

11.1.5.3 责任说明的著录

a. 责任说明应以出版物的用词著录。无明显的责任说明可不予著录。

b. 非主要信息源的责任说明,应置于方括号内。

例:　中华文学 / [中华文学太原创作中心]

c. 同一个责任说明的若干个人或团体,其著录数量由编目机构确定,一般不超过三

个,第二、第三个前用逗号标识,或用连接词连接,外加的连接词应置于方括号内。四个及其以上责任者,只著录第一个,其后以“[等]”表示,其余在附注项中说明。

例: 专利目录. 电工与电子技术 / 陕西省科学技术情报研究所[等]

d. 责任说明含有上下级形式的团体名称,应按该出版物上所见形式如实著录。

e. 题名或其他题名信息所含责任者名称,一般不重复著录。若所含责任者名称系简称,主要信息源又有全称,在此应著录全称。非主要信息源的全称,应置于方括号内。取自出版物之外的著录信息,可著录于附注项。已著录为其他题名信息一部分的责任者全称,不再重复著录。题名所含部门名称,应与其上级法人团体名称一并著录。

例: 四平师院 / 四平师范学院
北图通讯 / 北京图书馆
连续出版物部年度报告 / 上海图书馆连续出版物部

f. 题名页或代题名页上的题名只有一种语种而责任说明有几种语种,可将其他语种的责任说明著录为并列责任说明。

g. 题名页或代题名页有并列题名而无并列责任说明,应将责任说明著录于所有并列题名之后。

例1: 数学杂志 = Journal of mathematics / 武汉大学数学研究所

例2: 临床应用解剖学杂志 = The journal of clinical applied anatomy / 第一军医大学

h. 题名页载有一个或多个并列题名和(或)并列其他题名信息,并有一个或多个并列责任说明,应将每一个责任说明著录在与其相同语种的题名或其他题名信息之后。

i. 正题名由共同题名(或主刊题名)和从属题名(分辑题名或副刊题名)组成时,应将责任说明著录于整个集合题名之后。

例1: 农业文摘. 农学 / 中国科学技术情报研究所重庆分所

例2: 国外舰船技术. 内燃机 / 中国造船工程学会

j. 如正题名为一个独特题名(有自身特征而能区别于其他题名),其责任者不论发生何种变化,都应在附注项说明责任者的变化情况。

k. 正题名为通用题名(无自身特征,如学报、通报),当其责任者发生变化时(无论改变名称还是变换单位),应作为改名处理,重新著录。

l. 凡机关、团体和官方出版物(例如党刊、会刊、汇刊、大学学报、图书馆馆刊等),一律以该机关、团体作为责任者著录。

11.2 版本项

目次

与版本有关的责任说明 *
附加版本说明 *
附加版本说明的责任说明 *
（以上标有“ * ”者为选择著录单元）

11.2.0　序则

11.2.0.1　标识符

见第一章 1.2.0.1 条款。

11.2.0.2　结构形式

见第一章 1.2.0.2 条款。

11.2.1　版本说明

11.2.1.1　版本说明的范围

连续出版物的版本是指内容实质相同或相似，且为满足不同地区、不同读者或不同时间段的需求所编制的出版物，它也可以是原文献的改编或复制者。各版本内容有所侧重，或使用不同文字（包括语种、方言、注音和不同时代的语言文字等），或载体、印刷、装订、发行形式不同等。

版本说明是区别其他版本的某一特定形式的说明，版本说明通常由一个术语、短语或一组字符所组成，其前冠以项目标识符。版本说明一般含有“版”或“本”或与之相对应的其他语种的同义词；或一个有关的术语和序数词，例如“第二版”；或一个表示与其他版本不同的术语，例如“新版”、“标准版”。它适用于：

a. 文献的全部复本均标明版本的名称和（或）编号。

b. 文献的全部复本（不含复印件）具有特定的形式，无论出版物是否载有该形式的正式说明，但在知识或艺术内容方面与同样形式的其他复本具有重要的不同。

11.2.1.2　版本说明的类型

a. 连续出版物

连续出版物的版本说明按第一章 1.2.1 有关条款著录，也可按以下各类型著录。

（a）表示版本名称和（或）版次的说明。一种出版物全部重印或修订的版本说明，其数字一律以阿拉伯数字著录。

例 1：. -- 联合版

例 2：. -- 第 2 版

例 3：. -- 重印版

例 4：. -- 全年累积版

例 5：. -- 影印版

（b）地区版本说明。

例 1：. -- 郊县版

例 2：. -- 北京版

例 3：. -- 海外版

例 4：. -- 农村版

(c)专业版本说明。

例 1：. -- 农业版

例 2：. -- 科技版

例 3：. -- 社会科学版

例 4：. -- 经理版

例 5：. -- 医科版

(d)特殊版式或外形说明。

例 1：. -- 盲文版

例 2：. -- 大字印刷版

例 3：. -- 缩微版

例 4：. -- 图书馆版

(e)文种版本说明。

例 1：. -- 朝文版

例 2：. -- 蒙文版

(f)时间版本说明。

例 1：. -- 上午版(表示连续性资源卷期年月标识自成体系)

例 2：. -- 朝版(相当于早报)

例 3：. -- 夕版(相当于晚报)

例 4：. -- 晨报版

例 5：. -- 晚报版

例 6：. -- 星期日版

b. 一体化资源

如果认为版本说明重要,则按本章 11.2.1 条款的规定转录。

11.2.1.3 不作为版本说明的说明

a. 表示卷号或年、月时间的说明,应著录于“卷、期、年、月或其他标识项”。

例 1：21 版(即第 21 期)

例 2：1988 版(表示卷号)

例 3：上午版(表示一种报纸一天分两次出版, 此为第一次)

例 4：下午版(表示一种报纸一天分两次出版, 此为第二次)

例 5：周末版(表示一个版面)

b. 表示有规律的修订说明,应著录于附注项。

例：修订版, 每半年修订一次

c. 创刊伊始的学术性刊物,例如部分大学学报、高等专科学校学报,每期均有不同的版本说明或两种不同的版本说明交替出版,应作为一种出版物著录。

11.2.1.4 多种版本

见本章 11.7.1.4b 条款。

11.2.2　并列版本说明

版本说明有两种或多种语种，并列版本说明应著录与并列题名语种相同的版本说明。并列版本说明著录在版本说明之后，其前用“ = ”（空格、等号、空格）标识。

11.2.3　与版本有关的责任说明

11.2.3.1　与本版有关的责任说明的范围

与本版有关的责任说明包括个人或团体及其责任方式，或对被著录新版提供补充资料、附录等负责的个人或团体。

11.2.3.2　本版责任说明的著录

规定信息源具有与本版有关的责任说明，应著录于本项。取自非规定信息源的有关信息，应置于方括号内。取自该册出版物之外的有关信息，应著录于附注项。与版本有关的责任说明著录于版本说明或并列版本说明之后，其前用“ / ”（空格、斜线、空格）标识。

11.2.4　附加版本说明

出版物载有正式说明，表示其属于一种版本的修订版应予著录。

例 1：. -- 2 版，修订版

例 2：. -- 中文版，2 版

例 3：. -- 重印版，[有附录及索引]

11.2.5　附加版本说明的责任说明

附加版本说明后的责任说明应予著录。

例：. -- 2 版，修订版 / 上海造船工程学会

11.2.6　版本说明的改变

a. 连续出版物

连续出版物以后各卷期的版本信息若发生实质性改变，应重新著录；若有增加、删除或改变等无实质性改变，不需要重新著录，可在附注项说明（见本章 11.7.1.4e(a)条款）。

例 1：医学版改为：医药版
（应重新著录）

例 2：哲学社会科学版改为：哲社版
（可在附注项说明）
注：版面、版式的改变不属于版本说明范围。

b. 一体化资源

一体化资源后续一期的版本信息若有增、删或改变，不必作新的著录，但版

本项应按最新一期著录。若认为改变重要,可在附注中说明(见本章11.7.1.4e(b)条款)。

11.3 卷、期、年、月或其他标识项

目次

序则

卷、期、年、月或其他标识

11.3.0 序则

本项著录内容为本题名下第一册和最后一册的卷、期及其年、月。这些年份与出版项的年份可能相同,也可能不同,即使相同也不应省略任何一个年份。若出版物仍在出版,则在第一期编号标识后,著录一连字符和四个空格,待该出版物停止出版后,将最后一期的编号标识填入。没有编号的专著丛编不属于连续性资源。

卷、期、年、月是识别连续出版物的重要依据之一,是本题名出版物出版情况的客观反映,与编目机构的收藏情况无任何联系。

起迄年、月、卷、期均不明确,本项允许省略,或根据所藏某一册著录,并在附注项说明。

报纸均以年、月、日为第一标识。

一体化资源通常不著录此项。

11.3.0.1 标识符

a. 本项前用". -- "(句点、空格、连字符、连字符、空格)。

b. 起迄卷、期与日期之间用" - "(空格、连字符、空格)。

c. 有卷、期号又有日期,应将日期著录于卷、期号之后圆括号内。

d. 连续出版物兼有两种以上标识系统,应在第二、第三种标识系统前用" = "(空格、等号、空格)。

e. 每一后继标识系统前用"; "(分号、空格)。

11.3.0.2 结构形式

. -- 第一册日期 - 最后一册日期

(出版完毕)

. -- 第一册日期 -

(继续出版)

. -- 第一册卷、期号 - 最后一册卷、期号

(出版完毕)

. -- 第一册卷、期号 -

(继续出版)

. -- 第一册卷、期号(第一册日期) - 最后一册卷、期号(最后一册日期)

(出版完毕)

. -- 第一册卷、期号(第一册日期) -

（继续出版）

．-- 第一册卷、期号（第一册日期） - 最后一册卷、期号（最后一册日期） = 第二标识系统的第一册卷、期号 - 最后一册卷、期号

（出版完毕）

．-- 第一册卷、期号（第一册日期） - = 第二标识系统的第一册卷、期号 -

（继续出版）

．-- 第一册卷、期号（第一册日期） - 最后一册卷、期号（最后一册日期）; 后继标识说明，第一册卷、期号（第一册日期） - 最后一册卷、期号（最后一册日期）

（出版完毕）

．-- 第一册卷、期号（第一册日期） - 最后一册卷、期号（最后一册日期）; 后继标识说明，第一册卷、期号（第一册日期） -

（继续出版）

11.3.1　卷、期、年、月或其他标识

11.3.1.1　著录形式与次序

卷、期号应按出版物所见形式与次序著录，但非阿拉伯数字、拼写数字或繁写数字一律以阿拉伯数字著录。这些著录内容均采用连续出版物上所用的标识或其对应词的标准缩写形式。卷、集以“V.”标识，期、册以“no.”标识。当卷、期标识置于首位时，第一个英文字母应大写。

例1：．-- V.1，no.1

例2：．-- V.1，no.1（1985，2）

例3：．-- 1925，8，1 -

（报纸）

例4：．-- 1969，no.1

例5：．-- 1969，no.1（1969，1）

（以年代卷）

例6：．-- No.1（1990，3）

不完整的、印刷错误或拼写错误的著录内容，编目人员可以修改、补充，提供正确的著录形式，并置于方括号内。

例1：．-- [19]76 -

例2：．-- V.1（[19]83） -

例3：．-- 1966[应为1968]

例4：．-- V. 20[应是21]（1964） -

11.3.1.2　非公元纪年的著录

非公元纪年应如实著录，其后再著录公元纪年，并置于方括号内。

例1：．-- 宣统2年[1910]

例2：．-- 民国15年[1926]

例3：．-- 昭和25年[1950]

11.3.1.3 跨年度或跨月出版的出版物

出版物的一卷(册)系跨年度或跨月出版,应在两个年份或月份之间用斜线表示。

例1: . -- 1970/1971

例2: . -- 6月/9月

11.3.1.4 编号或日期

出版物以编号或日期识别,应著录本题名下第一册的编号或日期和本题名下最后一册的编号或日期。日期著录在编号后圆括号内。

例1: . -- V.1,no.1 -

例2: . -- 1988,no.1 -

例3: . -- 1978,no.6 - 1988,no.12

例4: . -- 同治11年3月23日[1827,4,30] - 1949,5,27 = [no.1] - 2560

例5: . -- 1936 - 1985

11.3.1.5 编号和日期

出版物以编号和日期识别,应同时著录本题名下第一册的编号和日期与本题名下最后一册的编号和日期,日期著录于编号后圆括号内。

例1: . -- V.6,no.6(1980,12) -

例2: . -- V.1,no.1(1981,1) - v.8,no.9(1988,9)

例3: . -- No.1(1988,1) -

例4: . -- No.1(1963,1) - no.1289(1996,10)

11.3.1.6 以年代卷

以年代替卷号,应将期号著录于年份之后。

例1: . -- 1970,no.1(1970) - 1975,no.12(1975)

例2: . -- 1967,no.1(1967) -

例3: . -- 1984,no.3(1984,7) -

11.3.1.7 改名后的标识

一出版物系另一种连续出版物的继续(继承或替代),其编号和(或)日期应是本题名下第一册和最后一册的编号或日期。

例1: . -- No.6(1963) -
(继承)

例2: . -- V.4,no.4(1984,8) -
(继承)

例3: . -- V.1,no.1(1960,1) -
(替代)

11.3.1.8 两种标识系统

出版物同时有两种或多种标识系统,应著录所有标识系统。

例1: . -- V.5,no.7(1980,7) - = 总55 -
(有年、月、卷、期和总期号两种标识系统)

例2: . -- 1916,4,1 - 1920,6,8 = no.1 - 1530

（有年、月、日和期号两种标识系统）

例3：．-- 同治11年3月23日[1872,4,30] - 1949,5,27 = [no.1] - 2560

（有年、月、日和期号两种标识系统）

11.3.1.9　后继标识系统

一种出版物题名不变，而改用一种新的标识系统，应将这种后继标识系统著录于原标识系统之后。后继标识系统一般有"新辑"、"第二辑"等说明文字，也可以无说明文字。若有说明文字，说明文字应著录于后继标识系统之前，后继标识系统的说明文字与其卷、期、年、月之间用"， "（逗号、空格）。整个后继标识系统前用"； "（分号、空格）。

例1：．-- V.1(1962) - v.6(1967)；新辑，V.1(1968) -

例2：．-- V.1,no.1(1957,4) - v.2,no.24(1959,4)；no.25(1959,5) -

例3：．-- 1953,no.1(1953,1) - 1954,no.6(1954,11)；V.3,no.1(1955,1) - v.14,no.7(1966,7)；新，V.1(1976,1) - 新，v.2,no.6(1977,11)；V.17,no.1(1978,1) -

11.3.1.10　第一册无标识

出版物第一册无标识，可著录为"[no.1]"，但其后各册有卷、期、年、月或其他标识者，应改为相应的标识，原有方括号不可取消，以表示原来无标识。凡主要信息源出现的数字标识无法识别月号或期号，而两者又适用时，应作为期号著录。

例1：．-- [no.1] -

（第一册无标识）

例2：．-- [V.1,no.1]

（第一册无标识，以后各册有卷、期号）

11.3.1.11　第一册无总期号

第一册或创刊号没有总期号，而在以后出版的某一期有总期号，应在附注项中著录"某年某期（或某卷某期）起有总期号"，本项中著录"[总1]"。

例：雪莲：文艺月刊 / 西宁市文联．-- 1979,no.1(1979) - 1985,no.1(1985,2) = [总1] - 22

（附注：第一期无总期号，1980年3月起有总期号，且总期号为7）

11.3.1.12　创刊号

"创刊号"应如实著录，或著录为"no.1"；若创刊号后又出现第一期，应作为先后两种标识系统著录，创刊号著录为"创刊号"，第一期著录为"no.1"。非一月份创刊，无期号而用月份作为标识，应著录月号。

例1：．-- 创刊号(1981,3)；1982,no.1(1982,1) -

（创刊号后又出现第一期，作为先后两种标识系统著录）

例2：．-- 创刊号(1981,1)；1981,no.1(1981,2) -

（创刊号后又出现第一期，作为先后两种标识系统著录）

例3：．-- 创刊号(1982,1) -

例4：．-- 1984,10月；1984,no.1(1984,11) -

（两种标识系统，第一种是非一月份创刊、无期号而用月份作为标识，著录月号）

11.3.1.13 试刊

凡与总期号相关的试刊可作为一种标识系统著录。总期号未计算在内的试刊（含无总期号出版物的试刊），或非正式出版的期号，均在附注项说明。

11.3.1.14 休刊、复刊

经休刊而又复刊的出版物，本项仍按继续出版形式著录，不反映休刊、复刊情况，但应在附注项说明。已作停刊处理的出版物，应取消截止卷、期、年、月的著录。

11.3.1.15 起迄年、卷不明

无法确定起始年、卷的出版物，可著录大概日期或卷、期。由编目人员推算的日期应加问号，并置于方括号内，以示此日期取自非规定信息源。著录方法如下：

例1： [1969?] -
（表示不肯定）

例2： [197-] -
（表示十年内）

例3： [192-?] -
（可能十年内）

例4： [约1960] -
（大约这一年开始）

例5： V.1,no.1[1959?] -
（年份不肯定）

例6： V.-[19--?] -
（年卷均不详）

例7： V.25,no.-(1978) -
（期号不详）

截止年、卷的著录方法同上。

11.3.1.16 具体日期不详

出版物只有起迄年，其月份不详，例如三日刊、五日刊、周刊等无确切日期可查，可只著录年份。

11.3.1.17 重印本

凡属复制本出版物，本项著录内容与原版完全相同，但出版、发行项的年份应著录重印日期。

例： 中国青年 / 中国共产主义青年团. -- 影印版. -- V.1,no.1(1923,10) - v.3, no.10(1927,10). -- 北京 : 人民出版社, 1966

11.4 出版、发行项

目次

序则

出版地或发行地

出版者或发行者

发行者职能说明

出版日期或发行日期

出版事项细节变化

印制地、印制者、印制日期 *

重印本或照相(或缩微)复制品的出版事项著录于本项,其原版的出版事项著录于附注项。

(以上标有“ * ”者为选择著录单元)

11.4.0　序则

11.4.0.1　标识符

a. 本项前用“. -- ”(句点、空格、连字符、连字符、空格)。

b. 第二个地名前用“ ; ”(空格、分号、空格)。

c. 出版者、发行者、印制者前用“ : ”(空格、冒号、空格)。

d. 出版日期、发行日期、印制日期前用“, ”(逗号、空格)。

e. 印制地、印制者、印制日期置于圆括号内。

f. 编目人员提供的发行者职能说明置于方括号内。

g. 第一册与最后一册日期之间用“ - ”(空格、连字符、空格)。如出版物正在继续出版,则在第一册的日期之后用“ - ”(空格、连字符、空格)。

11.4.0.2　结构形式

. -- 出版地或发行地 : 出版者或发行者[发行者职能说明], 出版日期或发行日期

. -- 出版地或发行地 : 出版者或发行者[发行者职能说明], 出版日期或发行日期 (印制地 : 印制者, 印制日期)

. -- 出版地或发行地 : 出版者或发行者[发行者职能说明] ; 出版地或发行地 : 出版者或发行者[发行者职能说明], 出版日期

. -- 出版地或发行地 ; 出版地或发行地 : 出版者或发行者[发行者职能说明], 出版日期

. -- 出版地或发行地 : 出版者或发行者[发行者职能说明] : 出版者或发行者[发行者职能说明], 出版日期

11.4.1　出版地或发行地

11.4.1.1　出版地或发行地的含义

本项第一个著录单元是出版地或发行地。出版地或发行地是指出版物中所题出版者(若有多个出版者指主要出版者)或发行者所在地的城市名称或其他地名。题有地名而无出版者或发行者,应将该地名著录为出版地或发行地。

11.4.1.2　出版地或发行地有误

出版物原题出版地或发行地确知印刷错误,可自行更正或在其后方括号内著录正确地名,亦可在附注项说明。

例: . -- 南京[应为上海]

11.4.1.3 一个出版者与多个出版地

多个出版地与一个出版者有关,应著录排版格式上最显著的一个出版地;排版格式无区别,应著录第一个地名。

11.4.1.4 两个或多个出版地

出版物同时有两个出版者和两个出版地,一般按本章 11.4.1.3 条款著录一个出版地、一个出版者。必要时,亦可同时著录两个出版地、两个出版者。在第二个出版地前用" ; "(空格、分号、空格)标识;三个及其以上出版地或发行地按规定信息源的版式或顺序著录,第一个出版地或发行地后加"[等]",其余在附注项说明。

例: . -- 北京 : 中国科学技术情报研究所 ; 太原 : 山西省科学技术情报研究所

(按规定可只著录一个出版地、一个出版者,但邮局订刊号"22"表明此为山西省期刊。为取得前后一致,同时著录太原和山西省科学技术情报研究所)

11.4.1.5 出版、发行地附加

为识别不为人们熟知或重名的出版地或发行地,应在地名后附加其上级行政区名称(例如县、市、省名、国名等)。凡出版、发行地为首都或省会、首府,则不著录其上级行政区或国家名称,否则应加其上一级省或行政区或国家名称。所著录地名有两个或多个同名城镇,应加注其上一级行政区名称。取自非规定信息源的信息应置于方括号内;取自规定信息源的信息应置于圆括号内。

例1: . -- 硖石[海宁]

例2: . -- 海宁(浙江)

11.4.1.6 地名有多种语种

出版、发行地有多种语种,应著录正题名所用语种的地名。若这一规定不适用,按规定信息源所载版式或顺序著录最显著或第一个出版地或发行地。

11.4.1.7 地名只有简称

地名只有简称,应补充著录其全称,并置于方括号内。

例1: . -- 穗[广州]

例2: . -- 榕[福州]

例3: . -- 宁[南京]

11.4.1.8 出版者和发行者名称不详

出版者和发行者名称不详,应著录其详细地址。取自规定信息源的地址,应置于圆括号内;取自非规定信息源的地址,应置于方括号内。

例: . -- 南京(902 信箱,323 分箱)

(信箱不应作为单位代码)

11.4.1.9 已著录出版地

已经著录出版地,发行地不再著录,或根据编目机构需要著录。

11.4.1.10 无出版地

无出版地可著录为“[出版地不详]”。印制地不可作为出版、发行地著录。

例：. -- [出版地不详]

11.4.1.11 出版地无法确定

出版物任何部位均无出版地或发行地，可在方括号内著录查考所得的出版地。地名无从确定，可著录推测地名，其后用问号，并置于方括号内。

例：. -- [成都]

. -- [上海?]

11.4.1.12 无确切地名

出版地无确切地名，可著录省、市、自治区名称。取自规定信息源的名称不用任何符号；取自非规定信息源的名称应置于方括号内。

例：. -- 湖北

. -- [广西]

11.4.1.13 重印本

著录影印本或其他复制本时，本项应著录复制本的出版地、出版者及出版日期。原版的出版地、出版者等应著录于附注项。

11.4.1.14 出版地或发行地的改变

a. 连续出版物

如果连续出版物后续卷期中的出版、发行地发生变化，若认为这一变化重要，可在附注中注明改变后的出版、发行地。

b. 一体化资源

如果一体化资源后续卷期的出版、发行地发生变化，若认为这一变化重要，可在附注中注明改变前的出版、发行地。

11.4.2 出版者或发行者

由本刊“编辑部”出版的刊物具有上级主办团体，应以主办团体作为出版者。由“本刊编辑部（或其他团体）”编辑、发行，但未说明出版者，应以编辑部（或其他团体）作为出版者。

11.4.2.1 出版者的著录

尽可能著录完整的出版者信息。

例1：学术月刊. -- 上海 : 上海人民出版社

例2：图书馆杂志. -- 上海 : 上海图书馆

11.4.2.2 两个以上出版者或发行者

出版物有两个以上出版者或发行者，应著录第一个出版者。下列情况之一者，可同时著录第一个之后的出版者及其相应地名。

a. 第一个单位及其后单位在同一说明中联系在一起。

b. 第一个单位显然为发行者，而其后单位为出版者。

c. 从排版格式看，后面单位明显居于主要地位（例如采用较大字体）。

d. 属于本章 11.4.1.4 条款所述情况。

11.4.2.3　出版者或发行者不详

出版者或发行者无从确定,可著录为“[出版者不详]”。印制者不可作为出版者著录,但个人或团体兼有印制职能或不能确定为出版者或印制者时,印制者可作为出版者著录。

例：　. -- 北京(112 信箱) : [出版者不详]

11.4.2.4　出版者或发行者的变化

a. 连续出版物

如果连续出版物后续卷期中的出版、发行者发生变化,若认为这一变化重要,可在附注中注明改变后的出版、发行者。

b. 一体化资源

如果一体化资源后续卷期的出版、发行者发生变化,若认为这一变化重要,可在附注中注明改变前的出版、发行者。

11.4.3　发行者职能说明

有出版者,不著录发行者;无出版者,可著录发行者。发行者职能不明显,可在其后加注“[发行者]”字样。

例：　. -- 上海 : 申联信息技术公司[发行者]

11.4.4　出版日期或发行日期

出版日期著录于最后一个出版者之后。本项著录内容为本题名下第一册出版年份和最后一册年份。出版物尚在出版,应著录第一册出版年份。本项著录年份一般与第三大项著录的年份相同,但也可以不同(例如重印本、提早一年或推迟一年出版的手册、年鉴等)。

例：　, 1965 -

　　　, 1936 - 1949

11.4.4.1　公元纪年

凡公元纪年以阿拉伯数字著录。非公元纪年按规定信息源所题如实著录,其后再著录公元纪年,并置于方括号内(参见本章 11.3.1.2 条款)。

11.4.4.2　出版年或发行年有误

规定信息源所题出版年有误,应如实著录,其后再著录正确出版年或发行年,并置于方括号内。

例：　, 1960[应为 1990]

11.4.4.3　无出版年或发行年

第一册或最后一册无出版年或发行年,可著录版权年或印制年。

例：　, 1934(版权) -

　　　, 1978(印制) -

11.4.4.4　出版年或发行年无从确定

出版物无从确定出版或发行年,可在方括号内著录近似出版年或发行年(参见本章 11.3.1.15 条款)。

例：　, [197-?] -

　　　, [1969?]

11.4.5　出版事项细节变化

有关出版事项细节的变化可著录于附注项。

11.4.6　印制地、印制者、印制日期

见第一章 1.4.4 条款。

11.5　载体形态项

目次

序则

文献总数及特定文献类型标识

其他形态细节 *

尺寸

附件

(以上标有"*"者为选择著录单元)

11.5.0　序则

11.5.0.1　标识符

见第一章 1.1.0.1 条款。

11.5.0.2　结构形式

见第一章 1.1.0.2 条款。

11.5.1　文献总数及特定文献类型标识

11.5.1.1　文献总数

出版完毕的连续出版物应著录文献总数。仍在出版的连续出版物,只著录特定文献类型标识。对中途改换标识(如卷号改用期号)的连续出版物,可根据实际情况分别记录卷数和期数,两者之间用逗号隔开。

11.5.1.2　特定文献类型标识

a. 印刷型连续性资源

特定文献类型标识用以识别该出版物所属具体类型。印刷型出版物可著录"v.",既表示印刷品,又表示卷。无文献总数(即正在出版),可著录为" - v.",供日后填入;用期号标识的出版物,可著录为" - no."。

b. 更新的散页

对正在更新的散页,可著录为"- v.(散页)";对已出版完毕的散页,可著录为“1v.(散页)”。

c. 非印刷型连续性资源

对非印刷型连续性资源,采用相应的术语。其他类型出版物,可著录具体类型标识。

例 1: -v.
(继续出版)

例 2: 24v.
(出版完毕)

例 3: 5v.,42no.
(前后有两种不同标识)

例 4: 151 软盘

例 5: 10 盘缩微卷片

例 6: 15 光盘

11.5.1.3 如资源含有盲文或另一种触摸系统,按资源所涉及的有关章节的×.5.1 规定,对数量做附加说明,置于圆括号内。

例 1: -v.(盲文)

例 2: 12v.(盲文乐谱)

例 3: 2 张(盲文散页)

11.5.2 其他形态细节

11.5.2.1 其他形态细节是指文献数量和尺寸以外的载体形态描述,如插图、表格、色彩、音带放送的时间或唱片的转速、立体声等,应根据其在文献中的重要程度著录于数量及特定文献类型标识之后,其前用“ : ”(空格、冒号、空格)。若一文献的其他形态细节存在两个及其以上时,第二个及以后的其他形态细节前用逗号标识。

例 1: : 33rpm

例 2: : 有声,彩色

例 3: : 图,肖像

11.5.2.2 其他形态细节信息按所属文献类型的有关各章×.5.2 规定著录。

11.5.2.3 其他形态细节的改变

a. 连续出版物

如果后来一册或部分的其他形态细节有增加,则按本章 11.5.2.2 规定著录,载体形态项应反映所有各册或部分。如果后来一册或部分上的其他形态细节有省略或改变,若认为改变重要,则应在附注项中说明。

b. 一体化资源

如果后来一期上的其他形态细节有增加、省略或改变,则载体形态项应反映当前一期。若认为改变重要,则应在附注项中说明。

11.5.3 尺寸

11.5.3.1　尺寸的著录

尺寸以 cm(厘米)表示,并以书脊平行的外框高度为准,不足 1cm 的尾数按 1cm 著录。其前用“ ; ”(空格、分号、空格)标识。

例：　; 18cm(书脊高度 17.1cm)

11.5.3.2　特殊规格

一般出版物均高度大于宽度。外形特殊的出版物(例如高度与宽度相等或宽度大于高度)应同时著录高度与宽度,其间用乘号连接。

例：　; 21 ×30cm

11.5.3.3　尺寸改变

出版物在出版过程中尺寸改变,或各册尺寸不同,可在附注项说明。

11.5.4　附件

11.5.4.1　任何随同连续出版物一起出版的附加材料均可作附件说明。非定期出版或无法确定是否同时定期出版的材料,应在附注项说明。

11.5.4.2　附件说明的著录

表示附件性质的单词或短语著录为附件说明,其前用“ + ”(空格、加号、空格)。

例 1：　9v. : 插图 ; 27cm + 幻灯片

例 2：　7v. : 插图,部分彩色 ; 27cm + 地图

11.5.4.3　关于附件的描述

a. 必要时,关于附件的描述可著录于附件名称后圆括号内。

例 1：　8v. : 插图 ; 30cm + 幻灯片(彩色 ; 5 ×5cm)

例 2：　108v. : 插图 ; 29cm + 18 张地图(彩色 ; 65 ×90cm 或稍小)

b. 附件的题名与责任说明等特征可在附注项说明,或单独著录。

11.6　丛编项

具有独立题名的两种以上出版物集合在一个总题名下,这一总题名即为丛编名。取自外部信息源的丛编名应著录于附注项。出版物载有两种丛编名或计划在两种丛编中出版,两种丛编名均应著录于本项,并按规定信息源所见顺序著录。分丛编分为两种:一为主丛编中的丛编,其题名单独存在,在本项著录分丛编名,主丛编名应著录于附注项;一为形式近似分辑题名,其题名不能单独存在,应在本项与主丛编名一并著录。

目次

序则

丛编正题名

丛编或分丛编并列题名 *

丛编或分丛编其他题名信息 *

与丛编或分丛编有关的责任说明 *
丛编或分丛编国际标准连续出版物号
丛编或分丛编内部编号
分丛编题名
(以上标有“ * ”者为选择著录单元)

11.6.0　序则

11.6.0.1　标识符

a. 丛编项置于圆括号内,圆括号前后各空一格,其前用“. -- ”(句点、空格、连字符、连字符、空格)。

b. 丛编或分丛编并列题名前用“ = ”(空格、等号、空格)。

c. 丛编或分丛编其他题名信息前用“ : ”(空格、冒号、空格)。

d. 丛编或分丛编第一责任说明前用“ / ”(空格、斜线、空格)。

e. 丛编其他责任者前用“ ; ”(空格、分号、空格)。

f. 有分丛编题名标识的分丛编题名、丛编或分丛编国际标准连续出版物号前用“, ”(逗号、空格)。

g. 分丛编题名标识或无分丛编题名标识时的分丛编题名前用“. ”(句点、空格)。

h. 丛编或分丛编编号前用“ ; ”(空格、分号、空格)。

11.6.0.2　结构形式

. -- (第一丛编)(第二丛编)
. -- (丛编正题名 / 丛编责任说明 ; 丛编内部编号)
. -- (丛编正题名 = 丛编并列题名)
. -- (丛编正题名 = 丛编并列题名, 丛编 ISSN ; 丛编内部编号)
. -- (丛编正题名 : 丛编其他题名信息 / 丛编责任说明 ; 丛编内部编号)
. -- (丛编正题名, 丛编 ISSN ; 丛编内部编号)
. -- (丛编题名. 分丛编题名)
. -- (丛编题名. 分丛编题名 ; 分丛编内部编号)
. -- (丛编题名. 分丛编题名, 分丛编 ISSN ; 分丛编内部编号)
. -- (丛编题名. 分丛编题名标识, 分丛编题名)
. -- (丛编题名. 分丛编题名标识, 分丛编题名 ; 分丛编内部编号)
. -- (丛编题名 ; 丛编内部编号. 分丛编题名, 分丛编 ISSN ; 分丛编内部编号)
. -- (丛编题名. 分丛编题名 / 分丛编责任说明, 分丛编 ISSN ; 分丛编内部编号)

11.6.1　丛编正题名

11.6.1.1　丛编正题名应如实著录。

11.6.1.2　丛编正题名的选择与转录,按本章 11.1.1.10 条款规定处理。

11.6.1.3　如丛编的识别题名与正题名不同,应著录于附注项中。

11.6.2　从编或分从编并列题名

参照本章 11.1.3 条款著录。

11.6.3　从编或分从编其他题名信息

11.6.3.1 从编或分从编其他题名信息只有在认为对识别该从编或分从编有必要时才予以著录。著录时应参照本章 11.1.4 条款。

11.6.3.2 与从编或从编有关的版本说明应作为从编其他题名信息著录。

11.6.4　与从编或分从编有关的责任说明

当从编或分从编的责任说明对识别该从编或分从编必需时,应依照本章 11.1.5 条款著录。

11.6.5　从编或分从编国际标准连续出版物号

11.6.5.1 从编或分从编国际标准连续出版物号(ISSN)著录于从编或分从编题名之后,其前用“， ”(逗号、空格),“ISSN”与两组数字之间空一格。

例：. --(马铃薯杂志, ISSN 1001-0092)

11.6.5.2 分从编从属于主从编题名,应省略主从编 ISSN,但应在附注项说明。

11.6.6　从编或分从编内部编号

11.6.6.1 从编或分从编编号用阿拉伯数字著录于相应从编或分从编著录事项之后,其前用“ ; ”(空格、分号、空格)。

11.6.6.2 连续性资源在出版过程中,从编或分从编内部编号如有改变,可在附注项中说明。

11.6.6.3 若连续出版物各册均有分从编内部的同一编号,该编号应与从编标识一并著录于分从编说明中,从编编号应予省略。

11.6.7　分从编题名

分从编题名按规定信息源所见著录。凡能单独存在的分从编题名,可作为从编正题名著录于本项,其主从编题名著录于附注项。

如分从编题名不能单独存在,则从编正题名应由主从编题名及其后的分从编标识和(或)分从编题名组成。主从编题名不必在附注项说明。

例 1：. --(从过去走向未来丛刊 ; 16, 史学论丛 ; 2)

例 2：. --(国外科技文献索引)

11.7　附注项

目次

序则

附注

凡不能在其他项目中著录而又有必要补充说明的内容,均可著录于本项。这些信息包括:

a. 内容较多,不宜在有关项目中全部著录的信息,或不便著录的信息。

b. 取自所编目文献以外的信息。

c. 编目员认为重要而自拟的信息。

d. 出版频率。

e. 资源出版一期后又发生改变的信息。

附注尽可能采用规定的导语或规范用语,自拟文字要简洁、明了。

11.7.0 序则

11.7.0.1 标识符

a. 连续著录时,每一附注项前均用“. -- ”(句点、空格、连字符、连字符、空格)。分段著录时,可省略“. -- ”。

b. 识别题名前用“ = ”(空格、等号、空格)。

c. 引用内容用引号。

d 导引词后用冒号。

11.7.0.2 结构形式

附注. -- 附注. -- 附注

或

附注

附注

11.7.0.3 著录信息源

本项著录信息可以取自文献本身,也可以取自任何信息源。除引用内容用引号外,其他著录内容无论取自何处均不用方括号。

11.7.0.4 规范化附注导词与格式

用规范的导词、短语或标准格式作规范化附注,有利于识别附注说明的信息类型并节省用词。常用的规范导词有:

继承:《××××》　　改为:《××××》

部分继承:《××××》　　部分改为:《××××》

替代:《××××》　　替代为:《××××》

部分替代:《××××》　　部分替代为:《××××》

吸收:《××××》　　并入:《××××》

部分吸收:《××××》　　部分并入:《××××》

分自:《××××》　　分出:《××××》

分成:《××××》、《××××》与《××××》

与《××××》、《××××》合并而成《××××》

改回:《××××》

译自:《××××》　　　　译为:《××××》

11.7.0.5　非规范化附注

非规范化附注可采用简单、明了、易懂而又合乎语法的词句著录。

11.7.0.6　附注中的其他题名信息

若附注说明另一个题名,一般不著录其他题名信息。但正题名含义不明确,必须用其他题名信息补充说明者,可以著录。

11.7.0.7　出版频率说明

无论正题名是否含有出版频率,均应将出版频率作为第一附注著录于本项之首。常用出版频率说明有:

日刊或日报	每周两次	旬刊	季刊
三日刊	每周三次	双周刊	每年4期(不按季出版)
五日刊	每周四次	半月刊	每年3期
半周刊	每周五次	月刊	半年刊
周刊	每周六次	双月刊	年刊

每年10期

除某月出2期,每月1期

出版频率有变化(用于变动三次以上的简要著录)

出版频率不详

11.7.1　附注

11.7.1.1　文献的性质、范围或艺术形式附注

例:　该连续出版物为内部刊物

11.7.1.2　翻译附注

一种连续出版物为先前出版的某种连续出版物的翻译本,原版出版物的题名及其ISSN应予注明。

例1:　科学

(附注:美国 Scientific American 的中译本)

例2:　美国科学新闻

(附注:美国 Science News 的中译本)

11.7.1.3　关于题名与责任说明项附注

a. 正题名来源

对于印刷型连续性资源,取自非主要信息源的正题名,应予注明。对于非印刷型连续性资源按所属资料类型一章的规定说明。

例:　正题名取自封面

b. 正题名与连续出版物其他各处的题名不同

凡与正题名不同的题名,例如封面题名、书脊题名、逐页题名、附加页各页题名等,应予注明。

例： 书脊题名:《××××》

c. 规定信息源中题名有误,应予说明。

d. 正题名由数字组成或含有数字

正题名由数字组成或含有数字,其完整形式应予注明。

e. 每期各有题名

连续出版物各册除有总题名外,每期尚有各自的题名,应予注明。特别重要者,可详细说明。本条款不适用于著录有编号的专著丛书。

例： 每期各有题名

f. 正题名的变化

(a)连续出版物

连续出版物的正题名发生重要变化时,须做一新记录,对其变化的附注说明见本章11.7.1.4条款。

正题名在出版过程中未作说明而稍有改变,并在第一、二期或二、三期后又改回原名,应予注明(参见本章11.1.1.14b条款)。

例1： v.8,no.5 - 6题名改为:《×××××》

例2： 封面题名有时为:《×××××》

例3： no.1 - 3封面题名:《×××××》

(b)一体化资源

一体化资源的先前题名应做附注。

例： 新浪网[在线]

《华渊生活资讯网》与《北京四通利方公司的利方在线》合并而成

g. 连续性资源所用语种附注

(a)题名与正文的语种不同,应予注明。

例： 正文系蒙文

(题名非蒙文)

(b)正文用两种或两种以上语种发表,无论题名有几种语种均应注明。著录时区分两种情况:一为几篇文章用某种语种发表,另外几篇用其他一种或多种语种发表;二为同时用两种或多种语种对照出版。

例1： 汉语和世界语对照本

例2： 正文同时以汉语和英语发表

(c)目次、提要等所用语种除与题名所用语种相同外,尚有其他一些语种,应予注明。

例1： 尚有蒙文、维吾尔文目次

例2： 有英、法、俄文提要

(d)某些少数民族语种应予注明。

例： 本报为唯一的景颇族文报纸

h. 并列题名和其他题名信息附注

主要信息源所载并列题名和其他题名信息,凡属下列情况之一者,必要时可在附注项注明。

(a)有三个以上并列题名,应做附注说明(参见本章 11.1.3.1 条款)。
(b)不宜著录于题名与责任说明项的(参见本章 11.1.3.1 条款和 11.1.3.3 条款)。
(c)非规定信息源中出现的并列题名,应做附注说明。
(d)其他题名信息冗长(参见本章 11.1.4.5 条款)。
(e)非本题名下第一册出现的并列题名和其他题名信息。

例 1：　尚有俄文题名
　　　(未著录于题名与责任说明项)

例 2：　尚有蒙文、维文题名
　　　(不在主要信息源,转录有困难)

例 3：　目次页有英文题名:《××××》

例 4：　1983 年起有并列题名:World agriculture

(f)连续出版物的并列题名和其他题名信息在第一期出版后有改变,若认为重要,应在附注中说明。若有多次改变,可做一般性附注。

例 1：　副题名多变

例 2：　v.3,no.2 起并列题名改为:《×××××》

例 3：　1981 年起副题名改为:《×××××》

(g)本馆规定不予著录的并列题名和其他题名信息。
(h)某些语种因缺乏设备不易转录。
(i)一体化资源的并列题名和其他题名信息不再出现在最新一期,或与先前一期的形式不同,若认为重要,应做附注。若有多次改变,可做一般性附注。

i. 责任说明附注

(a)凡属下列情况之一的责任说明予以注明。

- 取自所著录一册出版物之外或取自出版物之外的责任说明。
- 取自非规定信息源的个人或团体的不同名称或缩写名称的全称和假名。
- 由于职能不明或其他原因(例如委托创办单位)而不宜著录于题名与责任说明项的团体名称。
- 不适用于正题名或任何并列题名的并列责任说明(语种各异)。
- 四个及其以上责任说明,除第一责任说明外,其余应予说明。
- 规定信息源所载责任说明有误,应予说明。
- 个人编辑者属于识别该出版物的重要因素,予以注明。
- 载于所著录一册连续出版物而非题名页上的附加或其他补充材料的有关责任说明,予以注明。

例 1：　本刊为……的机关刊物

例 2：　本刊原为钢铁学会会刊

(b)责任说明的改变

a)连续出版物

- 连续出版物的责任说明在第一期出版后发生改变,若认为重要,可在附注中说明。若有多次改变,可做一般性附注。

- 责任说明稍有变化,并有利于识别该出版物,可与有关各册的编号一并注明。
- 责任说明稍有变化,包括责任者增加或减少和部分卷、期责任者改变。
- 正题名系通用名词,而责任者名称改变或更换责任者,不应视为责任者稍有变化,而应作为另一种出版物著录。

例1： 1985年起由湖南省经济研究中心与湖南省社会科学院合办

例2： 1986年起中国建筑学会城市煤气学术委员会改名：全国城市煤气学术委员会

例3： 研究所全称：上海社会科学院世界经济研究所
（正题名：世界经济研究所通报）

b)一体化资源的责任说明不再出版在最新一期,或与先前一期的形式不同,若认为重要,应做附注。若有多次改变,可做一般性附注。

11.7.1.4 关于版本项与书目沿革附注

此项附注包括版本说明的来源或性质;连续出版物有规律的修订;与其他连续出版物的关系;与本连续出版物其他版本有关的细节(含先前出版物的重印与再发行)。

例： 每年修订两次

a.复制品

被著录连续性资源是另一种连续性资源完整的复制品,例如一种印刷本的摹真复制本或照像(或缩微)复制品、唱片的卡式录音带拷贝、电影胶卷的录像复制品等,应予注明。若复制品的题名不同于原版的题名,原版的题名及其出版地和出版者应予注明,原版的出版频率亦可注明。

例： 中国青年 / 中国共产主义青年团. -- v.1,no.1(1923,10) – v.8,no.3(1927,10)……
（附注：该文献为影印版）

b.多种版本

被著录连续性资源有若干种不同版本,可注明其他版本的题名或说明版本的数量。

例1： 尚有印尼文、泰文版

例2： 尚有法文、意大利文、俄文等19种版本

c.不同版本

一种连续性资源系其主要版本的辅助版(例如《人民画报》以中文版为主,其余文种的版本为其辅助版),应注明其主要版本的题名。

例： 本版系《人民画报》的朝文版

d.取自出版物之外的与版本有关的责任说明信息,应予说明。

e.版本项的变化

(a)连续出版物

连续出版物的版本信息在第一期出版后发生无实质性改变,若认为重要,可在附注中说明。若有多次改变,可做一般性附注。

例： 第二期开始版本说明改为“社科版”。

(b)一体化资源

一体化资源的版本信息不再出现在最新一期上，如果与先前一期的形式不同，若认为重要，应做附注。若有多次变化，可做一般性附注。

f. 继承(或替代)、改为(或替代为)

(a)一种连续性资源继承(或替代)另一种先前出版的连续性资源，前一种出版物的题名及 ISSN 应予注明。非国家书目可不著录 ISSN。若无 ISSN 可不著录 ISSN。

例 1：　中国妇女
继承：《新中国妇女》

例 2：　齐齐哈尔师院学报
替代：《齐齐哈尔师院》

(b)一种连续性资源被后来出版的另一种连续性资源所继承(或替代)，其后继题名及 ISSN 应予注明。

例 1：　齐齐哈尔师院
1976 年复刊时改为：《齐齐哈尔师院学报》
(改名时卷期号延续)

例 2：　中国故事选刊
替代为：《中国故事》
(改名时卷期号重新开始)

g. 合并

(a)一种连续性资源由两种以上连续性资源合并而成，应著录合并前各自的题名及 ISSN。

例：　水利水电建设
由《水力发电》与《中国水利》合并而成

(b)一种连续性资源与另一种或几种连续性资源合并而成一种新的连续性资源，应各自著录合并的题名与新的连续性资源及其 ISSN。

例 1：　水力发电
本刊与《中国水利》合并而成《水利电力建设》

中国水利
本刊与《水力发电》合并而成《水利电力建设》

例 2：　瓯海
1982 年与《文学青年》合并而成《春草》

h. 分成与分出

(a)一种连续性资源分为两种或多种连续性资源，应注明分成的两种或多种连续性资源的题名及 ISSN。

例：　计算机应用与应用数学
分成《计算机科学》与《计算机数学》

计算机科学

部分继承《计算机应用与应用数学》

(b)一种连续性资源分出一种新的连续性资源,而原题名不变,应分别著录有关的题名及其 ISSN。

例: 台电工程月刊
分出《原子动力工程》

原子动力工程
本刊分自《电台工程月刊》

i. 吸收与并入

一种连续性资源吸收另一种连续性资源,其题名不变,应注明所吸收的连续性资源及其 ISSN。一种连续性资源被另一种连续性资源吸收,应注明被吸收的连续性资源及其 ISSN。

例: 人民文学
1984 吸收《文学艺术》

文学艺术
本刊并入:《人民文学》

j. 恢复原名

连续性资源恢复原先所用题名,除注明继承某种资源外,还应注明何时曾经采用本题名。

例: 花讯
继承《花信子》. -- 1932 – 36 曾用本题名

k. 副刊、附刊、特刊

(a)连续性资源有单独出版的副刊,在著录主刊款目时,应注明副刊的题名;著录副刊款目时,其附注项应注明主刊的题名。

例: 萌芽
另有副刊《萌芽. 增刊》

萌芽. 增刊
本刊系《萌芽》的副刊

(b)连续性资源有附刊,应予注明。

例: 有附刊

(c)连续性资源有特刊,应予注明。重要特刊,应著录其题名。若特刊甚多而不重要,可作一般说明。

例 1: 有特刊
例 2: 有特刊:《××××》
例 3: 特刊甚多

(d)连续性资源的补充材料属于非书本形式的印刷品(例如地图、图表等)或非印刷材料者(例如唱片、磁盘、光盘、磁带、缩微制品或幻灯片等),统称附件。无出版规律的重要附件,应注明附件的名称。出版有规律的附件,还应著录其出版频率。

例：　每年第一期附有统计表和幻灯片
　　　v.36，no.7 附有薄膜唱片一张

l. 多种连续性资源合刊出版

多种连续性资源合刊出版，而每种资源各有题名和标识，应分别著录每种连续性资源，并注明与之合刊的其他连续性资源题名。

例1：　对联
　　　与《大众对联故事》合订出版

　　　大众对联故事
　　　与《对联》合订出版

例2：　英国足球画册
　　　与《足球世界》合订出版

　　　足球世界
　　　与《英国足球画册》合订出版

11.7.1.5　关于卷、期、年、月或其他标识项附注

a. 卷、期号的变化

卷、期号的变化未在卷、期、年、月或其他标识项反映者，应予注明。

例1：　1965 年起无卷号

例2：　1976 年起改用年、月标识，1978 年起恢复用卷号

例3：　从 1980 年起有总期号，且总期号为 42

b. 卷、期号复杂

卷、期号与年份复杂或不规律，而题名或卷、期号项又未反映，应予注明。

例1：　编号无规律

例2：　每年从第一卷开始

例3：　编号常有差错

例4：　v.18 – 19 遗漏，v.20 – 21 重复

例5：　1989 年 no.3 重复

例6：　每年从 no.1 开始

c. 试刊

试刊与总期号相关（计算于总期号内），应作为一种标识著录于第三项。不计算在总期号内的试刊，应予注明。试刊另有题名，亦应注明（见本章 11.3.1.13 条款）。

例1：　1973 年 8 月至 1974 年 12 月即 v.1，no.7 – v.2，no.12 试刊无编号

例2：　正式出版前有两期试刊

例3：　1987 年 2 月曾有试刊一期，题名：《探索》

d. 副刊编号与主刊编号相关

副刊编号与主刊编号相关，应注明其与主刊编号的关系。

例：　1980，v.7 相当于主刊 v.181

e. 休刊、复刊

连续性资源经休刊后复刊,应注明休刊、复刊的年、月(见本章 11.3.1.14 条款)。

例 1: 1966 - 1967 休刊

例 2: 1990 年休刊, 1994 年复刊

无论出版者是否说明休刊、复刊,只有恢复出版的连续性资源才属于休刊。在恢复出版前,第三、第四与第五项的著录与停刊的著录完全相同。复刊以后,上述三个项目的著录应恢复至休刊以前的著录,同时在附注项注明休刊的时间。恢复出版但改变题名,应按改名的连续出版物著录,同时在前一题名下注明“某一时期未出版,复刊后改名为:《××××》”。

11.7.1.6 关于出版、发行项附注

此项附注包括连续性资源的其他出版者和发行者的细节、不同的出版发行等信息、出版时间无规律以及出版变化和错误的出版日期等。

例 1: 1970 - 1976 年由河北人民出版社出版

例 2: 1942 - 1943 年由汉口新生社出版, 1944 年由上海新生活书店出版

a. 连续出版物

如果连续出版物的出版地和/或出版者在第一期出版后发生改变,可在附注中说明。若有多次变化,可做一般性附注。

b. 一体化资源

如果一体化资源的出版地和/或出版者不再出现在最新一期上,或与先前一期的形式不同,应做附注。若有多次变化,可做一般性附注。

c. 复制品

对连续性资源的复制品,其原版的出版地、出版者和出版时间应予注明。

11.7.1.7 关于载体形态项附注

a. 此项附注包括对载体形态项著录的补充和说明,例如尺寸的改变、无规律出版的附件说明等。

例 1: 报纸型

例 2: 某些期号有图片

例 3: v.4 - 5 为 40cm

例 4: no.4 附有“渤海湾地区图”

例 5: 每年 no.3 有统计表

b. 载体形态的变化

(a)连续出版物

如果连续出版物最新一期的载体形态发生改变,若认为重要,应做附注。若有多次改变,则可做一般性附注。

(b)一体化资源

如果载体形态不再出现在最新一期上,若认为重要,应做附注。若有多次改变,则可做一般性附注。

11.7.1.8 关于丛编项附注

a. 同属两种丛编

出版物同属两种丛编或分丛编，但规定信息源未予载明，可在附注项注明丛编或分丛编的题名。

b. 丛编内部编号

各册出版物的丛编内部编号不同，应予注明。

例：　各册编号为10、20、30……

11.7.1.9 关于索引与内容附注

出版物的有关内容与索引应予注明。插入件、书目、载有相关内容的卷、期号等应同时注明。

例1：　索引：v.1（1981） – v.5（1985）合装于v.6，no.1内

例2：　索引：v.10 – 17 即v.18，no.3

例3：　每5卷有一索引

例4：　索引在第二年第一期

例5：　每年12月份有索引

11.7.1.10 关于获得方式附注

a. 此项附注包括有限的印刷册数和有限的发行。

b. 若所著录的一册连续出版物的ISSN或其他标准编号有错误，应在标准编号与获得方式项中著录正确的ISSN或其他标准编号，而在此项中说明错误的ISSN或其他标准编号。

c. 国际标准编号之外的其他编号，可著录于附注项中。

例：　统一书刊号：CN31 – 1098

11.7.1.11 关于著录依据附注

凡不是根据本题名下第一册所作的著录，应注明据以著录的卷、期号。

例：　据v.5，no.6（1985，6）著录

a. 连续出版物

(a) 对有编号的连续出版物，若著录不是依据本题名下第一期，应注明著录所依据的卷期；若著录时参考过多期出版物，则应注明著录依据是最新一期。如果可能，可将参考过的最早一期和最新一期在同一附注中注明。已在卷、期、年、月标识项中著录的第一期和最后一期和最新一期不做附注。

(b) 对无编号的连续出版物，参考过的第一期及其出版日期，应做附注。如果其他各期也被参考过，而且最新一期可以确定，则应注明被参考过的最新一期及其出版日期。

b. 一体化资源

著录时所依据的最新一期应做说明。

远程访问的资源应著录编目日期（即访问该资源的日期）。

11.7.1.12 其他附注

任何关于被著录连续性资源的特有情况，必要时均可注明。

11.8　标准编号与获得方式项

目次

序则
标准编号
识别题名
获得方式和(或)定价 *
限定说明 *
(以上标有“ * ”者为选择著录单元)

11.8.0　序则

11.8.0.1　标识符

a. 连续著录时,本项前用“. -- ”(句点、空格、连字符、连字符、空格)。若有两个以上标准编号,应在第二个及其以后标准编号前用项目标识符。分段著录时,可省略“. -- ”。

b. 识别题名前用“ = ”(空格、等号、空格)。

c. 获得方式和(或)定价前用“ : ”(空格、冒号、空格)。

d. 限定说明置于圆括号内。

11.8.0.2　结构形式

. -- ISSN = 识别题名
. -- ISSN = 识别题名 : 定价
. -- ISSN = 识别题名 : 定价(限定说明)
. -- ISSN(限定说明) = 识别题名 : 获得方式 : 定价(限定说明)
. -- 标准编号(限定说明) : 获得方式
. -- 标准编号(限定说明) : 获得方式(限定说明)
. -- 标准编号(限定说明) : 获得方式. -- 标准编号(限定说明) : 获得方式

11.8.1　标准编号

11.8.1.1　按第一章1.8条款的规定如实著录连续性资源的国际标准连续出版物号(ISSN)。

例: ISSN 1005-099X

11.8.1.2　国际标准连续出版物号(ISSN)的印刷错误

连续性资源的ISSN印刷错误,应先著录正确的ISSN,后著录错误的ISSN,并在其后圆括号内注明“错误”字样,错误的ISSN前用项目标识符,并在附注项中说明(参见本章11.7.1.10b条款)。

例: ISSN 0011-3344. -- ISSN 0011-3844(错误)

11.8.2　识别题名

如果信息源载有由ISSN网络中心(原ISDS国际中心)统一指定的识别题名,可著录于国际标准连续出版物号(ISSN)之后,其前用“ = ”(空格、等号、空格),即使与出版物的正题名完全相同亦应著录。当只有国际标准连续出版物号时,则只著录国际标准连续出版物号(ISSN)。

例1：　ISSN 1004-1583 ＝ 畜牧机械丛刊

例2：　ISSN 1000-2480 ＝ 湖南科技大学学报

11.8.3　获得方式和(或)定价

连续出版物的获得方式包括是否文献上原有的公开发行、免费赠送、供出售、出租、出借等信息。供出售并载有价格(各册价格基本固定)或有年度订价,均应说明。若既有单册定价,又有年度订价,应先著录单册定价,后著录年度订价。获得方式和(或)定价著录于标准编号之后,其前用“ ：”(空格、冒号、空格),并采用官方标准币制符号,价格以阿拉伯数字著录。

例1：　：赠送

例2：　：非卖品

例3：　：CNY25.00

例4：　：HKD30.00

例5：　：USD18.00

例6：　：每册工本费 CNY2.00

例7：　：免费赠送

例8：　：同行函索即赠

例9：　：每册 CNY2.00，全年定价 CNY48.00(1993)

11.8.4　限定说明

11.8.4.1　标准编号或获得方式或定价之后可做限定说明,置于圆括号内。

例1：　：CNY67.70(国内定价)，USD10.00(国外定价)

例2：　：每册 RMB10.00(会员减半)

例3：　：每册工本费 CNY5.00(内部发行)

例4：　：全年订价 CNY120.00(图书馆加倍收费)

11.8.4.2　不断更新的活页出版物,可在后做限定说明,置于圆括号内。

例：　ISBN 0-86325-016-5(散页)

11.9　馆藏记录项

11.9.1　馆藏记录位置

11.9.1.1　馆藏记录单独列出,置于第八大项之后,自成一项。

11.9.1.2　将标准编号与获得方式项置于馆藏项之前,并使馆藏记录成为最后一个著录单元。尽管标准编号与获得方式项未作为最后一项,但标准编号有“ISSN”为标头,不致引起误解,并可使馆藏说明易于修改或补充。

11.9.2　馆藏记录方法

11.9.2.1　馆藏记录原则

a. 以卷(年)为单位记录。若卷(年)不缺藏,可合并为一行,完整的卷(年)不记录期号。

b. 缺藏的卷(年)另起一行记录。

c. 只有总期号,先记录总期号,后记录年份。

d. 有两种标识,应将总期号置于期号后圆括号内。

e. 停订、停刊或休刊,应取消最后一个年份和卷号后的连字符,并全部记录馆藏的起迄年、卷。

f. 以年、月代卷、期的记录方式与"卷、期、年、月或其他标识项"的记录方式相同(参见本章11.3条款)。

11.9.2.2　馆藏记录方式

a. 仅有一卷(年)。

例1：　v.3　1981

例2：　v.6　1984

b. 仅有若干期。

例1：　v.5,no.3,5　　1982

例2：　v.8,no.6 - 24　　1985

例3：　1963,no.8 - 15

c. 某卷(年)起馆藏完整。

例1：　v.8 -　1988 -

例2：　1952 -

d. 某卷(年)至某卷(年)馆藏完整。

例1：　v.1 - 9　1940 - 48

例2：　1957 - 1966

e. 缺藏卷(年)分行记录。

例：　v.2 - 3　　　　1967 - 68
　　　v.4,no.8 - 12　1969
　　　v.5 - 7　　　　1970 - 72
　　　1981 - 1985,1987

f. 标识系统改变不作说明(卷、期、年、月或其他标识项中已反映)。

例：　v.1 - 3　　1975 - 77
　　　no.37 -　　1978 -

g. 休刊后复刊不作说明(附注项已作说明);复刊时卷号不连贯,可作附注,但馆藏记录中不再说明。

例1：　v.1 - 6　　1964 - 69
　　　　v.9 -　　　1972 -
　　　　(复刊时为v.9,附注项说明"1970 - 71 休刊,v.7 - 8 未出版")

例2：　1960 – 66
　　　v.8 –　1979 –
　　　（1967–78 未出版，复刊时已改变标识系统）

h. 两种标识系统，圆括号内记录总期号。

例1：　v.8, no.1（56） – 8（63）　1973
　　　v.9, no.1（69） –　　　　1974 –

例2：　1981, no.7（1） – 1988, 11（95）
　　　1989, no.1（97） – 10（106）
　　　1990, no.1（107） –

i. 停刊或休刊，不在馆藏中区分。

未停刊：

例：　v.1 – 5　　　　　　1971 – 75
　　　v.6, no.1 – 10, 12　1976
　　　v.7 –　　　　　　　1977 –

停刊：

例：　v.1 – 5　　　　　　1971 – 75
　　　v.6, no.1 – 10, 12　1976
　　　v.7 – 20　　　　　　1977 – 90

j. 报纸按年、月、日记录。若有总期号，可著录于圆括号内。

例1：　1948, 9, 1 – 1952, 3, 29

例2：　1956, 1, 1 –

例3：　1948, 9, 1（1） – 1951, 3, 31（944）

例4：　1952, 1, 1（1219） –

11.10　补编资料

11.10.1　序则

连续性资源的补编资料包括索引、增刊等，其著录方式分为单独著录和附属著录两种。

11.10.2　单独著录

若补编资料有独立题名，也可单独使用，并有相对独立的卷期标识，则单独著录。

11.10.3　附属著录

若补编资料和正编资料一起入藏,则选择下列一种方法予以著录。

11.10.3.1 著录于载体形态项末尾(见本章11.5.4.2条款)。

例: 10v. : ill. ; 32cm + index

11.10.3.2 著录于附注项内(见本章11.5.4.3条款)。

例: 该刊每年带有一册索引

11.10.3.3 若需详细说明补编的情况,可采用多层次著录的方法(见第十五章15.2.5条款)。

11.11 连续性资源的分辑

连续性资源的分辑,不采用多层次结构著录,而是作为分开的资源著录(见本章11.1.1.9条款)。

第十二章　缩微文献

12.0　通则

12.0.1　适用范围

本章适用于著录各种缩微文献。

12.0.2　著录项目

著录项目分为下列八项：

题名与责任说明项

版本项

文献特殊细节项

出版、发行项

载体形态项

丛编项

附注项

标准编号与获得方式项

上述每一项目又含一个或若干著录单元，详见各项说明。

12.0.3　著录用标识符

标识符见第一章 1.0.3 条款。

著录内容中的标点符号按照中外文各自的书写规则著录。

12.0.4　著录详简级次

12.0.4.1　著录详简级次以主要项目和选择项目为区分依据。

a. 主要项目：题名与责任说明项的正题名、第一责任说明；版本项的版本说明；文献特殊细节项；出版发行项的第一出版地、出版者、出版日期；载体形态项的数量及特定文献类型标识、其他形态细节中的缩率、尺寸；丛编项的丛编正题名、丛编编号；原件附注；标准编号。

b. 选择项目：一般文献类型标识、并列题名、其他题名信息、其他责任说明；出版发行项的制作地、制作者、制作日期；缩率以外的其他形态细节、附件；丛编并列题名、丛编其他题名信息、丛编责任说明、丛编国际标准连续出版物号；其他附注；获得方式、限定说明。

12.0.4.2　著录详简级次分为简要级次（或称第一级次）、基本级次（或称第二级次）和详细级次(或称第三级次)。

a. 简要级次著录主要项目。

连续著录格式:

正题名 / 第一责任说明. -- 版本说明. -- 文献特殊细节. -- 出版地 : 出版者, 出版日期. -- 数量及特定文献类型标识 : 缩率 ; 尺寸. -- (丛编正题名 ; 丛编编号). -- 原件附注. -- 标准编号

分段著录格式:

正题名 / 第一责任说明. -- 版本说明. -- 文献特殊细节. -- 出版地 : 出版者, 出版日期

数量及特定文献类型标识 : 缩率 ; 尺寸. -- (丛编正题名 ; 丛编编号)

原件附注

标准编号

b. 基本级次著录主要项目和部分选择项目。

连续著录格式:

正题名 [一般文献类型标识] = 并列题名 : 其他题名信息 / 第一责任说明 ; 其他责任说明. -- 版本说明. -- 文献特殊细节. -- 出版地 : 出版者, 出版日期 (制作地 : 制作者, 制作日期). -- 数量及特定文献类型标识 : 其他形态细节 ; 尺寸 + 附件. -- (丛编正题名 : 丛编其他题名信息 / 丛编责任说明 ; 丛编编号). -- 附注. -- 标准编号(限定说明) : 获得方式

分段著录格式:

正题名 [一般文献类型标识] = 并列题名 : 其他题名信息 / 第一责任说明 ; 其他责任说明. -- 版本说明. -- 文献特殊细节. -- 出版地 : 出版者, 出版日期 (制作地 : 制作者, 制作日期)

数量及特定文献类型标识 : 其他形态细节 ; 尺寸 + 附件. -- (丛编正题名 : 丛编其他题名信息 / 丛编责任说明 ; 丛编编号)

附注

标准编号(限定说明) : 获得方式

c. 详细级次著录主要项目和全部选择项目。

12.0.4.3 第一代缩微文献应采用详细级次著录,其他各代缩微文献的著录详简级次可以由文献机构根据其揭示文献的实际需求作出选择。

12.0.5 著录信息源

著录信息源是缩微文献本身。缩微文献本身信息不足,可参考其他信息源。

12.0.5.1 主要信息源

缩微文献的主要信息源为著录标板和(或)说明事项标板、摄制机构标板的画幅,以及缩微平片和封套片的标头。

12.0.5.2　规定信息源

缩微文献各著录项目的规定信息源及其选取的先后顺序如下表。取自规定信息源之外的信息置于方括号内,或在附注项说明。

著录项目	规定信息源
题名与责任说明项	著录标板和(或)说明事项标板的画幅、缩微平片和封套片的标头、原件题名页画幅、缩微文献的容器和附件
版本项	摄制记录或制作信息
文献特殊细节项	著录标板和(或)说明事项标板的画幅、缩微平片和封套片的标头、缩微文献的容器和附件
出版、发行项	摄制机构标板画幅、缩微平片和封套片的标头、缩微文献的容器和附件
载体形态项	缩微文献本身、缩微文献的容器和附件
丛编项	著录标板和(或)说明事项标板的画幅、缩微平片和封套片的标头、缩微文献的容器和附件
附注项	任何信息源
标准编号与获得方式项	任何信息源

12.0.6　著录用文字

见第一章 1.0.6 条款。

12.1　题名与责任说明项

目次

序则

正题名

一般文献类型标识 *

并列题名 *

其他题名信息 *

责任说明

无总题名缩微文献

(以上标有“ * ”者为选择著录单元)

12.1.0　序则

12.1.0.1　标识符

见第一章 1.1.0.1 条款。

12.1.0.2　结构形式

见第一章 1.1.0.2 条款。

著录拍摄有连续出版物的缩微品,题名与责任说明的结构形式还应符合第十一章 11.1.0.2 条款的规定。

12.1.1　正题名

见第一章 1.1.1 条款。

对于缩微文献上拍摄的各种不同类型原文献,其正题名的选取、著录顺序和方法还应符合本书各章 ×.1.1 中的有关条款。

12.1.2　一般文献类型标识

12.1.2.1　缩微文献的一般文献类型标识采用 GB/T 6159.1《缩微摄影技术词汇第 1 部分:一般术语》的规定,著录为“缩微品”,置于方括号内。

12.1.2.2　一般文献类型标识著录于正题名之后,即使在正题名的后面还有其他信息,一般文献类型标识仍然著录于正题名之后。缩微文献上记录了多部作品而无总题名,一般文献类型标识著录于第一部作品的正题名之后。

例 1:　光化县志 [缩微品]

例 2:　大地黄金,一名,秋收 [缩微品] : 三幕剧

例 3:　中山传信录 [缩微品] : 六卷 ; 舶中集 : 一卷 ; 赠送诗文 : 一卷 / (清) 徐葆光撰

例 4:　物理学. 第一卷, 普通物理学 [缩微品]

12.1.3　并列题名

见第一章 1.1.3 条款。

对于缩微文献上拍摄的各种不同类型原文献,并列题名的著录参照各章的 ×.1.3 条款。

例 1:　新政月刊 [缩微品] = The new politics monthly

例 2:　美国历史文献选萃 [缩微品] = Living documents of American history

例 3:　独立宣言 [缩微品] = The declaration of independence. 合众国宪法 = The constitution of the United States. 西北区法案 = The northwest ordiance

12.1.4　其他题名信息

见第一章 1.1.4 条款。

对于缩微文献上拍摄的各种不同类型原文献,其他题名信息的著录参照各章的 ×.1.4 条款。

例 1:　两地书 [缩微品] : 鲁迅与景宋的通信 / 鲁迅,景宋著

例 2：　血泪仇［缩微品］：三幕十七场新型秧歌剧 / 马健翎原著

例 3：　金史［缩微品］：一百三十三卷，目录二卷

例 4：　服务器组件模式［缩微品］：EJB 描述的组件基础设施 = Server component patterns : component infrastructures illustrated with EJB

12.1.5　责任说明

见第一章 1.1.5 条款。

对于缩微文献上拍摄的各种不同类型原文献，责任说明的著录参照各章的 ×.1.5条款。

例 1：　政治经济学 / 孙万福编

例 2：　人力资源管理 / 姚艳虹主讲 ; 长沙创达科技发展有限公司制作

例 3：　三苏先生文集 : 七十卷 / (宋)苏洵，(宋)苏轼，(宋)苏辙撰

例 4：　没有弦的炸弹 : 通讯报告选 / 丁奋[等]著

例 5：　黄河大合唱 / 冼星海曲 ; 光未然词 ; 中央乐团合唱队合唱 ; 严良堃指挥

例 6：　神曲 / (意)但丁·阿利基埃里著 = La Divina Commedia / Dante Alighieri

例 7：　英汉技术词典 = An English-Chinese dictionary of technology / 清华大学《英汉技术词典》编写组编

例 8：　林间录 : 二卷 / (宋释)惠洪撰

例 9：　竖起拇指 : 你是最棒的 / (美)弗朗西斯·麦奎尔(Frank Maguire)，(美)史蒂夫·威利福特著 ; 陈斌译

例 10：　中华人民共和国国歌 / 田汉词 ; 聂耳曲. 国际歌 / 欧仁·鲍迪埃词 ; 比尔·狄盖特曲

12.1.6　无总题名缩微文献

一件缩微品上记录了两个或两个以上原文献而没有赋予总题名，应该按规定信息源上的拍摄顺序依次著录。题名超过三个只著录前三个，未予著录的其余题名和责任者在附注项说明。

属于同一责任说明的第二和第三部作品的题名前用“ ; ”(空格、分号、空格)标识，将责任者著录于所有题名之后；属于不同责任说明的第二和第三部作品的题名前用“. ”(句点、空格)标识，将各自责任说明著录于相关题名之后。

例 1：　童年 ; 在人间 ; 我的大学 / (俄)高尔基著
(附注：本胶片还拍摄有《母亲》)

例 2：　淇园肖影 : 二卷 ; 罗浮幻质 : 一卷 ; 春谷嘤翔 : 一卷 / (明)周履靖撰
(附注：本胶片还拍摄有《九畹遗容》一卷)

例 3：　宝真斋法书赞 : 二十八卷 / (宋)岳珂撰. 海岳名言 : 一卷 / (宋)米芾撰. 翰墨志 : 一卷 / (宋)宋高宗撰

例 4：　窦娥冤 / (元)关汉卿撰. 西厢记 / (元)王实甫撰. 桃花扇 / (清)孔尚任撰

12.2 版本项

目次

序则

版本说明

12.2.0 序则

12.2.0.1 标识符

见第一章 1.2.0.1 条款。

12.2.0.2 结构形式

见第一章 1.2.0.2 条款。

12.2.1 版本说明

版本项用于著录本缩微品在逐级制作(拷贝)过程中所处的辈次。在拷贝过程中,各代复制片的影像特性(密度、反差、解像力)会发生一定的变化。在正常情况下,每拷贝一代,2 号解像力测试图的测试指标下降一级。解像力的降低损失影像的细部,结果是改变了文献的知识内容,形成新的版本。

原件的版本信息可根据需要著录于附注项。

12.2.1.1 缩微文献的版本说明以序数词加上量词"代"表示,详见第一章 1.2.1.1 条款的规定。第一代缩微品是摄影机或 COM 记录器产生的缩微文献,一般不予著录。

例 1: . -- 2 代

例 2: . -- 3 代

12.2.1.2 凡是不能确定具体辈次,且只用以制作复制片的复制片可以著录为"中间片"。

例: . -- 中间片

12.2.1.3 凡是不能确定具体辈次,且不用作母片,而只提供阅读使用的复制片可以著录为"发行拷贝片"。

例: . -- 发行拷贝片

12.3 文献特殊细节项

目次

序则

文献特殊细节

12.3.0 序则

12.3.0.1 标识符

见第一章 1.3.0.1 条款和第十一章 11.3.0.1 条款。

12.3.0.2 结构形式

见第十一章 11.3.0.2 条款。

12.3.1　文献特殊细节

本项用于著录连续缩微文献的卷期（年月）标识，著录顺序和方法须符合第十一章 11.3 条款的规定。

缩微品上记录的测绘制图资料、乐谱、连续出版物、电子资源等特定类型文献的特殊记载事项，可以根据需要著录于附注项。

例 1：. -- No.1(1995,1) - no.14(1996,3)

（附注：原件的卷期年月为 V.1,no.1(1951,1,10) - v.16,no.7(1965,6,11)）

例 2：. -- No.1(1991,2) - no.83(1997,6)

（附注：原件的卷期年月为 1991,no.1 - 1997,no.12 = 总 1 - 总 83）

12.4　出版、发行项

目次

序则

出版地或发行地

出版者或发行者

出版日期或发行日期

制作地、制作者、制作日期 *

（以上标有“ * ”者为选择著录单元）

12.4.0　序则

出版、发行项依次著录缩微文献的出版地或发行地、出版者或发行者、出版日期或发行日期以及制作事项。原件的出版发行事项或制作事项可根据需要著录于附注项。

12.4.0.1　标识符

见第一章 1.4.0.1 条款。

12.4.0.2　结构形式

见第一章 1.4.0.2 条款。

12.4.1　出版地或发行地

12.4.1.1　出版地或发行地著录缩微文献出版机构或发行机构所在地的城市名称。

12.4.1.2　规定信息源载有两个出版地或发行地应一并著录，第二个出版地或发行地之前用“ ; ”（空格、分号、空格）标识。三个及三个以上出版地或发行地按规定信息源的版式或顺序著录最显著的一个或第一个，后加“[等]”，其余在附注项说明。

例 1：. -- 北京

例2： . -- 北京 ; 上海

例3： . -- 广州[等] : 世界图书出版公司

(附注：出版地还有北京、上海)

12.4.1.3 规定信息源上的出版地或发行地有多种文字,应著录与正题名语种相同的地名。若这一规定不适用,应根据规定信息源的版式或顺序著录最显著或第一个出版地或发行地。

12.4.1.4 不为人们熟知或重名的出版地或发行地,应在其后附加所属上级行政区的名称(例如省名、国名等)。取自规定信息源的附加名称应加圆括号,取自其他信息源则加方括号。

例1： . -- 伦敦(加拿大)

例2： . -- 乳山[山东省]

例3： . -- Ann Arbor[美国] : University Microfilms International, 1960

12.4.1.5 规定信息源未载明出版地,应将考证所得出版地著录在方括号内;属于推测著录的出版地,应在其后加问号,并置于方括号内;无法推测或考证者,在方括号内注明"出版地不详"字样。

例1： . -- [汉堡?]

例2： . -- [出版地不详]

12.4.1.6 规定信息源所载出版地或发行地有误,应原样照录,正确的出版地或发行地在附注项说明。

12.4.2 出版者或发行者

12.4.2.1 出版者或发行者著录缩微文献出版机构或发行机构的名称,排列在出版地或发行地之后,其前用" : "(空格、冒号、空格)标识。

例1： . -- 广州 : 广东省立中山图书馆

例2： 工农报 [缩微品]. 第一三期. -- 发行拷贝片. -- Stanford[美国]: Hoover Institution Microfilms, [1960?]

12.4.2.2 规定信息源载有两个出版者或发行者,应著录于各自出版地或发行地之后。载有三个及三个以上出版者或发行者,应按规定信息源的版式或顺序著录最显著的一个或第一个,其余在附注项说明。

例1： . -- 北京 : 全国图书馆文献缩微中心 : 国家图书馆

例2： . -- 北京 : 全国图书馆文献缩微中心 ; 南京 : 南京图书馆

12.4.2.3 规定信息源只有一个出版地或发行地和三个及三个以上出版者或发行者,应按规定信息源的版式或顺序著录最显著的一个或第一个,后加"[等]",其余在附注项说明。

例： . -- 北京 : 全国图书馆文献缩微中心[等]

(附注：出版者还有北京图书馆、思琪科贸中心)

12.4.2.4 出版者或发行者有多种文字,应著录与正题名文种相同者。若这一规定不适用,应按规定信息源的版式和顺序著录最显著或第一个出版者或发行者。

12.4.2.5　对未载明出版者的缩微品，可著录发行者，并在其后的方括号内注明“发行者”字样。

例：. -- 北京 : 中国缩微摄影技术协会[发行者]

12.4.2.6　出版者和发行者均未标明，也无法考证，可在方括号内注明“出版者不详”字样。

例：. -- 北京 : [出版者不详]

12.4.2.7　规定信息源所载出版者或发行者有误，应原样照录，正确的出版者或发行者在附注项说明。

12.4.3　出版日期或发行日期

12.4.3.1　出版日期或发行日期是指缩微文献的出版或发行年，著录在相关的出版或发行者之后，其前用“, ”(逗号、空格)标识。

例：. -- 北京 : 全国图书馆文献缩微中心 : 国家图书馆, 1988

12.4.3.2　用公元纪年表示的出版日期一律用阿拉伯数字著录，非公元纪年则原样照录，并在其后的方括号内注明相应的公元纪年。

例：. -- 北平 : 国立北平图书馆, 民国三十四年[1945]

12.4.3.3　规定信息源所载出版年有误，应原样照录，正确的出版年在附注项说明。

12.4.3.4　规定信息源未载明出版年，可著录发行年或版权年，并在其后的方括号内注明“发行”或“版权”字样。出版年、发行年、版权年均未载明，可推测著录一个大致年代，后加问号，并置于方括号内。无法推测或考证者，可以在方括号内注明“出版年不详”字样。未正式出版或发行的缩微品，可将其入藏母片库的日期作为版权年著录。

例1：. -- 济南 : 山东省图书馆, 1998[发行]

例2：. -- 郑州 : 河南省图书馆, 1999[版权]

例3：. -- 北平 : 国立北平图书馆, [1945?]

例4：. -- 北京 : 北京图书馆, [195-?]

例5：. -- 伦敦[加拿大] : [出版者不详], [出版年不详]

12.4.3.5　跨年度出版(或拍摄)的缩微文献和已经拍摄完成的连续缩微文献的出版日期，应该著录其出版起迄年，之间用连字符连接；尚未拍摄完成的此类缩微文献可以只著录出版起始年，其后用连字符表示未完待续。

例1：. -- 上海 : 上海图书馆, 1985-1987

例2：. -- 北京 : 国家图书馆 ; 南宁 : 广西壮族自治区图书馆, 1980-

12.4.4　制作地、制作者、制作日期

规定信息源上未载明出版发行事项，应著录制作事项。已经完整著录出版发行事项的情况下，如果有特殊需要，亦可著录制作事项。

本制作事项著录缩微文献摄制地或复制地的城市名称、摄制机构或复制机构名称、摄制年或复制年，置于出版发行事项之后的圆括号内，具体著录方法参见出版发行事项的有关规定(见本章12.4.1-12.4.3条款)。

例1： . -- 北京 : 全国图书馆文献缩微中心, 1992 (福州 : 福建省图书馆, 1992)
例2： 苏维埃政权 [缩微品]. -- 发行拷贝片. -- Ottawa[加拿大] : Canadian Institute for Historical Microreproductions, 1981 (Ann Arbor[美国] : University Microfilms International, 1981)

12.5　　载体形态项

目次

序则

数量及特定文献类型标识

其他形态细节

尺寸

附件＊

(以上标有“＊”者为选择著录单元)

12.5.0　序则

载体形态项著录缩微文献的物质形态特征。原件的物质形态信息可根据需要著录于附注项。

12.5.0.1　标识符

见第一章 1.5.0.1 条款。

12.5.0.2　结构形式

见第一章 1.5.0.2 条款。

12.5.1　数量及特定文献类型标识

12.5.1.1　数量

数量是本项的第一单元,著录缩微文献的数量,用阿拉伯数字表示,数字后著录缩微文献的数量单位。卷式缩微文献的计量单位为“盘”,片式缩微文献的计量单位为“张”,缩微条片的计量单位为“条”。

12.5.1.2　特定文献类型标识

a. 特定文献类型标识是识别缩微品具体种类的专门术语,包括缩微卷片、缩微平片、影像卡、封套片、单轴盒装卷片、双轴盒装卷片、缩微条片、缩微卡片等,置于数量的后面。

例1： 1 盘缩微卷片

例2： 2 盘盒装缩微卷片

例3： 4 张缩微平片

例4： 16 张影像卡

例5： 1 条缩微条片

b. 正题名后一般文献类型标识已著录为缩微品者,本单元可省略“缩微”二字。

例1： 1盘卷片

例2： 2条条片

例3： 3张平片

12.5.1.3 附加说明

缩微文献的数量及特定文献类型标识不能满足长期保存缩微品的管理要求时,应该在其后面增加附加说明。附加说明著录卷式缩微文献的长度、画幅总量和片式缩微文献的画幅总量,置于数量及特定文献类型标识后面的圆括号内。缩微文献长度的计量单位为“米”,画幅数量的计量单位为“拍”。发行拷贝片可以省略本单元。

例1： 2盘缩微卷片(60米1200拍)

例2： 3张缩微平片(260拍)

12.5.2 其他形态细节

其他形态细节依次著录缩微文献的极性、缩率、色别、感光乳剂、片基、影像布局等物理特性,置于数量及特定文献类型标识之后。第一个形态细节前用“ : ”(空格、冒号、空格)标识,后续的各形态细节前用逗号标识。

12.5.2.1 极性

本单元用于著录缩微影像为负像的缩微品。发行拷贝片或正像影像的缩微品可以省略本单元。

例： 2盘缩微卷片(60米1200拍) : 负像

12.5.2.2 缩率

缩微影像的缩小比率涉及阅读设备和还原设备的选用,应该如实著录。一件缩微品内有缩率变化,本单元著录画幅数量多的缩率,其他缩率变化记入附注项。

例： 2盘缩微卷片(60米1200拍) : 负像,1∶15

12.5.2.3 色别

本单元著录缩微影像的色彩,不著录缩微文献底基的颜色。黑白两色的缩微影像不予著录,三种以上色彩的缩微影像著录为“彩色”。发行拷贝片可以省略本单元。

例： 2盘缩微卷片(60米1200拍) : 负像,1∶15,彩色

12.5.2.4 感光乳剂

本单元著录缩微品感光成像材料的乳剂名称,银盐胶片不予著录。

例1： 2盘缩微卷片(60米1200拍) : 负像,1∶15,微泡胶片

例2： 3张缩微平片(260拍) : 负像,1∶24,重氮胶片

12.5.2.5 片基

本单元著录缩微文献底基的材质名称,聚酯纤维素片基不予著录。

例1： 2盘缩微卷片(60米1200拍) : 负像,1∶15,硝酸片基

例2： 2盘缩微卷片(60米1200拍) : 负像,1∶15,醋酸片基

12.5.2.6 影像布局

本单元著录卷式缩微品单个画幅中记录的原件数量和缩微影像的排列方式。原件的数量用阿拉伯数字表示,缩微影像的排列方式用“A”向或“B”向表示。一件缩微品内缩微影像的排列方式有变化,本单元著录画幅数量多的排列方式,其他排列方式的变化记入附注项。发行拷贝片可以省略本单元。

例1: 2盘缩微卷片(60米1200拍) : 负像,1:15,硝酸片基,1A

例2: 3张封套片(90拍) : 负像,1:24,醋酸片基,2B

12.5.3 尺寸

缩微文献的尺寸著录于其他形态细节之后,用阿拉伯数字表示,计量单位为“mm”,其前用“ ; ”(空格、分号、空格)标识。

12.5.3.1 卷式缩微品著录其宽度。

例1: 2盘缩微卷片(60米1200拍) : 负像,1:15,硝酸片基,1A ; 35mm

例2: 1盘单轴盒装卷片(30米1200拍) : 负像,1:24,2B ; 16mm

12.5.3.2 片式缩微品著录其“宽度×长度”。A6尺寸(105×148mm)的平片不予著录,其他尺寸必须著录。

例1: 1张缩微平片(48拍) : 负像,1:24,重氮胶片,单幅 ; 75×125mm

例2: 1张影像卡(1拍) : 负像,1:24,彩色 ; 83×187mm

12.5.3.3 封套片著录其“宽度×片道数量”。封套片任何项的规格不同时,著录最小和最大的规格,并用连字符连接。

例1: 1张封套片(6拍) : 负像,1:15,微泡胶片,1B ; 35mm×2

例2: 3张封套片(178拍) : 负像,1:24,醋酸片基,2B ; 16mm×5

例3: 1张封套片(39拍) : 1:24,重氮胶片,2B ; 16mm×3-35mm×1

12.5.4 附件

附件是分离于缩微品,并辅助缩微品使用的附加资料,著录于尺寸之后,其前用“ + ”(空格、加号、空格)标识。附件的附加说明置于附件后面的圆括号内。

例: 2盘缩微卷片(60米1200拍) : 负像,1:24,硝酸片基,1A ; 16mm + 说明书(8页 : 图 ; 17cm)

12.6 从编项

目次

序则

从编正题名

从编并列题名 *

从编其他题名信息 *

从编责任说明 *

从编国际标准连续出版物号

从编编号

分丛编
多种丛编
（以上标有“＊”者为选择著录单元）

12.6.0　序则

从编项著录缩微文献的丛编事项，见第一章 1.6 条款的规定。原件的丛编信息可根据需要著录于附注项。

12.6.0.1　标识符

见第一章 1.6.0.1 条款。

12.6.0.2　结构形式

见第一章 1.6.0.2 条款。

12.6.1　丛编正题名

丛编正题名著录于本项之首，著录顺序和方法见第一章 1.6.1.1–1.6.1.3 条款。

例：. --（云南省中文零散报纸汇编）

12.6.2　丛编并列题名

见第一章 1.1.3.1 和 1.1.3.2 条款。

例：. --（美国历史文献选萃 = Living documents of American history）

12.6.3　丛编其他题名信息

见第一章 1.6.3.1 和 1.6.3.2 条款。

12.6.4　丛编责任说明

见第一章 1.6.4 条款。

12.6.5　丛编国际标准连续出版物号

见第一章 1.6.5 条款。

12.6.6　丛编编号

见第一章 1.6.6.1–1.6.6.3 条款。

12.6.7　分丛编

见第一章 1.6.7.1–1.6.7.5 条款。

12.6.8　多种丛编

见第一章 1.6.8.1–1.6.8.2 条款。

12.7 附注项

目次

序则

附注

12.7.0 序则

12.7.0.1 标识符

见第一章 1.7.0.1 条款。

12.7.0.2 结构形式

见第一章 1.7.0.2 条款。

12.7.1 附注

凡对其他七个著录项目有必要进一步补充说明的内容,均可著录于本项。包括:

a. 在有关项目中无法全部著录的信息。

b. 取自所编文献,而不是取自规定信息源的信息。

c. 取自所编文献以外的信息。

d. 编目员自拟信息。

e. 重要的内容提示。

本项著录信息可以取自任何信息源。因此,著录内容无论取自何处均不使用方括号。

附注说明一般采用自由行文的格式,应尽可能使用固定导语或规范用语,自拟文字要简洁、明了,一般按下列顺序著录。

12.7.1.1 文献的性质、范围或艺术形式附注

见第一章 1.7.1.1 条款。

12.7.1.2 文献语种、改编或翻译附注

见第一章 1.7.1.2 条款。

12.7.1.3 题名附注

见第一章 1.7.1.3 条款。

例 1: 本胶片著录标板与原件题名页画幅的题名不一致，原件题名页画幅的题名：什么

例 2: 自译题名：西方世界概况

12.7.1.4 责任说明附注

见第一章 1.7.1.4 条款。

例 1: 责任者取自片盒

例 2: 著者通译：雨果

12.7.1.5　版本和书目沿革附注

见第一章 1.7.1.5 条款。

例：　据北京图书馆藏胶片拷贝

12.7.1.6　文献特殊细节附注

本单元用于著录同连续缩微文献的特殊记载事项有关的信息。

12.7.1.7　出版、发行附注

见第一章 1.7.1.7 条款。

例：　1-19 盘由山西省图书馆代为拍摄

12.7.1.8　载体形态附注

见第一章 1.7.1.8 条款。

例 1：　所有特刊的缩率为 1∶19

例 2：　1-11 盘用 1A 方式拍摄，第 12 盘起改用 2B 方式拍摄

例 3：　1-11 盘使用醋酸片基胶片，第 12 盘起改用聚酯纤维素片基胶片

12.7.1.9　丛编附注

见第一章 1.7.1.9 条款。

例：　本 21 盘缩微卷片按丛编题名集中，但并没有按照原件的不同类型分开拍摄，而是随意混合拍摄在一起，有连续性刊物、政治报告、普通图书、宣传品等

12.7.1.10 标准编号及获得方式附注

见第一章 1.7.1.10 条款和 1.8.1-1.8.4 条款。

12.7.1.11 原件附注

本单元为缩微复制品的必备附注说明，用于记录原文献的各项书目信息，并按著录项目顺序集中在同一条附注中。

例 1：　复制自：生产法令经验汇编［图书］．上、下编／晋绥边区行政公署．-- 2 版．-- 临汾（山西）：晋绥新华书店晋南分店，民国三十七年［1948］．-- 2 册（43，60 页）；18cm．-- CNY0.50

例 2：　复制自：城市时报［报纸］．-- No.1（1983，5，1）－ no.2165（1990，12，31）．-- 长春：吉林日报社，1983-1990．-- 2165no．：38cm．-- 周六报（1986，1，1 － 1990，12，31）；日报（1985，1，1 － 1985，12，31）；周三报（1983，5，1 － 1984，12，29）．-- 本报为四开四版．-- 1991 年 1 月 1 日起改名为《城市晚报》

例 3：　复制自：中国地形图［地图］．-- 1∶1000000

例 4：　复制自：星空图［天体图］．-- 星等 3.5

例 5：　复制自：我爱北京天安门［乐谱］．-- 钢琴伴奏谱

例 6：　复制自：瀛寰琐记［期刊］．-- V.1 － v.28（壬申年十月［1872，11］－ 甲戌年十一月［1874，12］）

例 7：　复制自：swzx.iso［电子资源］．-- 电子书目数据

例 8：　原件含有清翁方纲、许乃普跋，董文焕、周叔弢题款

例 9：　原件为孤本，藏于北京图书馆

例 10：　原件为泥活字本

例 11：　原件为王崇行等修订的 2 版修订本

例12： 原件1940年10月23日继承《春秋日报》

例13： 原件1980年人民教育出版社在北京、上海同时出版

例14： 原件可能在武汉出版，出版者、出版年均不详

例15： 原件存59卷：卷1-卷56、卷58-卷60。卷35-卷38配明成化23年唐藩朱芝址刻本

例16： 原件丛编编号：ISSN 1001-0092

例17： 原件为中国现代文学史资料汇编乙种

例18： 原件为世界各国知识丛书第一辑美洲、大洋洲卷的第3册

例19： 原件分属芳草地丛书、拔萃丛书

例20： 原件标准编号：ISBN 7-5000-0381-1

例21： 原件封底定价：CNY30.00(全年)

例22： 原件1909年11月-1917年11月不定期出版，1917年12月-1918年9月改为月刊

例23： 原件的卷一为手绘地形图专册

例24： 原件透字且有残破

例25： 原件中缝压字

例26： 原件说明书内附有三张首演剧照

12.7.1.12 出版周期附注

见第一章1.7.1.12条款。

例1： 每月出版一盘缩微卷片

例2： 第1张至第18张平片按季度出版，从第19张平片起每月出版两张平片

12.7.1.13 内容附注

见第一章1.7.1.13条款。

例1： 第1盘：v.1,no.1(1957,4) - v.1,no.12(1958,3)；第2盘：v.2,no.1(1958,4) - v.2,no.12(1959,4)；第3盘：v.3,no.1(1959,4) - v.3,no.12(1960,3)

例2： 第1张：力行日报1946,4,3,5；7,10；1947,8,9,17；10,1。人报1946,5,10,17；6,7,11 - 13。第2张：士兵日报1947,10,7 - 18；11,3 - 19

例3： 第1盘：郭氏传家易说卷1-卷7；第2盘：郭氏传家易说卷8-卷11

例4： 目次：第一章著录法总则；第二章普通图书；第三章学位论文、科技报告、标准文献；第四章古籍；第五章拓片；第六章测绘制图资料；第七章乐谱；第八章录音资料；第九章影像资料；第十章静画资料；第十一章连续性资源；第十二章缩微文献；第十三章电子资源；第十四章手稿；第十五章综合著录与分析著录；第二十一章标目法总则；第二十二章个人名称标目；第二十三章团体/会议名称标目；第二十四章题名标目；第二十五章参照；附录

12.7.1.14 学位论文附注

见第一章1.7.1.14条款。

12.7.1.15 适用对象附注

见第一章 1.7.1.15 条款。

例： 孕妇和准父亲读物

12.7.1.16 其他附注

见第一章 1.7.1.16 条款。

例： 本胶片可能拷贝代次过多,影像模糊

12.7.1.17 所编复本附注

本单元著录所编缩微品与同代缩微品共同特征有差异的信息。

例： 第 3 盘中部有轻微划痕

12.8 标准编号与获得方式项

目次

序则

标准编号

识别题名

获得方式和(或)定价 *

限定说明 *

(以上标有“ * ”者为选择著录单元)

12.8.0 序则

标准编号与获得方式项著录缩微文献的标准编号、识别题名、获得方式和(或)定价以及对它们的限定说明。原件的标准编号、获得方式和(或)定价、限定说明等可以根据需要记入附注项。

本项著录信息可以取自任何信息源。取自缩微文献之外的著录信息一般不加方括号。

12.8.0.1 标识符

见第一章 1.8.0.1 条款。

12.8.0.2 结构形式

见第一章 1.8.0.2 条款。

12.8.1 标准编号

见第一章 1.8.1.1 - 1.8.1.4 条款。

12.8.2 识别题名

见第一章 1.8.2 条款。

12.8.3 获得方式和(或)定价

见第一章 1.8.3 条款。

例： ISSN 1005-0993 : USD18.00

12.8.4　限定说明

见第一章 1.8.4 条款。

例 1：ISBN 7-5000-0381-1 ：CNY67.70(国内定价)

例 2：ISSN 1005-281X ：CNY50.00(1977 全年)

第十三章　电子资源

13.0　通则

13.0.1　适用范围

本章适用于计算机及其外部设备所控制的数据和程序资源的著录。

电子资源根据其存取特点可划分为本地访问和远程访问两种方式。计算器、程控玩具和其他带有固化程序的产品，不属于本章著录范围。

13.0.2　著录项目

著录项目分为下列八项：

题名与责任说明项

版本项

文献特殊细节项（资源类型与数量项）

出版、发行项

载体形态项

从编项

附注项

标准编号与获得方式项

上述每一项目含一个或若干著录单元，详见各项说明。

13.0.3　著录用标识符

标识符见第一章1.0.3条款。

著录内容中的标点符号按照中外文各自的书写规则著录。

13.0.4　著录详简级次

13.0.4.1　著录详简级次以主要项目和选择项目为区分依据。

a. 主要项目：题名与责任说明项的正题名、第一责任说明；版本项的版本说明；资源类型与数量项的资源类型；出版、发行项的出版地、出版者、出版年；载体形态项的数量及特定文献类型标识、尺寸、附件；丛编项的丛编正题名、丛编编号；附注；标准编号。

b. 选择项目：一般文献类型标识、并列题名、其他题名信息、其他责任说明；并列版本说明、与本版有关的责任说明、附加版本说明、附加版本说明的责任说明；资源数量；制作地、制作者、制作年；其他形态细节；丛编并列题名、丛编其他题名信息、丛编责任说明、丛编 ISSN；获得方式、限定说明。

13.0.4.2 著录详简级次分为简要级次、基本级次和详细级次。

a. 简要级次著录主要项目。

正题名 / 第一责任说明. -- 版本说明. -- 资源类型. -- 出版地 : 出版者, 出版年. -- 数量及特定文献类型标识 ; 尺寸 + 附件. -- (丛编正题名 ; 丛编号). -- 附注. -- 标准编号

b. 基本级次著录主要项目和部分选择项目。

正题名 [一般文献类型标识] = 并列题名 : 其他题名信息 / 第一责任说明 ; 其他责任说明. -- 版本说明 / 与本版有关的责任说明. -- 资源类型与数量. -- 出版地 : 出版者, 出版年 (制作地 : 制作者, 制作年). -- 数量及特定文献类型标识 : 其他形态细节 ; 尺寸 + 附件. -- (丛编正题名 : 从编其他题名信息 / 丛编责任说明 ; 丛编编号). -- 附注. -- 标准编号(限定说明) : 获得方式(限定说明)

c. 详细级次著录主要项目和全部选择项目。

13.0.5 著录信息源

13.0.5.1 主要信息源

电子资源的主要信息源是电子资源本身。

电子资源的主要信息源取自电子资源内正式出现的信息(如:题名屏幕、主菜单、程序说明、首先显示的信息、主页、包含“主题”行的文件头标或其他突出显示的标识信息等),包括经过解压缩、打印或其他处理的信息。如果在这些信息源中所反映的信息完整程度不同,应优先选用信息最完整的或比较完整的信息源。当内部信息源的信息不充分或不可得时,可以依次选择下列其他信息源:

a. 永久粘贴或印制在电子资源物理载体上的标签。

b. 文献资料、容器或其他附件(如出版者信函)。在使用附件时,应注意区分附件的信息和属于电子资源本身的信息。当容器内有若干电子资源而容器上仅有一个总题名时,应优先选用容器的标签,而不选用容器内各个单独资料的标签。

c. 当电子资源由一个以上物理上独立的部分组成(如由一张光盘和视盘组成的交互式多媒体资源),各部分都有自己的信息源时,应优先选用适合资源整体、包含集合题名的信息源。

d. 当这些来源的信息完整程度不同时,应优先选用信息最完整的或比较完整的信息源。

e. 如果上述信息源未提供必要的信息,则依次选择其他已出版的电子资源的著录信息(如书目数据库、评论)以及其他信息源。

13.0.5.2 规定信息源

电子资源各个著录项目的规定信息源见下表。取自规定信息源之外的著录信息应置于方括号内。

著录项目	规定信息源
题名与责任说明项	内部信息源、物理载体上的标签、说明性资料、容器或其他附件
版本项	记载有版权信息的内部信息源或外部载体
资源类型与数量项	任何信息源
出版、发行项	内部信息源、物理载体上的标签、说明性资料、容器或其他附件
载体形态项	任何信息源
丛编项	内部信息源、物理载体上的标签、说明性资料、容器或其他附件
附注项	任何信息源
标准编号与获得方式项	任何信息源

13.0.6　著录用文字

见第一章 1.0.6 条款。

13.1　题名与责任说明项

目次

序则

正题名

一般文献类型标识 *

并列题名 *

其他题名信息 *

责任说明

无总题名电子资源

(以上标有“ * ”者为选择著录单元)

13.1.0　序则

13.1.0.1　标识符

见第一章 1.1.0.1 条款。

13.1.0.2　结构形式

见第一章 1.1.0.2 条款。

13.1.1　正题名

13.1.1.1 正题名是电子资源的主要题名,具有多种形式。可以包括一般通用术语、责任者名称、缩写词、数字、字母等。

例1: 样本

例2: 黛安·福斯

例3: WTO 协议通

例4: 中文 PowerPoint2002 速成教程

13.1.1.2 正题名是第一个著录单元,即使规定信息源所载责任说明、版本说明、丛编说明、出版发行说明或其他非题名信息等出现于正题名信息源之前,正题名仍然是第一个著录单元。

13.1.1.3 正题名原则上按照规定信息源所载题名著录,对其中有语法关系的标点和起标点作用的空格也应照录。题名中如有方括号应著录为圆括号,无法照录的图形及符号或其他内容,可用相应的文字代替,著录在方括号内,同时在附注项说明。

例1: 文杰——中文字处理软件

例2: 有声·历史评书大系

例3: 小学生造句、写段、写作文

例4: 口琴 田园 诗

例5: 南拳妈妈(…的夏天)

(附注: 盘面标签题名为: 南拳妈妈[…的夏天])

13.1.1.4 规定信息源有多种语言和(或)文字的题名时,优先选择中文题名作为正题名;若只有外文题名,应照录并在附注项著录中译题名。

例1: 罗马帝国沦亡录

(规定信息源上同时还存在英文题名: The fall of Roman Empire)

例2: 睡美人

(规定信息源题英文名: Sleeping beauty)

例3: Intel teach to the future

(附注: 翻译题名: 英特尔未来教育)

例4: Swan Lake

(附注: 翻译题名: 天鹅湖)

13.1.1.5 属于正题名组成部分的责任者名称或题名起首的“最新”、“新编”、“完全”等字样,应如实著录。

例1: 李阳疯狂英语口语速成 MP3

例2: 最新美国口语完全手册

例3: 完全电子舞曲

例4: 新编高考听力测试

13.1.1.6 正题名由两部分组成,每一部分都是完整题名,中间用“原名”、“一名”、“又名”、“或”等连接词连接,第二部分题名为交替题名,应如实著录,连接词前后用逗号标识。

例1: 黑幕背后,又名,花非花

例 2：　天黑请闭眼，一名，杀人游戏

例 3：　地狱之火，又名，警铃

例 4：　野性的呼唤，原名，沙镇的故事

13.1.1.7　正题名由共同题名与从属题名标识和(或)从属题名构成时，应首先著录共同题名，再著录从属题名标识和(或)从属题名。只有从属题名标识或从属题名时，其前用“. ”(句点、空格)标识。如既有从属题名标识又有从属题名时，则其前分别用“. ”(句点、空格)和“, ”(逗号、空格)标识。

例 1：　中国古典文学百部. 二, 禁毁篇

例 2：　十二生肖. 肖马

例 3：　PC 精彩影视. 港台篇

13.1.1.8　若规定信息源上缺少正题名，可根据其他信息源著录，或由编目人员自拟，置于方括号内，并在附注项说明。

例：　[Aleph500 系统中国国家图书馆用户培训录像]

13.1.2　一般文献类型标识

13.1.2.1　一般文献类型标识应著录于正题名后方括号内。著录中文电子资源时，本分则推荐使用的一般文献类型标识为“电子资源”。

13.1.2.2　当在编电子资源由资源主体和其他资源类型的附属部分(如一电子资源附有一手册)组成时，一般文献类型标识仅表示该主要组成部分的类别。

例 1：　八小时精通 Office 应用实例 [电子资源]
(附注：附指导手册)

例 2：　Ycut2002 线切割编程系统 [电子资源]
(附注：附用户指南)

13.1.2.3　著录无总题名电子资源时，应将一般文献类型标识著录于第一个题名之后。

例 1：　网易公司 [电子资源] ; 网易口对口 ; 网易电子杂志

例 2：　又是中秋月儿圆 [电子资源] ; 尚妈妈, 您好

例 3：　建筑经济 [电子资源] ; 工艺标准 / 哈曼 · 美蒂丝著. 结构标准 / 保罗 · 高德波编著

例 4：　著作税 [电子资源] ; 所得税管理 ; 盘存 / 邓 · 根德兰编程

13.1.3　并列题名

13.1.3.1　规定信息源有对应于正题名的另一文种(或语种)题名，可作为并列题名著录于正题名之后(省略一般文献类型标识时)。其前用“ = ”(空格、等号、空格)标识。

例 1：　蝴蝶夫人 [电子资源] = Madame butterfly

例 2：　命运的力量 [电子资源] = La Forza del Destino

13.1.3.2　规定信息源有两种以上文种(或语种)题名，将首先出现的其他文种题名作为并列题名著录在正题名之后，其余可顺序著录或在附注项注明。

例1： 你不孤独［电子资源］ = Du er ikke alene

（附注：英文题名：You are not alone）

例2： 白雪和红玫［电子资源］ = Snow white and rose red

（附注：西班牙文题名：Blancanieves y Rosaroja

荷兰文题名：Schneewittchen und Rosenroth）

13.1.3.3 出现在非规定信息源上与正题名相对应的其他文种题名应在附注项注明。

13.1.4 其他题名信息

13.1.4.1 用来补充、解释或修饰正题名或并列题名等的文字，著录于正题名或并列题名等之后，其前冠“ ：”(空格、冒号、空格)。

例1： WTO美国行［电子资源］：中国入世启示录

例2： 玩学习［电子资源］：三个博士姐妹的家庭教育

13.1.4.2 其他题名信息按规定信息源所题顺序著录于正题名或并列题名等之后。

13.1.4.3 正题名由一组首字母或一个缩略词组成，而其全称形式出现于规定信息源，这一全称形式应著录为其他题名信息。

例： CCED［电子资源］：超级文字处理软件

13.1.4.4 如果正题名含义不清，可自拟说明性短语作为其他题名信息著录在方括号内。

例： 中华人文景观［电子资源］：［摄影图集］

13.1.5 责任说明

13.1.5.1 责任说明包括责任者名称和各种责任方式，一般按规定信息源所题形式著录。第一责任说明著录于题名之后，其前冠“ / ”(空格、斜线、空格)。

13.1.5.2 作家、程序员、主要研究者、画家、作曲家、漫画家等，无论是直接责任者(如软件作者、编者、编纂者、译者、插图者、作曲者)还是间接责任者(如作品所依据的原著者)，均应如实著录。以上责任者还包括作品的改编者、开发者和设计者。

13.1.5.3 著录同一责任方式的多个责任者的数量由编目机构决定，一般不超过三个，除第一个外，其余均用逗号标识；超过三个只著录一个，后用“［等］”表示，其余在附注项说明。

例1： 脑生理与药物影响［电子资源］/ 李志伟，张宝兴编程

例2： 红楼梦［电子资源］：三十六集电视连续剧 /（清）曹雪芹原著 ；王扶林导演 ；欧阳奋强［等］主演

（附注：题名屏幕上的主要演员还有陈晓旭、张莉、邓婕等）

13.1.5.4 著录不同责任方式，一般按规定信息源所题顺序著录，不超过四种，其余可在附注项说明。除第一责任说明外，其他责任说明前冠“ ；”(空格、分号、空格)。

例： 梁山伯与祝英台［电子资源］：小提琴协奏曲 / 何占豪，陈钢作曲 ；盛中国小提琴演奏 ；中央乐团交响乐队协奏 ；李德伦指挥

13.1.5.5 责任者名称前后表示职务、学位、职称、出身、籍贯等字样，无特殊要求可不予著录。

例：　数学最后冲刺［电子资源］/ 陈文灯主讲
（题名屏幕的责任者信息中含“教授”字样，不予著录）

13.1.5.6　规定信息源有古代个人责任者所处朝代（1912 年以前）名称，将朝代简称（见本书附录 2）著录在姓名前圆括号内。僧人责任者的法名原样照录，法名前原题冠“释”字，著录在圆括号内。

例 1：　三国演义［电子资源］：八十四集电视连续剧 /（明）罗贯中原著 ；王扶林总导演

例 2：　中国少林真功夫. 少林通臂拳［电子资源］/（释）德慈讲授 ；（释）行林示范

13.1.5.7　规定信息源有外国责任者国别时，将国别简称（见本书附录 4）著录于汉译姓名前圆括号内；若同时载有汉译姓名和姓名原文，姓名原文著录于汉译姓名后圆括号内。

例：　泰坦尼克号［电子资源］/（加拿大）詹姆斯·卡梅隆（Ames Cameron）导演 ；（美）莱昂纳多· 迪卡普里奥（Leonardo Dicaprio），（英）凯特·温斯莱特（Kate Winslet）主演

13.1.6　无总题名电子资源

13.1.6.1　由两个或两个以上作品组成而无总题名的电子资源，按规定信息源所题顺序依次著录。题名超过三个只著录前三个，未予著录的其他题名和责任者在附注项说明。属于同一责任说明的第二、第三个题名前用“ ; ”（空格、分号、空格），将责任者著录于所有题名之后；属于不同责任说明的第二、第三个题名前用“. ”（句点、空格），将各自责任说明著录于相关题名之后。

例 1：　零点爆破［电子资源］/ 斯蒂芬·霍普金斯导演 ；谢夫·布烈治主演. 紧急迫降 / Mchael Shapiro 导演 ；Paget Brewster 主演

例 2：　核裁军［电子资源］/ 潘维拉编. 和平的政治因素 / 丹尼托夫编

例 3：　Windows 95 命令与函数［电子资源］/ 刘志明编著. FOXPRO2.5 入门指南 / 张舞珍编译 ；刘大同审校

13.2　版本项

目次

序则

版本说明

并列版本说明 *

与本版有关的责任说明 *

附加版本说明 *

附加版本说明的责任说明 *

（以上标有“ * ”者为选择著录单元）

13.2.0 序则

13.2.0.1 标识符

见第一章 1.2.0.1 条款。

13.2.0.2 结构形式

见第一章 1.2.0.2 条款。

13.2.1 版本说明

此项内容一般取自电子资源中记载有完整版权信息的内部信息源(如出版发行屏幕)及外部载体(如出版发行标签)中的版本说明。

13.2.1.1 电子资源的版本说明一般以版次信息与“版”(version)字相结合的术语或以区别其他版本的术语形式(如等级、发行、更新、level、release、update 等)出现。版次信息可能是数字,也可能是字母或其他表达形式(如 A、Ⅲ、β 等)。其中数字一律用阿拉伯数字著录,初版或第一版不予著录。其前用项目标识符。

例 1: . -- 2 版

例 2: . -- 14.2 版

例 3: . -- β 版

例 4: . -- Ver. 1.5

例 5: . -- Release 3

例 6: . -- Update 6

13.2.1.2 电子资源版本说明中的文字信息属于版本标识组成部分的,应作完整的著录。

例 1: BOY Windows 2.0 图标开发工具 [电子资源]. -- 测试 A 版

例 2: 中国企业、公司及产品数据库 [电子资源]. -- 93 中文版

13.2.1.3 电子资源的版本变化,一般涉及到内部信息源知识内容的变化,如内容增删、程序设计语言改变、系统功能与资源效率的改善和升级等,而物理载体、分块记录密度的变化则不构成新版本。若电子资源适用的操作系统或软件平台不同,应视为不同版本。

例 1: 全唐诗 [电子资源] / 青苹果数据中心制作. -- 全文检索版

例 2: 多媒体备课系统 [电子资源] : 课件库. -- 网络版

13.2.1.4 与题名相关的版本说明应在题名部分著录,非规定信息源中出现的版本说明按其文字说明性质著录在相应位置。版本说明属于其他著录项目的组成部分,并按有关规定著录后,本项不再重复著录。

例 1: 文渊阁四库全书电子版 [电子资源]

例 2: 软件百宝囊 media player 8.0 [电子资源]

13.2.2 并列版本说明

规定信息源有多文种版本说明,应著录与正题名文种相同的版本说明。若此规定不适用,应根据规定信息源的版式或顺序著录。如需要,并列版本说明可著录

在版本说明之后，其前用“ = ”（空格、等号、空格）标识。

例： . -- 学生版 = Student' ed.

13.2.3　与本版有关的责任说明

与本版有关的责任说明著录于版本说明或并列版本说明之后，其前用“ / ”（空格、斜线、空格）标识。例如新版资源的审定者、修订者、补充者、附录者等参与该版再创作的责任说明。

例： MIS 信息管理系统［电子资源］/ 通达集团信息中心. -- 微机网络版 / 南方计算机网络工程部

13.2.4　附加版本说明

附加版本说明是指规定信息源中对版本说明的补充说明，其前用“， ”（逗号、空格）标识。

例： . -- 3 版，修订版

13.2.5　附加版本说明的责任说明

附加版本说明的责任说明著录于附加版本说明之后，其前用“ / ”（空格、斜线、空格）标识。

例： . -- 1994 年版，第 3 次更新 / 姚云桥审定

13.3　资源类型与数量项

目次

序则

资源类型

资源数量

13.3.0　序则

电子资源的基本特征包括资源类型的标识和资源数量的信息。

13.3.0.1　标识符

a. 资源类型和资源数量前用“. -- ”（句点、空格、连字符、连字符、空格）。

b. 每一数量说明均置于圆括号内。

在著录每个资源类型标识时，不管是否有资源数量说明，第二资源类型标识之前应冠“和”字。

13.3.0.2　结构形式

. -- 资源类型

. -- 资源类型（资源数量）

. -- 资源类型和资源类型

. -- 资源类型（资源数量）和资源类型（资源数量）

13.3.1 资源类型

资源类型标识是编目机构用于标识文献特定资源类型的名称。这些标识可能出现在规定信息源上;当规定信息源不存在资源类型标识时,应依据著作内容著录,不用方括号。

a. 电子资源由数据组成,编目机构可选择资源类型标识为“电子数据”或“数据”。此外,也可从本章附录中选择特定的数据类型来标识。如这些用语不适合,则可自拟一恰当类型标识,并用“电子”一词予以限定。

例1: . -- 电子数据

例2: . -- 电子文本数据

例3: . -- 电子图像数据

例4: . -- 电子音频数据

例5: . -- 电子地图数据

b. 电子资源由程序组成,编目机构可选择资源类型标识为“电子程序”或“程序”。此外,也可从本章附录中选择特定的数据类型来标识。如这些用语不适合,则可自拟一恰当类型标识,并用“电子”一词予以限定。

例1: . -- 电子实用程序

例2: . -- 电子应用程序

例3: . -- 电子数据库程序

例4: . -- 电子检索程序

例5: . -- 电子字处理程序

例6: . -- 电子操作系统程序

c. 电子资源由数据和程序组成,编目机构可选择资源类型标识为“电子数据和程序”或“数据和程序”。此外,也可从本章附录中选择特定的数据类型来标识。“交互式多媒体”和“联机服务”这类词可以和本章附录中的用词结合使用,也可以单独用作电子资源类型标识。如这些用语不适合,则可自拟一恰当类型标识,并用“电子”一词予以限定。

例1: . -- 电子数据和程序

例2: . -- 电子图像数据和检索程序

例3: . -- 电子文献和字处理程序

例4: . -- 电子交互式多媒体游戏

例5: . -- 电子在线服务

例6: . -- 电子交互式多媒体

13.3.2 资源数量

编目机构可依资源数量信息获得的情况选择著录。如果资源是压缩形式,可以省略该信息。如果资源数量是构成数据或程序内容的文件数时,应注名相应的计量单位。资源数量著录在资源类型标识后,并置于圆括号内。描述资源数量的术语用中文著录。

13.3.2.1　以数据和程序为内容的文件数，用阿拉伯数字著录。

例1：　. -- 电子实用程序(3 个文件)

例2：　. -- 电子文本数据(3 个文件)和检索程序(6 个文件)

13.3.2.2　数据资源可著录记录数和/或字节数，程序资源可著录语句数和/或字节数。当提供文件数时，进一步的数量说明应前冠“ ：”(空格，冒号，空格)。字节数可按信息源出现的不同形式著录(如“兆字节”、“MB”、“Mb”)。源代码语句的程序语言在附注项说明。

例1：　. -- 电子数据(800 条记录 ：1313150 字节)

例2：　. -- 电子系统程序(1 个文件 ：2350 行语句)

例3：　. -- 电子数据(1 个文件 ：3567 字节)和程序(1 个文件 ：1208 行语句)

例4：　. -- 电子文本数据(2 个文件 ：1.6Mb)

13.3.2.3　对于多部分资源，应分别著录每部分的记录数和/或字节数、语句数和/或字节数。如果数量说明庞杂，可将其著录于附注项。

例1：　. -- 电子数据(2 个文件 ：800，1250 条记录，2Mb 字节)

例2：　. -- 电子系统程序(2 个文件 ：1.2，1.5Mb 字节)

例3：　. -- 电子图像数据(7 个文件 ：6700 记录)

例4：　. -- 电子程序(4 个文件)和电子数据(120 个)

13.3.2.4　记录数和/或字节数、语句数和/或字节数可按估计数著录。若无法估计，应在附注项说明。

例1：　. -- 电子数据(约 3000-4000 条记录)

例2：　. -- 电子程序(2 个文件 ：约 3000 行语句)

(附注：文件长度由估计得出)

13.4　出版、发行项

目次

序则

出版地或发行地

出版者或发行者

出版年或发行年

制作地、制作者、制作年 *

(以上标有“ * ”者为选择著录单元)

13.4.0　序则

13.4.0.1　标识符

见第一章 1.4.0.1 条款。

13.4.0.2　结构形式

见第一章 1.4.0.2 条款。

13.4.1 出版地或发行地

13.4.1.1 出版地或发行地是指规定信息源所载出版者或发行者所在的城市名称。其后不著录“市”字。同时载有出版地和发行地,只著录出版地,不著录发行地。

13.4.1.2 规定信息源载有两个出版地或发行地应一并著录,第二个出版地或发行地之前用“ ; ”(空格、分号、空格)标识。三个及其以上出版地或发行地按规定信息源的版式或顺序著录第一个出版地或发行地,后加“[等]”,其余在附注项说明。

例1: . -- 英国 ; 香港 : EMI唱片公司

例2: . -- 广州[等] : 世界图书电子音像出版社

(出版地还有: 北京、上海)

13.4.1.3 出版地或发行地有多种文字,应著录与正题名文种相同的出版地或发行地。若这一规定不适用,按规定信息源所载版式或顺序著录最显著或第一个出版地或发行地。

13.4.1.4 不为人们熟知或重名的出版地或发行地,应在其后附加所属上级行政区划名称(例如省名,国名等)。取自规定信息源的附加名称著录在圆括号内,取自其他信息源的则著录在方括号内。

例: . -- 北海(广西)

13.4.1.5 规定信息源未载明出版地或发行地,应将考证所得出版地著录在方括号内;属于推测著录的出版地,其后加问号,并置于方括号内。

例1: . -- [广州]

例2: . -- [温哥华?]

13.4.1.6 对于无法考证出版地或发行地城市名称的,可著录国家、省或地区名称。

例: . -- 加拿大

(“加拿大”作为出版地出现于规定信息源)

13.4.1.7 规定信息源所载的出版地或发行地有误,应原样照录,同时在附注项说明。

13.4.2 出版者或发行者

13.4.2.1 出版者或发行者著录于出版地或发行地之后,其前用“ : ”(空格、冒号、空格)标识。

13.4.2.2 规定信息源有两个出版者或发行者,应著录于各自出版地或发行地之后。载有三个及其以上出版者或发行者,根据规定信息源版式或顺序著录最显著者或第一个出版者或发行者,其余在附注项说明。

例1: . -- 福州 : 福建电子音像出版社 ; 杭州 : 浙江电子音像出版社

例2: . -- 北京 : 科海电子出版社

(附注: 出版者还有: 中国标准出版社、方圆电子音像出版社)

13.4.2.3 规定信息源所载出版者或发行者有多种文字,应著录与正题名文种相同的出版者或发行者。若此规定不适用,可根据信息源所载版式或顺序著录最显著者或第一个出版者或发行者。

13.4.2.4　规定信息源未载明出版者，可著录发行者，并在其后注明“发行者”字样，置于方括号内。

13.4.2.5　规定信息源未载明出版者或发行者，可注明为“出版者不详”字样或其他文字的对应词，置于方括号内。

例：. -- 香港 : [出版者不详]

13.4.2.6　规定信息源所载出版、发行者有误，依原样照录，同时在附注项说明。

13.4.3　出版年或发行年

13.4.3.1　出版年或发行年著录于出版者或发行者之后，其前用“， ”(逗号、空格)标识。有出版年，不著录发行年，并省略“年”字。

例：. -- 香港 : 鹰牌摩托车会所 : 新新出版社, 1994

13.4.3.2　用公元纪年表示的出版年一律用阿拉伯数字著录；非公元纪年，依原样照录，在其后注明相应的公元纪年，并置于方括号内。

例：. -- 台北 : 草莓出版社, 民国七十二年[1983]

13.4.3.3　规定信息源所载出版年有误，依原样照录，并在附注项说明正确出版年。

13.4.3.4　电子资源无出版年，可著录发行年或版权年，并在其后注明“发行”或“版权”字样，置于方括号内。若出版年、发行年、版权年等均未载明，可著录推测年代，后加问号，置于方括号内。如无法推测或考证，可注明“出版年不详”字样，并置于方括号内。

13.4.3.5　连续出版的多部系列电子资源，应同时著录首部出版日期和末部出版日期，其间用连字符连接。

例：. -- 广州 : 花城出版社, 1990-1993

13.4.3.6　正在出版的多部系列电子资源，可著录首次出版日期，其后用连字符表示。

例：. -- 天津 : 百花文艺出版社, 1994-

13.4.4　制作地、制作者、制作年

13.4.4.1　电子资源未载明出版、发行信息，可用制作地、制作者、制作年替代，著录于出版、发行信息的相应位置，置于圆括号内。

13.4.4.2　当电子资源载有出版、发行信息，又有必要著录制作事项时，制作事项著录于出版、发行事项之后，置于圆括号内。

例：. -- 北京 : 中央音像教材出版社, 1998 (沈阳 : 辽宁电教馆, 1995)

13.5　载体形态项

目次

其他形态细节 *
尺寸
附件
(以上标有“ * ”者为选择著录单元)

13.5.0　序则

本项目用于描述本地存取的电子资源物理载体的形态特征。对于远程访问的电子资源,不予描述载体形态特征。当电子资源包含不同的载体类型(如盒式磁带和光盘、软盘)或不同的尺寸大小(如 12cm 光盘和 9cm 软盘)或不同的输出介质或显示格式时,应重复著录每种不同的物理载体形态特征。

13.5.0.1　标识符

见第一章 1.5.0.1 条款。

13.5.0.2　结构形式

见第一章 1.5.0.2 条款。

13.5.1　数量及特定文献类型标识

本项著录电子资源的构成物理单位和数量,必要时,可附加适当的限定说明。特定文献类型标识,若已在题名与责任说明项著录了一般文献类型标识,可省略“电子”字样。

13.5.1.1　物理载体数量一律用阿拉伯数字著录,并置于特定文献类型标识之前,一般不用单位量词。

例 1： 1 磁盘
例 2： 2 光盘
例 3： 4 磁带

13.5.1.2　特定文献类型标识表明物质载体所属资料类型的特定类别,用编目机构选定的语言文字著录(见本章附录)。

13.5.1.3　特殊光盘格式的标识,可著录于特定文献类型标识之后,并置于圆括号内。如:CD-ROM、CD-I、CD、VCD、DVD、MP3 等。

例 1： 1 光盘(CD-ROM)
例 2： 2 光盘(CD)
例 3： 1 光盘(DVD)

13.5.2　其他形态细节

13.5.2.1　对数量和尺寸以外的其他形态的著录,其前用“ : ”(空格、冒号、空格)标识。若存在两个或两个以上,第二个及以后的其他形态细节前冠逗号。

13.5.2.2　对声音资源或可产生声音的资源,应著录“有声”。声响产生的条件(例如合成器、音频输入模块）著录于附注项。

例：　1 光盘 ：有声

13.5.2.3　电子资源显示两种或多种颜色时，应著录“彩色”。若显示一种颜色（如在暗背景上的白色、绿色或淡绿色），一般不著录“黑白”。对需要显示颜色或产生颜色的硬件（如色卡、彩色监视器），应在附注项说明。

例 1：　3 光盘 ：彩色

例 2：　1 光盘（CD） ：有声，彩色

13.5.3　尺寸

13.5.3.1　电子资源载体的尺寸说明，以 cm（厘米）为单位，不足 1cm 的尾数，按 1cm 计算。尺寸前用“ ； ”（空格、分号、空格）标识。

13.5.3.2　此项著录物理载体本身的尺寸，不考虑盘袋、盘盒等任何容器的尺寸。软盘、光盘或磁带的尺寸应予著录，磁带卷的尺寸有必要可著录其长和宽。

例 1：　1 光盘 ：多媒体 ；12cm

例 2：　1 光盘 ：有声，彩色 ；12cm

a. 著录芯片条的外表长度。

例：　1 芯片条 ：彩色 ；9cm

b. 非标准大小（如 10 ×7cm）的磁带盒，应著录其长和宽；非标准宽度（如 4mm）的磁带，应著录其宽度。

例：　1 盒式磁带 ：彩色 ；19 ×9cm，7mm 宽

13.5.3.3　对于盒装的电子资源（如有一组软盘、光盘及附件），可著录外部容器的尺寸，其后可著录“容器”字样，置于圆括号内。

例：　4 光盘 ：有声，彩色 ；12 ×30 ×42cm（容器）

13.5.3.4　电子资源由多个尺寸不同的同种物理载体组成，可著录最小尺寸和最大尺寸，中间用连字符分开。

例：　2 软盘 ：彩色 ；9-14cm

13.5.4　附件

13.5.4.1　附件是与主体分离并与其结合使用的附加材料，著录于尺寸之后，其前冠“ + ”（空格、加号、空格）。附件说明也可著录于附注项。

13.5.4.2　附件说明可按照电子资源中出现的术语或相应的特定资料标识著录。

例：　1 光盘（CD-ROM） ：有声，彩色 ；12cm ＋ 1 录音带

13.5.4.3　附件本身的载体特征著录于附件之后，并置于圆括号内。

例：　1 软盘 ：彩色 ＋ 教师指导手册（120 页 ；22cm）

13.5.4.4　载体形态项不予著录的远程访问资源，其附件应在附注项注明。

13.6　从编项

目次

序则

从编正题名

从编并列题名 *

从编其他题名信息 *

从编责任说明 *

从编国际标准连续出版物号

从编编号

分丛编

(以上标有“ * ”者为选择著录单元)

13.6.0 序则

13.6.0.1 标识符

见第一章 1.6.0.1 条款。

13.6.0.2 结构形式

见第一章 1.6.0.2 条款。

13.6.1 从编正题名

13.6.1.1 参照本章 13.1.1 条款著录。

例 1: . -- (交互式数字计算机数学模型)

例 2: . -- (MP3 情境剧场系列)

13.6.1.2 当多部分组成的电子资源各部分单独著录时,电子资源的总题名可作为从编正题名著录。

13.6.1.3 由主从编题名和分从编题名组成的从编正题名的著录方式,参照本章 13.6.7 条款著录。

13.6.2 从编并列题名

从编并列题名,一般根据并列题名的有关条款著录(参照本章 13.1.3 条款)。

13.6.3 从编其他题名信息

13.6.3.1 从编其他题名信息只有在认为对识别该从编必要时才予以著录(参照本章 13.1.4 条款著录)。

例: . -- (用词技巧 : 写作和报告)

13.6.3.2 与从编有关的版本说明应作为从编其他题名信息著录。

例: . -- (计算机仿真模型 : 第 2 版)

13.6.4　从编责任说明

当从编责任说明对识别该从编必需时参照本章 13.1.5 条款著录。

例：. --（软件集成 / 美国大学，英语语言学院）

13.6.5　从编国际标准连续出版物号

从编的国际标准连续出版物号（ISSN）著录于正从编名之后，其前冠“，”（逗号、空格），“ISSN”与两组数字之间空一格。

例：. --（现代图书馆论坛，ISSN 0357-1235）

13.6.6　从编编号

13.6.6.1　从编编号按其在资源上出现的形式著录。数字形式的编号应使用阿拉伯数字代替其他数字或文字拼写的数字。

例 1：. --（加拿大游记系列 ; 卷 C）

例 2：. --（DTS 调查报告 ; 2）

13.6.6.2　从编文献连续编号，应著录起迄号码；非连续编号，应以断续形式依次著录。

例 1：. --（Internet 世界 ; vol. 10-13）

例 2：. --（软件大全 ; A，C，M）

13.6.7　分从编

13.6.7.1　由主从编题名和分从编题名组成的从编正题名按共同题名与从属题名组成的正题名形式著录。分从编题名著录于主从编题名之后，其前冠“.”（句点、空格）。

例 1：. --（牛津剑桥口袋书. 百科博览系列）

例 2：. --（数学和科学系列. 概念 ; 2）

13.6.7.2　既有分从编题名标识又有分从编题名时，先著录分从编题名标识，其前冠“.”（句点、空格），后著录分从编题名，其前冠“，”（逗号、空格）。

例 1：. --（国家收入模式. 系列 3，印度尼西亚）

例 2：. --（国画名家教国画系列. 第一辑，现代工笔花鸟画）

13.6.7.3　分从编题名有独立识别意义，将其作为从编正题名著录于从编项，主从编题名著录在附注项。

例：. --（民间剪纸艺术图库）

（附注：主从编题名：芝麻开门系列软件）

13.6.7.4　电子资源如果既有主从编编号又有分从编编号，可将主从编编号著录在附注项。

例 1：. --（中国历代图腾素材大系. 原始篇 ; 1）

（附注：主从编编号：085）

例 2：. --（兄弟姐妹之间. A 系列，年青的兄弟姐妹们 ; 1）

（附注：主从编编号：6）

13.6.7.5　主从编和分从编均有国际标准连续出版物号（ISSN）时，可将主从编的 ISSN 著录于附注项。

13.7 附注项

目次

序则

附注

13.7.0 序则

13.7.0.1 标识符

见第一章 1.7.0.1 条款。

著录内容中标点符号见以下有关条款。

引用文字用引号。

导引词后用冒号。

13.7.0.2 结构形式

见第一章 1.7.0.2 条款

13.7.1 附注

凡未在题名与责任者项、版本项、资源类型与数量项、出版发行项、载体形态项、丛编项、标准书号与获得方式项中著录而又有必要补充说明的内容,均可著录于本项。附注文字应简洁明了,尽可能采用固定导语和规范用语。若有多项附注内容,按下列顺序依次著录。

13.7.1.1 正题名来源附注

本项目对电子资源著录为必备内容,即任何情况下正题名的出处都应著录。

例 1: 题名取自用户指南

例 2: 题名取自盘面标签

例 3: 题名取自包装

例 4: 题名取自标签

例 5: 题名由目录提供

例 6: 题名选自: DUAL 技术文献

13.7.1.2 责任说明附注

著录取自规定信息源之外或未在题名与责任说明项著录的责任说明,或对责任说明的补充说明。

例 1: 与 ChristianKlapisch 合作收集数据

例 2: 程序合作者: 东源软件制作中心 ; 产品销售新时代商业中心

例 3: 演唱者应为臧天朔, 规定信息源误为: 藏天朔

13.7.1.3 资源性质、范围、艺术形式或目的的附注

电子资源所属的种类或其他知识类别应在附注中著录,可前冠导词"电子资源

类型:”。

例1：　交互式惊险游戏

例2：　电子表格,具有文字处理和图形处理能力

13.7.1.4　版本与书目沿革附注

著录版本项的出处,还可以包括远程存取电子资源频繁的内容修改的说明、资源和其他资源的关系和其他版本(包括重版)的细节说明,以及数据内容涵盖的日期、数据收集的日期、补充文件和附件的日期等。

例1：　版本说明取自磁盘标签

例2：　经常更新；最近更新:25/04/2003

13.7.1.5　资源类型与数量项及其他资源特征的附注

包括资源类型和数量的附加信息和其他资源特征的说明。

例1：　文件长度:100,300,500字节

例2：　4个文件长度:分别为600,120000,1613,1000条记录

例3：　文件长度不明

例4：　程序一次处理1-200,000个读者档案

例5：　最大记录长度:3.2KB

例6：　例行程序数:102个

13.7.1.6　出版、发行项附注

著录其他出版者或发行者的细节以及附加年代的说明。

例1：　随书由新华书店发行

例2：　与内容有关的标签由MCD软件协会协助开发和发行

例3：　用户手册由沈阳声像出版发行公司发行

13.7.1.7　系统要求的附注

对所有本地存取的电子资源,必须在附注中说明使用时的系统要求,并在其前冠以“系统要求:”。包括技术说明:机器的名称、型号;内存数量;操作系统的名称;软件要求(含程序设计语言);外部设备;硬件(内部)附件。除第一项外,之后各项前用分号间隔。由两种或多种不同载体组成(如一软盘和一视盘组成的交互式多媒体)时,可分别做附注,概括说明每一物理载体的不同系统特点。

例1：　系统要求:IBM PC或兼容机；128K RAM；MS-DOS；彩色／图形显示器适配卡

例2：　系统要求:APPLE II；48K RAM；DOS 3.3；BSIC；某些程序需要操纵杆

例3：　系统要求:IBM AS/400计算机；12MB RAM；5GB硬盘；需要光笔条形码系统

例4：　系统要求:IBM PC或兼容机；256K RAM；建议配备汉字打印机

例5：　系统要求:CYY专用终端

13.7.1.8　访问方式附注

对所有远程访问的电子资源,必须在附注中说明其访问方法,前冠导词“访问方式:”

例1：　访问方式:World Wide Web. URL:Http://www. un. org

例 2： 访问方式：Internet via ftp://ftp. nevada. eu

例 3： 访问方式：Gopher://gopher. peabody. yale. edu

13.7.1.9 载体形态附注

著录载体形态的补充说明、特殊物理特征的说明，以及远程存取资源的声音或颜色方面的补充说明。如：物理载体变化，获得附加介质、不同机器或系统版本，资料的记录特点，资料容器，某种资料不同类别部分之间，补充附件，远程存取资源发行的资料。

例 1： 可在 14cm 和 9cm 软盘上使用

例 2： 同时发行计算机磁带版

例 3： 附有立体声磁带版

例 4： 包装箱 32×36×16cm

例 5： 用户手册分装于 12 个活页本

例 6： 以电话拨号方式实现远程联机访问，有多媒体和超文本功能

例 7： 命名用 ARPA 网络远程存取模式

例 8： 主机为分时系统

13.7.1.10 内容附注

凡有助于揭示资料特征内容的提要、目次、说明、命名对象以及索引、插页等，予以注明。

例 1： 内容：陷阱和竞猜、怪兽、隐藏的珠宝

例 2： 内容：调查文件 1：成年男性(45-59 岁)；调查文件 2：成年女性(45-59)；调查文件 3：青年男性(14-24 岁)；调查文件 4：青年女性(14-24 岁)。包括：1956-1978 年 50 个州的人口数据。反馈信息：12,000 个公务员的有关数据。

13.7.1.11 远程资源著录信息源附注

远程动态资源著录所依据的版本或发表日期，予以注明。

例 1： 据 1997.10.4.13 :22 :11 版著录

例 2： 据 09/06-96 的主页著录

13.7.1.12 编号附注

除 ISBN、ISRC 和 ISSN 之外的其他编号，予以注明。

例 1： ICPSR 研究编号：0005

例 2： 盘面标签的附加号：A-096

13.7.1.13 适用对象附注

描述文献的使用和适用对象的有关信息。

例 1： 适合 3-6 岁儿童

例 2： 只用于图书馆工作人员

13.7.1.14 其他重要特征附注

除上述附注内容外，凡有必要补充说明的其他内容，均可注明。例如一个本地指定资源的名称或数据集名称、资源内容来源于复制的载体和日期。

例 1： 本地数据集名：RBBIT

例 2：　本地文件名：MENSAT

例 3：　文件于 1985 年 1 月从局域网中复制

13.8　标准编号与获得方式项

目次

序则

标准编号

获得方式和(或)价格 *

限定说明 *

(以上标有“ * ”者为选择著录单元)

13.8.0　序则

13.8.0.1　标识符

见第一章 1.8.0.1 条款。

13.8.0.2　结构形式

见第一章 1.8.0.2 条款。

13.8.1　标准编号

13.8.1.1　电子资源的标准编号(如 ISBN、ISRC)依信息源所提如实著录,并前置相应的“ISBN”、“ISRC”、“ISSN”等。

例 1：　ISBN 7-900107-69-X

例 2：　ISRC CN-F15-99-315-00

13.8.1.2　同时著录整套资源和部分资源的国际标准编号,应先著录整套资源编号,后著录部分资源编号,并用项目标识符标识部分资源编号。

13.8.1.3　标准编号之外的其他编号,可著录于附注项。

13.8.1.4　标准编号有误,应先著录正确号码,后著录错误号码,并在其后用圆括号注明“错误”字样。

例：　ISBN 9-00369-25-2. -- ISBN 9-900369-25-0(错误)

13.8.1.5　电子资源具有多个标准编号,应予著录。每一个标准编号前冠项目标识符。

例：　ISBN 0-13-942012-6(软盘). -- ISBN 0-13-942004-5(卡式磁带)

13.8.2　获得方式和(或)价格

获得方式和价格,如实著录在标准编号之后,价格用阿拉伯数字和官方标准币制符号一并著录,保留小数点两位。

例 1：　: 非卖品

例 2：　: CNY125.00

例 3：　: USD25.00

13.8.3　限定说明

标准编号或获得方式之后的附加限定说明,著录于圆括号内。

例1: ISBN 0-13-942012-6(软盘)

例2: UKP1.00(会员 UKP0.50)

附录:

附表1:资源类型标识(如果著录了一般文献类型标识,可以省略“电子”一词)

电子数据	电子程序
电子字形数据	电子应用程序
电子图像数据	电子计算机辅助设计程序
电子数字数据	电子数据库程序
电子人口调查数据	电子桌面排版程序
电子测量数据	电子游戏
电子地图数据	电子表格程序
电子音频数据	电子字处理程序
电子文本数据	电子系统程序
电子书目数据库	电子操作系统程序
电子数值数据	电子程序语言程序
电子文献数据	电子检索程序
电子杂志	电子实用程序
电子新闻通讯	
电子数据和程序	
电子交互式多媒体	
电子联机服务	

附表2:特定文献类型标识

电子芯片	电子盒式磁带
电子磁盘	电子磁带卷
电子光盘	

第十四章　手　稿

14.0　通则

14.0.1　适用范围

本章适用于著录手稿(含书札、题词及 1911 年以后的稿本、日记等)原件。

14.0.2　著录项目

著录项目分为下列八项:

题名与责任说明项

版本项

文献特殊细节项 * *

出版、发行项(日期项)

载体形态项

丛编项

附注项

标准编号与获得方式项 * *

上述每一项目含一个或若干个著录单元。详见以下各项说明。

(以上标有" * * "者为不适用项目)

14.0.3　著录用标识符

标识符见第一章 1.0.3 条款。

中外文著录内容中标点符号按照各自的书写规则著录。

14.0.4　著录详简级次

14.0.4.1　著录详简级次以主要项目和选择项目为区分依据。

a. 主要项目:题名与责任说明项的正题名、其他题名信息、第一责任说明、其他责任说明;版本项的版本说明、附加版本说明;日期项;载体形态项的数量及特定文献类型标识、附件;附注。

b. 选择项目:一般文献类型标识、并列题名;其他形态细节、尺寸;丛编项。

14.0.4.2　著录详简级次分为简要级次(或称第一级次)、基本级次(或称第二级次)和详细级次(或称第三级次)。

a. 简要级次著录主要项目。

连续著录格式:

正题名 ：其他题名信息 / 第一责任说明 ；其他责任说明. -- 版本说明，附加版本说明. -- 日期. -- 数量及特定文献类型标识 + 附件. -- 附注

分段著录格式：

正题名 ：其他题名信息 / 第一责任说明 ；其他责任说明. -- 版本说明，附加版本说明. -- 日期

数量及特定文献类型标识 + 附件

附注

b. 基本级次著录主要项目和部分选择项目。

连续著录格式：

正题名［一般文献类型标识］= 并列题名 ：其他题名信息 / 第一责任说明 ；其他责任说明. -- 版本说明，附加版本说明. -- 日期. -- 数量及特定文献类型标识 ：其他形态细节 ；尺寸 + 附件. -- 附注

分段著录格式：

正题名［一般文献类型标识］= 并列题名 ：其他题名信息 / 第一责任说明 ；其他责任说明. -- 版本说明，附加版本说明. -- 日期

数量及特定文献类型标识 ：其他形态细节 ；尺寸 + 附件

附注

c. 详细级次著录主要项目和全部选择项目。

14.0.4.3 国家手稿书目和全国手稿联合编目一般采用详细级次;其他类型手稿目录的著录详简级次可根据手稿收藏机构的类型、规模以及用户的检索需求作出选择。

14.0.5 著录信息源

14.0.5.1 主要信息源

手稿的首尾页及整体为主要信息源。

14.0.5.2 规定信息源

手稿各个著录项目的规定信息源及其选取的先后顺序如下表。取自规定信息源之外的著录信息置于方括号内,并在附注项说明。

著录项目	规定信息源
题名与责任说明项	首页、尾页及其他部分
版本项	手稿整体
日期项	手稿整体
载体形态项	手稿整体
丛编项	手稿整体
附注项	任何信息源

14.0.5.3 规定信息源提供的信息不足,可以查考有关资料著录,并在附注项说明出处。

14.0.5.4　规定信息源提供的信息不足，有关资料亦无可靠信息，可经鉴别考证，自拟著录内容，并在附注项说明。

14.0.6　著录用文字

14.0.6.1　中文手稿著录使用规范的简化字。
14.0.6.2　我国少数民族文字和外国文字的手稿可使用汉字或依原件文字著录。
14.0.6.3　著作日期及载体形态的数量、尺寸均用阿拉伯数字著录。

14.1　题名与责任说明项

目次

序则
正题名
一般文献类型标识 *
并列题名 *
其他题名信息
责任说明
无总题名手稿
（以上标有“ * ”者为选择著录单元）

14.1.0　序则

14.1.0.1　标识符

见第一章1.1.0.1条款。
著录内容中标点符号见以下有关条款。

14.1.0.2　结构形式：

见第一章1.1.0.2条款。

14.1.1　正题名

14.1.1.1　正题名一般依手稿首页原题著录。

例1：　广义政治经济学
例2：　为《新文学大系》作序
例3：　最少的“干扰”
例4：　语文影之一、二、三
例5：　谁引导我们到战斗的路上？
例6：　K展空间的画法直射的推广
例7：　培养独立思考能力的主要关键——为祖国建成社会主义而学习

14.1.1.2　规定信息源中均未提供题名，亦未见著于其他资料，可根据手稿中的内容和著者情况拟定正题名,置于方括号内,并在附注项说明有关情况。

a. 日记手稿无题名,可著录为"×××日记";日记作者姓名使用规范人名。

例:[朱希祖日记]

b. 书札手稿无题名,可著录为"致×××的信";收信人姓名使用规范人名。原信称谓在附注项说明。

例:[致郑振铎的信]

(原件题:西谛先生)

14.1.2 一般文献类型标识

见第一章 1.1.2 条款。

14.1.3 并列题名

14.1.3.1 规定信息源有意义相同的两种或两种以上文种题名,未被著录为正题名的其他文种题名应作为并列题名著录于正题名之后,其前用" = "(空格、等号、空格)标识。

例: 生药学 = 生薬学

14.1.4 其他题名信息

14.1.4.1 手稿题名后有说明性文字,依原文著录,其前用" : "(空格、冒号、空格)标识。

例1: 发起联省会议宣言 : 代赵恒惕拟稿

例2: 红手帕 : 三幕十场歌剧

14.1.4.2 手稿卷数应著录于题名之后。

例: 沈下贤文集 : 十二卷

14.1.4.3 手稿首页所题书写时间可著录于题名之后。

例1: [朱希祖日记] : 1908

例2: 古双声说 : 丁未

例3: 致曹靖华的信 : 1935.3.17

14.1.4.4 手稿题名后的说明性文字前有"——"的,在不影响题名含义前提下可改用" : "(空格、冒号、空格)著录。

例: 更深刻地熟悉生活 : 纪念毛主席在延安文艺座谈会上的讲话发表廿年

(手稿原题:更深刻地熟悉生活——纪念毛主席在延安文艺座谈会上的讲话发表廿年)

14.1.5 责任说明

手稿的责任者包括著者、译者、校注者、辑录者等。责任者名称、朝代国别及其责任方式均依手稿原件所题文字及其顺序著录。

14.1.5.1 责任者时代、国别

a. 卒于1912年以前的中国责任者朝代简称(见本书附录2)依手稿原题文字著录在责任者名称前。

例1：　/(清)李慈铭撰

例2：　/(清释)彻纲等著 ; 陈垣注

例3：　/(元)张德辉辑

b. 外国责任者国别(见本书附录4)依手稿原题文字著录在责任者姓名前。

例1：　/(意)艾儒略述

例2：　/(英)休来忒著 ; 林纾,毛文钟译

例3：　/(美)惠而东夫人著 ; 林纾,毛文钟译

例4：　/(俄)托尔斯泰著 ; 林纾,陈家麟译

c. 手稿原件所题没有责任者朝代、国别的,责任者名称照录。

例1：　/ 室利阿罗频多撰 ; 徐梵澄述

例2：　/ 徐光启

例3：　/ 石田幹之助

例4：　/ 巴尔扎克著 ; 傅雷译

例5：　/ 至善编

14.1.5.2　责任者名称

a. 责任者名称以规范人名著录,其笔名、别名、字、号或其他姓名在附注项注明。

b. 手稿中未记载撰、译者,可根据有关资料考证著录,置于方括号内。

例：　/ 托尔斯泰著 ; [刘辽逸译]

c. 手稿著者没有汉译名的,责任者名称依原文著录。

例1：　/ M. L. Earla 编注 ; 罗念生译

例2：　/(英)Lytton Strachey 著 ; 卞之琳译

14.1.5.3　责任方式

a. 责任方式以手稿所题著作形式著录。手稿著作责任方式主要有：

文字手稿责任方式:著、撰;

图像手稿责任方式:绘、摹;

其他手稿责任方式:译、题、校注、辑录等。

b. 手稿中未记载责任方式,可省略,或根据手稿内容自拟著录。

14.1.6　无总题名手稿

14.1.6.1　责任者相同的几种手稿被组合在一起,没有总题名,依次著录各手稿的题名,其间以“ ; ”(空格、分号、空格)分隔,最后著录责任说明。题名超过三个只著录前三个,未予著录的其他题名和责任者在附注项说明。

例：　范子计然 ; 魏朗子 ; 任奕子 / 鲁迅校录

(合订手稿还有:志林 ; 广林 ; 释滞 ; 释疑 ; 通疑 / 鲁迅校录)

14.1.6.2　责任者不同的几种手稿组合在一起,没有总题名,依次著录各手稿的题名及其责任说明,其间以“. ”(句点、空格)分隔。

例： 覆一个青年读者／丁玲著. 略谈反映工厂／周立波著

14.2 版本项

目次

序则

版本说明

附加版本说明

14.2.0 序则

14.2.0.1 标识符

见第一章1.2.0.1条款。

著录内容中标点符号见以下有关条款。

14.2.0.2 结构形式

见第一章1.2.0.2条款。

14.2.1 版本说明

14.2.1.1 本项著录手稿的版本类型,其前用项目标识符。

例1： . -- 草稿本

例2： . -- 稿本

例3： . -- 誊清稿本

14.2.2 附加版本说明

14.2.2.1 手稿的修改、增删等加工次数著录于版本类型之后,其前用“， ”(逗号、空格)标识。

例： . -- 稿本, 2稿

14.2.2.2 手稿的用纸质地类型著录于版本类型之后。

例： . -- 稿本, 毛边纸

14.2.2.3 手稿的用笔情况著录于版本类型之后。

例1： . -- 稿本, 钢笔

例2： . -- 稿本, 圆珠笔

14.3 文献特殊细节项

本项不适合手稿著录。

14.4 出版、发行项(日期项)

目次

序则
著作日期

14.4.0　序则

14.4.0.1　标识符

本项目前用“. -- ”(句点、空格、连字符、连字符、空格)。

14.4.1　著作日期

本项著录手稿(含日记、书札等)的写作时间(年、月、日)。

14.4.1.1　手稿记载的作品完成时间,依原时间规范著录。

例1：. -- 1932.6.15

例2：. -- 1961

例3：. -- 1948.6
(原题为“四八年六月”)

例4：. -- 1939.4.13
(原题为“廿八年四月十三”)

例5：. -- 1950.1.1
(原题为“五零年元旦”)

14.4.1.2　手稿记载的作品完成时间使用中国传统记时法的,应根据有关工具书查考出公历时间著录,原题时间称谓在附注项说明。

例：. -- 1985.4.5
(原题为“八五年清明”)

14.4.1.3　手稿记载的作品完成时间有年,无月日的,依原题年份著录。

例：. -- 1989
(原题为“八九年”)

14.4.1.4　书札一般只记录写作日期的月日而不写年,可根据有关资料考订出写作年代的,依考订结果著录,并在考证部分加方括号。

例：. -- [1929].11.6

14.4.1.5　手稿中记载有一个以上写作时间时,依最后一个时间著录,其他信息可在附注项说明。

例：. -- 1979.2.19
(原题“1978 年 4 月 23 日完稿,5 月 7 日修改,1979 年 2 月 19 日定稿”)

14.4.1.6　手稿未记载写作时间,可根据有关资料考订其写作年代者,依考订结果著录,并加方括号。

例：. -- [193-?]

14.4.1.7　手稿未记载写作时间,又无从考证者,可省略不予著录。

14.5 载体形态项

目次

(以上标有“ * ”者为选择著录单元)

14.5.0 序则

14.5.0.1 标识符

见第一章 1.5.0.1 条款。

著录内容中标点符号见以下有关条款。

14.5.0.2 结构形式

见第一章 1.5.0.2 条款。

14.5.1 数量及特定文献类型标识

本项著录手稿的张数、册数、叶数、页数、轴数等数量及计量单位。

14.5.1.1 大幅手稿散页和照片著录张数。

例： 48 张

14.5.1.2 装订成册的手稿著录册数。

例： 2 册

14.5.1.3 普通散叶未装订的手稿著录叶数。

例： 106 叶

14.5.1.4 双面有字并均编有页码的手稿著录页数。

例： 359 页

14.5.1.5 装裱成轴的手稿著录轴数。

例： 1 轴

14.5.2 其他形态细节

本项著录手稿的插图、色彩等载体形态特征,其前用“ : ”(空格、冒号、空格)标识。

例 1： : 插图,彩色

例 2： : 图,肖像

14.5.3 尺寸

本项著录手稿外形的实际尺寸,先高后宽,其间加乘号,计量单位为 cm(厘米)，不足 1cm 的余数按 1cm 计算。

例：　; 26 ×20cm

14.5.4　附件

附件著录于尺寸之后，其前用“ + ”(空格、加号、空格)标识。如有必要，附件名称后可著录附件的数量，置于圆括号内。

例：　+ 卡片(10 张 ; 8 ×12cm)

14.6　从编项

手稿暂无此项内容，需要著录时见第一章 1.6 有关条款。

14.7　附注项

目次

序则

附注

14.7.0　序则

14.7.0.1　标识符

见第一章 1.7.0.1 条款。

引用文字用引号。

导引词后用冒号。

著录内容中标点符号见以下有关条款。

14.7.0.2　结构形式

见第一章 1.7.0.2 条款。

14.7.1　附注

本项对题名与责任说明、版本、著作日期、载体形态等著录项目未详或不甚明确者加以补充说明，按大项顺序著录。

14.7.1.1　对题名与责任说明的有关情况予以补充说明。

a. 对题名著录作补充说明。

例：　原件题：汝珍兄

(此为书札所题称谓，题名与责任说明项已著录为：致曹靖华的信)

b. 对责任说明著录作补充说明。

例 1：　原件署名郭源新

(此为郑振铎手稿，题名与责任说明项已著录为：郑振铎著)

例 2：　预勾即雨果

(题名与责任说明项：双雄义死录 / (法)预勾著 ; 林纾，毛文钟译)

例3： 赵尊岳（1898－1965），字叔雍，别号珍重阁、高梧轩，是清末民初大词人临桂况周颐的弟子，抗战中曾投靠汪伪政权。1950 年到香港定居，1958 年应新加坡大学聘任教授国学，1965 年病故于新加坡。对词学有很深的造诣。（题名与责任说明项：高梧轩诗 ：九卷 / 赵尊岳著）

14.7.1.2 对手稿原件比较复杂的书写方式予以补充说明。

例： 圆珠笔手书原件，其中有他人钢笔代抄

14.7.1.3 对手稿的出版、发表情况及收在何种文集等情况予以补充说明。

例1： 已收入《且介亭杂文二集》

例2： 后收入《随想录》第九十一

14.7.1.4 原件用纸有明确文字标志的，依原件所题著录。原件用纸文字标志不完整的，其用纸补充文字著录于圆括号内。

例1： 戏剧学院稿纸

例2： 励耘书屋稿纸

例3： 北京图书馆（稿纸）

14.7.1.5 对手稿写作完成时所记录的写作地名依原题著录。

例1： 北京

例2： 北平

例3： 写于北京清华园

例4： 宣武医院四楼四四一室

14.7.1.6 对手稿载体形态方面的特殊信息予以补充说明。

例1： 带镜框

例2： 带信封

14.7.1.7 对手稿上的印章文字予以补充说明。

例1： 钤“福建长乐郑振铎藏书”印

例2： 钤“潍县刘阶平之版权证”方印

14.7.1.8 对手稿内容（如子目、篇章等）予以补充说明。

例： 子目：梦 ；爱之神 ；桃花 ；他们的花园 ；人与时 ；渡河与引路 ；杂语 ；流言和谎话 ；集外集拟目

14.7.1.9 对手稿的装订形式予以补充说明。

a. 未经装订的散叶手稿，著录为“散页”。

b. 经装裱有轴的整幅手稿，著录为“卷轴装”（分横轴装、立轴装）。

c. 经装订成册的手稿，按其实际形式著录为“经折装”、“毛装”、“线装”、“精装”、“平装”等。

e. 装订形式不易确定的手稿原件，说明其装订的实际情况。

例1： 全部手稿部分为散页，部分用曲别针别，部分用棉线订在一起

例2： 用订书钉装订

14.7.1.10 对手稿装订形式方面的特殊情况予以补充说明。

例1： 学生练习本

例2： 用日记本书写

14.7.1.11 其他附注

对手稿的其他情况予以补充说明,如关于手稿的可参看文献以及手稿的文物定级情况等。

14.7.1.12 提要

a. 提要著录于附注之末。

b. 提要根据手稿的内容和(或)形式特征简要著录。

14.7.1.13 所编复本附注

本项著录所编手稿流传、收藏过程中新产生各项特征的补充说明。

a. 对手稿载体的实际形态予以补充说明。

例 1： 有残缺

例 2： 虫蛀较严重

b. 对手稿的采访信息(如获得方式、估价、竞买价格等)予以说明。

例 1： 估价 12000 元

例 2： 2003.10 周而复无偿捐赠

例 3： 2002.7.14 中国书店拍卖会购得，价格 5000 元

例 4： 2004.6《文献》杂志编辑部移交

例 5： 2003.3 王小明有偿转让，价格 1500 元

14.8 标准编号与获得方式项

本项不适合手稿著录。

14.9 手稿复制品的著录

手稿复制品包括静电复制、照像复制、珂罗版复制等各种形式的复制品。复制品的著录依据是复制品本身,有关原手稿的信息按著录事项的顺序著录于同一条附注中。

第十五章　综合著录与分析著录

15.0　通则

15.0.0　制定本规则的目的及其原则

综合著录是对一部文献或一组(套)文献进行整体描述,形成综合款目的著录方法。分析著录是在综合著录的基础上,对文献的组成部分进行独立描述,形成分析款目的方法。

本章结合文献编目的实际需求,按照丛编与多卷书、无总题名文献、汇编文献三种文献类型,对每一种类型的文献进行基本著录和分析著录,或综合著录和分析著录。

15.0.1　适用范围

本章适合对丛编与多卷书、无总题名文献、汇编文献在基本著录的基础上进行综合著录及分析著录。

各个编目机构采用哪一种著录方法,可自行选择。

本章适合于各种文献类型。

15.0.2　著录项目

见第一章 1.0.2 条款。

15.0.3　著录标识符

见第一章 1.0.3 条款。

15.0.4　著录详简级次

见第一章 1.0.4 条款。

15.0.5　著录信息源

参见各章节的 ×.0.5 条款。

15.0.6　著录用文字

见第一章 1.0.6 条款。

15.1　丛编与多卷书、多层文献综合著录与分析著录

15.1.0　序则

专著丛编或多卷书(部分)文献可采用综合著录和分析著录两种方法。

综合著录是将丛编或多卷书(部分)文献进行整体(套)著录,将其组成部分著录在附注项的子目中。

分析著录是将丛编或多卷书(部分)文献某一组成部分进行完整著录,形成分析款目,将其丛编题名与其他细节著录于丛编项中。

15.1.1　结构形式

综合著录款目:

正题名[一般文献类型标识] = 并列题名 : 其他题名 / 第一责任说明 ; 其他责任说明. -- 版本说明 / 与本版有关的责任说明. -- 文献特殊细节. -- 出版地 : 出版者, 出版日期 (印制地 : 印制者, 印制日期)

数量及特定文献类型标识 : 其他形态细节 ; 尺寸 + 附件. --(丛编正题名 : 丛编其他题名信息 / 丛编责任说明 ; 丛编编号)

附注

子目:

编次, 题名 / 责任者

编次, 题名 / 责任者

编次, 题名 / 责任者

……

标准编号(限定说明) : 获得方式

分析著录款目:

正题名[一般文献类型标识] = 并列题名 : 其他题名 / 第一责任说明 ; 其他责任说明. -- 版本说明 / 与本版有关的责任说明. -- 文献特殊细节. -- 出版地 : 出版者, 出版日期 (印制地 : 印制者, 印制日期)

数量及特定文献类型标识 : 其他形态细节 ; 尺寸 + 附件. --(丛编正题名 : 丛编其他题名信息 / 丛编责任说明 ; 丛编编号)

附注

标准编号(限定说明) : 获得方式

15.1.2　专著丛编

专著丛编文献的综合著录,是对文献的整体(套)著录,并将其组成部分以“子目”或一般列举形式著录在附注项。为深入揭示专著丛编中的单册文献信息,可以采取分析著录,对每一种单册文献制作款目。

例1:

综合著录

二十一世纪图书馆学丛书 / 丘东江主编. -- 北京 : 华艺出版社, 2002

11 册 ; 21cm

子目:

1. 知识管理的理论与实践 / 李华伟等著
2. 国际图联(IFLA)与中国图书馆事业(上下) / 丘东江等编著
3. 元数据导论 / 刘嘉著
4. 未来网络的基石技术——XLM 的理论与应用 / 孙承鉴监修
5. Z39.50 的原理、应用与技术 / 金培华等编著
6. OCLC——全球在线计算机图书馆中心 / 吴建中,吴建明主编
7. 虚拟图书馆的昨天、今天和明天
8. 国际标准书目著录(ISBD)(上下) / 吴龙涛等译
9. 国外图书馆学重要著作选译 / 刘嘉等编译

分析著录

国外图书馆学重要著作选译 / 刘嘉等编译. -- 北京 : 华艺出版社, 2002

218 页 ; 21cm. --(二十一世纪图书馆学丛书 / 丘东江主编)

ISBN 7-80142-371-2 : CNY22.80

分析著录

Z39.50 的原理、应用与技术 / 金培华等编著. -- 北京 : 华艺出版社, 2002

347 页 ; 21cm. --(二十一世纪图书馆学丛书 / 丘东江主编)

ISBN 7-80142-373-9 : CNY25.80

例 2:

综合著录

计算机 电子商务系列 [图书] / [全国高等商科学科建设指导组编写]. -- 北京 : 中国商业出版社, 2000

5 册 ; 24cm

高等商科教材 高等职业技术教材

本丛书包括:《VisualFoxPro 基础教程》、《计算机应用基础》、《C 语言程序设计基础》、《Internet 应用技术教程》、《电子商务知识与技术》5 册。

分析著录

计算机应用基础 [图书] / 李龙景主编. -- 北京 : 中国商业出版社, 2000

266 页 ; 24cm. --(计算机 电子商务系列)

高等商科教材 高等职业技术教材

ISBN 7-5044-3931-2 : CNY25.50

分析著录

C 语言程序设计基础 [图书] / 姜武中主编. -- 北京 : 中国商业出版社, 2000

258 页 ; 24cm. --(计算机 电子商务系列)

高等商科教材 高等职业技术教材

ISBN 7-5044-3932-0 ：CNY24.00

15.1.3　多部分专著

多部分专著的著录方法与丛编著录的方法相同，在著录时要确立多部分的层次关系。

例：

综合著录

胡雪岩全传 / 高阳著. -- 2 版. -- 北京 ：中国友谊出版公司，1992
5 册 ；20cm

分析著录

平步青云 / 高阳著. -- 2 版. -- 北京 ：中国友谊出版公司，1992
3 册(1193 页) ；20cm. --（胡雪岩全传 ；第 1 集）
ISBN 7-5057-0406-7 ：CNY17.00

分析著录

红顶商人 / 高阳著. -- 2 版. -- 北京 ：中国友谊出版公司，1992
391 页 ；20cm. --（胡雪岩全传 ；第 2 集）
ISBN 7-5057-0407-9 ：CNY7.60

分析著录

灯火楼台 / 高阳著. -- 2 版. -- 北京 ：中国友谊出版公司，1992
252 页 ；20cm. --（胡雪岩全传 ；第 3 集）
ISBN 7-5057-0408-7 ：CNY4.80

15.1.4　多层文献

15.1.4.0　序则

本规则适用著录各种载体的整套文献（第一层或高层），以及所有组成部分的多层（第二层、第三层直至底层）的著录。第一层或高层次著录整部文献信息，第二层著录整部文献所包括的各个部分，如果各部分又分为多个部分，则在第三层次以下依次著录各部分信息。

采取多级著录方法，对文献的多层级分别著录。款目既包括各个部分所共有的总题名，还有各自部分的题名。

15.1.4.1　结构形式

见本章 15.1.1 条款。

15.1.4.2　多层级文献

多层级文献，一般为主丛编、分丛编与个别著作的层级关系，第一级包含所有的第二级，第二级包含所有的第三级。在对多层文献著录时可根据文献实际的层次情况,一般自上而下对各层级逐一进行著录,下一层次隶属于上一层次,也可以底层直接制作款目,在丛编项反映隶属的各个层次。

例1:

第一级(高层综合著录)

一品管理智慧. -- 北京 : 机械工业出版社, 2003-

-册

子目:

(略)

第二级(中间层综合著录)

企业管理智囊库丛书. -- 北京 : 机械工业出版社, 2003-

-册. --(一品管理智慧)

子目:

(略)

第三级(底层分散著录)

100个成功的资本运营 / 方明编著. -- 北京 : 机械工业出版社, 2003

450页 ; 21cm. --(一品管理智慧. 企业管理智囊库丛书)

ISBN 7-111-11996-7 : CNY32.00

例2:

第一级(高层综合著录)

摇钱树[图书]. -- 石家庄 : 河北科学技术出版社, 2002-

-册 ; 19cm

第二级(中间层综合著录)

农村百事指南丛书[图书]. -- 石家庄 : 河北科学技术出版社, 2002-

-册 ; 19cm. --(摇钱树)

子目:

农村应用文 / 任振焦主编

农村常见病防治 / 刘建平等编

农家用药常识 / 刘启权等编

农村家庭护理 / 胡彦琴等[编]

第三级(底层分散著录)

农村家庭护理[图书] / 胡彦琴等[编]. -- 石家庄 : 河北科学技术出版社, 2002

286页 ; 19cm. --(摇钱树. 农村百事指南丛书)

本书详尽描述了护理科学知识,涉及内、外、妇、儿各专科,重点阐述了100余种常见病、多发病的保健调护知识和点揉按摩保健手法。

ISBN 7-5375-2651-6 : CNY14.40

第三级（底层分散著录）

农村常见病防治［图书］/ 刘建平等［编著］. -- 石家庄 : 河北科学技术出版社, 2002

294 页 ; 19cm. --（摇钱树. 农村百事指南丛书）

该书包括内、外、妇、儿、皮肤、男性病等各科常见疾病的临床常见症状、常用治疗药物、灵便验方、饮食及日常生活中应该注意的问题等内容。

ISBN 7-5375-2649-4 : CNY14.70

15.1.4.3　多部分与多级专著

不规则的多部分与多级文献，不是严格的第一级包含所有的第二级，第二级包含所有的第三级。在采取多级分析著录时，要著录其每一层级的关系和所含文献的册数。

例 1：

第一级（高层综合著录）

姚雪垠书系 / 俞汝捷，姚海天主编. -- 北京 : 中国青年出版社, 1999-2000

22 册 ; 20cm

ISBN 7-5006-4010-2（精装）: CNY980

第二级（中间层分层著录）

李自成 / 姚雪垠著. -- 北京 : 中国青年出版社, 1999

10 册 : 照片 ; 20cm. --（姚雪垠书系. 1-10）

ISBN 7-5006-3540-0（精装）: CNY280

第三级（底层分散著录）

潼关南原大战 / 姚雪垠著. -- 北京 : 中国青年出版社, 1999

577 页 : 照片，肖像，插图 ; 20cm. --（姚雪垠书系. 李自成 ; 1）

ISBN 7-5006-3540-0（精装）: CNY280（全套）

第三级（底层分散著录）

商洛壮歌 / 姚雪垠著. -- 北京 : 中国青年出版社, 1999

561 页 : 照片，肖像，插图 ; 20cm. --（姚雪垠书系. 李自成 ; 2）

ISBN 7-5006-3540-0（精装）: CNY280（全套）

15.1.4.4　多卷多层次文献

专著文献既是多卷，同时又含多层级。在多层级著录时，要把握每一层级的表现形式，确定层级关系。

例 1：

第一级（高层综合著录）

一代风流 / 欧阳山著. -- 广州 : 广东人民出版社, 1959-1985
5 册 ; 20cm
子目:
第一卷, 三家巷. -- 1959. -- 402 页. -- CNY0.92
第二卷, 苦斗. -- 1962. -- 408-833 页. -- CNY1.00
第三卷, 柳暗花明. -- 1981. -- 835-1269 页. -- CNY1.15
第四卷, 圣地. -- 1981. -- 1270-1677 页. -- CNY1.15
第五卷, 万年青. -- 1985. -- 1678-2108 页. -- CNY2.20

第二级(底层分卷分散著录)
三家巷 / 欧阳山著. -- 广州 : 广东人民出版社, 1959
402 页 ; 20cm. -- (一代风流 ; 第 1 卷)
CNY0.92

第二级(底层分卷分散著录)
苦斗 / 欧阳山著. -- 广州 : 广东人民出版社, 1962
408-833 页 ; 20cm. -- (一代风流 ; 第 2 卷)
CNY1.00

第二级(底层分卷分散著录)
柳暗花明 / 欧阳山著. -- 广州 : 广东人民出版社, 1981
835-1269 页 ; 20cm. -- (一代风流 ; 第 3 卷)
CNY1.15

第二级(底层分卷分散著录)
圣地 / 欧阳山著. -- 广州 : 广东人民出版社, 1981
1270-1677 页 ; 20cm. -- (一代风流 ; 第 4 卷)
CNY1.15

第二级(底层分卷分散著录)
万年青 / 欧阳山著. -- 广州 : 广东人民出版社, 1985
1678-2108 页 ; 20cm. -- (一代风流 ; 第 5 卷)
CNY2.20

例 2:
第一级(高层综合著录)
世界文明史 / (美)威尔·杜兰(Will Durant)著 ; 幼狮文化公司编译. -- 台北 : 幼狮文化公司, 1978
38 册 ; 21cm

含索引
ISBN 957-530-626-0(平装)

第二级(中间层综合著录)
拿破仑时代 / (美)威尔·杜兰(Will Durant)著 ; 幼狮文化公司编译. -- 台北 : 幼狮文化公司, 1978
4 册 ; 21cm. -- (世界文明史. 第十一卷)
含索引
ISBN 957-530-664-3(平装)

第三级(底层分散著录)
拿破仑与欧陆 / (美)威尔·杜兰(Will Durant)著 ; 幼狮文化公司编译. -- 台北 : 幼狮文化公司, 1978
345 页 ; 21cm. -- (世界文明史. 第十一卷, 拿破仑时代 ; 3)
含索引
ISBN 957-530-664-3(平装) : TWD250.00

15.2　无总题名文献基本著录与分析著录

15.2.0　序则

无总题名文献是由两种或两种以上著作组成,一般有两种类型:相同作者的作品合订,没有总题名;不同作者的作品合订,没有总题名。著录无总题名文献可采取基本著录或分析著录。在基本著录时,把无总题名文献作为一个款目,一般按照规定信息源所题顺序依次著录,题名超过三个只著录前三个,未著录的其他题名和责任者在附注项说明。在分析著录时,将每一种著作逐一作分析著录。

15.2.1　无总题名文献著录结构形式

a. 相同责任说明基本著录款目

第一个题名［一般文献类型标识］; 第二个题名 ; 第三个题名 / 第一责任说明 ; 其他责任说明. -- 版本说明 / 与本版有关的责任说明. -- 文献特殊细节. -- 出版地 : 出版者, 出版日期 (印制地 : 印制者, 印制日期)
数量及特定文献类型标识 : 其他形态细节 ; 尺寸 + 附件. -- (丛编正题名 : 丛编其他题名信息 / 丛编责任说明 ; 丛编编号)
附注
标准编号(限定说明) : 获得方式

b. 不同责任说明基本著录款目

第一个题名［一般文献类型标识］/ 第一责任说明 ; 其他责任说明. 第二个题名 / 第一责任说明 ; 其他责任说明. 第三个题名 / 第一责任说明 ; 其他责任说明. -- 版本说明 / 与本版有关的责任说明. -- 文献特殊细节. -- 出版地 : 出版者,

出版日期 (印制地 : 印制者, 印制日期)

数量及特定文献类型标识 : 其他形态细节 ; 尺寸 + 附件. -- (丛编正题名 : 丛编其他题名信息 / 丛编责任说明 ; 丛编编号)

附注

标准编号(限定说明) : 获得方式

c. 分析著录款目

正题名 [一般文献类型标识] / 第一责任说明 ; 其他责任说明. -- 版本说明 / 与本版有关的责任说明. -- 文献特殊细节. -- 出版地 : 出版者, 出版日期 (印制地 : 印制者, 印制日期)

数量及特定文献类型标识 : 其他形态细节 ; 尺寸 + 附件. -- (丛编正题名 : 丛编其他题名信息 / 丛编责任说明 ; 丛编编号)

附注: 本书与《××××××》合订。

标准编号(限定说明) : 获得方式

15.2.2　相同责任者无总题名文献

基本著录的方法见第一章 1.1.6 条款。分析著录的方法见本章 15.1.1 条款。

例 1:

基本著录

从地球到月球 [图书] ; 环月飞行 ; 八十天环绕地球 / (法)儒勒 · 凡尔纳(Jules Verne)著 ; 仁携等译. -- 西安 : 太白文艺出版社, 1998

761 页 : 图 ; 20cm. -- (凡尔纳科幻小说)

ISBN 7-80605-552-5 : CNY28.80

分析著录

环月飞行 [图书] / (法)儒勒 · 凡尔纳(Jules Verne)著 ; 仁携等译. -- 西安 : 太白文艺出版社, 1998

225-448 页 : 图 ; 20cm. -- (凡尔纳科幻小说)

本书与《从地球到月球》、《八十天环绕地球》合订。

ISBN 7-80605-552-5 : CNY28.80

分析著录

八十天环绕地球 [图书] / (法)儒勒 · 凡尔纳(Jules Verne)著 ; 仁携等译. -- 西安 : 太白文艺出版社, 1998

455-755 页 : 图 ; 20cm. -- (凡尔纳科幻小说)

本书与《从地球到月球》、《环月飞行》合订。

ISBN 7-80605-552-5 : CNY28.80

例 2:

基本著录

童年 ; 在人间 ; 我的大学 [图书] / (苏)高尔基著 ; 王健夫译. -- 太原 : 北岳文艺出版社, 2001

14,707 页 : 照片,插图 ; 21cm

ISBN 7-5378-2246-8(精装) : CNY27.80

分析著录

在人间 [图书] / (苏)高尔基著 ; 王健夫译. -- 太原 : 北岳文艺出版社, 2001

165-439 页 : 照片,插图 ; 21cm

本书与《童年》、《我的大学》合订。

ISBN 7-5378-2246-8(精装) : CNY27.80

分析著录

我的大学 [图书] / (苏)高尔基著 ; 王健夫译. -- 太原 : 北岳文艺出版社, 2001

441-554 页 : 照片,插图 ; 21cm

本书与《童年》、《在人间》合订。

ISBN 7-5378-2246-8(精装) : CNY27.80

15.2.3　不同责任者无总题名文献

基本著录的方法见第一章 1.1.6 条款。分析著录的方法见本章 15.1.1 条款。

例 1:

基本著录

千家诗 / (南宋)刘克庄编. 花间集 / (后蜀)赵崇祚编. 绝妙好词 / (宋)周密编 ; 近人补编. -- 北京 : 西苑出版社, 2003

228 页 ; 21cm. -- (中华藏典 · 传世文选)

ISBN 7-80108-702-X : CNY16.00

分析著录

花间集 / (后蜀)赵崇祚编. -- 北京 : 西苑出版社, 2003

47-140 页 ; 21cm. -- (中华藏典 · 传世文选)

本书与千家诗 / (南宋)刘克庄编, 绝妙好词 / (宋)周密编合订。

ISBN 7-80108-702-X : CNY16.00

分析著录

绝妙好词 / (宋)周密编 ; 近人补编. -- 北京 : 西苑出版社, 2003

144-228 页 ; 21cm. -- (中华藏典 · 传世文选)

本书与千家诗 / (南宋)刘克庄编, 花间集 / (后蜀)赵崇祚编合订。

ISBN 7-80108-702-X : CNY16.00

例 2:

基本著录

西厢记［图书］／(明)王实甫著. 牡丹亭／(明)汤显祖著. -- 北京 : 文化艺术出版社, 2004

253 页 ; 20cm. -- (语文新课标文化艺术阅读丛书)

ISBN 7-5039-2447-0 : CNY12.00

分析著录

牡丹亭［图书］／(明)汤显祖著. -- 北京 : 文化艺术出版社, 2004

89-249 页 ; 20cm. -- (语文新课标文化艺术阅读丛书)

本书与《西厢记》合订。

ISBN 7-5039-2447-0 : CNY12.00

例 3:

基本著录

海岳名言［图书］／(宋)米芾著. --［出版地不详］:［出版者不详］, 1936

3 册(4,6,422 页). -- (丛书集成初编 ; 1628-1630)

本书包括: 海岳名言／(宋)米芾著, 翰墨志／(宋)宋高宗著, 宝真斋法书赞／(宋)岳珂著

分析著录

翰墨志［图书］／(宋)宋高宗著. --［出版地不详］:［出版者不详］, 1936

6 页. -- (丛书集成初编 ; 1628-1630)

本书与海岳名言／(宋)米芾著, 宝真斋法书赞／(宋)岳珂著合订。

分析著录

宝真斋法书赞［图书］／(宋)岳珂著. --［出版地不详］:［出版者不详］, 1936

422 页. -- (丛书集成初编 ; 1628-1630)

本书与海岳名言／(宋)米芾著, 翰墨志／(宋)宋高宗著合订。

例 4:

基本著录

声律启蒙［图书］／(清)车万育著 ; 唐仲山译注. 幼学琼林／(明)程登吉［著］. 朱子家训／(清)朱用纯［著］. -- 西宁 : 青海人民出版社, 2002

235 页 ; 20cm. -- (中华传世名著精品文库)

本书还有: 增广贤文／(清)佚名著 ; 唐仲山译注

ISBN 7-225-02174-5 : CNY8.50

分析著录

幼学琼林［图书］／（明）程登吉［著］．-- 西宁 ：青海人民出版社，2002
45－132 页 ；20cm. --（中华传世名著精品文库）
本书与《声律启蒙》、《朱子家训》、《增广贤文》合订。
ISBN 7－225－02174－5 ：CNY8.50

分析著录
朱子家训［图书］／（清）朱用纯［著］．-- 西宁 ：青海人民出版社，2002
133－137 页 ；20cm. --（中华传世名著精品文库）
本书与《声律启蒙》、《幼学琼林》、《增广贤文》合订。
ISBN 7－225－02174－5 ：CNY8.50

分析著录
增广贤文［图书］／（清）佚名著 ；唐仲山译注．-- 西宁 ：青海人民出版社，2002
138－235 页 ；20cm. --（中华传世名著精品文库）
本书与《声律启蒙》、《幼学琼林》、《朱子家训》合订。
ISBN 7－225－02174－5 ：CNY8.50

15.3　单篇著作（析出）分析著录

15.3.0　序则

单篇著作分析著录是在基本著录的基础上，对整体文献的某一部分单独析出的方法，而整部文献及其特定部位作为被析出著作的“出处”。此种方法适合于突出汇编文献中的重要著作。

15.3.1　结构形式

分析著录（分段格式）款目：
析出题名［一般文献类型标识］／责任说明
//整套（本）文献题名［一般文献类型标识］／责任说明．-- 版本．-- 出版地 ：出版者，出版年．-- ××－××页或卷（册）
附注

15.3.2　汇编型专著

例 1：
基本著录
中国图书馆事业百年／中国图书馆学会编．-- 北京 ：北京图书馆出版社，2004
429 页 ；16cm
ISBN 7－5013－2443－3 ：CNY60

分析著录

论顾廷龙先生对中国现代图书馆事业的贡献 / 王世伟著

//中国图书馆事业百年 / 中国图书馆学会编. -- 北京 : 北京图书馆出版社, 2004. -- 30-37 页

分析著录

中国图书馆立法的逆向思考 / 罗名兰著

//中国图书馆事业百年 / 中国图书馆学会编. -- 北京 : 北京图书馆出版社, 2004. -- 98-102 页

例 2:

基本著录

中国共产党第十五次全国代表大会文件汇编 [图书]. -- 北京 : 人民出版社, 1997

150 页 ; 20cm

ISBN 7-01-002712-9 : CNY6.20

分析著录

高举邓小平理论的伟大旗帜,把建设有中国特色的社会主义的事业全面推向二十一世纪 / 江泽民

//中国共产党第十五次全国代表大会文件汇编. -- 北京 : 人民出版社, 1997. -- 1-53 页

分析著录

中国共产党章程

//中国共产党第十五次全国代表大会文件汇编. -- 北京 : 人民出版社, 1997. -- 54-84 页

分析著录

中共中央关于党章修正案的说明

//中国共产党第十五次全国代表大会文件汇编. -- 北京 : 人民出版社, 1997. -- 85-86 页

例 3:

基本著录

在清华听讲座. 第一辑 / 文池主编. -- 北京 : 中国社会科学出版社, 2000

274 页 ; 20cm

本书包括:张岂之、赵一凡、何兆武、许渊冲、杨振宁等人的讲座。

ISBN 7-5004-3072-8 : CNY20.00

分析著录

20 世纪中国史学 / 张岂之

//在清华听讲座. 第一辑 / 文池主编. -- 北京 ：中国社会科学出版社，2000. -- 1-20 页

分析著录

美国的忧郁 / 赵一凡

//在清华听讲座. 第一辑 / 文池主编. -- 北京 ：中国社会科学出版社，2000. -- 23-50 页

分析著录

美与物理学 / 杨振宁

//在清华听讲座. 第一辑 / 文池主编. -- 北京 ：中国社会科学出版社，2000. -- 95-110 页

15.3.3　连续出版物

将连续出版物的某篇文献析出，制作成分析款目。

例 1：

基本著录

现代图书情报技术［期刊］= New technology of library and information service. -- 北京 ：中国科学院文献情报中心，1985-

29cm

并列题名：New technology of library and information service

ISSN 1003-3513 ：CNY8.00(1996)，CNY16.00(2002)

析出著录

网络信息资源的组织与管理研究 / 王海波，汤珊红著

//现代图书情报技术. -- 北京 ：中国科学院文献情报中心，1985 - . -- 2003，no.3，60-63 页

例 2：

基本著录

中华读书报［报纸］= China reading weekly. -- 北京 ：中华读书报社，1994-

29cm

首期并列题名：China land weekly

CNY2.00(2004)

析出著录

《2005 年社会蓝皮书》显示：多数青年对传统文化充满信心 / 赵敏
//中华读书报．-- 北京 ：中华读书报社，1994 – ．-- 2004,12,22,第 1 版面

第二部分　标目法

本部分是在文献标准书目著录基础上，为书目记录确定检索点，提供各类名称标目（包括个人名称、团体/会议名称）、题名标目的规范形式，以产生完整的书目款目，并通过规范控制，实现书目的检索功能与汇集功能，保证书目记录的查全率和查准率。

第二十一章　总　则

21.1　主要内容

21.1.1　本部分包括描述编目所涉及的个人名称标目、团体/会议名称标目、题名标目、参照,不含主题编目的分类标目、主题标目。

21.1.2　本部分个人名称标目、团体/会议名称标目、题名标目(含统一题名)各章均包括检索点选择的依据、范围、数量,以及标目规范形式的确定。

21.1.3　本部分参照在于保证标目的规范性,提供不同标目之间的参照关系,指引目录的检索途径,包括单纯参照、相关参照和说明参照。

21.2　检索点选取的基本原则

21.2.1　充分性原则

凡文献特征具有检索意义,都应尽可能提供检索点,以满足书目使用者从不同角度进行检索的需求。

21.2.2　数量适中原则

检索点选取视著作的重要性和实际需要决定,选取数量应合理、适当。

21.3　确定标目形式的基本原则

21.3.1　惯用原则

即标目必须具有公众认同的基础,一般应以常用、惯用、通用为原则,符合一般检索规律。

21.3.2　规范原则

即标目必须规范、一致,以利于提高检索效率。

21.3.3　简明原则

即标目应易于识别和区分,应尽可能简明、清晰,便于使用。

21.4　适用范围

本规则适用于任何文献类型。关于各类型文献著录问题应查阅本规则第一部分。

21.5 信息来源

本规则规定各类检索点选取的信息来源依次为:文献的主要信息源、文献的其他信息源、书目著录所提供的信息、权威工具书和其他参考资料;用于确定各类标目形式的信息来源依次为:规范文档、文献的主要信息源、文献的其他信息源、书目著录所提供的信息、权威工具书和其他参考资料及编目员依实际需要自行拟定的信息。

21.6 规则依据

本规则以中文文献特征及中国公众检索习惯为主要依据,参照国际图联《规范记录和参照指南》(GARR),并适当参考《英美编目条例,第二版》(AACR2)第二部分及国际编目界的惯用规则而制定。

21.7 表述特点

21.7.1 本规则视各类款目与标目为平等关系,在表述上没有主次款目与主次标目的区分。即为充分提供检索途径可以在书目记录一检索点外再附加若干个检索点,但在形式上它们没有主次区别。

21.7.2 本规则所列样例仅限于帮助理解标目规则,并不形成完整的款目,请勿将版面形式视为规定的款目形式。

第二十二章 个人名称标目

22.1　个人名称检索点的选取

22.1.1　通则

22.1.1.1　个人名称检索点选取的信息源

个人名称检索点选取的信息源为文献的主要信息源,同时可参考文献中或文献外的其他信息源,以及书目记录中的题名与责任说明项、版本项、丛编项及附注项等。

22.1.1.2　个人名称检索点选取的原则

a. 凡著作的创作者,即对著作的知识内容和艺术形式负有主创责任的著者、主编、画家、书法家、雕刻者、摄影者、作词者、作曲者、地图绘制者、文件制定者、信息资源制作者、影视作品编导者、主要演员、作品口述者等均应作为检索点。

b. 凡对著作的知识内容和艺术形式进行加工整理或再创作的责任者,如注释者、译者、编者、编辑者、编译者、校点者、校订者、修订者、整理者、绘图者、监制者、记录者等,可视其作用大小选取部分或全部作为检索点。

c. 著作出版机构及其责任编辑、封面设计者、书籍装帧者等一般不作为检索点,但珍本、善本或特殊文献的刻书者、出版发行者等视其影响大小和实际需要,可选取部分或全部作为检索点。

d. 著作的收藏者、校阅者等一般不作为检索点,但珍本、善本或特殊文献的收藏者、批校题跋者视其影响大小和实际需要,可选取部分或全部作为检索点。

22.1.1.3　个人名称检索点选取的数量

个人名称检索点选取的数量应视著作的各类责任方式分别确定。

a. 单独责任方式。

对著作的内容负有单独责任的个人名称应作为检索点,无论其名称以责任说明方式出现在文献中,或者通过考证所得。

b. 分担责任方式。

一部著作由多人以同一责任方式共同完成,三个或三个以下的分担责任者均应作为检索点。若超过三个,可选取第一个责任者或最具代表性的一个或多个责任者为检索点。

c. 混合责任方式。

一部著作由多人以不同责任方式完成,其个人名称均可作为检索点,但所选责任方式原则上不超过四种。若其中一种责任方式的分担责任者超过三个,可选取第一个责任者或最具代表性的一个或多个责任者为检索点。

d. 各编目机构可视实际需要,在上述原则基础上对个人名称检索点选取数量作适当调整。

22.1.2　各类型文献个人名称检索点的选取规则

22.1.2.1　著作汇编

多人著作汇编(含责任者不同的无总题名文献)在规定信息源上仅题编辑者,未题著者名称,首先选取编辑者名称为检索点,然后再选取著者名称为检索点;多人著作汇编责任者数量在三人以内时均应选取,三人以上可酌情选取。

例1：曾枣庄(1937.1-)
舒大刚(1959-)
(宋)苏洵(1009-1066)
(宋)苏轼(1037-1101)
(宋)苏辙(1039-1112)
(题名与责任说明项：三苏全书／曾枣庄,舒大刚主编)

例2：(元)关汉卿(1220?-1300?)
(元)王实甫(1260?-1336?)
(清)孔尚任(1648-1718)
(题名与责任说明项：窦娥冤／(元)关汉卿撰. 西厢记／(元)王实甫撰. 桃花扇／(清)孔尚任撰)

22.1.2.2　多卷文献

a. 多卷文献集中著录,除以整套文献的个人责任者为检索点外,还应以各卷的个人责任者为检索点。

例：童道明(1937-)
杨景辉(戏剧理论家)
朱景冬(1938-)
程巍(1966-)
林洪亮(1935.9-)
张黎(1933-)
……
(书目记录:世界经典戏剧全集／童道明主编. -- 20卷 ; 20cm. -- 子目：1~2, 中国卷/ 杨景辉编 ; 3, 印度 日本卷／朱景冬编 ; 4, 北欧卷／程巍编 ; 5~6, 俄罗斯卷／童道明编 ; 7,东欧卷／林洪亮编 ; 8~10, 德语国家卷／张黎编 ; 11~12, 英国卷／文美惠编; 13~14, 法国卷／吴岳添编 ; 15, 西班牙 拉美卷／朱景冬编 ; 16, 古希腊 罗马悲剧卷／王焕生编 ; 17, 古希腊 罗马喜剧卷／王焕生编 ; 18, 意大利卷／吴正仪编 ; 19~20, 美国卷／申慧辉编)

b. 多卷文献分散著录,除以各卷的个人责任者为检索点外,还可选取整套文献的个人责任者为检索点。

例：吴正仪(女 1947-)

童道明(1937-)

(题名与责任说明项：世界经典戏剧全集. 18，意大利卷 / 童道明主编 ；吴正仪编)

22.1.2.3　丛编文献

a. 丛编文献集中著录,除以丛编总的责任者为检索点外,还应以下属各单册的责任者为检索点。

例：苏宏宇(1944.2-)

何玉茹(女 1952-)

罗迪(1970-)

吴海峰(1951-)

孙志鸣(1950-)

刘晓(女 作家)

(书目记录：深圳法制报文学丛书 / 苏宏宇主编. -- 5 册. -- 本丛书包括：我爱故我在 / 何玉茹著 ；偷窥 / 罗迪著 ；中国大陆最后一个土匪 / 吴海峰著 ；寻找感觉 / 孙志鸣著 ；茉莉花香 / 刘晓著)

b. 丛编文献分散著录,除了以各单册的个人责任者为检索点外,还可选取丛编总的责任者为检索点。

例：何玉茹(女 1952-)

苏宏宇(1944.2-)

(书目记录：我爱故我在 / 何玉茹著. --(深圳法制报文学丛书 / 苏宏宇主编). -- 本书收录"我爱故我在"、"素素寻爱记"、"你爱我不如我爱你"三篇中篇小说)

22.1.2.4　改编、增补

a. 属于改写、改编、修订、释义的著作,应酌情依次选取原著者、改写者、改编者、增补者、释义者作为检索点。

例：(唐)刘知几(661-721)

(清)浦起龙(1679-1762)

(题名与责任说明项：史通通释 /(唐)刘知几著 ；(清)浦起龙释)

b. 文艺作品经改写、改编后,已成为另一种体裁的作品,首先以改写、改编者作为检索点,原作者视其对改编作品的影响大小确定是否作为检索点。

例：梁晓声(1949-)

(苏联)奥斯特洛夫斯基(Островский, Николай Алексеевич 1904-1936)

(书目记录：钢铁是怎样炼成的 ：20 集电视连续剧文学本 / 梁晓声等编剧. -- 据(苏联)尼·奥斯特洛夫斯基原著改编)

22.1.2.5　学位论文

学位论文除以论文撰写人为检索点外,还应以指导论文的主要导师为检索点。

例：陈力(1958.6-)

徐中舒(1898-1991)

（题名与责任说明项：夏商西周土地制度概论［学位论文］／陈力著；徐中舒教授指导）

22.1.2.6 古籍文献

a. 对古籍文献的著作内容负有责任的著者、编撰者、编辑者、注释者、点校者等均可作为检索点。

例：（汉）司马迁(前145或前135－前87?)

（南朝宋）裴骃

（唐）司马贞

（唐）张守节

（题名与责任说明项：史记：一百三十卷／（汉）司马迁撰；（南朝宋）裴骃集解；（唐）司马贞索隐；（唐）张守节正义）

b. 古籍文献的出版者、刻书者、修版者、收藏者、批校题跋者等，视其对古籍价值的大小确定是否作为检索点。

例1：（宋）吴文英(1200?－1260?)

（清）郑文焯(1856－1918)

（题名与责任说明项：梦窗词／（宋）吴文英原著；（清）郑文焯批校）

例2：（唐）李贺(790－816)

（清）江标(1860－1899)

（书目记录：昌谷集：四卷／（唐）李贺撰；（清）江标跋）

22.1.2.7 乐谱

a. 乐谱的词、曲个人创作者应作为检索点。

例：田汉(1898－1968)

聂耳(1912－1935)

（题名与责任说明项：义勇军进行曲／田汉作词；聂耳作曲）

b. 乐谱经过改编，其改编者在艺术上进行再创作，改编者也应作为检索点。

例：阿炳(民间音乐家，1893－1950)

吴祖强(1926－)

（书目记录：二泉映月：弦乐合奏总谱／华彦钧作曲；吴祖强改编. --华彦钧艺名阿炳）

22.1.2.8 录音资料

a. 录音资料的作词者、作曲者、演唱者、演奏者、指挥者、制作者等可作为检索点。

例：（唐）白居易(772－846)

吕守贵(1937－)

瞿弦和(1944.9－)

钱致文(钢琴演奏家)

（题名与责任说明项：中国名诗词歌曲集. 三，白居易诗词歌曲集［录音制品］／吕守贵作曲；瞿弦和等朗诵；钱致文等钢琴伴奏）

b. 录音资料含两种或多种作品，检索点选取原则参照本章22.1.2.1条款。

22.1.2.9 录像资料

a. 录像资料的导演、原著者、编剧、制作、主演者、翻译者、配音者等可作为检索点。

例：　钱钟书（1910.11-1998.12）

黄蜀芹（女 1940-）

陈道明（1955.4-）

吕丽萍（女 1960.4-）

李媛媛（女 1962.6-2002.10）

葛优（1957.4-）

英达（1960.7-）

（书目记录：围城［录像制品］：十集电视连续剧／钱钟书原著；黄蜀芹导演；陈道明，吕丽萍等主演. -- 主要演员还有李媛媛、葛优、英达等）

b. 副导演、艺术指导、摄影、制片人等可视其知名度决定是否作为检索点。

22.1.2.10　连续性资源

a. 连续出版物一般以团体名称为责任者检索点；若无团体责任者，其总编、主笔、主编、执行主编、发行人等可选择作为检索点。

例：　施蛰存（1905.12-2003.11）

（题名与责任说明项：新文艺／施蛰存主编）

（此文献为民国期间上海发行的一种文艺月刊）

b. 集成性资源（如网站、网页）若无团体责任者，其制作者、维护者、主持人、站长、版主等可选择作为检索点

例：　方舟子（1967-）

（题名与责任说明项：新语丝：［网站］／方舟子主持）

22.1.2.11　电子资源

a. 图书类电子资源原著者、编撰者、汇编者、译者、绘画者、配音者、开发者、制作者等可作为检索点。

例：　（汉）司马迁（前 145 或前 135-前 87?）

林川（历史）

（书目记录：史记全译［电子资源］／司马迁原著；林川等校译. -- 北京：北京电子出版物出版中心，2004）

b. 音乐类电子资源参见本章 22.1.2.8 条款。

c. 影视类电子资源参见本章 22.1.2.9 条款。

d. 教学类电子资源的编著者、讲解者、主办者等可作为检索点。

例：　李阳（1969-）

（题名与责任说明项：脱口而出［电子资源］／李阳主编）

e. 软件类电子资源的出版者、设计制作者、编写者、项目负责者等可作为检索点。

例：　求伯君（1964.11-）

（书目记录：WPS 汉字处理系统［电子资源］／裘伯君编写. -- 裘伯君即求伯君）

f. 数据库类电子资源的提供者、编制者、创建者或开发者等可作为检索点。

例： 陈光祚（1935.10– ）

（题名与责任说明项：［陈光祚教授个人文献数据库］［电子资源］／陈光祚制作）

g. 集成性电子资源参见本章 22.1.2.10 条款。

22.2 个人名称标目形式的确定

22.2.1 通则

22.2.1.1 个人名称标目是个人名称检索点的规范形式。个人名称标目由标目主要成分及附加成分组成。

22.2.1.2 个人名称标目确立的依据

一般应选择规范文档中的标目形式，无规范文档中的标目形式则依据文献主要信息源或其他信息源所提供的个人名称形式或个人名称的相关信息确立标目形式。其他信息源指文献主要信息源以外的其他部分或权威工具书和相关参考资料。

22.2.1.3 确定个人名称标目的原则

a. 一个人一般只能有一个规范的标目名称。

b. 如一个人具有多个名称，应选择其中最为人熟知的名称形式。

c. 如一个人具有多个名称，无法确定何者最为人熟知，可依据以下先后顺序选择。

（a）在本人著作中最常见的名称。

（b）参考工具书中最常见的名称。

（c）本人最近使用的名称。

d. 个别著者在不同历史时期或不同领域以不同名称题署文献，都很知名，按照严格控制的原则，可酌情分别建立标目，并作相关参照。

例： 光未然（1913–2002.1）

（书目记录：黄河大合唱 /光未然词 ；冼星海曲. -- 光未然原名张光年）

张光年（1913–2002.1）

（题名与责任说明项：风雨文谈 / 张光年著. -- 张光年笔名光未然）

（张光年作为文学评论家发表作品通常以本名署名，以诗人身份发表作品则以光未然署名，两者都很知名，可分别建立标目，并作相关参照）

22.2.2 个人名称标目的主要成分

个人名称标目的主要成分应按照以下不同类型确定：普通汉语个人名称标目的主要成分包括规范姓名、字、号、别名、笔名、艺名、网名等形式；少数民族个人名称标目的主要成分包括汉化姓名或汉字音译姓名；普通古代人物名称标目的主要成分包括本名、字、号或惯用称谓；中国古代帝王名称标目的主要成分包括本名、帝号、谥号、庙号；外国人中译名称标目的主要成分包括中译姓氏、中译姓名、汉化姓名以及惯用译名；佛道人物名称标目的主要成分包括本名、字、号以及法名、法号、道名、道号、尊称等。

各种类型的个人名称标目主要成分的确定规则,参见本章22.2.4条款。

22.2.3　个人名称标目的附加成分

个人名称标目的附加成分,用于修饰和区分标目主要成分,包括生卒年、朝代、国别、民族、性别、外国人姓名原文、学科、职业、称号、籍贯、所属单位及其他编目员推断信息等。个人名称标目的附加成分,应在之前和之后各置一个圆括号;上述各类附加成分重复出现时,可视出现位置,将各类附加成分统一置于一组圆括号内,各附加成分之间应间隔一空格位。

22.2.3.1　生卒年信息

a. 生卒年信息是个人名称标目的首选附加成分。文献本身未提供个人名称的生卒年信息时,应通过其他信息源获得,无法获得时则省略。

b. 生卒年信息应置于个人名称标目的最后一部分,以阿拉伯数字表示。

例:(美)史沫特莱(女 Smedley,Agnes 1890-1950)

c. 生卒年信息的常用表达方式为:"生年-"或"生年-卒年"。

d. 现代个人名称标目的生卒年信息若确知月份,可记载到月。古代个人名称标目的生卒年信息可只记载到年。

例1:钱钟书(1910.11-1998.12)

例2:叶兆言(1957-)

(无法确知月份)

例3:(清)章学诚(1738-1801)

e. 公元前纪年在相关年代前冠"前"字样。

例1:(春秋)孔子(前551-前479)

例2:(汉)刘歆(前53-23)

f. 生卒年不确切或未知,可在相关年代后添加"?"。

例1:(明)罗贯中(1330?-1400?)

例2:(美)杨二车娜姆(女 1970?-)

例3:(晋)荀勖(?-289)

g. 生卒年有多种推断或根据,可依次著录,并在其间用"或"连接。

例1:(清)曹雪芹(1715或1724-1763或1764)

例2:(汉)刘向(前79-前8或前77-前6)

22.2.3.2　朝代、国别

朝代、国别是个人名称标目的常见附加成分。各编目机构可选择下述两种方式之一予以描述。第一种是按照中国传统习惯将上述信息置于标目主要成分之前,如"(唐)李白(701-762)";第二种是按照英美编目规则对附加成分的描述惯例将上述信息置于标目主要成分之后,如"程伟元(清)"。本规则条文为表述形式上的一致,所列示例采取了第一种方式,并不代表第二种方式不可行。

a. 对中国古代人物名称,可作朝代附加成分。

(a)中国古代人物所属朝代的确定,一般以卒年为准,若不适当或卒年无法确定,可选择生平主要活动所在的朝代。

例1: (清)钱谦益(1582-1664)
(朝代确定以卒年为准)

例2: (宋)文天祥(1236-1283)
(朝代确定以主要活动时期为准)

(b)朝代附加成分应使用规范的朝代简称(见本书附录2)。

例1: (晋)葛洪(284-364)
(东晋时代人,取"晋"为朝代附加)

例2: (唐)狄仁杰(630-700)
(不选择"武周"为朝代附加)

(c)中国古代人物朝代不详时,若无法与现代同名人物区分,可在标目主要成分之后注明"朝代不详"。

例: 李芳树(朝代不详)
(《永乐大典》中辑有《李芳树刺血诗》,无出处,也未注朝代,其人无传无记)

b. 对外国责任者名称,可作国别附加成分。

(a)外国责任者所属国别一般以其国籍为准。

例: (英)卓别林(Chaplin, Charlie 1889.4-1977.12)
(生于英国,卒于瑞士,曾长期生活于美国,英国为其国籍)

(b)外国责任者国籍若有变化,一般以其最后的国籍为准。

例: (美)爱因斯坦(Einstein, Albert 1879.3-1955.4)
(先后获得过瑞士、德国和美国国籍,取"美"为其国别)

(c)外国责任者有多重国籍,应选择其中主要居住或工作的国家为其国别。

例: (英)哈格里夫斯(Hargreaves, Owen 1981.1-)
(同时拥有加拿大、德国、英格兰多重国籍,以主要居住地"英"为其国别)

(d)外国责任者国别附加成分应使用规范的国别简称(见本书附录4)。

例: (瑞典)诺贝尔(Nobel, Alfred Bernhard 1833-1896)

(e)外国责任者国别不确切,可在国别后加"?"。

例: (美?)泰勒(Taylor, Art)
(参考信息源显示该责任者曾受雇于美国 informix 软件公司)

(f)外国责任者国别不详时,若需要与确知国别的同名责任者区分,可在标目主要成分之后注明"国别不详"。

例: 詹姆斯(James 国别不详)
(题名与责任说明项:新加坡就要这样玩 / James,丹莉编著)

22.2.3.3 其他附加成分

个人责任者的民族、性别、外国人姓名原文、学科、职业、称号、籍贯、所属单位及编目员推断信息等可作为标目附加成分。上述成分应置于标目主要成分之后,在生卒年信息之前（若存在），可以重复出现。

a. 对我国少数民族人物名称，可视以下情况决定是否作民族附加。

（a）对中国古代人物，一般省略民族附加成分。

例 1：（元）耶律楚材（1190-1244）
（元代契丹族人，省略民族附加）

例 2：（清）纳兰性德（1655.12-1685.5）
（清代满族人，省略民族附加）

（b）若个人名称属于汉化姓名或使用笔名、艺名等，一般省略民族附加成分。

例 1：沈从文（1902-1988）
（本名，省略苗族附加成分）

例 2：老舍（1899.2-1966）
（笔名，省略满族附加成分）

（c）个人名称系汉字音译名称或是否属汉化名称无法确定时，可使用民族附加成分。

例 1：热西提·艾孜木（维吾尔族 1942.10-）

例 2：乌林奇（蒙古族 记者）
（“乌林奇”是否为汉化姓名无法确定）

（d）民族附加成分应使用少数民族规范名称（参见本书附录 3）。

例 1：热合木（维吾尔族 1941.10-）

例 2：那里曼（哈萨克族 1928-）

b. 女性个人名称标目，可选择性别为附加成分。

例：冰心（女 1900-1999.3）

c. 外国人中译名称标目，若姓名原文可以获得，应作为附加成分，具体规则如下：

（a）外国人姓名原文一般采用本国官方文字的姓名完全形式。如能判断姓名成分则按姓前名后的行文方式描述，两者之间以逗号相隔。

例 1：（美）盖茨（Gates，Bill 1955-）

例 2：（苏联）高尔基（Горький，Максим 1868-1936）

（b）外国人姓名原文若无从辩别或不能明确判断姓名中的姓和名，可按所见顺序照录，无逗号相隔。

例：（土耳其）萨巴哈丁·阿里（Sabahattin Ali 1907-1948）

（c）外国人姓名原文无从查找或描述困难，可采用习见的罗马化形式的名称。

例：（柬埔寨）诺罗敦·西哈努克（Norodom Sihanouk 1922-）

（d）外国人姓名原文不详或与中译名称相同，可省略。

例：（日）川端康成（1899-1972）
（中文名称和日文汉字名称相同）

d. 在个人名称标目生卒年信息不详或相同的情况下，为区分个人名称标目，可选择学科、职业、称号、籍贯、所属单位及编目员推断信息等为附加成分。

例 1：杨欣（摄影家 1963-）
杨欣（饭店管理 1963-）

(生年相同,以职业区分)

例2: 罗丹(广东 1911-)

罗丹(湖南)

(两人均为作家,一人生卒年信息不详,需要以籍贯区分)

例3: 李胜利(齐齐哈尔铁路医院)

李胜利(河北医科大学)

(两人生卒年信息不详,以所在单位区分)

例4: 王磊(财政)

王磊(绘画)

(两人生卒年信息不详,标目附加成分均为编目员推断)

e. 选择学科、职业、称号、籍贯、所属单位及编目员推断信息为附加成分时,对相同的个人名称应采用同一范畴要素加以描述,使之具有可识别性。

例: 王琪(副教授)

王琪(古典文学)

(上述标目采用了不同范畴要素的附加成分,无法准确识别个人身份)

采用同一范畴要素的区分方式:

王琪(公共关系学)

王琪(古典文学)

f. 对个人名称标目附加成分的选择,个人自然属性信息(如籍贯、出生地)应优先于社会属性信息(如职业、单位);稳定持久的信息(如终身院士、博士)应优先于暂时、易变的信息(如校长、院长、副教授、硕士生等)。

22.2.3.4 个人名称中的某些称谓若已经成为个人名称的固定组成部分,可不作为附加成分对待,而作为标目主要成分的组成部分。

例1: (法)居里夫人(女 Curie, Marie 1867.11-1934)

例2: (德)格林兄弟

22.2.4 各种类型的个人名称标目的具体规定

22.2.4.1 普通汉语个人名称

a. 普通汉语个人名称未见别称,采用所见者为标目,一般标目形式为:个人名称(生年-卒年)。

b. 普通汉语个人名称,除少数以名著称者外,均应采用其正式姓名为标目,先姓后名,直序描述。

例1: 王蒙(1934-)

例2: 欧阳文彬(女 1920-)

例3: 伟鼎(1971-)

(本名鲁伟鼎,以伟鼎著称)

c. 个人行世字、号等别名较本名著称,可选择作为标目。

例1: 于右任(1879-1964.11)

（本名于伯循，字右任，以字行）

例 2：　黄宾虹（1865－1955）

（本名黄质，字朴存，号宾虹，以号行）

例 3：　汪精卫（1883－1944.11）

（本名汪兆铭，字季新，精卫最初是笔名，后取为号，以号行）

d. 个人名称发生变更，一般选择最新的个人名称为标目，但原姓名较为著称，应继续沿用原姓名。

例 1：　郭沫若（1892－1978）

（原名郭开贞，笔名沫若，后以笔名冠姓行世）

例 2：　周作人

（原名周作人，后更名为周启明，因原名更熟知，标目继续沿用原姓名）

e. 已婚妇女姓名前冠有夫姓，一般选择原姓名为标目；但冠夫姓名称较为著称者，亦可选择为标目。

例 1：　宋美龄（女 1897.3－2003.10）

（不用蒋宋美龄）

例 2：　范徐丽泰（女 1945－）

（不用徐丽泰）

22.2.4.2　笔名、艺名、网名

a. 一个责任者的笔名、艺名、网名比本名更为人熟知，应选为标目。一般标目形式为：笔名（生年－卒年）

例 1：　巴金（1904.11－）

（笔名，本名李尧棠）

例 2：　新凤霞（女 1926－1998）

（艺名，本名杨淑敏）

例 3：　痞子蔡（1973－）

（网名，本名蔡恒智）

b. 一个责任者存在多个笔名（艺名或网名），应选择最著称者为标目。

例 1：　冰心（女 1900－1999.3）

（不用本名谢婉莹或其他笔名，如沁心女士、男士等）

例 2：　鲁迅（1881－1936）

（不用本名周树人或其他笔名，如巴人、隋洛人、何假干等）

c. 一个责任者名称是多人的合作笔名或联合署名，应为该合作笔名或联合署名以及每个人的个人名称分别作规范标目，并建立相关参照。

例 1：　吴南星

（邓拓、吴晗、廖沫沙在《三家村札记》的合作笔名）

例 2：　雪米莉

（谭力、田雁宁的合作笔名）

例 3：　（德）格林兄弟

（雅各布·格林和威廉·格林两兄弟的联合署名）

22.2.4.3　少数民族个人名称

我国少数民族的个人名称,可按以下四种情况处理:

a. 只有汉化姓名,取汉化姓名为标目形式。除非对识别个人必要,民族附加信息可省略(参见本章22.2.3.3a条款)。一般标目形式为:个人名称(生年-卒年)。

例1: 侯宝林(1917-1993)
(省略"满族"信息)

例2: 黄永玉(1924.7-)
(省略"土家族"信息)

例3: 邓一光(1956-)
(省略"蒙古族"信息)

例4: 黄佩华(1957.8-)
(省略"壮族"信息)

例5: 杨丽萍(女 1958.11-)
(省略"白族"信息)

b. 只有母语姓名或罗马字母音译姓名,按"名从主人,约定俗成"原则,依《少数民族姓名汉字音译转写规范》翻译为汉字音译姓名,作为规范的标目形式。一般标目形式为:个人名称(民族 生年-卒年)。

例: 强巴坚赞(藏族)
(原题责任者形式为: byams pa rgyal mtshan)

c. 有汉字音译姓名,一般标目形式为:汉字音译姓名(民族 生年-卒年)。

(a)少数民族个人名称若只有唯一的汉字音译姓名,直接取为标目。标目形式一般不区分其姓名的内部结构和次序。

例1: 才旦卓玛(女 藏族 1937-)
(藏族平民一般有名无姓,取名为标目)

例2: 阿沛·阿旺晋美(藏族 1910.2-)
(藏族贵族有特定氏族称号,相当于姓氏,前姓后名,取完整姓名为标目)

例3: 赛福鼎·艾则孜(维吾尔族 1915-2003.11)
(维吾尔族姓名前者为名,后者为姓或父名,取完整姓名为标目)

(b) 少数民族个人名称有多种汉字音译姓名,或既有汉译全称又有汉译简称(如名的部分),取其中最常见或惯用者为标目。

例1: 溥仪(满族 1913-1991)
(全名为爱新觉罗·溥仪,根据惯用原则,取其名溥仪为标目)

例2: 斯琴格日乐(女 蒙古族 1968.12-)
(有两种汉字音译姓名,根据惯用原则,取斯琴格日乐为标目,不用斯琴格日勒)

例3: 吉狄马加(彝族 1961-)
(以吉狄马加著称,不用全名吉狄·略且·马加拉加为标目)

d. 少数民族个人名称同时存在汉字音译姓名和汉化姓名(双名制),一般取汉字音译姓名为标目,汉化姓名更为知名,也可以选为标目。前者的一般标目形式为:个人名称(民族 生年 – 卒年)。后者可省略民族信息。

例 1：　布赫(蒙古族 1925.3–)
　　(不用其汉名云曙光)

例 2：　齐·莫尔根(蒙古族)
　　(不用其汉名吴泽华)

例 3：　唐泽英(女 1965.7–)
　　(本名卓玛,以汉名著称,省略民族附加成分)

22.2.4.4　普通古代人物名称

普通古代人物除了本名,常有表字、别号、室名等名称同时存在,应取其惯用名称或最为著称者为标目。一般标目形式为:(朝代)惯用名称(生年 – 卒年)。

a. 以本名为标目。

例 1：　(五代)冯延巳(903–960)

例 2：　(金)元好问(1190–1257)

b. 以字、号等为标目。

例 1：　(唐)颜师古(581–645)
　　(名籀,字师古,以字行)

例 2：　(清)曹雪芹(1715 或 1724–1763 或 1764)
　　(名霑,字梦阮,号雪芹、芹圃、芹溪,以雪芹著称)

c. 以其他个人信息为标目。

例 1：　(春秋)孔子(前 551–前 479)
　　(名丘,字仲尼, 孔子是尊称)

例 2：　(明)文氏(女)
　　(明代女诗人,有姓无名,以姓为标目)

例 3：　(晋) 臣瓒
　　(约生活于西晋初年,作《汉书集解》,无法考证姓氏,以名为标目)

d. 古人姓名可能存在避讳成分。若属于身后避讳,应以其原名为标目;若本人在世时因避讳原因更名,则取新名为标目。

例 1：　(唐)崔玄亮(768–833)
　　(唐代人,本名崔玄亮,字晦叔,清代人为避清圣祖玄烨讳,将其更名为崔元亮,应取本名为标目)

例 2：　(清)陈宏谋(1696–1771)
　　(字汝咨,号榕门,本名弘谋,后因避清高宗弘历名讳,更名为宏谋,取后者为标目)

22.2.4.5　中国古代帝王名称

中国古代帝王名称除本名外,还包括帝号(少数民族为王号,如蒙古族的汗号)、谥号、尊号、庙号、年号等。帝王名称已含朝代信息,应省略朝代附加。帝王名称的选择规则如下:

a. 上古及夏、商两朝以帝王惯用名称为标目。一般标目形式为:(朝代)惯用名称

(生年－卒年)。

例1： (上古)黄帝

(姬姓,号轩辕氏、有熊氏,以帝号为标目)

例2： (商) 盘庚

(以本名为标目)

b. 西周至隋朝(除秦朝外),以帝王谥号为标目。因名称中包含朝代信息,故省略朝代附加。一般标目形式为:谥号(生年－卒年)。

例1： 周武王

(本名姬发,武为谥号)

例2： 汉武帝(前156－前87)

(本名刘彻,庙号世宗)

例3： 北魏孝文帝(467－499)

(本名拓跋宏,后改姓元,庙号高祖)

例4： 隋炀帝(569－618)

(本名杨广,庙号世祖)

c. 秦朝帝王,以帝号(帝王世次)为标目。一般标目形式为:帝号(生年－卒年)。

例： 秦始皇(前259－前210)

(不以本名嬴政为标目)

d. 唐以后历代王朝,以帝王庙号为标目。因名称中包含朝代信息,故省略朝代附加。一般标目形式为:庙号(生年－卒年)。

例1： 唐太宗(599－649)

(唐朝第二代皇帝,本名李世民)

例2： 宋太祖(926－976)

(宋朝第一代皇帝,本名赵匡胤)

例3： 元世祖(1215－1294)

(蒙古帝国第五位汗王,元王朝创立者,本名孛儿只斤·忽必烈,汗号薛禅汗)

例4： 明成祖(1360－1424)

(明朝第三位皇帝,本名朱棣,其庙号原为太宗,后改为成祖,取后者为标目)

例5： 清高宗(1711－1799)

(清代第六代皇帝,本名爱新觉罗·弘历,庙号高宗)

e. 东晋十六国时期的十六国,五代十国时期的十国,各国君王按习惯以本名为标目。一般标目形式为:(朝代统称)个人名称(生年－卒年)。

例1： (十六国)苻坚(338－385)

(前秦皇帝,字永固,一名文玉,氐族人)

例2： (五代)李璟(916－961)

(史称南唐中主,本名景通,改名瑶,后名璟)

f. 帝王其本名比其他称号更为著称,可以本名为标目。

例 1：　(三国魏)曹丕(187-226)
(即魏文帝,字子桓,著名文学家。本名比谥号著称,用本名为标目)

例 2：　(宋)赵佶(1082-1135)
(即宋徽宗,以书画知名。本名比庙号著称,用本名为标目)

例 3：　(明)朱元璋(1328-1398)
(其本名较年号洪武、庙号太祖知名,用本名为标目)

g. 其他例外情况

例 1：　(元) 成吉思汗(1162-1226)
(本名孛儿只斤·铁木真,庙号太祖,因汗号最为知名,取为标目)

例 2：　溥仪(满族 1906-1967)
(本名爱新觉罗·溥仪,作为现代人名称处理,取名为标目,不用宣统帝、清逊帝等)

22.2.4.6　外国人中译名称

外国人中译名称应选取著作上出现的中译姓氏、中译姓名或中译惯用名称为标目主要成分。一般标目形式为:(国别)中译名称(原文姓名全称形式 生年-卒年)

a. 西方语言国家、东方印欧语系国家(如印度、巴基斯坦、孟加拉、伊朗等)、南岛语系部分国家(如印尼、马来西亚、菲律宾等)及匈牙利个人名称,处理规则如下:

(a) 上述国家个人名称一般取中译姓氏为标目主要成分,中译名中的其他成分可以省略。

例 1：　(俄)托尔斯泰(Толстой, Лев Николаевич 1828-1910)
(中译名全称为列夫·尼古拉耶维奇·托尔斯泰,取姓为标目主要成分)

例 2：　(西班牙)塞万提斯(Cervantes Saavedra, Miguel de 1547-1616)
(中译名全称为米格尔·德·塞万提斯·萨维德拉,其中塞万提斯为父姓,萨维德拉为母姓,根据惯例取更为著称的父姓为标目主要成分)

例 3：　(伊朗)麦吉迪(Majidi, Majid 1959-)
(伊朗电影导演,中译名全称为马基·麦吉迪,取姓为标目主要成分)

例 4：　(马来西亚)巴达维(Badawi, Datuk Abdullah bin Haji Ahmad 1939.11-)
(中译名全称为达图·阿卜杜拉·宾·哈吉·艾哈迈德·巴达维,取姓为标目主要成分)

例 5：　(匈牙利)裴多菲(Petöfi, Sándor 1823-1849)
(姓名原文为匈牙利语,匈牙利人姓名为先姓后名。中译全称为裴多菲·山陀尔,取姓为标目主要成分)

(b) 若上述国家责任者的中译姓名(结构一般为先名后姓)较中译姓氏更为知名,可取中译姓名为标目的主要成分。

例 1：　(法)罗曼·罗兰(Rolland, Romain 1866-1944)

(罗曼·罗兰较罗兰知名,取中译姓名为标目主要成分)

例2: (美)杰克·伦敦(London, Jack 1876-1916)

(杰克·伦敦较伦敦知名,取中译姓名为标目主要成分)

例3: (美)爱伦·坡(Poe, Edgar Allan 1809-1849)

(中译名全称是埃德加·爱伦·坡,因爱伦·坡比"坡"知名,取简化中译姓名为标目主要成分)

b. 东方语言国家(如日本、韩国、朝鲜、越南等)的个人名称,原则上取完整的中译姓名(先姓后名)为标目主要成分。

例1: (日)黑泽明(1910-1998.9)

(中译名名称和日文汉字名称形式相同,省略日文原名附加)

例2: (韩)金大中(1925.12-)

(中译名名称和韩文汉字名称形式相同,省略韩文原名附加)

例3: (朝鲜)金日成(Kim, Il Sung 1912-1994)

(姓名原文取罗马化音译形式)

例4: (越南)胡志明(Nguyễn Tãt Thành 1890-1969)

(越南共产党创始人,姓名原文为越南语)

例5: (柬埔寨)诺罗敦·西哈努克(Norodom Sihanouk 1922-)

(姓名原文取罗马化音译形式。中译名先姓后名,取完整姓名为标目主要成分)

c. 根据中译姓名及外文原名信息,无法确定姓名结构和成分(含笔名形式),其标目可按著作中最常见的形式描述。

例1: (土耳其)萨巴哈丁·阿里(Sabahattin Ali 1907-1948)

(无法确定姓名成分)

例2: (泰)索·古拉玛洛赫(Sol Kuramarohit 1908-1978)

(无法确定姓名成分)

例3: (美)马克·吐温(Mark Twain 1835-1910)

(笔名。原名为塞缪尔·郎赫恩·克列门斯)

例4: (美)艾勒里·奎恩(Ellery Queen)

(是美国作家弗雷德累·达奈和曼弗里德·李二人的合作笔名)

d. 著作只题有姓名原文,而无中译名称,应根据《世界人名翻译大辞典》等权威工具书译出其姓或名称,作为标目主要成分。

例1: (美)莱昂(女 Lyon, Mary 1797-1849)

(原文题署"Mary Lyon")

例2: (苏联)卡哈尔(Каххар, Абдулла 1907-1968)

(原文题署"Абдулла Каххар")

e. 同一外国责任者存在多种中译名称,应选择其中最常见或最新的中译名称为标目。

例1: (苏联)斯大林(Сталин, Иосиф Виссарионович 1879-1953)

(不用"史太林"、"史达林"等旧译名)

例2: (英)伍尔芙(女 Woolf, Virginia 1882-1941.5)

（不用“伍尔夫”、“沃尔夫”、“吴尔芙”等译名）

例3：（法）圣埃克苏佩里（Saint-Exupery, Antoine de 1900.6－1944.7）

（不用“圣德修伯里”、“圣－埃克絮佩利”、“圣埃克苏贝里”等译名）

例4：（英）卓别林（Chaplin，Charlie 1889.4－1977.12）

（不用“卓别麟”、“查普林”等译名）

f. 外国责任者原名变更，应以最新或最知名的中译名称为标目。

例：（美）阿里（Ali，Muhammad 1942－）

（拳王阿里，原名“Cassius Clay”，后更名为“Muhammad Ali”，以后者中译姓氏为标目）

g. 外国责任者有汉化姓名或中文本名（如海外华侨、华裔），取汉化姓名或中文本名为标目主要成分，其外文姓名可作为附加成分。

例1：（荷兰）高罗佩（Gu-Lik，Rorbert Hans Van 1910－1967）

例2：（美）赛珍珠（女 Buck，Pearl 1892－1973）

例3：（美）费正清（Fairbank，John King 1907－1991）

例4：（新加坡）李光耀（Lee，Kuan Yew 1923.9－）

例5：（美）杨振宁（Yang，Chen Ning 1922.9－）

例6：（美）张德培（Cheung，Michael 1972.2－）

h. 外国责任者有惯用中译名称，以惯用名称为标目。

例1：（法）大仲马（Dumas, Alexandre 1802－1870）

（法）小仲马（Dumas, Alexandre 1824－1895）

（同为法国作家，父子同名同姓，中文名称在姓前冠以“大”和“小”区别父和子）

例2：（法）居里夫人（Curie，Marie 1867－1934）

（法国物理学家皮埃尔·居里的夫人，中文名称惯用居里夫人）

参见本章22.2.3.4条款。

例3：（英）萧伯纳（Shaw，George Bernard 1856－1950）

（标目不是汉化姓名，是惯用中译名称）

例4：（法）戴高乐（Gaulle, Charles de 1890－1970）

（Gaulle是姓，标目采取惯用中译名称，不用“高乐”）

22.2.4.7　佛道人物名称

佛道人物除了有本名外，还有法名、法号、道名、道号、尊称等。通常应选取其惯用名称为标目。标目形式为：惯用名称（生年－卒年）。

a. 佛教人物，通常取其法名、法号或惯用称号为标目。本名或字号较法名、法号著称，应以其为标目。标目形式为：（释）法名或本名、字号（生年－卒年）。以本名或字号为标目应省略“（释）”。

例1：（释）虚云（1840－1959）

（俗姓箫，法名虚云，法号古严、德清，取法名为标目）

例2：（释）星云（1925.7－）

（本名李国深，江苏扬州人，星云为其自取法号）

例 3： 李叔同(1880-1942)
(本名文涛,字叔同,出家后法号弘一法师,取字为标目)

例 4： 李娜(女 1963.7-)
(歌唱演员,出家后法号释昌圣,取本名为标目)

b. 道教人物通常取其本名或字号为标目。道名、道号或尊称较本名或字号著称,可取其为标目。标目形式为:本名或字号、道名、道号(生年-卒年)。

例 1： (金)丘处机(1148-1226)
(本姓丘,后世因避孔子讳,将其改为邱,字通密,道号长春子,尊称长春真人,取本名为标目)

例 2： (唐)吕洞宾(798?-?)
(名岩,字洞宾,号纯阳子,取字为标目)

例 3： (元)披云子(1183-1247)
(本名宋德芳或宋德方,字广道,又称宋披云,因道号更为知名,取道号为标目)

c. 用法(道)名号作为名称的标目主要成分一般不需要包含"大师"、"法师"、"长老"、"和尚"、"上人"、"大士"、"喇嘛"、"道长"、"道士"、"真人"等宗教称谓。但若省略称谓可能引起歧义,则可作为标目主要成分的组成部分出现。

例： (释)妙华(女 1960.1-)
(不取妙华法师为标目)

d. 佛道人物标目的附加成分。

(a) 汉传佛教(及其海外分支)人物,"释"为佛门通称,可作为法名或法号的前冠附加成分。形式为:"(释)"或"(朝代+释)"、"(国别+释)"等。惯用法名本身含有"释"的字样,可省略附加。

例 1： (唐释)玄奘(602-664)
(本名陈祎,取法名为标目)

例 2： (美释)慈容(女 1936-)
(美国西来寺住持、《普门》杂志发行人,俗姓吴,取法名为标目)

例 3： 释永信(1965-)
(少林寺方丈,俗名刘应成,取法名为标目,省略佛称附加)

例 4： 释小龙(1988.11-)
(演员,俗名陈小龙,取法名为标目,省略佛称附加)

(b) 藏传佛教的宗教领袖,以封号简称及世系标志著称,可取封号简称为标目主要成分,世系标志为附加成分。

例： 班禅(十世 1938-1989)
(个人全称为：班禅额尔德尼·却吉坚赞)

第二十三章　团体/会议名称标目

23.1　团体/会议名称检索点的选取

23.1.1　通则

23.1.1.1　团体/会议名称检索点选取的信息源

团体/会议名称检索点选取的信息源为文献的主要信息源,同时可参考文献中或文献外的其他信息源,以及书目记录中的题名与责任说明项、版本项、丛编项及附注项等。

23.1.1.2　团体/会议名称检索点选取的原则

团体/会议名称检索点必须选取反映集体思想和集体活动的著作中以专门名称出现的责任者。该责任者是一个组织、单位或个体组合。团体名称检索点的具体选取原则应同时参见第二十二章22.1.1.2条款中关于个人名称检索点选取的相关规定。

23.1.1.3　团体/会议名称检索点的选取数量

团体/会议名称检索点选取的数量应视著作的各类责任方式分别确定。

a. 单独责任方式

对著作的内容负有独立责任的团体/会议名称应作为检索点,无论其名称是以责任说明方式出现在文献中,或者是通过考证所得。

b. 分担责任方式

若一部著作由多个责任者(团体、会议或个人)以同一责任方式共同完成,三个或三个以下的等同责任者,原则上均应作为检索点。若超过三个,可选取其中第一个责任者或最具代表性的一个或多个责任者为检索点。

c. 混合责任方式

若一部著作由多个责任者(团体、会议或个人)以不同责任方式完成,其责任者名称均应作为检索点,但所选责任方式原则上不超过四种。一种责任方式的责任者超过三个,可选取第一个责任者或最具代表性的一个或多个责任者为检索点。

d. 各编目机构可视实际需要,在上述原则基础上对团体/会议名称检索点选取数量作适当调整。

23.1.2　各类型团体/会议名称检索点的选取

23.1.2.1　一般团体名称

a. 记载团体内部管理及行政事务的文献,如工作计划、年度总结、财务报告、人事资料等以其机构或团体名称为检索点。

例1: 北京市农业科学研究所

(题名与责任说明项:一九六五年科研工作总结汇编 / 北京市农业科学研究所)

例2: 联合国开发计划署

(题名与责任说明项:联合国开发计划署2001年12月31日终了的两年期财务报告和审定财务报表以及审计委员会的报告)

b. 记载团体集体思想的文献,如党政纲领、宣言、报告、声明等,以其颁布者、批准者、起草者等为检索点。

例1: 联合国人权委员会

(题名与责任说明项:世界人权宣言 / 联合国人权委员会起草)

例2: 越南南方民族解放阵线驻华代表团

(题名与责任说明项:越南南方民族解放阵线政治纲领 / 越南南方民族解放阵线驻华代表团编)

c. 记载团体集体活动的文献,如会议录、调查与考察报告、展览会及各种活动的记录资料以其主办者、主编者、编辑者等为检索点。

例1: 国家环境保护总局

教育部

(题名与责任说明项:全国公众意识调查报告 / 国家环境保护总局,教育部编)

例2: 中国科学技术情报研究所

(题名与责任说明项:出国参观考察报告. (75)005, 日本微生物研究概况 / 中国科学技术情报研究所编辑)

d. 属于国家机构团体的出版物,如声明、公报、法律、法规、条例、条约、协议、协定、制度、规定、标准、司法判例等,不论是否载明责任方式,均应以其批准者、颁布者、制订者、编辑者等,或依出版物责任的管辖机构作为检索点。

例1: 交通部

(题名与责任说明项:中华人民共和国交通法规汇编. 1998 / 中华人民共和国交通部编)

例2: 邮电部邮政储汇局

(题名与责任说明项:邮政金融业务制度规定选编 / 邮电部邮政储汇局编)

e. 记载演出团体集体活动的视频、音频资料以及演出的文字记录等,以其主办者、参与者等为检索点。

例1: 中央歌舞团民族乐队

(题名与责任说明项:中国民间音乐 [录音资料] / 中央歌舞团民族乐队演奏 ; 朴东生指挥)

例2: 阳光演唱组

（题名与责任说明项：草原流淌的牧歌［电子资源］／阳光演唱组演唱）

f. 出自一个团体的测绘资料，该团体不只是负责文献的出版或发行，如还对文献的绘制负责，以其主持者、策划者、测绘者、编辑者为检索点。

例：　地质出版社地图编辑室

（题名与责任说明项：北京实用地图册／地质出版社地图编辑室编制）

g. 以团体署名的学术著作以及百科全书、辞典、年鉴、手册、书目等大型工具书，应以团体名称作为检索点。若能够获得承担主要责任的个人名称，可同时选取作为检索点。

例 1：　北京大学哲学系中国哲学教研室

（题名与责任说明项：中国哲学史／北京大学哲学系中国哲学教研室著）

例 2：　国家图书馆敦煌吐鲁番学资料研究中心

（题名与责任说明项：敦煌与丝路文化学术讲座．第一辑／国家图书馆善本特藏部敦煌吐鲁番学资料研究中心编）

例 3：　王振德（1941－）

搜趣斋书店

海河书画社

（题名与责任说明项：中国近现代书画家辞典／王振德主编；搜趣斋书店，海河书画社联合编纂）

例 4：　中国大百科全书出版社

澳门基金会

吴志良（1964－）

杨允中（1933.2－）

（题名与责任说明项：澳门百科全书／吴志良，杨允中主编；中国大百科全书出版社，澳门基金会编纂）

h. 以国家党政领导人署名的党政机关出版物，其内容属于职务性著作，除以个人名称作为检索点外，另以其担任的职务名称作为检索点。

例 1：　朱镕基（1928.10－）

国务院总理（1998.3－2003.3，朱镕基）

全国人民代表大会全体会议（9 届，5 次：2002：北京）

（题名与责任说明项：政府工作报告：2002 年 3 月 5 日在第九届全国人民代表大会第五次会议上／朱镕基报告）

例 2：江泽民（1925.8－）

中国共产党中央委员会总书记（1989.6－2002.11，江泽民）

中国共产党中央纪律检查委员会全体会议（6 次：1996：北京）

（题名与责任说明项：在中央纪委第六次全会上的讲话：1996 年 1 月 26 日／江泽民）

23.1.2.2　会议名称

a. 与会议有关的决议、决定或以会议录形式出现的报告、文件、论文集、资料汇编等,应以会议名称为检索点。

例1: 中国共产党中央委员会全体会议(11届,6次 : 1981 : 北京)
(题名与责任说明项: 中国共产党中央委员会关于建国以来党的若干历史问题的决议 : 一九八一年六月二十七日中国共产党第十一届中央委员会第六次会议一致通过)

例2: 亚洲族谱学术研讨会(3 : 1987 : 台北)
联合报文化基金会国学文献馆
(题名与责任说明项: 第三届亚洲族谱学术研讨会会议录 / 联合报文化基金会国学文献馆编)

b. 会议录文献具有会议名称及编辑者,同时选取会议名称和编辑者作为检索点。

c. 会议录文献以会议主题为题名,而将会议名称题署于副题名或它处,仍以会议名称作为检索点。

例1: 全国土动力学学术会议(6 : 2002 : 南京)
(题名与责任说明项: 土动力学与岩土地震工程 : 第六届全国土动力学学术会议论文集 / 刘汉龙主编)

例2: 国际汉学会议(3 : 2000 : 台北)
(书目记录: 中世纪以前的地域文化、宗教与艺术 / 邢义田主编. -- 第三届国际汉学会议论文集)

d. 文献具有两个以上从属关系的会议名称,同时选取大会议名称以及与会议主题密切的小会议名称作为检索点。

例: 中国杭州西湖博览会(2002)
绿色居住国际学术研讨会(2002 : 杭州)
(书目记录: 绿色居住国际学术研讨会论文集 [电子资源] / 贾生华,吴玉楼主编. -- 中国杭州2002西湖博览会(11.20-11.22)项目)

e. 文献存在两个或两个以上并列的会议名称,分别选取作为检索点。

例: 中国税务学会理事会(2 : 1991 : 杭州)
全国税收理论研讨会(1991 : 杭州)
(题名与责任说明项: 中国税务学会理事会暨全国税收理论研讨会文集. 1991 / 中国税务学会编)

f. 文献本身属于会议录,但无正式会议名称,以其所归属的会议名称作为检索点。

例: 中国图书馆学会年会(1991 : 大连)
中国图书馆学会读者工作研究分委员会
(题名与责任说明项: 为科研生产服务论文集 / 中国图书馆学会读者工作研究分委员会编)
(取该论文集所归属的会议名称为检索点)

g. 如文献内容仅部分属于会议录(会议录非文献主体),不应以会议名称为检索点。

例: 刘善璧(1941.10-)

（题名与责任说明项：武汉政协年鉴．2000 / 刘善璧主编）
（根据文献内容提要项说明：该文献包括“重要会议篇”、“建立言论篇”、“提案工作篇”、“民主评议篇”、“政协论坛篇”等栏目，其中“重要会议篇”内容属于会议录性质。因非文献主体，不作检索点）

23.2　团体名称标目形式的确定

23.2.1　通则

23.2.1.1　团体名称标目是团体名称检索点的规范形式。团体名称标目由标目主要成分及附加成分组成。

23.2.1.2　团体名称标目确定的依据

团体名称标目一般应依据文献使用的正式名称。在文献中若无法获取，可依据其他参考信息源。

例：国务院
公安部
（题名与责任说明项：中华人民共和国道路交通事故处理办法和道路交通事故处理程序规定）
（文献本身未记载团体责任名称，经查考其他信息源，获知“中华人民共和国道路交通事故处理办法”是国务院1991年第89号令，“道路交通事故处理程序规定”是中华人民共和国公安部1992年第10号令。因此增加文献发布单位作为责任者检索点，并确定其规范形式）

23.2.1.3　团体名称标目确定的原则

团体机构同时具有两个及两个以上名称，应选择其中最著称者为标目。若无法确定，依以下先后顺序选择。

a. 团体责任者在其出版物中最常用的名称。

b. 各种参考信息源中最常用的名称。

例：解放军总医院
（全称为“中国人民解放军总医院”，又称“中国人民解放军第301医院”。采用“解放军总医院”为团体名称标目）

c. 对同一团体履行不同职能所使用的不同名称，应分别建立规范标目，并作相关参照。如“中国协和医科大学”与“中国医学科学院”实行院校合一的管理体制，前者履行临床医学实践职能，后者履行医学科学的学术研究职能，应分别建立规范标目。

23.2.2　一般团体名称标目规则

23.2.2.1　独立团体名称（一级机构）同时具有全称和简称，一般应以其全称作规范标目。

例1：中国国民党革命委员会

(用全称作标目,不用其简称“民革”)

例2: 中国第一汽车集团公司

(用全称作标目,不用其简称“一汽集团”)

23.2.2.2 若依据上述规则形成的团体名称标目冗长,可采用具有区分特征的通用简称为规范标目,对其全称建立单纯参照。

例3: 中国三S研究会

(用简称作标目,不用全称“中国史沫特莱、斯特朗、斯诺研究会”)

23.2.2.3 从属团体名称(存在多层结构),在确定标目形式时,可适当对各层次团体机构名称进行简化处理(见本章23.2.2.8条款“一般团体名称中的从属团体名称”)。

23.2.2.4 当团体名称标目无法显示其实际意义,或容易产生歧义时,应在名称后附加说明。(见本章23.2.2.7条款“一般团体名称标目的附加规则”)

23.2.2.5 相同名称的不同团体责任者,其名称标目形式应在名称前后添加附加成份,予以区分。

(见本章23.2.2.7条款“一般团体名称标目的附加规则”)

23.2.2.6 一般团体名称标目的更名

由于历史变迁或职能、隶属关系等发生变化,团体名称出现更名情况,应分别选择前后不同的名称建立规范标目,并在规范记录说明款目内描述该团体的变迁情况,建立新旧规范标目的相关参照。如:“北京图书馆”1998年后更名为“国家图书馆”,应分别以当时的名称为标目,并作相关参照。

23.2.2.7 一般团体名称标目的附加规则

a. 一般团体名称标目的主要成分意义不明确或存在相同名称时,需使用附加成分。

b. 一般团体名称标目的附加成分,主要包括朝代、国别、地理名称、时间限定以及其他说明词语。

c. 在标目主要成分相同的团体名称中,没有朝代和国别附加说明的团体名称标目应理解为“现代”、“中国”的团体责任者。如同名的非现代团体,其朝代不详,或同名的非中国团体,其国别不详,则在团体名称后附加说明词语“(朝代不详)”或“(国别不详)”。对与国内机构同名的国际组织,在团体名称后附“(国际组织)”。

d. 一般团体名称标目附加成分的位置及使用符号。

团体名称标目附加成分的朝代、国别的位置可参照第二十二章22.2.3.2条款处理。地理名称、时间限定及其他附加成分应置于团体名称标目主要成分之后,各成分间隔一空格,整个后置附加成分用圆括号括起。附加成分的国名、地名应使用国家正式公布的规范名称。

例1: (美)读者文摘编辑部

(题名与责任说明项:实用英语单词记忆大全 / 美国《读者文摘》编辑部编 ; 杨小洪,周蒲芳编译)

读者文摘编辑部

(题名与责任说明项:读者文摘十人插图集 / 读者文摘编辑部编)

例 2：　经济日报社

经济日报社（台湾省）

经济日报社（民国时期）

例 3：　第六工作室（计算机辅助教学）

（题名与责任说明项：Powerpoint 精彩课件制作 / 第六工作室编著）

例 4：　小虎队（演唱组）

（题名与责任说明项：再见［录音制品］/ 小虎队演唱）

23.2.2.8　一般团体名称中的从属团体名称

具有多个层次的团体责任者名称，应根据其名称的不同性质或结构确定标目形式。

a. 从属团体名称本身具有可识别性，直接以其名称为标目。如："中国科学院紫金山天文台"直接取"紫金山天文台"作标目。

b. 不具有可识别性名称的从属团体机构应连同其上级机构名称构成标目。

例：　北京大学信息管理系

c. 从属团体名称，若省略中间层次，仍具有独立识别意义，可以其最高及最低层次的机构名称作标目。如："国家图书馆善本特藏部敦煌吐鲁番学资料研究中心"取"国家图书馆敦煌吐鲁番学资料研究中心"为标目。

d. 采用上述方法确定的标目形式如果影响其可识别意义，则各个层次都不应简化。如：国家图书馆分馆电子阅览室（如果标目层次简化为"国家图书馆电子阅览室"可能会与总馆电子阅览室混淆）。

e. 从属团体名称标目，在不影响识别意义的前提下，可对逐级机构使用简称。

例：　全国人大常委会（两级团体机构名称，各级用简称）

全国人大法工委（三级团体机构名称，省略二级机构"常委会"，各级用简称）

全国人大法工委研究室（四级团体机构名称，可省略二级机构"常委会"，不能省略三级机构"法工委"，各级用简称）

23.2.2.9　一般团体名称标目的省略、简写

a. 团体名称中的"国立"、"国营"、"省立"、"市立"、"私立"、"财团法人"、"股份有限"、"有限责任"等字样在标目规范形式中一般可予省略，如省略易产生歧义，则保留原形式。

例 1：　沈阳重型机器厂教育科

（题名与责任说明项：桥式起重机司机技术 / 国营沈阳重型机器厂教育科编）

例 2：　深圳市证券管理办公室

大鹏证券公司

（题名与责任说明项：董事手册 / 深圳市证券管理办公室，大鹏证券有限责任公司主编）

例 3：　国营上海灯泡厂

（题名与责任说明项：国外专利文献题解. 电真空器件，1 / 国营上海

灯泡厂主编)

(上述标目如果省略“国营”字样,将与其前身私营企业上海灯泡厂相混淆,故保留原形式)

例4: 广东省立中山图书馆

(题名与责任说明项:民国广东大事记/广东省立中山图书馆编纂)

(上述标目如果省略“省立”字样,可能与广东省中山市图书馆混淆,故保留原形式)

b. 凡团体名称中含有序数词(数字),其标目规范形式一律用汉字表示,代码和代号一律用阿拉伯数字表示。

例1: 北京市第十五中学

(不用“北京市第15中学”)

例2: 解放军302医院

(不用“解放军三零二医院”)

c. 团体标目形式一般不使用标点符号,但省略标点符号可能产生歧义,则应予保留。

例: 山东省“三讲”教育领导小组办公室

(应保留标点符号)

d. 团体名称标目规范形式进行省略、简写后,应为其原名称形式建立单纯参照。

23.2.3 各类型团体机构名称标目

23.2.3.1 中央国家机构名称标目

a. 中央国家机构(含国务院下属部委机构)中冠有“中华人民共和国”字样的,可省略“中华人民共和国”,直接以机构的全称作标目。

例: 全国人民代表大会

国务院

文化部

国家计划生育委员会

新闻出版署

最高人民法院

b. 中央国家机构中没有“中华人民共和国”字样的,直接用机构的全称作标目。

例2: 中国人民银行

中国科学院

中国社会科学院

c. 中央国家机构的下属办事机构,其标目形式应前冠上级机构名称。

例: 国务院法制办公室

文化部计财司

科技部办公厅

民政部优抚安置局

d. 中央国家机构的直属机构具有独立可识别名称，直接以其名称为标目，否则需前冠上级机构的名称。

例 1：　新华通讯社
　　（直接用机构名称作标目）

例 2：　国务院机关事务管理局
　　文化部文化艺术人才中心
　　（前冠上级机构的名称。）

e. 中央国家机构的直属机构名称冠有“中华人民共和国”字样的应省略。如可能产生疑义应简称为“中国”。

例 1：　国家南极考察委员会
　　国家海洋局
　　（题名与责任说明项：南大洋考察图集［舆图］：南极半岛西北部海区／中华人民共和国国家南极考察委员会，中华人民共和国国家海洋局编辑）
　　（国家南极考察委员会隶属国家科技部）

例 2：　中国联合国教科文组织全国委员会
　　（题名与责任说明项：中国世界遗产［电子资料］／中华人民共和国联合国教科文组织全国委员会主编）
　　（该机构隶属教育部，前冠成分“中华人民共和国”字样不能完全省略，故简称“中国”）

f. 中国驻外使馆、领事馆、外交使团及其下属机构的名称标目需前冠“中国”字样。所在国家名称可使用规范简称。

例 1：　中国驻法国使馆经济商务处
　　（题名与责任说明项：谈当前的法国经济／中国驻法国使馆经济商务处编写）

例 2：　中国关贸总协定谈判代表团
　　（题名与责任说明项：中国对外贸易制度备忘录 = Revision to memorandum on China's foreign trade regime ：1993 年 5 月修订本 ：汉英对照／中国关贸总协定谈判代表团提供）

g. 中国政府机构团体名称标目用于国际交流领域，可前冠规范简称“中国”，而不采用本条款中 a 的规则（参见本章 23.2.3.1a 规定）。

23.2.3.2　地方国家机构名称标目

a. 省（自治区、直辖市）、市（地区、自治州、盟）、县（县级市、自治县、旗）等各级地方国家机构，取其本级惯用简称为标目。

例 1：　河北省人大
　　北京市政府
　　（不使用“人民代表大会”、“人民政府”等全称）

例 2：　宜昌地区检察院
　　兴安盟中级法院

抚宁县人大

巴林左旗政府

(不冠“湖北省”、“内蒙古自治区”、“河北省秦皇岛市”、“内蒙古自治区赤峰市”等字样)

b. 地方国家机构的下属办事机构,标目形式需冠上级机构的简称。

例: 河北省人大常委会办公厅

北京市政府法制办公室

山东省高级法院立案庭

c. 地方国家机构的直属机构,具有可识别性名称,直接以其名称为标目,否则需冠以上级机构的简称。政府直属机构的标目形式冠以政府所辖地域名称。

例1: 汕头市中级法院司法警察支队

(冠上级机构的简称)

例2: 上海市气象局

黑龙江省轻工业厅

沈阳市劳动局

通化县人事局

(冠上级政府机构所辖地域名称)

d. 少数民族自治区、自治州、自治县等机构,在不影响识别的前提下可省略其中所含的少数民族名称。

例: 湘西自治州政府

元江自治县文化局

(分别省略“土家族苗族”和“哈尼族傣族”字样)

e. 直辖市、省辖市以及县级机构下属的市辖区、乡、民族乡、镇及其隶属单位,需逐级冠列各层机构的名称,特别知名者可例外。

例1: 北京市海淀区紫竹院街道办事处

广州市天河区民政局

大足县古龙乡政府

例2:大寨大队业余创作组

(题名与责任说明项:大寨新民歌选 / 大寨大队业余创作组创作)

23.2.3.3 政党组织与政治团体名称标目

a. 中国共产党机构

(a)中国共产党中央委员会取全称为标目。

(b)党中央的办事机构和直辖组织,采用常用惯称为标目,其前的“中国共产党中央委员会”简称为“中共中央”。

例: 中共中央办公厅

中共中央军事委员会

中共中央纪律检查委员会

中共中央组织部

中共中央宣传部

中共中央统战部

（不用其全称“中共中央统一战线工作部”）

（c）党中央办事机构和直辖组织的下属机构，标目形式需冠上级机构的简称。

例：　中纪委驻水利部纪检组

中宣部理论局

中共中央统战部民主党派工作局

（d）中国共产党各级组织的名称标目，可将“中国共产党”简称“中共”、“委员会”简称“委”；各级基层党组织按不同级别（如党委、党总支、党支部）逐一冠列所属各层次机构简称为标目。

例：　中共浙江省委

中共北京市委

中共岫岩自治县委

中共北京市海淀区委

中共北京市海淀区劳动局党委

中共武汉大学哲学系党总支

中共文化部人事司干部处党支部

b. 民主党派机构

（a）民主党派的中央机构，以其全称为标目。

例：　中国民主同盟

中国农工民主党

（b）民主党派中央机构的办事机构和直属单位，冠民主党派简称及“中央”字样，各级下属机构一律冠其上一级机构的简称。

例1：　民盟中央文史委员会

（题名与责任说明项：中国民主同盟简史 ：1941－1949 ／ 民盟中央文史委员会编）

例2：　民盟广东省委宣传部

民盟佛山市委

（题名与责任说明项：民盟知识手册 ／ 民盟广东省委宣传部，民盟佛山市委员会编）

例3：　民革浙江省委孙中山研究会

民革湖州市委

（题名与责任说明项：孙中山与湖州人 ／ 民革浙江省委孙中山研究会，民革湖州市委员会编）

c. 中国共产主义青年团

（a）中国共产主义青年团的中央机构，以其全称为标目。

（b）中国共产主义青年团中央机构的下属办事机构和直属单位，前冠“共青团中央”为标目。

例：　共青团中央国际联络部

（题名与责任说明项：国外青年与青年工作 ／ 团中央国际联络部编）

（c）各地、各团体共青团机构及其各级下属机构标目形式的确定，可参照中国共产党机构处理。

例：　共青团河北省委青工部

（题名与责任说明项：丰碑 ：河北省青年文明号风采录 / 共青团河北省委青工部编）

d. 中国人民政治协商会议

（a）中国人民政治协商会议的中央机构“全国委员会”，以全称“中国人民政治协商会议全国委员会”为标目。

例：　中国人民政治协商会议全国委员会

（题名与责任说明项：中国人民政治协商会议共同纲领 ：中国人民政治协商会议第一届全体会议通过）

（b）政协全国委员会的办事机构和直属机构，前冠“全国政协”为标目。

例：　全国政协文史资料委员会

（题名与责任说明项：中国人民政治协商会议第一届全体会议亲历记 / 全国政协文史资料委员会编）

（c）各地政协机构以简称“政协”及各级委员会名称为标目，同时应将行政区划加“政协”的名称形式作为单纯参照。

例：　政协河北省委文史资料研究委员会

（题名与责任说明项：清东陵大观 / 中国人民政治协商会议河北省委员会文史资料研究委员会编）

（在以“政协河北省委”为标目时，“河北省政协”应作单纯参照）

23.2.3.4　国家军事机构名称标目

a. 国家军事机构中的“中国人民解放军”字样，一律简化为“解放军”。

例：　解放军总后勤部

解放军空军政治部

b. 解放军所属机构，其常用或惯用名称凡省略“解放军”字样的，在确定标目形式时需添加“解放军”字样。

例1：　解放军南海舰队政治部

（题名与责任说明项：守望大海 / 南海舰队政治部编）

例2：　解放军国防科技大学

（题名与责任说明项：理论力学 / 国防科技大学等编）

例3：　解放军防化研究院情报资料处

（题名与责任说明项：防化研究［期刊］/ 防化研究院情报资料处编）

c. 解放军中央军事机构的下属办事机关，需前冠上级机构的简称。

例1：　解放军总政保卫部

（题名与责任说明项：军队保卫工作学概论 / 总政治部保卫部编）

例2：　解放军总参办公厅档案局

（题名与责任说明项：档案服务利用理论与实践 / 总参办公厅档案局编）

d. 解放军各级机构的直属部队和各级军事建制(团及其以上单位),若有可识别性名称,直接以其名称作为标目;否则,则需前冠上级机构的简称。

例1: 解放军战友文工团歌剧团创作组

(题名与责任说明项: 比武之前 : 评剧 / 战友文工团歌剧团创作组编剧)

(不冠"北京军区政治部"字样)

例2: 解放军德阳军分区

(题名与责任说明项: 德阳市军事志 / 四川省德阳军分区编)

(不冠"成都军区四川省军区"字样)

例3: 解放军八一体工大队

(题名与责任说明项: 团结拼搏铸造辉煌 : 八一体育工作大队建队五十周年记念文集 / 八一体育工作大队编)

(不冠"解放军总政治部"字样)

例4: 解放军总政歌舞团

(题名与责任说明项: 战马嘶鸣 : 舞蹈 / 中国人民解放军总政治部歌舞团创作)

("总政歌舞团"为解放军总政治部直属单位,不具有独立可识别性名称,需前冠上级机构的简称)

e. 解放军部队的番号与代号标目

(a) 在文献中同时载有解放军部队番号和代号,选取番号为标目。

例: 解放军第四十二集团军政治部

(题名与责任说明项: 浴血朝鲜 : 42 军老战士抗美援朝亲历记 / 中国人民解放军 75200 部队政治部编)

(b) 在文献中只有部队番号,以番号为标目。

例: 解放军空降兵第一三三团政治处

(题名与责任说明项: 黄继光连连史 / 空降兵第一三三团政治处主编)

(c) 在文献中只有部队代号,但根据参考信息源可以推定其番号,以番号为标目。

例: 解放军第十六集团军政治部

(题名与责任说明项: 百战全胜锁嫩江 : 八一〇二一部队'98 抗洪风采录 / 八一〇二一部队政治部编. -- 八一〇二一部队系解放军第十六集团军)

(d) 在文献中只有部队代号,无法确知其番号,以部队代号为标目。

例: 解放军 65663 部队

(题名与责任说明项: 晕船的发生与预防 / 六五六六三部队,沈阳军区后勤部军事医学研究所编著)

f. 武警部队的标目

(a) "中国人民武装警察部队"字样,一律简化为"武警"。

(b) 武警部队中的公安部队,标目形式为:"武警" + 行政建制名称 + 部队建制名称。在地方行政建制名称中应保留省级以下的"市、州、县"字样,"省、自治区、直辖市”一级可直接冠地域名称。

例： 武警湖南总队
武警太原市总队
武警阳江市支队
武警武平县中队

(c)武警部队中的内卫部队,直接以部队代号为标目。

例： 武警 8621 部队

(d)武警部队中的各专业警种部队,有可识别性名称,直接以名称作为标目;否则冠所属地方行政建制名称为标目。

例 1： 武警黄金五支队

例 2： 武警通辽市森林支队

(e)各级武警部队的内设机构和直属部队,名称标目需前冠上级机构的简称。

例： 武警总部司令部
武警总部森林指挥部
武警抚州市支队政治处
武警北京总队八支队
武警武汉市支队特警队

23.2.3.5 群众团体、科教文卫机构及企事业单位名称标目

a. 全国性的群众团体及企事业单位一般以其全称为标目,若全称冗长,可选择简称为标目,以其全称作单纯参照。

例 1： 中华全国总工会
(题名与责任说明项：2002 年中国工会维护职工合法权益蓝皮书 ：[中英文本] / 中华全国总工会[编])

例 2： 中国作家协会
(题名与责任说明项：当代中国作家诗书画选 / 中国作家协会编辑)
(不用“全国作协”)

例 3： 中国国际信托投资公司
(题名与责任说明项：中国国际信托投资公司(集团)会计制度 / 中国国际信托投资公司制定)
(不用“中信公司”)

例 4： 全国侨联
(题名与责任说明项：赤子心 桑梓情 ：[摄影集] / 中华全国归国华侨联合会编)
(“全国侨联”为惯用简称)

b. 各地群众团体名称在不产生歧义的前提下,可对其全称做适当简化后作为标目,其全称作单纯参照。

例 1： 广州市妇联
(题名与责任说明项：妇女权益保障指南 / 广州市妇女联合会编)

例 2： 玉溪市文联

（题名与责任说明项：聂耳与玉溪／玉溪市文联编）
（不用"玉溪市文学艺术界联合会"）

23.2.3.6　中国宗教团体及寺庙、道观、教堂名称标目

a. 作为独立团体名称的宗教团体，一般以其全称为标目。

例：中国佛教协会
北京市道教协会
甘肃省伊斯兰教协会
中国基督教三自爱国运动委员会

b. 宗教团体的附属机构名称具有独立可识别性，直接以其名称为标目；否则应冠予上级机构的名称，构成从属团体名称标目。

例1：中国伊斯兰教教务指导委员会
（题名与责任说明项：新编卧尔兹演讲集．第二辑／中国伊斯兰教教务指导委员会编）
（中国伊斯兰教教务指导委员会是中国伊斯兰教协会的专门委员会，直接以名称作标目）

例2：中国道教文化研究所
（题名与责任说明项：道教教义的现代阐释 ：道教思想与中国社会发展进步研讨会论文集／中国道教协会道教文化研究所）
（该机构正式名称为：中国道教文化研究所，是中国道教协会的下属机构，以其正式名称为独立团体名称标目）

例3：嵩山少林寺常住院
（题名与责任说明项：少林禅苑／河南嵩山少林寺常住院主办）
（从属团体名称标目）

例4：天主教上海教区史料译写组
（题名与责任说明项：江南传教史／（法）史式徽（J. de. ca. Serviere）著；天主教上海教区史料译写组译）
（从属团体名称标目）

c. 寺庙、道观、教堂应优先选择最为人们熟知的名称作为标目。如："王府井天主教堂"以"王府井天主教堂（北京）"为标目，不用其本名"圣若瑟堂"，也不用其别名"东堂"或"八面槽天主堂"。

d. 寺庙、道观、教堂惯用名称中含有地名成分的应保留；未表明其所在地，需附加所在地名称。

例1：嵩山少林寺
崂山上清宫
（以本名为标目）

例2：灵隐寺（杭州）
白马寺（洛阳）
法门寺（西安）
（附加所在地名称）

23.2.3.7　历史上的团体机构名称标目

a. 中国古代和近代的团体机构名称标目,不能反映其历史特征的,若有必要可使用朝代附加。

例 1：(元)司农司

(题名与责任说明项：农桑辑要 ：七卷 / (元)司农司撰)

例 2：(清)钦天监

(题名与责任说明项：大清宣统四年岁次壬子时宪书 / (清)钦天监编)

b. 中华民国时期的团体机构名称标目若可能与现代团体机构同名或产生歧义,可在标目主要成分之后附加“民国时期”的说明,并置于圆括号内。

例：商务印书馆编译所(民国时期)

(题名与责任说明项：夺嫡奇冤 ：侦探小说 / 商务印书馆编译所译)

23.2.3.8　国际组织或外国团体名称标目

a. 国际组织或外国团体本身有中文名称的,以中文名称为标目;若有多个中文名称,以其常用或惯用名称为标目。

例 1：国际竹藤组织

(国际竹藤组织(International Network for Bamboo and Rattan)是总部设在中国的国际性研究开发机构)

例 2：新加坡中华总商会

(新加坡中华总商会(Singapore Chinese Chamber of Commerce & Industry,简称 SCCCI)是新加坡著名商团机构)

b. 国际组织或外国团体名称本身无中文名称,以中文译名为标目;若有多个中译名,以其常用或惯用中译名为标目。

例 1：(美)罗克韦尔自动化公司

(Rockwell Automation 是总部设在美国威斯康星州密尔沃基的一家工业自动化跨国公司)

例 2：(美)安然公司

(美国 Enron 公司是一家大型能源贸易公司,其中文译名先后有“安龙公司”、“安隆公司”和“安然公司”。应取其常用和通用译名“安然公司”为标目)

c. 国际组织或外国团体无中文译名,应参考相关信息源或权威文献确定其中译名。中译名以意译名优先,无法意译的可采取音译名。

例：(美)蜂星电讯公司

(美国 CellStar 公司,其中译名音译为:“施乐事达公司”,意译为:“蜂星电讯公司”。按照意译优先原则,取“蜂星电讯公司”为标目)

d. 若国际组织或外国团体的中文名称由该机构的外文缩写加必要中文说明组成,且该名称比正规中文译名更为熟悉或惯用,可以该名称为标目。

例：(美)IBM 公司

(不用“(美)国际商业机械公司”)

e. 国际组织或外国团体名称的附加

(a)国际组织名称与国内组织名称相同或可能产生歧义,可在名称之后附加说明“(国际组织)”。

例:　第三世界科学院(国际组织)

(b)外国团体名称意义不明确,可在名称之后附加说明。

例:　(秘鲁)光辉道路(反政府组织)

(c)外国团体若能判断其国别,可在标目中附加国别说明。

(d)外国团体名称中含有明确的国别成分,应省略国别附加。

例:　日本共产党

(e)跨国机构的国别,以其总部或主体所在国家为准。

例:　(荷兰)壳牌集团

(壳牌集团(Royal Dutch Shell Group)是总部设在荷兰的国际石油公司)

(f)无法判断其国别,可在团体名称之后附加说明成分“(国别不详)”。

23.2.3.9　职务名称标目

a. 国家党政机构的领导人,以职务身份撰写和发表的文献,应建立职务名称标目。职务名称标目以职务正式名称为主要成分,附加成分包括任职时间和任职者个人姓名的简短形式。其一般标目形式为:职务名称(任职时间 : 个人名称)。

例:　国务院总理(1998.3-2003.3 : 朱镕基)

b. 职务名称一般应采用职务正式名称的全称形式为标目。若职务名称冗长,可适当简化。

如:　大不列颠及北爱尔兰联合王国政府首相布莱尔的职务名称,可简化为:英国首相(1997.5- : 布莱尔)

c. 职务任期可记载到月,年月中间用圆点。无法确认月的可记载到年,无法确认年的用“?”表示。

d. 同一责任者的多个连续任期,可采用一个标目;不连续任期,应分别建立标目。

例1:　国家主席(1993.3-2003.3 : 江泽民)

(含两个任期)

例2:　美国总统(1885-1889 : 克利夫兰)

美国总统(1893-1897 : 克利夫兰)

(“克利夫兰”的全称为:“格罗弗·克利夫兰(Grover Cleveland)”)

e. 职务名称中的个人名称附加,应采用个人名称的简要形式或惯用称谓。

例1:　马来西亚总理(1981.7-2003.10 : 马哈蒂尔)

(“马哈蒂尔”的全称为:“达图·哲·马哈蒂尔·宾·穆罕默德(Datuk Seri Mahathir Bin Mohamad)”)

例2:　美国总统(2001.1-2005.1 : 小布什)

(“小布什”与其父同名同姓。其全称为“乔治·沃克·布什(George Walker Bush)”,取“小布什”为个人名称附加)

23.2.4　会议名称标目

23.2.4.1　会议名称标目的结构

会议名称标目以会议正式名称为标目主要成分,附加成分包括会议的届次、日期、地点等。其结构为:会议名称(届次 : 日期 : 地点)

例1:　世界大学生运动会(11 : 1981 : 都灵)

例2:　全国摄影艺术展览(12 : 1982 : 北京)

23.2.4.2　会议名称

a. 会议名称应选取长期稳定的会议正式名称作为标目形式。

例:　国际红楼梦学术研讨会(1 : 1980 : 威斯康辛大学)

(题名与责任说明项:首届国际"红楼梦"研讨会论文集 / 周策纵编)

b. 会议名称冗长,可适当简化后作为标目。

例:　全国网络整治会议(2004 : 北京)

(题名与责任说明项:全国网吧等互联网上网服务营业场所专项整治工作电视电话会议录像资料)

c. 正式会议名称应保持前后一致。若中途变更,应作相关参照。如"国家图书馆计算机文档采编工作研讨会",后更名为"国家图书馆电子资源采编工作研讨会"。前后标目作相关参照。

23.2.4.3　会议届次

a. 会议届次统一用阿拉伯数字表示。

b. 会议有届又有次,可一并记载,连续书写。

例:　全国人民代表大会全体会议(10届2次 : 2004 : 北京)

23.2.4.4　会议时间

a. 会议时间一般记载到年份,形式为四位阿拉伯数字。

b. 会议跨年份举行,应记载起迄年份。

例:　世界特殊教育讲习会(1969-1970 : 东京)

c. 同一会议在一年内举行两次或两次以上,会议时间可记载会议开始的年、月、日,其间用下圆点。

例:　全国图书馆联合编目工作会议(2000.5.21 : 北京)

全国图书馆联合编目工作会议(2000.12.1 : 北京)

23.2.4.5　会议地点

a. 会议地点为教育、文化机构,可记载机构名称。

例:　编目与规范控制国际研讨会(2003 : 香港大学)

b. 会议名称含会议地点时,会议地点可省略。

例:　香港国际电影节(11 : 1987)

c. 会议在两地同时或先后举行,应一并记载,其间用下圆点。超过两地的仅记载第一个地点,后加"等"字。

例:　世界和平大会(1 : 1949 : 巴黎.布拉格)

国际生物学会议(15 : 1929 : 比勒陀利亚等)

d. 电话、电视和网络会议若具有中心会场,可记载其地点,否则不记载地点。

第二十四章　题名标目

24.1　题名检索点的选取

24.1.1　通则

24.1.1.1　题名检索点选择的信息源

题名检索点选取的信息源为文献的主要信息源，同时可参考文献中或文献外的其他信息源，以及书目记录中的题名与责任说明项、版本项、丛编项及附注项中的题名信息。

24.1.1.2　题名检索点选取的原则

a. 凡具有检索意义的文献各类型的题名，包括正题名（含交替题名）、其他题名信息、分卷（册）题名、丛编名等均可作为检索点。

b. 出现在著录信息源和书目记录中的其他题名信息、分卷题名等，若无检索意义可不选作检索点。

例 1：　题名与责任说明项：红楼梦［电子资源］：三十六集电视连续剧 / （清）曹雪芹原著 ；王扶林导演 ；欧阳奋强［等］主演

（“三十六集电视连续剧”不作检索点）

例 2：　题名与责任说明项：20 世纪外国短篇小说编年. 英国卷 / 高中甫，任吉生主编 ；邹海仑选编

（“英国卷”不单独作检索点）

24.1.1.3　题名检索点选取的数量

与文献整体内容相关的各类题名，其检索点的选取没有数量限制，凡具有检索意义的题名均可选择作为检索点；与文献局部内容相关的各类题名，如著作汇编各组成部分的题名或附录的题名，三种或三种以下时可全部选择，三种以上可酌情选择。

24.1.2　题名检索点选取的规则

24.1.2.1　各类型文献的正题名（含整套著录的丛编正题名和多卷文献总题名或共同题名）原则上应作为文献的题名检索点。

例 1：　解开汉字之谜

（题名与责任说明项：解开汉字之谜 / 安子介著）

例 2：　二十一世纪图书馆学丛书

（题名与责任说明项：二十一世纪图书馆学丛书 / 丘东江主编）

(正题名“二十一世纪图书馆学丛书”为丛书综合著录时的题名检索点,该丛书包括《未来网络的基石技术》、《知识管理的理论与实践》、《元数据导论》等9册)

例3: 一代风流

(题名与责任说明项:一代风流 / 欧阳山著)

(正题名“一代风流”为多卷文献综合著录时总题名的检索点,该多卷文献包括《三家巷》、《苦斗》、《柳暗花明》、《圣地》、《万年春》共5卷)

例4: 中国哲学史

(题名与责任说明项:中国哲学史 / 任继愈主编)

(正题名“中国哲学史”为多卷文献综合著录时共同题名的检索点,该多卷文献包括“第一册, 先秦部分”、“第二册,两汉魏晋南北朝部分”、“第三册,隋唐五代宋元明部分”、“第四册,清代、近代部分”共4册)

24.1.2.2 正题名中的交替题名成分,应选择作为检索点;其他题名信息具有检索意义的,应选择作为题名检索点。

例1: 简明基督教辞典

(题名与责任说明项:袖珍神学,或,简明基督教辞典 / (法)霍尔巴赫著 ; 单志澄等译)

例2: 梁漱溟先生纪念文集

(题名与责任说明项:中国的脊梁 : 梁漱溟先生纪念文集 / 陆铿,梁钦东主编)

例3: 香港的旅游与购物

(题名与责任说明项:东方之珠 : 香港的旅游与购物 / 侯维敏,侯书森编)

24.1.2.3 从编文献分散著录时,从编正题名可选择作为检索点。

例: 上海经济和社会发展常识

(书目记录:上海的今天 / 王曙光,王克明编写. -- (上海经济和社会发展常识))

(从编题名“上海经济和社会发展常识”可选取为检索点)

24.1.2.4 多卷文献分散著录时,应将共同题名和分卷(册)题名自上而下集中作为一个检索点,或同时选择总题名和分卷(册)题名作检索点。

例1: 高考英语综合指导. 二, 高中二年级

(题名与责任说明项:高考英语综合指导. 二, 高中二年级 / 赵利民主编)

(复合题名作为一个检索点)

例2: 商洛壮歌

李自成

(题名与责任说明项:商洛壮歌 / 姚雪垠著. -- (李自成 ; 第二卷))

24.1.2.5 出现在书名与责任说明项、附注项中的并列题名可作为检索点,但其中无检索意义的冠词应予省略。

例 1：New English-Chinese dictionary

（题名与责任说明项：英华大词典 = A new English – Chinese dictionary / 郑易里，曹成修编）

例 2：Blancanieves y Rosaroja Schneewittchen und Rosenroth

（书目记录：白雪和红玫 = Snow White and Rose Red. -- 西班牙文题名：Blancanieves y Rosaroja. -- 荷兰文题名：Schneewittchen und Rosenroth）

（西班牙文与荷兰文题名出现于附注项中，可选择作为检索点）

24.1.2.6　出现在附注项中的题名附注信息，如与文献主要信息源存在差异的其他题名信息、封面题名、附加题名页题名、卷端题名、逐页题名、书脊题名等若具有检索意义应选取为题名检索点。文献重要章节或附录的题名也可根据需要选取为题名检索点。

例 1：　汉语最新词语 8000 条

（书目记录：新词新语词典 / 李行键，曹聪孙，云景魁主编. --封面题名：汉语最新词语 8000 条）

例 2：　一个艺术家的生命历程

一个海外艺术家的故事

（书目记录：火焰 ：一个艺术家的生命历程 / 傅光明，张锐锋著. -- 附加题名页副题名：一个海外艺术家的故事）

（文献题名页与附加题名页的副题名信息不同，均选取为题名检索点）

例 3：　中国画史人名大辞典

（书目记录：中国画家大辞典. -- 卷端题名：中国画史人名大辞典）

例 4：　星岛日报汽车月刊

（书目记录：香港汽车会驾驶人月刊 / 星岛日报编辑部. -- 逐页题名：星岛日报汽车月刊）

例 5：　金融新语汇词典

银行新语汇辞典

（书目记录：金融新语汇辞典 / 郭靖华等主编. -- 书脊题名：金融新语汇词典，版权页题名：银行新语汇辞典）

例 6：　DC 元数据发展简史

……

CORC 实验系统 DC 著录实用指南

……

（书目记录：DC 元数据 / 吴建中主编. -- 本书共七章：1. DC 元数据发展简史 ；2. DC 元素与修饰词 ；3. DC 的应用句法与结构 ；4. DC 与 USMARC 的比较 ；5. CORC 系统简介 ；6. CORC 著录操作实践 ；7. CORC 寻路器的创建与 CORC 系统的管理. -- 书末附：1. CORC 实验系统 DC 著录实用指南 ；2. DC 元素与修饰词详表注解）

（附注项中的章节题名和附录题名可选作题名检索点）

24.1.2.7　著作汇编的各组成部分的题名（含合订题名、子目或曲目题名），可根据需要选择作为题名检索点。

例1： 喻世明言

……

（书目记录：三言／（明）冯梦龙原著 ；门冀华，贾战江编译. -- 子目：喻世明言 ；警世通言 ；醒世恒言）

例2： 槎翁诗集

……

（书目记录：林登州集 ：外四种／（明）林弼撰. -- 外四种包括：槎翁诗集／（明）刘嵩撰. 东皋录／（明释）妙声撰. 覆瓿集／（明）朱同撰. 柘轩集／（明）凌云翰撰）

例3： 资本论

……

（书目记录：马克思主义经典著作选读／范桂萍等编. -- 本书所列马克思、恩格斯、列宁著作有：《资本论》、《反杜林论》、《路德维希·费尔巴哈和德国古典哲学的终结》、《谈谈辩证法问题》等）

例4： 天鹅湖场景

……

（书目记录：柴可夫斯基十大金曲［电子资源］／（俄）柴可夫斯基作曲. -- 内含：1. 天鹅湖场景 ；2. 四小天鹅舞曲 ；3. 罗密欧与朱丽叶幻想曲 ；4. 中国舞曲 ；5. 第五交响曲 ："如歌的行板" ；6. 第六交响曲 ："悲怆" ：极活泼的快板 ；7. 圆舞曲 ；8. 匈牙利舞曲 ；9. D大调小提琴协奏曲 ：短歌行板 ；10. 小夜曲）

（附注中所列曲目可根据需要选取为题名检索点）

例5： 纪念白求恩

愚公移山

（题名与责任说明项：为人民服务 ；纪念白求恩 ；愚公移山／毛泽东著）

（无总题名文献，除第一个题名"为人民服务"从正题名取检索点外，其他题名可根据需要选择作为检索点）

24.2 题名标目的规范化处理

题名标目一般应按文献所载题名形式描述，不需要进行规范。但在一些特殊情况下，为便于汇集文献或统一著录形式，可对题名标目进行规范化处理，这种处理不涉及统一题名的选取问题。

24.2.1 具有连续出版特点的各类文献，在分散著录时，若其题名中含有逐期而变的年份或会议届次，在选取题名标目时应进行规范处理，年份若是公元纪年可采用阿拉伯数字，非公元纪年则依原题，以达到集中检索的效果。

例1： 中国国情报告. 1991

（原题"1991年中国国情报告"）

例2：　上海文化年鉴. 1989
（原题"一九八九年上海文化年鉴"）
例3：　全国史学理论讲座会论文集. 1987
（原题"一九八七年全国史学理论讨论会论文集"）
例4：　全国抗菌素学术会议论文集. 第三次
（原题"全国第三次抗菌素学术会议论文集"）

24.2.2　从编文献题名或附属丛编题名发生变化，应取多数单册趋同的丛编题名为标目。
例：　我知道什么
（题名与责任说明项：巫术 /（法）让·塞尔韦耶著；管震湖译. --（《我知道什么?》丛书））
（该套文献各单册丛编题名不统一，取"我知道什么"为丛编题名标目）

24.2.3　多卷文献总题名及分卷（册）题名发生改变，一般应以首卷（册）总题名或多数单册趋同的总题名为标目。

24.3　统一题名的选择和标目形式的确定

文献统一题名的主要作用在于汇集或区分相关文献。

24.3.1　通则

24.3.1.1　当同一种文献的不同版本或译本具有不同题名形式，应根据文献的不同情况及实际需要选取其中著称或常用的题名形式为统一题名。
24.3.1.2　为汇集某一著者或某一类型的文献，各编目机构可根据实际需要选取统一题名。
24.3.1.3　当某些类型的不同文献具有相同题名时（如连续性资源、丛编文献等），为便于区分可选取统一题名。
24.3.1.4　统一题名可仅由标目主要成分组成，也可以根据需要附加其他限定成分。
24.3.1.5　统一题名的类型包括专著统一题名、连续性资源统一题名、丛编统一题名等。

24.3.2　专著统一题名

24.3.2.1　专著文献是否使用统一题名为标目，应以著作如下情况为依据作出选择。
a. 文献的知名度；
b. 文献不同版本或译本的多寡；
c. 文献不同版本或译本有无必要集中检索；
d. 文献的学科性质是否需要集中。
24.3.2.2　专著统一题名的确定，以下列题名为序。
a. 著称的题名；
b. 常用的题名；

c. 较早出现的题名。

例1： 道德经

（书目记录：老子 / 顾悦译注. -- 惯用题名为：道德经）

例2： 西行漫记

（书目记录：红星照耀中国 / (美)埃德加·斯诺著 ; 李方准,梁民译. -- 原名：西行漫记）

24.3.2.3 各类型专著统一题名

a. 文学作品的统一题名

(a)中外古典作品具有不同题名,应以其著称者为统一题名。

例1： 红楼梦

（“红楼梦”原名“石头记”,另有题名“脂砚斋重评石头记”、“金玉缘”、“情僧录”、“风月宝鉴”、“金陵十二钗”、“程甲本红楼梦”、“程乙本红楼梦”、“绣像红楼梦”、“新镌绣像红楼梦”等,取“红楼梦”为统一题名）

例2： 三国演义

（另有题名“三国志演义”、“三国志通俗演义”、“绣像全图三国演义”等,取“三国演义”为统一题名）

例3： 天方夜谭

（另有题名“天方夜谈”、“一千零一夜”等,取“天方夜谭”为统一题名）

(b)中外近现代名著具有不同题名,应以其著称者为统一题名。

例1： 伪自由书

（题名与责任说明项：不三不四集 / 鲁迅著）

（取“伪自由书” 为统一题名）

例2： 简爱

（各种译本的题名信息还有“简爱自传”、“孤女飘零记”等,取“简爱”为统一题名）

(c)文学作品统一题名可包括分辑号、分辑名等附加成分,也可根据情况注明语种(中文不必注明;含三种及其以上语种时可注明“多语种”,置于圆括号内)。

例1： 荷马史诗. 伊利亚特

（题名与责任说明项：伊利亚特 / (古希腊) 荷马著 ; 罗念生,王焕生译）

例2： 诗经(中英文对照)

（题名与责任说明项：诗经 / 许渊冲英译 ; 姜胜章编. -- (汉英对照中国古典名著丛书)）

b. 宗教作品的统一题名

(a)基督教经典统一以“圣经”为统一题名,若是圣经之一的旧约或新约,则可将它们作为分辑名著录在统一题名“圣经”之后。

(b)宗教经典的统一题名除以分辑名等为附加成分外,可添加语种、形式副标目(如选集)等为附加成分。

例：　圣经．旧约

　　　圣经．新约

　　　圣经．旧约．创世纪

　　　圣经．新约．福音书

(c)其他宗教经典可根据实际情况参照上述条款规定选取统一题名。

c.音乐作品的统一题名

(a)音乐作品的统一题名可由各编目机构根据实际情况决定是否采用、全部采用还是只对部分音乐资料采用。

(b)音乐作品若具有不同的题名(曲名)形式,可根据本章24.3.1条款确立统一题名。如有必要,在音乐作品的统一题名后,可依次添加演奏媒体、序号标识(可以是序号、乐曲号或主题索引号,或作为编号用的日期)和调名等附加成分。

例1：　命运交响曲(总谱)

(题名与责任说明项：命运交响曲 ：总谱 /(德)贝多芬(Ludwig Van Beethoven)作曲. -- 命运交响曲又名胜利交响曲、贝多芬第五交响曲)

例2：　悲怆交响曲

(题名与责任说明项：柴可夫斯基第六交响曲［电子资源］/(美)NBC交响乐团演奏 ；(意)托斯卡尼尼指挥. -- 柴可夫斯基第六交响曲又名悲怆交响曲)

例3：　春江花月夜．琵琶,古筝

(题名与责任说明项：春江花月夜［录音资料］ = Flower by the Spring River in the Moonlit Night ：琵琶,古筝二重奏 / 邱大成改编 ；琵琶：李景侠 ；古筝：王蔚. -- 春江花月夜又名夕阳箫歌、浔阳夜月)

(c)音乐作品的组成部分具有独立题名,以该题名为统一题名。若组成部分无题名或题名不足以识别该部分(例如:"第一乐章"、"第二幕"、"序曲"等),应以整部作品题名为统一题名,组成部分题名为统一题名的附加成分。

例1：　化蝶

(小提琴协奏曲"梁祝"的最后一个段落,常独立演奏,又名"彩蝶双飞")

例2：　茶花女(歌剧)．第一幕

(歌剧"茶花女",又名"拉特拉维阿塔"、"薇奥莱塔")

(d)无专门题名而以某种乐曲形式(例如奏鸣曲、变奏曲等)或演奏形式(例如四重奏等)为题名的乐谱,可取其乐曲形式或演奏形式为统一题名。若此类题名具有其他附加成分,应在此类题名后依次附加演奏(唱)形式、序号、作品号、调名等附加成分。

例1：　谐谑曲．钢琴．作品20．A大调

例2：　奏鸣曲．长笛,钢琴．第2,作品3之2

例3：　四重奏．弦乐

(e)无专门题名的音乐作品尤其是无专门题名的古典音乐作品也可以作曲者名称作为统一题名。此时,乐曲形式、演奏形式、序号、作品号、调名等可在统一题名后作附加成分。

例1: 贝多芬(Beethoven,Ludwig van). 交响曲. 第一号,作品二十一号. C大调

例2: 莫扎特(Mozart,Wolfgang Amadeus). 交响曲. 第四十号,作品K500号. G小调

例3: 柴可夫斯基(Tchaikovsky,Peter Illich). 奏鸣曲. 钢琴. 作品三十七号. G大调

24.3.3 连续性资源统一题名

连续出版物的统一题名用于区别相同题名的不同连续出版物。其形式一般为题名主要成分及限定成分。

例: 支部生活(长沙)

(题名与责任说明项: 支部生活 / 中共长沙市委支部生活编辑委员会)

24.3.4 丛编统一题名

不同文献的丛编或附属丛编题名相同,应予以区分。

例: 世界禁书文库(汪彦博主编)

(书目记录: 生命中不能承受之轻 / (捷克)米兰·昆德拉原著 ; 周洁平翻译. --(世界禁书文库 ; 45))

第二十五章　参　照

25.0　通则

25.0.1　适用范围

参照在各类目录中的适用范围如下：

a. 为非规范标目（即标目的变异形式）指向规范标目；

b. 连接相关的规范标目；

c. 说明某一标目及检索规则。

25.0.2　参照的类型

25.0.2.1　按内容划分可以包括个人名称参照、团体/会议名称参照、题名参照。

25.0.2.2　按性质划分可以包括单纯参照（指引读者从非规范标目见规范标目）、相关参照（指引读者从某一相关规范标目参见另一相关规范标目）、说明参照（向读者提供关于某一著录事项或某一编目规则的扼要说明）。

25.0.3　编制参照的基本原则

25.0.3.1　以读者检索需要为出发点

参照应针对读者可能提出的不同检索途径，以及可能出现的检索疑难问题而编制。

25.0.3.2　以文献特征为对象

参照必须以书目款目中所反映的文献特征为对象。

25.0.3.3　以规范款目数据库为依据

各类目录使用的参照，应以其建立的规范款目数据库为依据。

25.1　个人名称参照

25.1.1　个人名称单纯参照

25.1.1.1　若个人名称存在不同形式，未被选作规范标目的名称形式，可编制个人单纯参照，引见规范标目。

a. 以个人姓名为标目，可为其字、号、别名、笔名、斋室名、谥号等编制单纯参照。

例1：　王静安

见:王国维(1877-1926)

例2: 蔡孑民

见:蔡元培(1868-1940)

例3: 鉴湖女侠

见:秋瑾(1875-1907)

例4: 落华生

见:许地山(1893-1941)

例5: 饮冰室主人

见:梁启超(1873-1929)

例6: 魏武帝

见:(汉)曹操(156-220)

例7: 曾文正公

见:(清)曾国藩(1811-1872)

b. 以个人的字、号、别名、笔名、斋室名等为标目,应为其本名编制单纯参照,其他姓名成分也可酌情编制单纯参照。

例1: 廖恩煦

见:廖仲恺(1877-1925)

(以字为标目,廖恩煦为本名)

例2: 郑燮

见:(清)郑板桥(1693-1765)

(以号为标目,郑燮为本名)

例3: 周树人

见:鲁迅(1881-1936)

(以笔名为标目,周树人为本名)

例4: 华彦钧

见:阿炳(1893-1950)

(以艺名为标目,华彦钧为本名)

例5: 高拜石

见:古春风楼主

(以斋号为标目,高拜石为本名)

c. 以古代帝王个人姓名为标目,可为其谥号、庙号、年号编制单纯参照。

例1: 魏文帝

见:(三国魏)曹丕(187-226)

例2: 宋徽宗

见:(宋)赵佶(1082-1135)

例3: 洪武帝

见:(明)朱元璋(1328-1398)

d. 以古代帝王谥号、庙号为标目,应为其本名编制单纯参照,其他称号可酌情编制单纯参照。

例 1：　李世民

见：唐太宗(599–649)

例 2：　康熙帝

见：清圣祖(1654–1722)

e. 以妇女原姓名为标目，若其曾使用冠夫姓姓名，可编制单纯参照。

例 1：　赵李清照

见：(宋)李清照(女 1084–1155?)

例 2：　蒋宋美龄

见：宋美龄(1897–2003)

f. 以妇女冠夫姓姓名为标目，应为其本名编制单纯参照。

例：　单士厘

见：钱单士厘(女 1856 或 1858–1943)

g. 以少数民族个人姓名中的名为标目，应为其姓名编制单纯参照。

例：　爱新觉罗·溥仪

见：溥仪(1906–1967)

h. 以少数民族个人姓名为标目，应为其姓名中的名或姓编制单纯参照。

例：　赛福鼎

见：赛福鼎·艾则孜(维吾尔族 1915–2003.11)

i. 宗教人物以通行法名、道名等为标目，可为其通称、俗名或其他称号编制单纯参照。

例 1：　三藏法师

见：(唐释)玄奘(602–664)

例 2：　范无病

见：(释)海灯(1902–1989)

j. 宗教人物以原姓名为标目，可为其法名、道名等编制单纯参照。

例：　弘一法师

见：李叔同(1880–1942)

k. 以外国姓名的规范译名为标目，可为非标准译名或非惯用名编制单纯参照。

例 1：　汉明威

见：(美)海明威(Hemingway, Ernest 1899–1961)

例 2：　圣德修伯里

见：(法)圣埃克苏佩里(Saint-Exupery, Antoine de 1900.6–1944.7)

25.1.1.2　不同个人责任者共同使用同一名称，又未作为规范标目，应编制个人名称单纯参照，分别引见至个人名称的规范标目。

例：　二残

见：王文兴

二残

见：刘绍铭

25.1.2　个人名称相关参照

25.1.2.1　同一责任者采用两个不同名称形式,均为规范标目,以相关参照连接。

例:　光未然(1913-2002.1)

参见:张光年(1913-2002.1)

25.1.2.2　个人责任者属于若干人的合作笔名,为该合作笔名及各合作者名称分别编制相关参照。

例1:　马铁丁

参见:郭小川(1919-1976)

参见:陈笑雨(1917-1966)

参见:张铁夫(1922-)

郭小川(1919-1976)

参见:马铁丁

陈笑雨(1917-1966)

参见:马铁丁

张铁夫(1922-)

参见:马铁丁

例2:　(德)格林兄弟

参见:(德)格林(Grimm,Wilhelm,1786-1859)

参见:(德)格林(Grimm,Jacob,1785-1863)

(德)格林(Grimm,Wilhelm,1786-1859)

参见:(德)格林兄弟

(德) 格林(Grimm,Jacob,1785-1863)

参见:(德)格林兄弟

25.1.3　个人名称说明参照

用于说明合用笔名的使用和与个人名称标目的关系。

例1:　马铁丁

系郭小川、陈笑丽、张铁夫三人使用笔名

例2:　杨益良

系杨子忱、宋一之和陈建良三人合用笔名

25.2　团体/会议名称参照

25.2.1　团体名称单纯参照

25.2.1.1 团体名称存在不同的形式，例如简称和全称，未被选作标目的应作单纯参照。

例1： 地矿部

见：地质矿产部

例2： 中国史沫特莱、斯特朗、斯诺研究会

见：中国三S研究会

25.2.1.2 政府部门、企事业单位、科学研究机构的专门名称前冠有上属机构简称时，应为多层次从属团体名称的全称形式编制单纯参照。

例1： 中华人民共和国文化部

见：文化部

例2： 中国人民政治协商会议全国委员会办公厅

见：全国政协办公厅

25.2.2 团体名称相关参照

25.2.2.1 两个相互关联的团体，有各自工作范围与影响力，可编制相关参照。

例： 上海图书馆

参见：上海市科学技术情报研究所

上海市科学技术情报研究所

参见：上海图书馆

25.2.2.2 某一团体在不同时期使用的不同名称，均被作为规范标目，应编制相关参照。

例： 北京图书馆

参见：国家图书馆

国家图书馆

参见：北京图书馆

25.2.2.3 同一会议存在两个并列名称，应分别作规范标目，并建立相关参照。

例： 全国人口问题学术讨论会(第3次 ：1989 ：沈阳)

参见：全国“人口与发展”学术讨论会(第3次 ：1989 ：沈阳)

25.2.3 团体标目说明参照

25.2.3.1 某团体具有不同名称，而新标目已取代旧标目，且常以简称形式出现，为新标目的全称编制说明参照。

例： 中国共产主义青年团

(1922年2月正式成立，原称“中国社会主义青年团”，1925年改称为现名。1949年又改为中国新民主主义青年团，1957年再改称为现名。凡“中国共产主义青年团”请查“共青团”)

25.2.3.2 中国共产党中央机构及地方组织均有规范称谓，在“中国共产党”标目中作简要说明。

例： 中国共产党

（党中央以“中国共产党中央委员会”为标目；党的中央组织以其前冠简称“中共中央”为标目，例如：“中共中央政治局”、“中共中央军事委员会”；党的地方各级组织，将“中国共产党”简称为“中共”，例如“中共广东省委宣传部”）

25.3 题名参照

25.3.1 题名标目单纯参照

25.3.1.1 中国同一文献的不同题名或变异题名见统一题名标目。

例 1： 脂视斋重评石头记

见：红楼梦

程甲本红楼梦

见：红楼梦

四十八本红楼梦

见：红楼梦

金玉缘

见：红楼梦

例 2： 不三不四集

见：伪自由书

25.3.1.2 外国名著的不同译名见统一题名标目。

例 1： 一千零一夜

见：天方夜谭

例 2： 简爱自传

见：简爱

孤女飘零记

见：简爱

25.3.2 题名标目相关参照

具有关联关系的著作，在目录中采用了不同的统一题名，应为它们编制相关参照，指引不同标目互见。

25.3.3 题名标目说明参照

凡题名冠有“钦定”、“增订”、“刊刻”、“抄写”、“绣像”等字体，未作为标目的组成部分，可为被删削的文字编制说明参照。

例 1： 钦定…

（凡题有“钦定”字样的题名，还可省略“钦定”二字进行检索，例如：《钦定

四库全书》,可从“四”字查起)

例 2：　绣像…

(凡题名有“绣像”字样的题名,还可省略“绣像”二字进行检索,例如:《绣像三国演义》,可从“三”字查起)

附录 1　著录样例

一、普通图书

样例 1：

精神药理学［图书］／龙子江,宋建国主编. -- 合肥 ：安徽大学出版社 ；北京 ：北京科学技术出版社，2004

301 页 ；26cm

全国医学院校心理学专业教材

ISBN 7-81052-714-2 ：CNY38.50

样例 2：

石河子市城市建设志［图书］：1950-2000／李洪凡主编 ；石河子市城市建设志编纂委员会编. -- 乌鲁木齐 ：新疆人民出版社，2003

10,587 页 ：地图,照片 ；28cm. --（新疆维吾尔自治区地方志丛书）

封底平装价格：90.00

ISBN 7-228-08387-3 ：CNY110.00，CNY180.00（精装）

样例 3：

欧洲比较侵权行为法［图书］／（德）克雷斯蒂安・冯・巴尔（Christian Von Bar）著 ；张新宝,焦美华译. -- 2 版. -- 北京 ：法律出版社，2004

2 册（10,937;792 页）；24cm

上卷,张新宝译;下卷,焦美华译

并列德文题名：Gemeineuropäisches Deliktsrecht

ISBN 7-5036-3480-4 ：CNY245.00

样例 4：

莎士比亚文集 ：插图导读本. 4［图书］／［（英）威廉・莎士比亚（William Shakespeare）著］；朱生豪译. -- 桂林 ：漓江出版社，2004

445 页 ；21cm

子目：威尼斯商人 ；仲夏夜之梦 ；温莎的风流娘儿们 ；驯悍记

ISBN 7-5407-3189-3 ：CNY22.00

样例 5：

高等教育自学考试指定教材同步配套题解. 法学类. 劳动法学［图书］／郑尚元主编. -- 2 版. -- 北京 ：光明日报出版社，2003（2004 印）

434 页 ；21cm

依据国家自考委新修版教材及最新考试题型编写

ISBN 7-80145-452-9 ：CNY20.00

样例 6：

不会飞的大黄蜂［图书］：完成“不可能的任务”的七大策略／(加)巴里·西斯金德著 = Bumblebees can't fly ：a practical guide to making everything work / by Barry Siskind ；李建华,牛丛信译. -- 北京 ：东方出版社，2004

121 页 ；20cm

国际企业培训与管理协会专业培训首要课程

ISBN 7-5060-1867-5（精装）：CNY20.00

样例 7：

东京梦华录［图书］／(宋)孟元老著. 都城纪胜／(宋)灌圃耐得翁著. 西湖老人繁胜录／(宋)西湖老人著. -- 呼和浩特 ：远方出版社，2001

15,468 页 ；20cm. --（中国古代禁书文库）

封面题：东京梦华录(外四种)

合订著作还有：梦粱录／(宋)吴自牧著. 武林旧事／(宋)四水潜夫撰

ISBN 7-80595-697-9(精装）：CNY8760.00(全 100 卷）. --ISBN 7-80395-697-9（错误）

样例 8：

Pro/ENGINEER WILDFIRE 钣金件设计 ：中英文对照版／陆劲昆,初利宝编著. -- 北京 ：北京大学出版社，2003

370 页 ；26cm ＋ 1 光盘

ISBN 7-301-06377-6 ：CNY48.00

样例 9：

猎人笔记［图书］：青少版 ：［缩写本］／(俄)屠格涅夫原著 ；段振东改写. --上海 ：上海人民美术出版社，2002

189 页 ：插图 ；21cm. --（世界文学名著宝库）

ISBN 7-5322-3164-X ：CNY11.00

样例 10：

电工学·电工技术(第五版)全程辅导(上册)精教·精学·精练［图书］／尹宝岩主编. -- 北京 ：中国建材工业出版社，2003

432 页 ；20cm

面向 21 世纪课程辅导教材

封面题：电工学(上册)·电工技术(第五版)全程辅导精教·精学·精练

ISBN 7-80159-495-9 ：CNY14.00

样例 11：

迷悟之间,又名,点燃心灯［图书］／张海修,李佳民编著. -- 2 版. -- 北京 ：中国对外翻译出版公司，2003

2 册(375 页）：图 ；14×14cm. --（小故事大智慧. 枕边小品 ；03-04）

由台湾晨星出版社授权出版

ISBN 7-5001-0958-X ：CNY13.60

样例 12：

美国教学的艺术［图书］／(美)盖伊·莱弗朗索瓦兹(Guy R. Lefrancois)著 ；佐斌等

译. -- 北京 : 华夏出版社, 2004
384 页 : 图 ; 23cm
版权页题: 教学的艺术
据原书第十版译出
并列英文题名: Psychology for teaching
ISBN 7-5080-3404-X : CNY45.00

样例13:

中国美术分类全集［图书］/ 启功总编. -- 沈阳 : 辽宁美术出版社[等], 1989-
-册 ; 29cm
出版者还包括: 天津人民出版社、新疆人民出版社、河北美术出版社、文物出版社、中国建筑工业出版社、福建出版社等

样例14:

《图书馆文献采访工作手册》系列丛书［图书］/ 陈源蒸主编. -- 北京 : 北京图书馆出版社, 2004
4 册 ; 26cm

中文连续出版物采访工作手册［图书］/ 富平主编. -- 北京 : 北京图书馆出版社, 2004
105 页 ; 26cm. -- (《图书馆文献采访工作手册》系列丛书)
ISBN 7-5013-2429-8 : CNY18.00

非书资料采访工作手册［图书］/ 刘兹恒主编. -- 北京 : 北京图书馆出版社, 2004
221 页 ; 26cm. -- (《图书馆文献采访工作手册》系列丛书)
ISBN 7-5013-2415-8 : CNY30.00

中文图书采访工作手册［图书］/ 李德跃主编. -- 北京 : 北京图书馆出版社, 2004
359 页 ; 26cm. -- (《图书馆文献采访工作手册》系列丛书)
ISBN 7-5013-2413-1 : CNY60.00

外文文献采访工作手册［图书］/ 顾犇主编. -- 北京 : 北京图书馆出版社, 2004
274 页 ; 26cm. -- (《图书馆文献采访工作手册》系列丛书)
ISBN 7-5013-2412-3 : CNY35.00

二、学位论文、科技报告、标准文献

样例1:

半乳糖基配体介导白蛋白磁性阿霉素纳米粒治疗移植性肝癌动物实验研究［学位论文］= Experimental study on treatment of transplanted liver tumor with galactosylated human serum albumin magnetic nanoparticles containing adriamycin / 吴泽建著 ; 张阳德指导
98 页 ; 30cm
封面及中文摘要题名: 磁性纳米药物载体系统治疗肝脏恶性肿瘤 - 半乳糖基配体介导白蛋白磁性阿霉素纳米粒治疗移植性肝癌动物实验研究

医学博士论文：外科学(普通外科学)；中南大学，2004

著者培养单位：卫生部肝胆肠外科研究中心

(精装)：缴送

样例2：

多功能系统 ROBOCUP 下机器人学习的研究与应用［学位论文］= Study and application of machine learning of multi-agent systems : RoboCup soccer domain / Nadeem Iqbal 著；吕恬生指导

120 页；30cm

正题名根据《国务院学位委员会公报》著录

正文语种为英文

工学博士论文：机械电子工程；上海交通大学，2002

(精装)：缴送

样例3：

四川乌头属的修订［学位论文］：兼论乌头属基于分子证据的系统发育 / 罗艳著；杨亲二指导

202,[62]页；30cm

理学博士论文：植物学；中国科学院研究生院，2003

著者培养单位：中国科学院植物研究所

(精装)：缴送

样例4：

自由主义者与当代新儒家政治论述之比较［学位论文］：以殷海光、张佛泉、牟宗三、唐君毅、徐复观的论述为核心 / 翁志宗著；蔡明田,林安梧指导

228 页；30cm

博士论文：中山人文社会科学；政治大学[台湾]，2002

TWD1400.00

样例5：

基于 DSP 的无线个人网标准 IEEE802.15.4 基带仿真器的实现［学位论文］/ 高鹏著；陈炜,王俊指导

64 页；30cm

工学硕士论文：信号与信息处理. 基于 DSP 的实时系统开发；北京航空航天大学，2004

本文为国际合作项目

缴送

样例6：

萃取过程中有机相铀浓度在线分析仪的研制［科技报告］/ 董炎武等著. -- 北京：原子能出版社，1998

11 页；26cm

中国核科技报告 / 中国核情报中心编；CNIC-01263BICM-0017

ISBN 7-5022-1915-3：CNY5.00

样例7：

核仁中rRNA基因排布单位及新核仁模型的构建［科技报告］；植物细胞核内小体的结构组分及其功能分析；关于染色体高层次结构的研究；红细胞中不依赖于Caspase3的凋亡途径／陶伟著. --［复印本］

88,［39］页：图；33cm + 附件

致谢页载有指导教师：翟中和教授

生物学：细胞生物学；北京大学生物学系，2001.5

博士后研究工作起始日期：1999-08-01

博士后研究工作期满日期：2001-05-06

（精装）：赠送

样例8：

多用户和盲数字签名关键技术的研究［科技报告］／李子臣著；戴一奇指导

［13］,100页；30cm + 1光盘

题名页载有章节题名：1. 多重数字签名方案中密钥安全问题的研究；2.（t,n）限数字签名关键技术的研究；3. 群体数字签名关键技术的研究；4. 盲和半盲数字签名技术的研究。

计算机科学与技术：计算机软件与理论；清华大学，2001.12

本报告得到如下项目的支持：国家973计划（No：G1998030420）：密码算法研究与网络安全系统研制

全国博士后基金项目：广义群体门限签名技术的研究与实现

国家自然科学基金项目（90104032）：高效率盲数字技术和电子支付系统的研究与实现

河南省自然科学基金项目（004060900）：群体门限签名和签名身份认证技术的研究与实现

（精装）：缴送

样例9：

高压交流断路器［标准文献］= High-voltage alternating-current circuit-breakers／中国电器工业协会提出；田恩文等起草. -- 北京：中国标准出版社，2003

191页；30cm

中华人民共和国国家标准 GB 1984-2003

2003-06-05发布；2004-01-01实施

本标准GB 1984-2003代替GB 1984-1989,GB/T 4474-1992,GB/T 7675-1987

本标准的全部技术内容为强制性

155066.11-19862：CNY61.00

样例10：

水文基础设施及技术装备标准［标准文献］= Standard for construction of hydrological fundamental facilities and technical equipment／水利部水文局主编；孙继昌［等］起草；中华人民共和国水利部批准. -- 北京：中国水利水电出版社，2002

91页；20cm

正文缺第83页-87页

中华人民共和国水利行业标准 SL 276-2002
2002-07-15 发布 ；2002-10-01 实施
155084.129 ：CNY14.50

三、古籍

样例1：

批点史记节略 ：十二卷 / 穆文熙编辑. -- 刻本. --［刻书地不详］：刘怀恕，明万历［1572-1620］

6 册(1 函) ；29×16cm

《四库全书总目》、《贩书偶记》正、续编及《中国古籍善本书目》和《中国善本书提要》均未著录。卷端下方原镌："魏郡穆文熙敬甫编辑 赵国璧伯完阅正长洲知县刘怀恕校梓"。穆文熙，字敬甫，明大名府东明人。少颖悟，博览经籍。为人尚气节。嘉靖四十一年(1562)进士。官至按察副使。另著有《逍遥集》、《战国纂评》等。分上下栏，上栏评语，下栏《史记》正文。正文 10 行，20 字，小字双行同，白口，四周双边，黑单鱼尾。卷一首叶半框 24.2×14cm。线装。

各册墨笔书签下方分别钤"素园"(竖椭圆阳文印)、"无边情福"(竖长方阴文印)、"素园图书"(竖长方阳文印)、"几席有餘书"(竖长方阳文印)、"即此是学"(竖长方阳文印)。佚名朱墨笔圈点。购于天津市古籍书店。

(此例有完整本和复本注)

样例2：

东篱诗钞 ：十二卷 / 陶琏撰. -- 刻本. --［刻书地不详］：陶琏，清嘉庆元年［1796］

《贩书偶记》正、续编及《清人诗文集总目提要》和《清人别集总目》均未著录。卷端下方原镌："嘉兴陶琏夏重"。各卷末均题："孙 肇如 贻福仝校"。10 行，21 字，小字双行同，白口，左右双边，黑单鱼尾。卷一首叶半框 18.9×13.3cm。

陶琏，字夏重，号东篱，浙江嘉兴人。清张维屏辑《国朝诗人征略初编》卷三十三有传。其《自序》云："今老矣，子又早夭，检点旧作，删去其未惬意者十之四五，即经知爱采取付梓亦竟不存。间有一时兴到之咏，稿本散佚后，无从记忆，还当收拾补登是集。自己卯至乙卯共存七百余首，作十二卷。"《目录》载："第一卷五十二首 第二卷四十四首 第三卷五十首 第四卷四十四首 第五卷七十五首 第六卷五十七首 第七卷六十九首 第八卷五十七首 第九卷五十九首 第十卷四十八首 第十一卷七十七首 第十二卷七十七首"，统共七百零九首，均为古今体诗。主要清别集总目未见著录，国图亦未有藏本，流传稀少，为冷僻清人诗集。字体取仿宋，间距疏朗，刊刻工谨，当为初刻初印，诚自刻之佳构。

4 册(1 函)。线装。2001 年修补重新装订。

(此例有提要和重装注，无载体形态项)

样例3：

吴氏纪原录 / 吴道还编 ；吴玄嵚［等］续录. -- 刻本. -- 歙县 ：吴氏，明嘉靖十二年［1533］；歙县 ：吴氏增修，明万历十五年［1587］

《中国家谱综合目录》第 145 页和《中国古籍善本书目》史部第 594 页著录之《歙县吴氏

纪源录》当与本版有关。安徽歙县吴氏。正题名据《总图》、卷一《目录》等题。《目录》开列“卷之一”世系细目,其他部分未见卷次。著者和版刻据第4册“万历十五年丁亥仲夏月吉旦向杲裔孙之俊顿首百拜书”之《吴氏续纪原录序》、第3册“嘉靖癸巳秋七月吉日向杲裔孙道还顿首拜书”之《附录进公枝派引》和第2册第32叶所载吴道还小传题。吴道还,“字文复,号阳谷。著有《阳谷集》。编梓《吴氏纪原录》”。续录者还有(明)吴世芳,(明)吴如仁,(明)吴希周,(明)吴思沐。10行,22字个别23、24字,白口,四周单边(第1册卷一第26、27叶,第8册第13至15、24至26、37叶四周双边;第1册卷一第30叶右边双边),黑单鱼尾。《目录》首叶半框19.7×12.8cm。断版、漫漶甚多。棉纸。

8册(1函)。正文前有缺叶。2001年金镶玉线装。

(此为增修本例)

样例4:

苏黄尺牍 : 二种 / 钟惺,谭元春选. -- 刻本. -- [刻书地不详], 明[1368-1644]

4册 ; 26×17cm

《四库全书总目》、《贩书偶记》正、续编及《中国善本书提要》、《中国古籍善本书目》和《中国丛书综录》均未著录。首冠“景陵钟惺伯敬甫题”之《苏黄尺牍叙》,正题名据此著录。卷端原镌编者:“景陵钟惺伯敬 谭元春友夏同选”。钟惺(1574-1624),明湖广竟陵人,字敬伯,号退谷。万历三十八年(1610)进士。晚逃于禅。谭元春(1586-1637),字友夏。天启七年(1627)乡试第一。后赴京试,卒于旅店。善诗文,名重一时,与钟惺同为竟陵派创始者。9行,18字,白口,四周单边,无鱼尾。卷一首叶半框21×14.5cm。竹纸。线装。

子目:

1. 苏长公尺牍选 : 二卷,表选一卷,启选二卷 / 宋苏轼撰
2. 黄山谷尺牍选 : 四卷 / 宋黄庭坚撰

首册因鼠啮残破,然未伤字。书末缺叶。佚名墨笔圈点。

(此为丛书例)

样例5:

乌石山志 : 九卷,卷首一卷 / 郭柏苍,刘永松纂辑. -- 刻本. -- [刻书地不详] : 于麓古天开图画楼, 清道光二十二年[1842]

4册 : 图 ; 26×16cm

前冠“道光壬寅秋日筠川刘永松书于小墨庄之西偏”之《序》等两篇。卷端下方原镌著者:“邑人郭柏苍蒹秋 刘永松筠川纂辑 黄纵彝肖岩 郭柏芗合亭参订”。牌记题:“道光壬寅于麓古天开图画楼开镌”。卷一至卷五末行下方均镌:“于麓古天开图画楼开镌匠吴大擀”。9行,21字,黑口,四周双边,黑单鱼尾。卷一首叶半框19.9×12.8 cm。线装。

存2册6卷:卷1-5、卷首1。第2篇《序》缺末叶。

(此为残书例)

样例6:

翠娱阁评选诗最 : 二卷 / 陆云龙评注. -- 刻本. -- [刻书地不详] : 陆云龙, 明崇祯[1628-1644]

1册 ; 27×16cm. -- (翠娱阁评选行笈必携 : 十种 / 陆云龙评注 ; 一)

卷一卷端原镌编者:"仁和丁允和叔介父品定 钱塘陆云龙雨侯父评注"。陆云龙(约1597-崇祯末),字雨侯,堂号翠娱阁,馆名峥霄馆,钱塘人。早年屡试不第,后坐馆执教为生。9行,19字,小字双行同,白口,四周单边,无鱼尾。卷一首叶半框20.8×13.8cm。线装。

扉页墨笔题:"甲申冬月 翠娱阁诗词合集 钟育重订",书衣墨笔题:"翠娱阁诗集 芸香馆主珍藏",钤"芸香书屋鉴藏"阳文方朱印、"蕴芝"阴文方朱印。

(此为丛书零种例)

样例7:

书经体注大全合参 : 六卷 / 钱希祥纂辑. 书经 : 六卷 / 蔡沈集传. -- 刻本. -- 金阊 : 书业堂, 清嘉庆二十二年[1817]

4册(1函) : 图 ; 25×16cm

上栏版心原镌:"书经体注"。正文上栏卷端原镌著者:"苕溪范翔紫登先生鉴定 钟山钱希祥再文纂辑"。正文下栏卷端原镌著者:"蔡沈集传"。首册书签原镌:"书业堂 书经体注图考"。题名页(色黄)原镌:"书经体注图考大全 苕溪范紫登先生参定 金阊书业堂藏板"。板框上方原镌:"嘉庆二十二年镌"。正文前下栏冠"嘉定己巳三月既望武夷蔡沈序"之《书经集传序》,其后附蔡沈小传云:"沈,俗作沉,非沈,音澄。沈,字仲默,建宁府建阳县人。西山先生之仲子。从学朱文公。隐居不仕。自号九峰先生。"上栏《书经体注大全合参》21行,25字;下栏《书经》8行,17字,小字双行同;白口,四周单边间左右双边,黑单鱼尾。卷一首叶半框20.4×14.3厘米,上栏高11.7厘米。正文前上栏冠《书学源流》、《读书绝论》两篇,并附第一至六卷《书经篇目》。正文前冠:《唐虞夏商周谱系图》、《尧典四仲中星图上》、《尧典四仲中星图下》、《虞书日永日短之图》、《七政之图》、《五辰之图》、《日月冬夏九道之图》、《五声八音图》、《六律六吕图》、《九畴本洛书数图》、《九畴相乘得数图》、《河图之图》、《洛书之图》、《尧制五服图》、《禹弼五服图》、《濬畎浍距川图》、《商七庙之图》、《商迁都之图》、《周营洛邑图》、《召诰土中图》、《禹贡所载随山濬川之图》、《禹贡横图一》、《禹贡横图二》。题名页后为"雍正乙巳春日钟山钱希祥再文氏书"之《书经体注合参序》。线装。

(此为无总题名古籍例)

样例8:

晋书 : 一百三十卷 / [(唐)房玄龄等]撰. -- 刻本. -- 建阳, 南宋[1127-1279]

参考:《中国古籍善本书目》,卷五,史部,纪传类,第121页(上海古籍出版社1991年5月第1版);《北京图书馆古籍善本书目》,史部,纪传类,第235页(书目文献出版社1987年版);《中国版刻图录》目录第36页,图版167(文物出版社1960年版)。14行,27字,白口间细黑口,左右双边间四周单边。卷一首叶半框18×13.1cm。

本书正文卷端署名"御撰"两字,实仅《宣帝纪》、《武帝纪》、《陆机传》和《王羲之传》后四论,为唐太宗李世民所撰。他本多题房乔一人,即房玄龄。其实房玄龄也仅以宰相职领衔修书,与褚遂良、许敬宗同为监修,具体由令狐德棻为首主纂。按《新唐书·艺文志》"晋书"条下列参预修书者还有李义府、上官仪、李淳风、李延寿等十七人。天文、律历、五行三志,出自李淳风之手。德棻(583-666),唐宜州华原(今陕西耀县)人。博涉文史,早岁知名。武德初为起居舍人,迁秘书丞。时经籍散缺,德棻奏请购求天下遗书,不数年群书略备。贞观中，请修梁、陈、周、齐、隋五史，自领周史。平生著述颇勤，国家凡有修撰，无不参与。其间，《晋书》始修于贞观十八年（644），至二十年（646）修成，以齐人臧荣绪《晋书》为主要纂修底本，参考诸家晋史，编撰者多为唐初著名学者，体例甚为详洽。书中宋讳缺笔至构字，而慎字不缺。字近瘦金体，遒劲有力。纸墨版式，系南宋初叶建本风格。故聊城杨氏《楹书隅录》卷二云："此本……楮墨如新，色香俱古，洵宋椠中上乘。"本书有《烈女传》，清武英殿本同，然清吴士鉴《晋书斠注》和中华书局标点本均作《列女传》。其序文云："夫三才分位，室家之道克隆；二族交欢，贞烈之风斯著。"其各传内容也多取节烈之事，证之《后汉书》首立《列女传》，南北朝各史多立《孝义》、《孝行》等传，《魏书》更增《节义传》，为褒扬封建意识计，《晋书》基本承用，并改《孝义》为《孝友》，改《节义》为《忠义》。即改《列女》为《烈女》，当属实际情况，亦可见此本之价值。

36册（6函）；25×17cm。卷九十九第9叶、卷一百六第11叶、卷一百十一第9叶精抄配补，并配锦套和楠木书匣。钤"华亭朱氏珍藏"、"季振宜藏书"、"徐健庵"、"东郡杨氏宋存书室珍藏"、"周暹"等印，可知曾由明华亭朱大韶、清泰兴季振宜、昆山徐乾学、聊城杨氏海源阁和天津周叔弢等递藏，现由国家图书馆收藏。线装。

（此例有著录注、提要和复本注）

样例9：

敬吾心室彝器款识／［朱善旂］辑. -- 影印本，石版. -- ［出版地不详］：朱之榛，清光绪三十四年［1908］

2册：图；36×22cm

正题名据目录和题名页题。书签题："敬吾心室识篆图"。辑者和出版年据《贩书偶记》题。朱善旂，字大章，平湖人，号建卿，室名敬吾心室。朱之榛（1840－1909），善旂侄，字仲蕃，号竹石，平湖人，原籍歙县。《总目》分：盘、钟、洗、鼎、尊、敦、簋、簠、甗、盉、匜、壶、彝、觯、鬲、爵、角、觚、斝、卣、汉鼎、汉杂器、瞿计二十三类。书后印有"光绪三十四年五月侄之榛谨识"之《跋》。线装。

（此例卷端无题名，有附加版本说明）

样例10：

榴荫山房印谱：二卷／叶鸿翰篆刻. -- 刻本暨钤印本. -- ［出版地不详］：叶鸿翰，清光绪三十四年［1908］

2册

卷端原镌著者："永嘉叶鸿翰墨卿甫作"。叶鸿翰（1856－1925在世），字墨卿，又字慕青，号砚（研）农，室名榴荫山房，永嘉人。序言6行，17字，白口，四周细单边，黑单鱼尾。首册正文首叶半框14.5×9.9cm。印文为杜甫诗句钤印，版式、印章下方杜诗题名、同叶背面作者对诗句的评语及其序言等均为镌刻。书前冠"光绪二十六年三月嘉善曹楞"之《序》、"光绪戊申夏镇海郑一夔啸云甫序于永嘉学舍"之《序》、"光绪戊申季秋重阳余姚仲声朱中树初稿"之《奉题墨卿仁兄大人榴荫山房杜句印谱》、"光绪三十四年六月永嘉叶鸿翰墨卿甫识"之《自序》。线装。

书衣墨笔题："吴淞袁仲濂所藏"（其下钤"袁氏希濂"阴文方印）、"赠灵石先生"（其下钤"袁希濂"阴文小方印）、"临泽再赠承模"（其下钤"临泽"阴文椭圆印）、"根山吾兄哂存承模赠"（其下钤"郭鉥"、"宗彝"阴文方印）、"祥书生存 根山赠"（其下钤"根山"阳文方印),据此知是谱已转赠四次。

(此为两种版本类型例)

四、拓片

样例1:

皇帝巡幸左神策军纪圣德碑并序/(唐)崔铉撰;(唐)柳公权书. -- 拓本. -- 陕西省西安市,唐[会昌三年[843]](陕西,北宋[960-1126])

1册(27开);27×16cm

年代据《金石录》所记

正书

神策军碑

孙承泽等旧藏本

柿叶斋主人孙承泽、姚元之(伯昂)题跋,钤:“秋壑图书”、“仪周家珍藏”、“北平孙泽”、“仁涛奇缘”、“陈氏仁涛”、“关玩流”、“关玩流藏”、“晋府图书”、“研山斋”、“古香斋”、“金匮宝藏”、“陈仁涛”、“金匮室精鉴玺”、“金匮主人”、“仁涛”、“无双”、“谭氏”、“区斋”、“朝鲜人”、“安岐之印”、“北平孙氏”、“和庵父”、“谭敬私印”、“金匮秘籍”、“金匮室”、“陈仁涛珍藏印”、“敬德堂图书印”、“谭和庵家珍藏”、“区斋父印”、“伯郊过眼”、“长”、“蕉林收藏”、“梁清标印”、“仪周鉴赏”、“张氏蓉舫”、“姚氏伯昂”、“桐城张蓉舫氏珍藏”印。

样例2:

重修地藏庵记/(清)章守勋撰. -- 朱拓. -- 北京市宣武区南横街北延旺庙街,清嘉庆五年[1800]四月(北京,195-?)

2张;120×68+20×22(额),120×68+20×16(阴额)cm

正书

阴题名及立碑年月

额篆书题:佛光普照;阴额篆书题:地藏庵碑

地藏庵碑

又1份2张

样例3:

皇清诰赠奉政大夫晋赠朝议大夫前候选县丞杨公讳艮元继配诰封宜人晋封恭人旌表节孝洪太恭人墓志铭/(清)万方煦撰;(清)谭宗浚书;(清)李慎篆盖;(清)姚殿材刻. -- 拓本. -- 陕西省长安县出土,清光绪五年[1879]三月十日(陕西,清)

2张;56×56,56×56(盖)cm

正书

26行行25字,盖7行行7字

陶斋藏石

盖篆书题:皇清诰赠奉政大夫晋赠朝议大夫前候选县丞杨公讳艮元继配诰封宜人晋赠恭人旌表节孝洪太恭人墓志铭

杨艮元妻洪氏墓志

样例4：

御刻三希堂石渠宝笈法帖 ：三十二卷 / [（清高宗）弘历辑] ；（清）梁诗正[等]编 ；（清）宋璋[等]镌. -- 乌金拓. -- 清乾隆十五年[1750]七月（北京，初拓）

32册（1208开）；29×18cm

石现存北京市北海公园阅古楼

卷十、十一、十二有配本

弘昼旧藏本

三希堂法帖

首题隶书

钤：“赐本”、“宋季子金石记”、“王锡瓒鉴赏章”、“那兴阿印”、“兰汀珍藏”、“铁梅题记”、“臣和恭藏”印。

样例5：

百一帖 ：一百〇一卷 / （清）孔继涑，（清）孔广廉，（清）孔昭熏辑并摹刻. -- 拓本. -- 清嘉庆二十三年[1818]（清道光[1821-1850]）

101册（2490开）；30×13cm

子目：

1. 玉虹楼法帖十二卷

（1）虚受箴帖

（2）宣示表帖

2. 玉虹楼石刻四卷

（1）长吟七古诗帖

（2）心经帖

……

样例6：

竹鹤图 / （明）吕纪绘 ；（清）上官铉跋. -- 拓本. -- 山西翼城，清康熙二十年[1681]十月（山西，清）

1张 ；184×104cm

正书

样例7：

寿[字榜书] / （清）马德昭书. -- 拓本. -- 清同治三年[1864]二月（民国）

1张 ；147×83cm

草书

样例8：

侯太妃造像记. -- 拓本. -- [河南省洛阳市龙门山]，北魏景明三年[502]八月十八日（河南，清[1644-1911]）

1张 ；51×22cm

正书

样例9：

柳拱辰[等]题名. -- 拓本. -- [湖南省祁阳县浯溪], 北宋皇祐六年[1054]正月二十一日（湖南，清[1644-1911]）

1 张 ; 110 ×68cm

正书

样例10：

黄丽中诗刻 / （清）黄丽中撰并书. -- 拓本. -- 清同治六年[1867]三月（清）

1 张 ; 72 ×32cm

行书

样例11：

袁生帖 / （晋）王羲之撰并书. -- 拓本. -- 晋[265-420]

32 册(1208 开) ; 29 ×18cm. -- (三希堂法帖 : 三十二卷 / [(清高宗)弘历辑] ; (清)梁诗正[等]编 ; (清)宋璋[等]镌)

辑于第 2 册

五、测绘制图资料

样例1：

历代舆地沿革险要图说 [地图] / 杨守敬，饶敦秩原绘 ；（清）王尚德重绘. -- 石印本. -- [比例尺不详]. -- 上海 : 铸记书局，清光绪二十四年[1898]

1 册 ; 27 ×30cm

图凡 67 幅，“宋四裔图”未刻，实为 66 幅。内容与清光绪五年（1879）《历代舆地沿革险要图》基本相同，仅将图说移至图眉，以便对照，但文字多有错漏。

样例2：

最新世界现势地图，又名，世界平方图 [地图] / 苏甲荣编. -- 2 版. -- [比例尺不详]. --上海 : 日新舆地学社，民国十九年十二月[1930.12]

1 幅 : 彩色 ; 68 ×94cm

附中欧与巴尔干半岛图，南、北极地带图，世界各国一览表。图上标出各地物产名称，注出华侨在世界各地的分布及中国驻外使领馆情况。

样例3：

皇朝中外一统舆图 [地图] / （清）胡林翼，（清）严树森主持 ；（清）邹世诒，（清）晏启镇编绘 ；（清）李廷箫，（清）汪士铎核校. -- 刻本. -- 百里方. -- 武昌 : 湖北抚署，清同治二年[1863]

32 册 ; 31 ×20cm

卷口题名“大清一统舆图”。胡林翼任湖北巡抚期间请邹世诒、晏启镇根据清康熙、乾隆内府舆图精心编绘，图未成而胡身故。严树森继任后，又请李廷箫、汪士铎详加核校，采用计里画方与经纬线并存之法编绘，于同治二年（1863）成图，并改为书本形式刻印。

样例4：

北京游览地图 [地图]. -- 石印本. -- [比例尺不等]. -- 上海 : 新华书局，[民国初年?]

4 幅 ; 图廓不等

子目: 北京游览全图 ; 北京皇城全图 ; 内城一览图 ; 外城一览图

样例5:

俄国历史地图解说 [地图] : 一千一百年来俄国疆界的变动 = An atlas of Russian history : eleven centuries of changing borders / (美)爱伦·F 丘著 ; 郭圣铭译. -- [比例尺不等]. --北京 : 商务印书馆, 1980.12

109 页 ; 26×19cm

附重要城镇名称的改变及译名对照表。本图集对俄国历史各个时期疆域变动作了详细表述,对中苏边界的论述有疏漏之处。

内部用图。

样例6:

市内交通路线示意图 [地图] : [沈阳] / 辽宁省测绘局编制. -- 1:15000. --北京 : 测绘出版社, 1984.1

1 幅 : 彩色 ; 26×37cm

样例7:

中国古代地图集 [地图] = An atlas of ancient maps in China : 战国—元 / 曹婉如[等]编. -- [比例尺不详]. -- 北京 : 文物出版社, 1990.7

14,[140],35,119 页 : 彩色和黑白 ; 36×27cm

图名页所题编者有: 曹婉如、郑锡煌、黄盛璋、钮仲勋、任金城、鞠德源。

图集由 205 幅图版、图版说明和研究论文等三大部分组成。除地图和论文外,均为中英文对照。

ISBN 7-5010-0304-1 (精装)

样例8:

坤舆万国全图 [地图] / (意)利玛窦(Ricci,Matteo)绘. -- 绘本. -- [比例尺不详]. -- [1608?]

1 幅 : 彩色 ; 62×166cm

原图为 6 条,现仅存第 4 条亚洲部分。所绘范围为大明、朝鲜、日本及吕宋、大爪哇等国家和地区。图中有利玛窦自序及看北极法说明,以及海船、鱼、象等象形图。

样例9:

中国文物地图集. 青海分册 [地图] / 国家文物局主编 ; 格桑本[本册]主编 ; 王国顺[等]编辑. -- [比例尺不等]. -- 北京 : 中国地图出版社, 1996.1

125,216 页 : 彩色 ; 27×19cm

本图集包括文物工作和文物状况概述,序图,文物地图(专题文物图和市、县文物图),重点文物图,文物单位简介,文物单位索引等。所收文物年代截止 1949 年。

ISBN 7-5031-1765-6 (精装) : CNY110.00

样例10:

新世界列国地图 [地图] / 欧阳缨编 ; 邹新垓增订. -- 3 版, 改订本. -- 新化 : 亚新地学社, 民国三十四年一月[1945.1]

1 册 : 彩色 ; 27×19cm

此图系抗日战争期间在湖南新化出版。图凡39幅,地名中英文对照。

样例11:

世界景观全图［地图］／张忠编辑设计；张建华校对. -- 1:345500000；等差分纬多圆锥投影. -- 成都：成都地图出版社, 2002.9

1幅：彩色；100×93cm

内含世界地形图、世界时区图、主要国际机构与区域组织介绍及各国国旗图样。

ISBN 7-80544-744-6：CNY20.00

六、乐谱

样例1:

电影音乐《闪闪的红星》选段［乐谱］／傅庚辰曲. -- 缩编谱. -- 北京：人民音乐出版社, 1977

30页；26cm

CNY0.22

样例2:

木管五重奏［乐谱］／(俄)莫杰斯特·穆索尔斯基曲；(德)约阿希姆·林克尔曼改编. -- 上海：上海音乐出版社, 2001

5分谱；31cm

ISBN 7-80667-033-5：CNY23.00

样例3:

流行钢琴经典弹唱曲集. 2, 学琴的孩子［乐谱］：高雅·浪漫·追忆／刘奇琦编配. --西安：陕西旅游出版社, 2004

87页；28cm + 1光盘

ISBN 7-5418-1961-1：CNY17.00

样例4:

斯特拉文斯基幻想谐谑曲, Op.3［乐谱］／(美)伊戈尔·斯特拉文斯基(lgor Stravinsky)［作曲］. -- 长沙：湖南文艺出版社, 2004

1总谱(67页)；19cm. --(全国音乐院系教学总谱系列；8017)

原版引进

ISBN 7-5404-3212-8：CNY10.00

样例5:

贝多芬D大调小提琴协奏曲, 作品61号［乐谱］：小提琴与钢琴谱／(德)贝多芬(Ludwig Van Beethoven)曲；(德)冯·沃特·亨茨·伯恩斯坦(Von Walter Heina Bernstein)钢琴缩编. -- 钢琴缩编谱. -- 北京：人民音乐出版社, 2002

46页；31cm

德国Breitkopf & Härtel出版公司授权出版

并列德文题名: Beethoven Konzert D-ur Für Violine und Orchester, Op. 61：Ausgabe für Violine und Klavier

ISBN 7-103-02537-1 ：CNY14.60

样例6：

亚历山德罗·马尔切洛d小调协奏曲［乐谱］：为双簧管、弦乐器和通奏低音而作／亚历山德罗·马尔切洛(Alessandro Marcello)［曲］；胡戈·鲁夫(Hgo Ruf)编选. -- 钢琴缩编谱. -- 北京：人民音乐出版社，2003

12页；31cm ＋1分谱(5页)

由德国朔特音乐国际出版(有限)公司授权出版

ISBN 7-103-02679-3 ：CNY6.40

样例7：

西方管乐合奏曲精选. 初级. 1［乐谱］／德国和步音乐出版有限公司［编］；邹小英译. -- 上海：上海音乐出版社，2004

1总谱(80页)；30cm ＋1光盘

德国和步音乐出版有限公司提供版权

ISBN 7-80667-535-3 ：CNY35.00

样例8：

业余管乐队中外合奏曲选. 二［乐谱］／马文编. -- 指挥排练缩谱. -- 上海：上海音乐出版社，2002

11册；30cm

子目：长笛分谱；B单簧管分谱；bE萨克管分谱；bB萨克管分谱；圆号分谱；bB小号分谱；长号分谱；大号/巴松分谱；小鼓分谱；大鼓/大镲分谱

ISBN 7-80667-175-7(套装)：CNY28.00

七、录音资料

样例1：

民族汉考(二级)短期强化教程. 听力分册［录音制品］／苗东霞主编. -- 北京：北京语言大学音像出版社，2004

2盒式录音带(100min)：单声道

题名取自盘面标签

ISBN 7-88703-160-5. -- ISRC CN-M04-04-0011-0

样例2：

中国名曲选［录音制品］：小提琴与吉他 ＝ Chinese melodies for violin and guitar／(日)西崎崇子小提琴演奏；谢家齐吉他演奏. -- 香港：Hong Kong Records Co., Ltd.,1985

1唱片：33⅓rpm,立体声,密纹；30cm

题名取自盘面标签

曲目：Side 1：1. 踏雪寻梅；2. 绿岛小夜曲；3. 劳动歌；4. 月光曲；5. 思乡曲；6. 小放牛；7. 望春风；8. 问；Side 2：1. 母亲；2. 怀念曲；3. 早行操；4. 绣荷包；5. 阿拉木汗；6. 一枝梅；7. 天乌乌；8. 桃花过渡

6.240298 ：CNY14.00

样例3:

剎那[录音制品] = Moments / (日)滨崎步(Ayumi Hamasaki)演唱. -- 上海 : 中国唱片上海公司, 2004

1 唱片(CD)(24min) : 立体声 ; 12cm + 1DVD

日语演唱

题名取自盒面标签

AVEX Asia Limited 提供版权

曲目: 1. Moments "Original Mix" ; 2. Moments "Acoustic Piano Version" ; 3. Moments "Flying humanoid Mix" ; 4. Moments "Original Mix-Instrumental-"

ISBN 7-7992-0859-7. -- ISRC CN-E01-04-0042-0

样例4:

考研英语听力考点冲浪. 2005 版[录音制品] / (英)Helena Lveson, (美)Tim Capozzi 朗读. -- 北京 : 化学工业出版社, 2004

2 盒式录音带(120min) : 单声道

题名取自盒面标签

ISRC CN-X29-04-0003-0 : CNY12.00

样例5:

梁山伯与祝英台[录音制品] : 小提琴协奏曲 / 何占豪, 陈钢作曲 ; 盛中国小提琴独奏 ; 中央乐团交响乐队协奏 ; 李德伦指挥. -- 北京 : 中国北光声像艺术公司, [199_?]

1 盒式录音带(60min) : 立体声

题名取自盒面标签

曲目: A 面: 1. 梁山伯与祝英台 ; B 面: 1. 月夜歌 ; 2. 苗岭的早晨 ; 3. 炉台

QY-8514 : CNY5.50

样例6:

中华大家唱(卡拉 OK)曲库. 8 [录音制品] / 中华大家唱(卡拉 OK)曲库编委会编辑. -- 北京 : 中国唱片总公司, 1991

1 盒式录音带(60min) : 立体声

ZH0071-ZH0080

左声道为范唱, 右声道为伴奏

A 面: 1. 克拉玛依之歌 ; 2. 听妈妈讲那过去的事情 ; 3. 打起手鼓唱起歌 ; 4. 马儿啊, 你慢些走 ; 5. 说聊斋 ; B 面: 1. 请到天涯海角来 ; 2. 北风吹 ; 3. 草原上升起不落的太阳 ; 4. 十五的月亮 ; 5. 送我一支玫瑰花

CKT91-1009 : CNY5.50

样例7:

大学英语四级考试巅峰训练[录音制品] = Top training in CET 4 / 王长喜主编. -- 北京 : 世图音像电子出版社, 2002

1 盒式录音带(60min) : 单声道. -- (王长喜全新版四级考试图书系列)

英语对白

题名取自盒面标签

ISBN 7-88742-409-7. -- ISRC CN-M46-02-0098-0 : CNY6.00

样例 8：

厅堂环境与艺术形式特征的录音体现［录音制品］/ 刘书兰主讲. -- 北京 : 北京广播学院音像教材出版社，1996

1 盒式录音带（60min）: 单声道. --（中国录音艺术大全. 艺术卷）

刘书兰，中国广播电视学会广播音乐研究会副会长、北京广播学院文编系客座教授、中央人民广播电台高级编辑。

ISRC CN-A06-96-301-00 : CNY20.00

样例 9：

新目标备考教程七年级英语上册［录音制品］/ 翁贤青，郭雯婷朗读. -- 人教版. -- 大连 : 大连理工大学电子音像出版社，2004

1 盒式录音带(60min) : 立体声

题名取自盒面标签

ISBN 7-88835-023-2. -- ISRC CN-Q08-04-0023-0

样例 10：

听听 问问 答答［录音制品］: 婴幼儿智力故事 / 金建华［编写］；姚培华演播. -- 上海 : 中国唱片上海公司，2004

2 盒式录音带(90min) : 立体声

题名取自盒面标签

ISBN 7-7992-0803-1. -- ISRC CN-E01-04-360-00(第 1 盒). -- ISBN 7-7992-0804-X. -- ISRC CN-E01-04-361-00(第 2 盒)

八、影像资料

样例 1：

保镖［录像制品］= The bodyguard /（美）米克·杰克逊(Mick Jackson)导演；(美)凯文·科斯特纳(Kevin Costner)，(美)惠特尼·豪斯特(Whitney Houston)主演；徐涛，徐燕配音. -- 北京 :［出版者不详］，1993

1 盒式录像带（VHS，PAL）(129min) : 彩色，有声

汉语对白

题名取自题名屏幕

CNY200.00

样例 2：

以父亲的名义［录像制品］= In the name of the father /（爱尔兰）吉姆·谢里登导演；(美)丹尼尔·戴·刘易斯，(美)埃玛·汤普森主演. -- 美国 : 环球影片公司，1993

1 盒式录像带(VHS，PAL)(133min) : 彩色，有声

英、美、爱尔兰合拍片

汉语对白

本片又名：以父之名

题名取自题名屏幕

CNY200.00

样例3:

世界九十年代建筑艺术[录像制品] = Architektue der Jahrtausendwende / (德)巴伐利亚广播公司[制作]. -- 沈阳 : 辽宁教育音像出版社, 1997

6录像带(VHS, PAL)(336min) : 彩色,有声

汉语对白

题名取自题名屏幕

ISRC CN-D04-97-0005 : CNY720.00

样例4:

飞机发展史. 1-2,4-5[录像制品] / Robert Vaughn 解说. -- [出版地不详] : Pioneers, [198-?]

4盒式录像带(U-matic,PAL)(210min) : 彩色,有声

英语对白,中文字幕

题名取自题名屏幕

CNY1760.00

样例5:

奔向延安[录像制品]. -- 北京 : [出版者不详], [198-?]

1盒式录像带(U-matic,PAL)(44min) : 彩色间黑白,有声

内容: 1. 奔向延安 ; 2. 中国革命胜利 ; 3. 开国大典阅兵 ; 4. 西苑阅兵 ; 5. 开国大典 ; 6. 阅兵 ; 7. 延安 ; 8. 中国革命

汉语对白

题名取自题名屏幕

样例6:

疤脸人[录像制品] = Scarface / (美)布莱恩·戴·帕尔马(Brian DePalma)导演 ; (美)艾尔·帕西诺(Al Pacino)主演 ; 周启勋,王明亚配音. -- 西安 : [出版者不详], 1989

1盒式录像带(VHS,PAL)(176min) : 彩色,有声

汉语对白

本片又名: 疤面煞星

题名取自题名屏幕

CNY400.00

样例7:

日本の野鳥100種類[录像制品] : ビデオ図鑑. -- 日本 : Victory Musical Industries, Inc., 1984

1高密度视盘(VHD,NTSC3.58)(46min) : 彩色,立体声 ; 27cm

日语对白

参考译名: 日本野鸟100种

题名取自盘面标签

样例8：

忠奸人［录像制品］ = Donnie Brasco / （美）Mike Newell 导演 ；（美）Al Pacino，（美）Johnny Depp 主演. -- 美国 ：Mandalay Entertainment，1997

2 激光视盘（LD，NTSC3.58）（155min）：彩色，立体声 ；30cm ＋ 1 字幕盒

英语对白，中文字幕

CNY750.00

样例9：

西方女郎［录像制品］ = La Fanciulla del West /（意）Giacomo Puccini 作曲 ；Barbara Daniels，（西班牙）Placido Domingo，Sherrill Milnes［等］演唱 ；（美）The Metropolitan Opera Orchestra and Chorus 演出 ；Leonard Slatkin 指挥. -- 美国 ：Metropolitan，1992

1 激光视盘（LD，NTSC3.58）（140min）：彩色，立体声 ；30cm

意大利语演唱

Giacomo Puccini（1731-1798），意大利作曲家

CNY740.00

样例10：

素描［录像制品］/ 颜铁良，黄珂主讲. -- 北京 ：清华大学出版社，1996

5 录像带（VHS，PAL）（500min）. --（彩色美术基础系列片）

内容：素描的基本知识 ；素描的工具和表现方法 ；几何石膏写生 ；石膏头像素描写生 ；人物头像写生

中国电视师范学院提供版权

ISRC CN-A18-96-321-1 ：CNY750.00

九、连续性资源

样例1：

西南交通大学学报［期刊］ = Journal of Southwest Jiaotong University. -- 1977，no.1（1977）- = 总28 - . -- 成都 ：西南交通大学学报编辑部，1977-

-no. ；26cm

双月刊（1992-）；半年刊（1977-1979）；季刊（1980-1991）. -- 有英文目次. -- 有英文文摘. -- 有英文全年总目. -- 尺寸后改为30cm

统一书刊号 CN51-1277. -- 国内订购号 62-104. -- 国外订购号 BM853

继承：《唐山铁道学院学报》

ISSN 0258-2724 ：CNY3.00（1996），CNY6.00（2000）

样例2：

中国邮政［期刊］ = China post. -- 1981，no.1（1981，1，12） - 1982，no.2（1982，11）；1983，no.1（1983） - 1989，no.2（1989，11） = 总3 - 16 ；1990，no.1（1990，1） - . -- 北京 ：全国邮政新闻宣传中心，1981-

-no. ；26cm

月刊（1994-）；半年刊（1981-1989）；双月刊（1990-1993）. -- 吸收《邮政技术》. --

1981-1989 年正文、版权页中英文对照. -- 1981-1985 年由中国邮电部该刊编辑部编辑出版. -- 出版单位曾为:人民邮电出版社. -- 1990 年起与《邮政技术》合并,1990,no.1 为创刊号。

统一书刊号 CN11-2685. -- 国内订购号 82-385

ISSN 1002-2287 : CNY5.00(1996), CNY6.00(2001)

样例3:

南通企业管理[期刊]/ 南通市企业管理协会. --[1983,no.1(1983)] - 1984,no.7(1984) = 总1 - 13. -- 南通(江苏) : 南通市企业管理协会, 1983-1984

13no. ; 26cm

双月刊

改为:《南通企业》

样例4:

心理学报[期刊] = Acta psychologica Sinica. -- V.1,no.1(1956,11) - v.10,no.4(1965); 1979,no.1(1979) - . -- 北京 : 科学出版社, 1956-1965 ; 1979-

-v. ; 26cm

双月刊(2001-); 季刊(1956-2000). -- 并列题名语种为拉丁文. -- 有英文文摘. -- 休刊:1966 -1978. -- 著录信息依据 v.34,no.2(2002)

统一书刊号 CN11-1911. -- 国内订购号 82-12

ISSN 0439-755X : CNY8.00(1996), CNY18.00(2002)

样例5:

物理 : 原理、技术、应用[期刊] = Physics. -- V.1,no.1(1972,6) - . -- 北京 : 科学出版社出版, 1972-

-v. ; 26cm

月刊(1981-); 季刊(1972-1973); 双月刊(1974-1980). -- 有英文文摘. -- 有英文目次. -- 1975 年起有并列题名:Physics. -- 后由中国物理学会出版. -- 尺寸后改为 28cm

统一书刊号 CN11-1957. -- 国内订购号 2-805

ISSN 0374-4148 : CNY3.50(1996), CNY10.00(2002)

样例6:

中国医学文摘. 中医[期刊] = China medical abstracts. Traditional medicine. -- V.6, no.1(1982,2) - = 总26 - . -- 北京 : 中国中医研究院图书情报研究所, 1982-

-v. ; 26cm

双月刊. -- 有英文目次. -- 后由中国中医研究院中医药信息研究所出版。

继承:《中医文摘》

统一书刊号 CN11-2371. -- 国内订购号 2-633

ISSN 0254-9042 : CNY3.60(1996), CNY8.60(2002)

样例7:

科学技术文献索引. 纺织[期刊]. -- 1965,no.1(1965) - 1966,no.6(1966) = 总31 - 48. -- 北京 : 中国科学技术情报研究所, 1965-1966

-v. ; 26cm

月刊

由《科技文献索引. 特种文献部分. 纺织》与《科技文献索引. 期刊部分. 纺织》合并而成。

样例8:

数学年刊 . A辑［期刊］ = Chinese annals of mathematics. Ser. A / 国家教育部数学年刊编委会编辑. -- 中文版. -- V.4,no.1(1983,2) - . -- 上海 : 上海科学技术文献出版社, 1983-

-v. ; 26cm

双月刊. -- 有英文文摘. -- 有英文目次。

统一书刊号 CN31-1328. -- 国内订购号 4-293

部分继承:《数学年刊》

ISSN 1000-8314 : CNY6.00(1996), CNY8.00(2001), CNY12.00(2002)

样例9:

外国政治、国际关系［期刊］. -- 1980,no.2(1980,1) - 1993,no.12(1993,12). --北京 : 中国人民大学书报资料中心, 1978-1993

14v. ; 26cm. -- (复印报刊资料. D7)

月刊(1981-1993); 半月(1980)

统一书刊号 CN11-1001

继承:《外国政治与国际关系》

改为:《国际政治》

ISSN 1001-2877

样例10:

中国消费者报［报纸］. -- 试刊: no.1(1985,7,1) - no.3(1985,8,12) ; no.1(1985,10,7) - . -- 北京 : 中国消费者报社, 1985-

-no. ; 56cm

每周五次(2001-); 周报(1985-1986); 每周二次(1987-1991); 每周三次(1992-1994); 每周四次(1995); 每周五次(1996-1997); 每周六次(1998-1999); 日报(2000). -- 彭真题写报名. -- 本刊在2000年到2002年1月12日共出版100期副刊《中国消费者报. 京华百姓》

统一书刊号 CN11-0042. -- 国内订购号 1-107

CNY0.50(1997)

样例11:

搜狐［网络资源］ = sohu.com / 张朝阳创办. -- 北京, 1996-

题名取自网站首页(据2005年1月4日). -- 检索模式:World Wide Web. URL:Http://www.sohu.com. -- 随时更新

十、缩微文献

样例1:

宗伯集［缩微品］：六卷／(明）冯琦撰. -- 北京 ：全国图书馆文献缩微中心，1985（北京 ：北京图书馆，1985）

1盘卷片（24米538拍）：负像，1∶10，2B ；35mm

复制自：宗伯集［古籍］. -- 刻本. --［刻书地不详］：书林余泗泉萃庆堂，明万历三十九年［1611］. -- 12册

样例2：

尔雅古义［缩微品］：十一卷／(汉）樊光，(汉）李巡等撰 ；(清）黄奭辑. -- 2代. -- 北京 ：全国图书馆文献缩微中心，1985（北京 ：北京图书馆，1985）

1盘卷片（19米407拍）：负像，1∶10，2B ；35mm

复制自：尔雅古义［古籍］. -- 刻本. --［刻书地不详］：［刻书者不详］，清道光［1821－1850］. -- 10册. -- 黄奭校补

样例3：

鲒埼亭集［缩微品］：三十八卷／(清）全祖望撰. 年谱 ：一卷／(清）董秉纯撰. -- 中间片. -- 北京 ：全国图书馆文献缩微中心，1985（北京 ：北京图书馆，1985）

2盘卷片（33米714拍）：负像，1∶10，2B ；35mm

复制自：鲒埼亭集［古籍］. -- 抄本. --［抄书地不详］：［抄书者不详］，清［1644－1911］. -- 8册

样例4：

高密遗书［缩微品］：十八卷／(汉）郑玄，(魏）郑小同，(清）孙星衍撰 ；(清）黄奭辑. -- 发行拷贝片. -- 北京 ：全国图书馆文献缩微中心，1985（北京 ：北京图书馆，1985）

2盘卷片（36米783拍）：1∶10，2B ；35mm

复制自：高密遗书［古籍］. -- 刻本. --［刻书地不详］：黄奭，清道光二十三年［1843］. -- 10册

子目：

毛诗谱 ：一卷／(汉）郑玄撰 ；(清）黄奭辑

周易注 ：一卷／(汉）郑玄撰 ；(清）黄奭辑

［郑司农］年谱 ：一卷／(清）孙星衍撰

发公羊墨守 ：一卷／(汉）郑玄撰 ；(清）黄奭辑

三礼目录 ：一卷／(汉）郑玄撰 ；(清）黄奭辑

六艺论 ：一卷／(汉）郑玄撰 ；(清）黄奭辑

尚书古文注 ：一卷／(汉）郑玄撰 ；(清）黄奭辑

驳五经异义 ：一卷／(汉）郑玄撰 ；(清）黄奭辑

论语篇目弟子 ：一卷／(汉）郑玄撰 ；(清）黄奭辑

丧服变除 ：一卷／(汉）郑玄撰 ；(清）黄奭辑

尚书大传注 ：一卷／(汉）郑玄撰 ；(清）黄奭辑

孝经解 ：一卷／(汉）郑玄撰 ；(清）黄奭辑

答临孝存周礼难 ：一卷／(汉）郑玄撰 ；(清）黄奭辑

箴左氏膏肓 ：一卷／(汉）郑玄撰 ；(清）黄奭辑

论语注 ：一卷 /（汉）郑玄撰 ；（清）黄奭辑

郑志 ：一卷 /（魏）郑小同等撰 ；（清）黄奭辑

释谷梁废疾 ：一卷 /（汉）郑玄撰 ；（清）黄奭辑

鲁礼禘袷义 ：一卷 /（汉）郑玄撰 ；（清）黄奭辑

样例5：

大众日报［缩微品］. -- 北京 ：全国图书馆文献缩微中心，1988（济南 ：山东省图书馆，1988）

11盘卷片（336米6799拍）：负像，1∶14，2B ；35mm

本胶片（11盘）为本报建国前部分的缩微品，建国后部分还在继续拍摄，片盘代号为00N001546

复制自：大众日报［报纸］. -- No.1（1939，1，1）－ . -- 沂水县夏蔚乡王庄（山东）：大众日报社，民国二十八年［1939］－ . -- no. ；57.5cm（1946），38cm（1939）. -- 日报；三日报；不定期. -- 中共山东省委山东分局的机关报，有多种特刊. -- 解放后仍继续出版，出版地迁至济南. -- 1939－1942年为《大众日报》社解放后搜集整理的重印件，有石印、油印、铅印版和复印件，战时油印纸张严重变黄且破损严重，缺失较多，部分字迹模糊有透字. -- 本报创刊时为4版，1946年改为2版，1949年改为4版，1994年改为8版. -- 本报继承《青年日报》，1948年吸收《新民主报》. -- 本报重复号、错号较多

第1盘：1939，1，1－1941，8，28 ；第2盘：1941，9，1－1943，9，29 ；第3盘：1943，10，1－1945，3，29 ；第4盘：1945，4，1－1946，3，31 ；第5盘：1946，4，1－1946，9，30 ；第6盘：1946，10，2－1947，4，30 ；第7盘：1947，5，1－1948，2，29 ；第8盘：1948，3，1－1948，12，10 ；第9盘：1948，12，11－1949，5，25 ；第10盘：1949，5，26－1949，9，20 ；第11盘：1949，9，21－1949，12，31

样例6：

人民邮电［缩微品］. -- 发行拷贝片. -- 北京 ：全国图书馆文献缩微中心，2003－（北京 ：国家图书馆，2003－）

2盘卷片（43米860拍）：正像，1∶19，2B ；35mm

复制自：人民邮电［报纸］. -- 创刊号（1959，10，1）－ no.389（1966，9，29）；试刊no.1（1979，2，25）－ no.2（1979，3，11）；1979，no.390（1979，4，1）－ . -- 北京 ：人民邮电报社，1959－ . -- no. ；56cm（1987），38cm（1959）. -- 周四报（1999－）；周二报（1959－1962，9）；周报（1963－1980）；周二报（1981－1990）；周三报（1991－1998）. -- 版权登记号：北京223. -- 统一刊号：11－0116. -- 订购号：1－11 D4435. -- 毛泽东题写报名. -- 创刊时尺寸为38cm，1987年改为56cm，8版. -- 替代《中国邮电工人》. -- 1966年9月29日增刊无编号。1966年10月－1979年2月休刊

第1盘：2002，1，1－2002，6，28 ；第2盘：2002，7，2－2002，12，31

样例7：

丁巳［缩微品］/ 李仲公编. -- 3代. -- 北京 ：全国图书馆文献缩微中心，1989（北京 ：北京图书馆，1989）

1盘卷片（7米456拍）：正像，1∶18，1B ；16mm

复制自：丁巳［期刊］/ 李仲公编. -- V.1，no.1（1917，2）－ v.1，no.2（1917，4）. --

北京 ：林绍猷［发行者］，1917. -- 2no. ；22cm. -- 月刊（1917）

第1盘：v.1，no.1（1917，2） – v.1，no.2（1917，4）

样例8：

红玫瑰［缩微品］／严独鹤，赵苕狂编. -- 中间片. -- 北京 ：全国图书馆文献缩微中心，1989（北京 ：北京图书馆，1989）

13盘卷片（372米31995拍）：负像，1∶15，1B ；16mm

复制自：红玫瑰［期刊］／严独鹤，赵苕狂编. -- V.1，no.1（1924，7） – v.7，no.30（1932，1）. -- 上海 ：世界书局［印刷者］，1924–1932. -- 288no. ；18cm. -- 旬刊（1928–1932）；周刊（1924–1927）

第1盘：v.1，no.1（1924，7） – v.1，no.24（1924，12）；第2盘：v.1，no.25（1925，1） – v.1，no.48（1925，6）；第3盘：v.1，no.49（1925，7） – v.2，no.22（1926，3）；第4盘：v.2，no.23（1926，3） – v.2，no.45（1926，9）；第5盘：v.2，no.46（1926，9） – v.3，no.19（1927，5）；第6盘：v.3，no.20（1927，5） – v.3，no.43（1927，11）；第7盘：v.3，no.44（1927，11） – v.4，no.15（1928，5）；第8盘：v.4，no.16（1928，6） – v.5，no.2（1929，2）；第9盘：v.5，no.3（1929，3） – v.5，no.25（1929，9）；第10盘：v.5，no.26（1929，9） – v.6，no.11（1930，6）；第11盘：v.6，no.12（1930，7） – v.6，no.34（1931，1）；第12盘：v.6，no.35（1931，2） – v.7，no.22（1931，10）；第13盘：v.7，no.23（1931，11） – v.7，no.30（1932，1）

样例9：

山西省统计年编［缩微品］：三十年份／山西省公署秘书处统计室编. -- 2代. -- 北京 ：全国图书馆文献缩微中心，2001（天津 ：天津图书馆，2001）

1盘卷片（33.5米1370拍）：负像，1∶25，2B ；16mm

复制自：山西省统计年编［图书］：三十年份／山西省公署秘书处统计室编. -- 太原 ：山西省公署秘书处［发行者］，民国三十一年［1942］. -- 2册（1296页）：彩图，表格 ；18cm. -- 上卷为该署组织及总务、民政、财政、教育统计；下卷为建设、警务、司法统计和附录。书前有山西省道县分区图(彩色)

样例10：

四世同堂. 第二部，偷生［缩微品］／老舍著. -- 3代. -- 北京 ：全国图书馆文献缩微中心，2003（太原 ：山西省图书馆，2003）

1盘卷片（8.5米368拍）：负像，1∶14，2B ；16mm

复制自：四世同堂. 第二部，偷生［图书］／老舍著. -- 上海 ：上海晨光出版公司［发行者］，1946. -- 2册（692页）；18cm. --（晨光文学丛书）

十一、电子资源

样例1：

网页设计实战宝典［电子资源］／北京天域宏业科技发展有限公司制作. -- 数据和程序. -- 北京 ：大恒电子出版社，2004

3光盘(CD-ROM)；有声，彩色 ；12cm ＋ 使用手册(384页 ；19cm)

题名取自题名屏幕

系统要求：Pentium 133 处理器，16M 内存，8 倍速光驱，16 位声卡，14 寸真彩显示器，中文 Windows 95 或 Windows 95 以上中文操作平台，800×600，16 位色以上显示分辨率

ISBN 7-900145-25-7 ：CNY39.00

样例2：

中华人民共和国行政许可法讲解［电子资源］/ 李援主讲. -- 音频数据和图像数据. -- 北京 ：法律出版社 ：法律音像出版社，2003

2 光盘（VCD，Ver2.0）（145min）：有声，彩色 ；12cm

普法视像教材

题名取自题名屏幕

系统要求：Window98 以上及相应播放软件

ISRC CN-A69-03-0025-0 ：CNY80.00

样例3：

豪杰超级解霸［电子资源 ］/ 北京世纪豪杰计算机技术有限公司制作. -- 数据和程序. -- 北京 ：地质出版社，2004

1 光盘（CD-ROM）：有声，彩色 ；12cm

题名取自题名屏幕

ISBN 7-900063-59-5 ：CNY26.00

样例4：

新世纪·新南昌［电子资源］：《中国名城建设新貌》大型多媒体系列光盘 / 江西省人民政府新闻办公室［等］主编 ；中国名城建设新貌编审委员会制作. -- 数据和程序. -- 北京 ：中国建筑工业出版社，2004

1 光盘（CD-ROM）：有声，彩色 ；12cm

题名取自题名屏幕

系统要求：PⅡ300 以上 PC，64M 内存，Windows98 以上中文环境，声卡、真彩显示

ISBN 7-900046-90-9 ：CNY［不详］

样例5：

中国智谋故事全集［电子资源］：图文版 /（明）冯梦龙编著 ；京华出版社第五编辑室制作. -- 数据和程序. -- 北京 ：北京电子出版物出版中心，2004

1 光盘（CD-ROM）：彩色 ；12cm

题名取自题名屏幕

ISBN 7-900361-40-5 ：非卖品

样例6：

个人所得税信息管理系统［电子资源］/ 陕西三普科技发展有限公司制作. -- V1.0. -- 数据和程序. -- 西安 ：陕西电子音像出版社，2004

1 光盘（CD-ROM）：彩色 ；12cm ＋ 用户手册（67 页 ；21cm）

题名取自题名屏幕

系统要求：PⅢ500 或以上 CPU，800×600 或更高分辨率显示器（推荐 1024×768），64 兆或以上内存（推荐 128 兆），50 兆或以上硬盘，Win98 或以上操作系统

(Win2000Proessional),Office2000(Access2000、Excel2000)办公软件

ISBN 7-900339-87-6 : CNY[不详]

样例7:

Tears of the Sun [电子资源] / (美)Antoine Fuqua 导演 ; (美)Bruce Willis,(美)Monica Bellucci 主演. -- 音频数据和图像数据. -- [美国] : Columbia TriStar Home Video, 2003

1 光盘(DVD,NTSC3.58)(121min) : 有声,彩色 ; 12cm

题名取自题名屏幕

系统要求:Window98 以上及相应播放软件

翻译题名:太阳泪

CNY360.00

样例8:

楠得精选 [电子资源] / 孙楠演唱. -- 音频数据. -- 上海 : 上海声像出版社, 2001

1 光盘(CD)(52min) : 有声 ; 12cm

题名取自盘面标签

北京星工场音乐娱乐有限公司提供版权

子目:1. 为爱说抱歉 ; 2. 天长地久 ; 3. 爱得精彩 ; 4. 淡淡的忧 ; 5. 我们都是伤心人 ; 6. 没完没了 ; 7. 你快回来 ; 8. 不见不散 ; 9. 谁的心忘了收 ; 10. 生生世世 ; 11. 留什么给你 ; 12. 美梦成真

系统要求:Window 98 以上及相应播放软件

ISRC CN-E04-01-302-00 : CNY20.00

样例9:

莎士比亚全集 [电子资源] / 北京天方金码公司制作. -- 数据和程序. -- 北京 : 金报电子出版中心, 2004

1 光盘(CD-ROM) : 有声,彩色 ; 12cm. -- (芝麻开门系列软件)

题名取自题名屏幕

系统要求:奔腾 586 以上 CPU,64MB 内存,24 倍速光驱,标准 VGA、256 色显示模式以上,中文 Windows98/Me/2000/XP 操作系统

ISBN 7-900019-73-1 : CNY10.00

样例10:

我和爸爸 [电子资源] = My father and I / 徐静蕾编剧、导演、主演 ; 叶大鹰,姜文主演. -- 音频数据和图像数据. -- 北京 : 北京电视艺术中心音像出版社, 2003

1 光盘(DVD,NTSC3.58)(98min) : 有声,彩色 ; 12cm

题名取自题名屏幕

系统要求:具播放 DVD 光盘的系统条件

ISRC CN-C07-03-0044-0 : CNY15.00

十二、手稿

样例1:

天一阁被劫书目 / 黄裳编. -- 稿本，圆珠笔. --［1979］

1 册 ；26 ×36cm

载《文献》杂志 1979 年第 2 期。蓝色圆珠笔手书原稿，有毛笔、钢笔增补修改。用旧式圆钉装订。

2004.5《文献》杂志社移交。

（此例有装订注）

样例 2：

值得怀念的三年图书馆生活 / 谭其骧著. -- 稿本，复写. -- 1982.6.26

10 叶 ；26 ×19cm

载《文献》杂志 1982 年第 4 期。上海淮海中路 1753 号 102 室《辞海》稿纸。后附《文献》丛刊编辑部稿纸一叶，有谢国桢钢笔书"北京图书馆建馆七十周年纪念"诗一首。

2004.5《文献》杂志社移交。

（此例有附加内容）

样例 3：

跋国语贾逵注残卷 ；跋阴保山等牒 / 王利器著. -- 稿本，钢笔. --［1980］

6 叶 ；26 ×19cm ＋ 排字清样(2 叶)

载《文献》杂志 1980 年第 1 期，题名改为：跋敦煌残卷两篇。中国社会科学院世界宗教研究所(稿纸)。

2004.5《文献》杂志社移交。

（此例为无总题名手稿，有附件说明）

样例 4：

［曲目丛拾］/［周绍良］著. -- 稿本，钢笔. --［1980］

34 叶 ；27 ×19cm

载《文献》杂志 1980 年第 2 期，题名为：曲目丛拾。人民文学出版社稿纸。订书钉装订。

2004.5《文献》杂志社移交。

（规定信息源未提供题名与责任者）

样例 5：

来往书信四封 / 姚雪垠，茅盾著. -- 稿本，钢笔. -- 1976.12.26－1981.5.5

22 叶 ；26 ×19cm

发表于《文献》杂志 1981 年第 2 期。

子目：1. 关于《红楼梦》的研究和文学欣赏与创作的简单化风气 ；2. 谈《前言》搬上银幕和《红楼梦》研究方面等问题 ；3. 关于现实主义、历史题材的现实主义等问题 ；4. 谈过去写历史剧和电影有二失，深盼《李自成》开一新途径 ；5. 跋

2004.5《文献》杂志社移交。

（此例为一种著作方式多个责任者及连续写作时间，有子目）

样例 6：

朱景英和《桃花缘》传奇 ：清代戏曲家考略 / 刘世德著. -- 稿本，钢笔. -- 1980.3

18 叶 ；36 ×26cm

载《文献》杂志 1980 年第 4 期。中国社会科学院文学研究所稿纸，多处有粘贴。写作

时间原题：一九八〇年三月，惊蛰日。

2004.5《文献》杂志社移交。

(此例有题名说明文字、写作时间、稿纸附注)

样例 7：

生药学 / 赵燏黄编译. -- 稿本，毛笔. -- [194-?]

12 册

每册封面题：去非编译。去非为赵燏黄号。内分：隐花植物类生药，皮类生药，木类生药，根茎类生药，根类生药，球根类及葱根类生药，草卉类生药，叶类生药，花类生药，果实类生药，种子类生药，护膜、糖、树脂、乳液及其成分类生药共 12 卷。

2003.4.3 赵燏黄子女无偿捐赠。

(此例有内容附注)

样例 8：

现代本草生药学序 / 蔡元培著. -- 稿本，毛笔. -- 1933.11

1 页

文革时为保存手稿，原件被剪成一条一条，后重新粘贴。此件是蔡元培为赵燏黄先生所著《现代本草生药学》一书作的序。

2003.4.3 赵燏黄子女无偿捐赠。

(此例有手稿载体附注)

样例 9：

关于支那耶稣教文书之发现 / (日)坪井著 ; 陈垣辑. 明庞天寿呈罗马教皇之文书 / (日)桑原隲藏著 ; 陈垣辑. -- 稿本

摘自日本明治三十三年(清光绪二十六年)《史学杂志》第十一编第二、三、五号。毛笔代抄本，陈垣毛笔批注。陈智超赠。毛装。

(此为无总题名手稿)

样例 10：

致郑振铎的信 / 鲁迅著. -- 照片，照相复制. -- 北京 : 鲁迅博物馆，[1956]

3 张

毛笔手书原件(1934.6.21 著)现藏北京鲁迅博物馆。原信称西谛。

信中谈《十竹斋笺谱》样张刻得很好，说到印刷笺谱选用纸张和出版时间的意见，并计划为青年着想的普及版本如何编选的办法，以及六月号文学出版之后的上海文艺界政治动态等。

(此为手稿复制品，有原作附注和提要)

附录2　中国历史朝代规范简称

上古（含夏以前有文字记载的各个历史时期）
夏
商
西周
春秋
战国
秦
汉（含西汉、新、东汉）
三国魏
三国蜀
三国吴
晋（含西晋、东晋）
十六国
南朝宋
南朝齐
南朝梁
南朝陈
北魏
东魏
西魏
北齐
北周
隋
唐（含武周）
五代（含十国）
宋（含北宋、南宋）
辽
西夏
金
元（含蒙古）
明（含南明）
清（含后金）

附录3　中国各少数民族规范名称表

1　阿昌族
2　白族
3　保安族
4　布朗族
5　布依族
6　朝鲜族
7　达斡尔族
8　傣族
9　德昂族
10　侗族
11　东乡族
12　独龙族
13　鄂伦春族
14　俄罗斯族
15　鄂温克族
16　高山族
17　仡佬族
18　哈尼族
19　哈萨克族
20　赫哲族
21　回族
22　基诺族
23　京族
24　景颇族
25　柯尔克孜族
26　拉祜族
27　黎族
28　傈僳族
29　珞巴族
30　满族
31　毛南族
32　门巴族
33　蒙古族
34　苗族
35　仫佬族
36　纳西族
37　怒族
38　普米族
39　羌族
40　撒拉族
41　畲族
42　水族
43　塔吉克族
44　塔塔尔族
45　土族
46　土家族
47　佤族
48　维吾尔族
49　乌兹别克族
50　锡伯族
51　瑶族
52　彝族
53　裕固族
54　藏族
55　壮族

附录4　世界主要国家和地区名称表

	英文名称	中文名称	惯用简称
1	Afghanistan	阿富汗	
2	Albania	阿尔巴尼亚	
3	Algeria	阿尔及利亚	
4	America	美国	美
5	Andorra	安道尔	
6	Angola	安哥拉	
7	Angola	安圭拉	
8	Argentina	阿根廷	
9	Armenia	亚美尼亚	
10	Aruba	阿鲁巴	
11	Australia	澳大利亚	澳
12	Austria	奥地利	
13	Azerbaijan	阿塞拜疆	
14	Bahamas	巴哈马	
15	Bahrain	巴林	
16	Bangladesh	孟加拉	
17	Barbados	巴巴多斯	
18	Belize	伯利兹	
19	Belgium	比利时	
20	Benin	贝宁	
21	Bermuda	百慕大	
22	Bhutan	不丹	
23	Bolivia	玻利维亚	
24	Bosnia Hercegovina	波斯尼亚和黑塞哥维那	波黑
25	Botswana	博茨瓦纳	
26	Brazil	巴西	
27	Brunei Darussalam	文莱	
28	Bulgaria	保加利亚	
29	Burkina Faso	布基纳法索	
30	Burma	缅甸	
31	Burundi	布隆迪	
32	Cambodia	柬埔寨	
33	Cameroon	喀麦隆	

34	Canada	加拿大	
35	Cape Verde	佛得角	
36	Cayman Islands	开曼群岛	
37	Central African	中非	
38	Chad	乍得	
39	Chile	智利	
40	China	中国	
41	Colombia	哥伦比亚	
42	Comoros	科摩罗	
43	Congo (Brazzaville)	刚果(布)	
44	Congo (Kinshasa)	刚果(金)	
45	Cook Island	库克群岛	
46	Costa rica	哥斯达黎加	
47	Croatia	克罗地亚	
48	Cuba	古巴	
49	Cyprus	塞浦路斯	
50	Czech	捷克	
51	Denmark	丹麦	
52	Djibouti	吉布提	
53	Dominica	多米尼加	
54	East Timor	东帝汶	
55	Ecuador	厄瓜多尔	
56	Egypt	埃及	
57	England	英国	英
58	Equatorial Guinea	赤道几内亚	
59	Estonia	爱沙尼亚	
60	Ethiopia	埃塞俄比亚	
61	Fiji	斐济	
62	Finland	芬兰	
63	France	法国	法
64	French Guiana	法属圭亚那	
65	French Polynesia	法属玻里尼西亚	
66	Gabon	加蓬	
67	Gambia	冈比亚	
68	Georgia	格鲁吉亚	
69	Ghana	加纳	
70	Gominica	多明哥	
71	Greece	希腊	
72	Grenada	格林纳达	

73	Grmany	德国	德
74	Guadeloupe	瓜德罗普	
75	Guam	关岛	
76	Guatemala	危地马拉	
77	Guinea	几内亚	
78	Guinea – Bissau	几内亚比绍	
79	Guyana	圭亚那	
80	Haiti	海地	
81	Honduras	洪都拉斯	
82	Hong Kong	中国香港	香港
83	Hungary	匈牙利	
84	Iceland	冰岛	
85	India	印度	
86	Indonesia	印度尼西亚	印尼
87	Iran	伊朗	
88	Iraq	伊拉克	
89	Ireland	爱尔兰	
90	Israel	以色列	
91	Italy	意大利	意
92	Jamaica	牙买加	
93	Japan	日本	日
94	Jordan	约旦	
95	Kazakstan	哈萨克斯坦	
96	Kenya	肯尼亚	
97	Kiribati	基里巴斯	
98	Korea	韩国	韩
99	Kkuwait	科威特	
100	Kyrgyzstan	吉尔吉斯斯坦	
101	Laos	老挝	
102	Latvia	拉托维亚	
103	Lebanon	黎巴嫩	
104	Lesotho	莱索托	
105	Liberia	利比里亚	
106	Libya	利比亚	
107	Liechtenstein	列支敦士登	
108	Lithuania	立陶宛	
109	Lvory Coast	象牙海岸	
110	Luxembourg	卢森堡	
111	Macao	中国澳门	澳门

112	Malagasy	马达加斯加
113	Malaw	马拉维
114	Malaysia	马来西亚
115	Maldives	马尔代夫
116	Mali	马里
117	Malta	马耳他
118	Marshall Islands	马绍尔群岛
119	Mauritania	毛里塔尼亚
120	Mauritius	毛里求斯
121	Mexico	墨西哥
122	Micronesia	密克罗尼西亚
123	Moldova	摩尔多瓦
124	Monaco	摩纳哥
125	Mongolia	蒙古
126	Morocco	摩洛哥
127	Mozambique	莫桑比克
128	Namibia	纳米比亚
129	Naura	瑙鲁
130	Nepal	尼泊尔
131	Netherlands	荷兰
132	New Caledonia	新喀里多尼亚
133	New Zealand	新西兰
134	Nicaragua	尼加拉瓜
135	Niger	尼日尔
136	Nigeria	尼日利亚
137	Niue	纽埃
138	North Korea	朝鲜
139	Norway	挪威
140	Ntigua and Barbuda	安提瓜和巴布达
141	Oman	阿曼
142	Pakistan	巴基斯坦
143	Palau	帕劳
144	Panama	巴拿马
145	Papua New Guinea	巴布亚新几内亚
146	Paraguay	巴拉圭
147	Peru	秘鲁
148	Philippines	菲律宾
149	Pitcairn Islands	皮特开恩群岛
150	Poland	波兰

151 Portugal	葡萄牙	
152 Puerto Rico	波多黎各	
153 Qatar	卡塔尔	
154 Romania	罗马尼亚	
155 Russia	俄罗斯	俄
156 Rwanda	卢旺达	
157 Salvador	萨尔瓦多	
158 San Marino	圣马力诺	
159 Sao Tome and Principe	圣多美与普林西比	
160 Saudi Arabia	沙特阿拉伯	沙特
161 Serbia and Montenegro	塞尔维亚和黑山	塞黑
162 Senegal	塞内加尔	
163 Seychelles	塞舌尔	
164 Sierra leone	塞拉利昂	
165 Singapore	新加坡	
166 Slovakia	斯洛伐克	
167 Slovene	斯洛文尼亚	
168 Solomon Islands	所罗门群岛	
169 Somali	索马里	
170 South Africa	南非	
171 Spain	西班牙	
172 Sri Lanka	斯里兰卡	
173 St. Helena	圣赫勒那	
174 St. Lucia	圣卢西亚	
175 Sudan	苏丹	
176 Surinam	苏里南	
177 Swaziland	斯威士兰	
178 Sweden	瑞典	
179 Switzerland	瑞士	
180 Syria	叙利亚	
181 Taiwan	中国台湾	台湾
182 Tanzania	坦桑尼亚	
183 Thailand	泰国	泰
184 Togo	多哥	
185 Tokela	托克劳	
186 Tonga	汤加	
187 Trinidad and Tobago	特立尼达和多巴哥	
188 Tsjikistan	塔吉克斯坦	
189 Tunisia	突尼斯	

190 Turkey	土耳其	
191 Turkomanstan	土库曼斯坦	
192 Tuvalu	图瓦卢	
193 Uganda	乌干达	
194 Ukiain	乌克兰	
195 United Arab Emirates	阿拉伯联合酋长国	阿联酋
196 Uruguay	乌拉圭	
197 Uzbekstan	乌兹别克斯坦	
198 Vatican	梵蒂冈	
199 Venezuela	委内瑞拉	
200 Vietnam	越南	
201 West Sahara	西撒哈拉	
202 Western Samoa	西萨摩亚	
203 White Russia	白俄罗斯	
204 Yemen	也门	
205 Zambia	赞比亚	
206 Zimbabwe	津巴布韦	

附录5　主要名词术语

（以汉语拼音为序）

A

A向排列或竖排式：横向书写的字行垂直于卷式胶片长边或竖向书写的字行平行于卷式胶片长边的影像排列方式。

B

B向排列或横排式：横向书写的字行平行于卷式胶片长边或竖向书写的字行垂直于卷式胶片长边的影像排列方式。

版本：同一种文献（出版物）因编辑、传抄、刻版、排版及装订或制作形式的不同而产生的不同本子。

版本说明：表示一种文献属于某一版本的一个单词或短语。通常是以序数词与"版"字或表示和其他版本不同的与"版"字相结合的形式出现的。如第×版、修订版、增补版、影印版、盲文版等。

版次：图书及其他文献排版次第的说明。凡第一次排版称"第一版"或"初版"（或其他表示法）。凡内容经过修改、增补后重新排版称"第二版"或"再版"（或其他表示法），以下类推。

版权页：亦称"版本记录页"。文献中载有版权说明、题名、责任者、出版者、发行者、印刷者、出版年月、版次、印次、印数、定价等信息的一页，通常为题名页背面一页或最后一页（即封底里前一页）。

包背装：又称"裹背装"。分别将书叶沿中缝向外对折，使两半叶字面相背，书脊用胶料粘合，或再加纸捻订脑，以一整幅厚纸包背粘连，裹住书脊和全册书前后两面的装帧形式。

本地访问：对本地硬盘进行检索或利用插入计算机的磁盘、光盘等物理载体获得电子资源的一种方法。

比例尺：又称"缩尺"。地图上某线段与实地相应水平距离之比。表现形式有数字式和线段式等。

标目：编制文献目录时，按照一定规则确定的、作为目录款目排序和检索依据的名称、词或词组、代码或编号等。参见"检索点"。

标准文献：记录有以科学技术和实践经验的综合成果为基础，由主管机构批准，以特定形式发布，作为一定范围内共同遵守的准则和依据的出版物。

并列版本说明：另一种语言/文字的版本说明。

并列题名：对应于正题名的另一种语言/文字的题名。丛编说明和分丛编说明中的正题名也可有并列题名。

博士论文:由攻读博士学位的研究生撰写,作为申请博士学位评审用的学术论文。

C

参照:从一个标目或款目指引向另一个标目或款目的方法,或者关于某种排检方法的说明,包括单纯参照、相关参照和说明参照。

操作系统:管理计算机系统执行任务和操作的程序。它可以包括程序排列、输入－输出控制、调试、编译、计算、存储分配、数据管理和相关服务。

草稿本:责任者自己创作并亲笔修改、增删比较多的作品初稿。

测绘制图资料:按照一定的数学原理,用形象化的符号(或影像),经过科学综合,显示地球(或其他星球)表面现象的信息载体。它反映各种自然和社会现象的空间分布、组合、联系及其在时间中的变化和发展。它又是地图的代名词。

唱片:记录有音频信号的塑料或其他材质的圆盘,包括单声道唱片和立体声唱片。

抄本:依据某一底本手工抄写的本子。

程序:指示计算机执行某种任务(包括处理数据)的一组步骤或例程,也称"软件"。

程序语言:程序员用来写计算机程序的语言。这种语言在计算机执行之前可能需要汇编、编译、解释或翻译。

重修:保持原书正文,仅增补或改动原书附录。如同时修补更换原书残损模糊的版片,仍属重修。

窗孔卡:开有一个或多个矩形窗口(或孔)的卡片,窗口(或孔)中插有一幅或多幅缩微照片胶片。

磁带卷:绕在一可动卷轴里的磁带,通过磁带机可从中读写电子资源。

磁盘:以磁形式存储并通过电磁脉冲读写电子资源的一种可拆卸的柔韧盘。

丛编:一组相互关联而又各自独立的文献,每种文献除具有各自的题名外,还有一个整组文献的总题名。"丛编"是为适应各类型文献而采用的泛称,在图书类型中用"丛书",在录音和影像资料类型中用"系列",在连续出版物类型中用"丛刊"。

丛编编号:丛编中各册(辑、期)的顺序编号,可以是数字、字母、其他符号或者是它们的组合形式。

从属题名:本身不足以识别一种文献,必须与共同题名一起才能识别该文献的分辑题名、补编题名、分丛编题名等的统称。

从属题名标识:共同题名后面用以标识共同题名下的某一部分的单词、字母、数字或其组合,可以单独使用,也可以与从属题名共同使用。

醋酸片基:用部分经水分解的三醋酸纤维素制成的安全片基。

D

代:在逐级制作(拷贝)过程中缩微品所处的辈次。某一代母片制作(拷贝)的所有复制片或反转片均视为同一代缩微品。

代题名页:当出版物没有题名页时,将包含有题名页通常所含信息的页、页的一部分或其他组成部分作为替代的题名页，如封面、卷端、版权页。

单纯参照：指引读者从非标目词查检标目词的参照法。

单轴盒装卷片：将缩微胶片缠绕在密闭的单芯轴片盒中进行管理和使用的缩微品。

地方标准：由省、自治区、直辖市标准化主管部门批准、发布，在省、自治区、直辖市范围内施行的标准。

地图：运用数学法则和符号系统并经过制图综合将地表的自然地理和社会经济诸要素表现在平面上，以表达它们的地理分布及其空间与时间上的相互制约、内在联系和发展动态的图形。它又是测绘制图资料的代名词。

第二种标识系统：连续出版物已经具备一种标识系统，同时又有另一种标识系统，如既有卷、期号，又有总期号。

第一责任说明：同时具有几个不同责任说明时，列居首位的责任说明，而非指主要的责任说明。

电影片：拍摄有一系列连续画面，配有（或无）磁性声迹或声迹，并利用高速放映产生运动效果的胶片。根据装载形式的不同，可分为盒式循环电影片、盒式电影片、环式电影片以及开盘电影片。

电子资源：用计算机处理的编码资料（数据和/或程序），包括需要利用连接计算机的外部设备（如 CD-ROM 播放器）和联机服务（如通报板、讨论组/表、万维网网址）的资料。

多部分资源：物理上各自独立，不记录在同一载体上，并已知其构思或作为一种实体已出版的专题电子资源，其各自独立的部分可以有自己的题名和责任说明。

多层次著录：由多部分组成的文献的一种著录方法，是将文献著录信息分成两个或多个层次。第一个层次著录文献整体的共同书目信息，第二个层次及其余各层次分别著录有关各部分的书目信息。

多卷书：同一著作分若干卷（册）出版的图书。

多载体：由两种或两种以上载体组成，各种载体之间不分主次的文献。

E

二分点：又称“昼夜平分点”。指黄道与天球赤道相交的点，即春分和秋分两个点。

F

法帖：摹刻在石（或木）版上法书的拓本。

翻页式图表：为在图架上展示而设计的、主题完整的、装订成套的数据图表。

非书资料：以声音、图像（文字）等方式记录有知识信息的载体。

分丛编：作为主丛编的一个组成部分的丛编。

分丛编标识：位于既可独立存在又可与分丛编题名相关的主丛编题名之后的单词、字母、数字或其组合。

分辑：具有共同题名的一组相关资料的一部分。分辑一般属于特定专题范围，并通过该部分的共同题名、分辑题名（包括分辑标识）来识别。分辑也可以有两个以上的子分辑。

分辑标识:共同题名之后的单词、字母或编号(也可以是它们的组合),用以识别具有共同题名的相关资料中的某一个组成部分。分辑标识一般与分辑题名组合使用,当分辑无题名时也可以单独使用。

分辑题名:一组具有共同题名的相关文献中的各个组成部分的题名。

分谱:在合奏中一个或若干演奏者所用的乐谱。

分切图:因受纸张大小限制而将完整地图分为若干张印制而成的地图。

分析著录:对一种或一组文献中的一个组成部分单独进行著录的方法。

封面:图书和期刊正面最外层的一面,又称“封一”。图书的封面通常载有书名、责任者、出版者等信息;期刊的封面载有刊名、卷(年)、期号等。

封套片:由一条或多条缩微条片和一个标头区组成的缩微品。缩微条片封装于透明柔性的片式载体上的片道内。

幅:地图的计量单位。指内容相对完整、独立的一个地图单位。一般以完整图廓为标志。

负像:在暗背景下显示亮的线条和字符的影像。

附加版本说明:版本说明的补充说明。

附件:内容上与文献主体部分有直接联系,但在装订或其他组装方式上与主体部分相分离的附属资料,其载体材质和记录信息的方式可与主体部分相同,也可以不同。

附刊补编:连续出版物附有的一种或多种无独立题名(不能单独出版),有或没有独立卷、期的出版物。

附属团体:较大团体的下属分支组织。

复本:某一版本全部文献中的一部,包括某次出版发行后的一部文献、某次制作完成后的一部稿本、抄本、写本、拓本等。

复合题名:由共同题名和分辑题名,或共同题名、分辑标识、分辑题名,或共同题名和分辑标识,或主刊题名和副刊题名所构成的题名形式。

副刊(增刊):连续出版物附有一种或多种有独立的题名和自身卷、期标识的出版物。

G

感光材料:对光和其他辐射能敏感的成像物质。

钢琴(小提琴等)指挥声部:表演声部,但加上了提示,使得演奏者还可以充当指挥,有时称为“钢琴(小提琴等)指挥总谱”。

稿本:著者亲笔所写或亲笔修改的作品原件。

共同题名:一组相关文献所共有的题名,它用于表达这些文献之间的关系,并与分辑题名一起识别某种文献。

古籍:古代书籍的简称,特指1912年以前在中国书写或印刷的书籍。

挂图:为展示图形或表格式资料而设计的不透明图纸。

光盘:以光形式存储电子资源并通过激光技术读写的一种可动非柔韧盘。光盘格式的例子有:CD-I(交互式光盘)、CD-ROM(只读存储光盘)、Photo CD(图像光盘)、WORM(一次写多次读光盘)和交互式视盘。

规定信息源:文献著录时,规定据以选取各个著录项目内容的主要信息源,通常为文献的某一部分或某几个部分。

国际标准连续出版物号：亦称“国际标准刊号”。国际通行的连续出版物代码。由8位阿拉伯数字组成，前后4位数字之间以连字符分隔。号码前冠有“ISSN”字样。

国际标准书号：国际通行的出版物代码。由10位阿拉伯数字组成，分为组号、出版者号、书名号和校验号四部分，各部分之间以连字符分隔。号码前冠有“ISBN”字样。

国际标准书目著录：国际图联主持制订的一套文献著录规则的总题名，英文简称ISBD。其主要目的是为了统一世界各国图书馆和其他文献情报机构对各种语文或各种类型文献的著录，以利于开展国际书目信息交流。

国际标准音像制品编码：是国际通行的音像制品编码，由5个数据段、12位字符组成。5个数据段分别为国家码、出版者码、录制年码、记录码和记录项码。各段之间用连字符分隔。号码前冠有“ISRC”字样。

国家标准：由国家标准化主管机构批准、发布，在全国范围内统一施行的标准。

H

行业标准：由行业标准化主管部门批准、发布，在行业范围内统一施行的标准。

合唱总谱：用于声乐和器乐结合的作品，但只用总谱形式表示合唱音乐而没有器乐音乐的音乐记谱法。

盒式磁带：一种小型磁带，置于一可动的矩形容器内，磁带绕在两轴上，通过磁带机可从中读写电子资源。

盒式带(卡)：固定在装有带轴和卷带轴盒内的磁带或胶片，包括盒式录音带、盒式录像带、盒式电影片等。

横片：胶片边缘平行于所装框架底边的缩微片或幻灯片。

后继标识系统：连续出版物原来的标识系统停止使用，开始采用另一标识系统。

蝴蝶装：简称“蝶装”。分别将书叶有字的一面沿中缝向内对折(即字面相对)，中缝背面以胶料粘连，以厚纸包裹做书衣的装帧形式。翻阅时书叶从中缝展开，两边向外，形如蝴蝶双翅，故名。

画幅：曝光期间辐射能在感光胶片上作用的区域。

环式电影片：环式电影片是连成环形的电影片，一般为盒式，采用8毫米胶片，最长放映时间为四分半钟。

幻灯插片：以胶片或其他材料为载体的、固定在框夹中的平面图像，须插入幻灯放映机或图片机放映。

幻灯卷片：通常为35毫米或16毫米的一卷胶片，拍摄有可供在一段时间内逐张连续投影的静止画面(也可配有音响)，须用卷片幻灯放映机放映。若幻灯卷片画面的短边与走片齿孔平行则为“单幅”，若画面的长边与走片齿孔平行则为“双幅”。

幻灯片：包括幻灯卷片和幻灯插片。前者通常为拍摄有可供在一段时间内逐张连续投影的静止画面(有的还配有音响)的35毫米或16毫米的胶片，并有单福(画片的短边与走片齿孔平行)和双幅(画片的长边与走片齿孔平行)之分。后者为一种以胶片或其他材料为载体的平面图像，固定在框夹中，插入幻灯机或图片机放映。

会议:一些个人或团体的代表,在一段时间内聚集在一起,讨论或研究解决共同感兴趣的问题;由一个团体的代表所组成的立法或管理机构。

活字本:用活字排版印刷而成的本子。

J

极性:缩微影像中线条和字符相对于背景的明暗关系。

集拓:将多种拓片资料汇集在一起并同时装裱成册的拓本。

记录:描述事物的特征,具有完整含义,从内容和使用的角度能被作为一个整体来识别的一组相关数据项的组合。

检索程序:用于寻找数据地址、检索和选择特定数据、显示和搜索数据的系统程序(如浏览程序、检索引擎)。

检索点:书目记录中用作检索标识的名称、术语、代码或编号等。参见“标目”。

交互式多媒体:在一种或多种物理载体(如一电子光盘和一视盘)、计算机网络或系统里存在的介质。交互式多媒体具有以下两个特点:1. 利用计算机技术,由用户控制的非线形导航;2. 结合两种或多种介质(声音、文字、图形、图像、动画和录像),由用户操作以控制图像的顺序和/或性质。

交互式视盘:由计算机控制的视盘。

交替题名:规定信息源中出现的,由两个部分组成的正题名的第二部分。两个部分之间用“又名”、“或”或其他语种的相应词汇连接。

经折装:简称“折装”。将书籍的长幅自右至左反复折叠成为折子,首尾粘以厚硬纸页护持的装帧形式。

静画资料:投影制品和图卡的统称。

聚酯片基:用聚酯材料(聚对苯二甲酸乙二醇酯)制成的安全片基。

卷轴装:将书籍的帛或纸粘连成长幅,以木棒或象牙、玉石等材料做轴,自左至右或由下至上卷成一束的装帧形式。

K

开盘带(卡):装在敞开式圆盘上的磁带或胶片。有开盘录音带、开盘录像带、开盘电影片等。

珂罗版影印本:在玻璃上照相制版印刷而成的本子。

科技报告:描述一项科学技术研究的结果或进展,或一项技术研制试验和评价的结果,或论述某项科学技术问题的现状和发展的特种文献。

刻本:雕版印刷的本子。

款目:文献目录(书目)的基本组成要素。按照特定规则对文献进行著录及标目的结果。它揭示文献的形式特征和内容特征,指引文献的检索途径(检索点)。根据检索点的不同,款目可分为责任者款目、题名款目、主题款目、分类款目等。

L

历元:天文数据所对应的时刻。

立体布景模型:在二维彩绘背景前放置的由物体、人像等组成的三维景象模型。

立体片:成对装配的幻灯片或图片,用立体视镜观看时能产生三维视觉效果。立体图像也可印在不透明纸上,用由固定在框架上的双色透镜制成的手持阅片器观看。

连续出版物:定期或不定期地以连续的卷期编号或年代编号分册陆续编辑出版,并且计划无限期出版下去的出版物,主要包括期刊、报纸、年鉴、年度报告等。

连续性资源:连续出版物和一体化资源的统称。

联机服务:支持存取和利用因特网上信息的一种基于系统的活动。通过服务机构向用户提供联机服务,包括通报板、讨论组/表、万维网网址、新闻、天气报告等。

录像带:录有视频信号和音频信号(或无音频信号)的各种不同装载形式的磁带,包括循环录像带、盒式录像带和开盘录像带。

录像制品:记录有视频信号的各种录像带的统称,一般同时录有音频信号,须通过录像机、视盘机以及与之相配套的显示设备放像。

录音带:录有音频信号的各种不同装载形式的磁带,包括循环录音带、盒式录音带和开盘录音带。

录音制品:记录有音频信号(无图像)的各种制品的统称,须用录音机、电唱机、激光唱机等专用设备放音。

录制年标识符:非书资料首批录制年(又称定版年)的标识符号。

M

毛装:成册书叶订纸捻后不施切裁订线而留毛边的装订形式。

美术复制品:用机械方法复制的美术作品出版物。

密级:文献保密的等级。一般分为内部、秘密、机密、绝密四级。

明信片:专为不用信封传递信件而设计的一种印有图画的卡片。

模型:实物或想象物体的立体制品,其尺寸可与原物相同,也可按比例缩放。

目录:将一批款目按照一定顺序编排而成的一种文献报道和检索工具。

P

拍:画幅的计量单位。

片基:具有一定机械强度和柔韧性、厚度均匀、阻燃拒湿、易于长期保存的透明塑料材料,是感光乳剂层和其他涂层的支持体。

拼巧板:用若干纸板、木块(或其他材料)拼组出完整图画或其他视觉图像的玩具。其中每块都显示整幅图像的一个组成部分。

普通图书:主要指以印刷方式单本刊行的出版物,包括专著本、汇编本、多卷本、丛书等,不包括古籍、连续出版物以及各种非书资料。

Q

其他题名信息:从属于题名的一个单词、短语或一组字符,对相关题名进行限定、解释或补充。

其他责任说明:同时具有几个不同责任说明时,除第一责任说明以外的责任说明。

企业标准:由企业或其上级有关机构批准、发布,在企业范围内统一施行的标准。

铅印本:用铅字印刷机印成的本子。

钤印本:以印章文字为正文,用若干印章依次直接钤印在书叶上而成的本子。

全息制品:利用光干扰原理制成的三维图像制品的统称。

R

容器:放置电子资源等文献,在物理形态上与所装电子资源等文献分开的包装物。

S

散叶:未经装订,以散叶形式保存的文献。

闪现卡:为快速显像而设计的一种印有文字、数字或图像的卡片(或其他不透明材料),通过对闪现设备手动或机械操作可进行短暂的显示。

声乐缩编谱:用于声乐和器乐结合的作品,用总谱形式表示声乐声部,用键盘缩编形式表示器乐声部的音乐记谱法。

石印本:未使用照相制版技术,用石版印刷机印成的本子

识别题名:由国际连续出版物数据系统(ISDS)分配给每一种连续出版物,并与其 ISSN 号紧密相连的唯一题名。

实物制品:人工三维制品的统称。可指一件物品,也可指多件物品的组装件。

实验室教具:为提高教学效果和掌握实验技术而设计的专门用于实验室教学的配套资料。

实用程序:便于对某些不同应用的计算机操作和使用的资源,包括文件管理例程、检查计算机问题和性能的诊断和测试例程。

视盘:录有视频信号和音频信号(或无音频信号)的塑料或其他材质的圆盘,须用视盘机以及与之配套的显示设备放像。

手稿:责任者亲手写的著作底稿。

书札:亦称“手札”。责任者亲手写的书信原件。

竖片:胶片边缘垂直于所装框架底边的缩微片或幻灯片。

数据:数字、字母、图形、图像形式或它们的混合形式的信息。数据的类型包括字形数据、图像数据、数字数据、声频数据、表示数据和文本数据。

数据库程序:处理和管理数据的存储和检索的应用程序,这些数据组织为字段、记录和文件。

数字数据:多为数字或数字表示的资源,例如包含人口调查、测量数据等的记录。

双轴盒装卷片:将缩微胶片缠绕在密闭的双芯轴片盒中进行管理和使用的缩微品。

说明参照:向读者提供关于某种排检方法或某一标目的说明的参照法。

硕士论文:由攻读硕士学位的研究生撰写,作为申请硕士学位评审用的学术论文。

缩编谱:在最少的谱表上表示所有声部的音乐记谱法,通常有两个谱表。

缩率:记录在缩微制品上的影像与原件尺寸的比例关系,其值为两者相应线性长度之比。

缩微胶片:条式或卷式的缩微品。

缩微卷片:能卷在片芯、片盘或防光片盘上的缩微胶片。

缩微卡片:利用反射光阅读的不透明缩微品,大小同普通目录卡片相仿,标准尺寸为75mm×125mm。某些卡片背面记录有全部书目信息,使书目款目同全文信息同为一体。缩微摄影技术部门已经不再生产这种缩微品,但是某些文献机构仍然保存很多记录有重要信息的缩微卡片。

缩微片条:记录有缩微照片的不装在盘架上的短条胶片。

缩微品:含有缩微影像的各种载体(通常是感光胶片)的统称。

缩微平片:记录有平面排列的缩微照片的一张矩形胶片,影像按网格形式排列,通常含有不放大即可识别的题名和其他目录资料。

缩微条片:用缩微胶片裁切制成的条形缩微品,长度不超过228mm。

缩微影像:不经放大肉眼无法阅读的微小影像。

缩写谱:在最少的谱表上只表示主要声部的音乐记谱法,通常按器乐组组织。

所编复本:手头所编的这一部具有与同一版本其他复本不同的流传、收藏特征的文献。

T

拓片:用纸和墨从铸刻器物上捶印其文字或图案的墨本。

特定文献类型标识:表示文献属于某种特定类型的术语,如唱片、盒式录像带等。

特刊(临时增刊):连续出版物附有的不定期出版,无卷、期号或有当期的附加号,而且每期名称各异的出版物。

誊清稿本:责任者或责任者请人依据改定稿本过录并经责任者认可的誊清样本。

提要:又称“解题”、“叙录”等。是根据一定的需求编写的关于所著录书籍的作者、卷次、内容和版本源流及其考证、评价等的简要说明。

题名:一般在出版物上出现的,用以命名出版物(或一组单独著作中的一种)的一个单词、短语或一组字符。

题名画幅:位于缩微制品开头,含有文献题名、责任者、出版者等信息的画幅。

题名屏幕:位于电子资源开头,含有资源题名、责任者、出版者或制作者信息的屏幕。

题名页:位于封面之后、正文之前,载有该文献的完整题名、责任者、出版者等信息的一页。当不重复地分印在相对的两页上时,则这两页一起作为题名页。

天象仪:演示行星运动的一种模型或构件,也称“太阳系仪”。

通用题名:缺乏自身特征的题名,如报告、学报、年度报告、年度统计等。

统一题名:用于汇集不同题名的同一著作的特定题名;用于区分相同题名的不同著作的特

定题名;用于排列一个个人或团体的多种著作所采用的通用总题名。

统一资源地址:在计算机网络上定位电子资源的地址,由获得电子资源的专门协议之后的一种服务标识组成。

投影:运用数学原理,将弧形的球体表面相应地转换到平面上的一种方法。

投影片:记录有文字或图像的透明片(也可固定在框夹中),需用投影器或灯光箱放映。多张投影片可叠加放映。

投影制品:利用透射光技术将拍摄(或绘制)后的形象重现出来的一个(或一套)二维图像制品的统称,必须用投影器、幻灯机、阅读器、显微镜等专用设备放映。多张投影片可叠加放映。

图廓:指制图区四周所加的范围线。不仅是艺术装饰,更主要是为了注明经纬度或坐标数值,以便在制图资料上决定点的地理位置。一般分为外廓(经纬廓)和内廓。除图形外,图廓内外通常还载有图例、比例尺、投影法、补充性质的剖面图,以及图名、责任者、出版发行事宜等,亦被视为主要信息源。

图片:一种可以用肉眼观看的平面图像,一般衬在不透明的基板上。当其他专用术语(如:美术复制品、照片、明信片等)不适用时,可使用此术语。

图像数据:在计算机屏幕上,和字母数字字符相比多为"图画"构成的资源,如照片、绘图等。

图形制品:记录有二维图像(文字)的各种制品的统称。除立体图需用专门设备观看外,一般都可用肉眼直接观看。

团体:具有特定名称,作为或可能作为一个整体行动的一群人或组织。

W

完整本:制作完成时已具备与这一版全部复本相同特征的文献。

万维网:利用超文本技术链接众多电子资源的一种互联网。

万维网地址:在万维网上以统一资源地址形式标识的一种地址(参见统一资源地址、网页、万维网)。

网页:万维网地址中超文本文献的页面。

微泡胶片:包含一层或多层由热塑性物质和重氮盐构成感光层的感光胶片。

文件名:通常由不超过规定长度的字母、数字组成,用于识别电子数据或计算机程序的一个名称,也可用作数据集名称。

文献:记录有知识信息的一切载体,包括纸质的图书、报刊等出版物和非纸质的录音资料、影像资料、缩微资料、电子资源等。

文字处理程序:提供建立和处理文本(包括文献编辑,改变字体、排格式和打印等)的应用程序。

无总题名文献:由两种或两种以上著作组成,题名页及封面等处只标识出这些著作的题名而无总题名的文献。

X

系列：一组相互关联而又各自独立的资料。每种资料除有各自的题名外，还有一个适用于整组资料的共有题名。系列中单独资料可以编号，也可以不编号。参见“丛编”。

系统程序：使计算机操作更为有效的资源（如操作系统程序、编译程序、解释程序、汇编程序、语言翻译程序）。相对于应用程序。

显示屏题名：通常显示在监视器或显示屏第一帧或正在打开那一帧的电子资源题名。

线装：分别将书叶沿中缝向外对折，使两半叶字面相背，用纸捻订脑，以散开的两叶纸做前后书衣，再打眼订线的装帧形式。

相关参照：指引读者从某一标目参见另一相关标目的参照法。

硝酸片基：非安全片基，易燃，已经不再用于缩微摄影技术领域，但是文献机构可能还有收藏。

写本：指宋代以前唐人写经和其他手写文献，以及宋代以后朝廷编纂缮写的《永乐大典》、《四库全书》、历朝实录玉牒等。

芯片条：可从中读取电子资源的永久性封装ROM芯片。

学位论文：表明作者从事科学研究取得创造性成果，并以此为内容撰写而成，作为申请授予相应学位评审用的学术论文。

循环带/盒式带：循环带是指固定在盒内的磁带或胶片，其首尾相连，可以连续播放。盒式带是指固定在盒内的装有供带系统和卷带系统的磁带或胶片。

循环录音带/盒式录音带/开盘录音带：是录有音频信号的各种不同装载形式的磁带，须通过录音机放音。循环录音带通常有四对（八个）磁迹，音频信号以相反方向交替录制在各对磁迹上，其磁带首尾相接被固定在盒中。盒式录音带是一种固定在盒中的、装有供带轴和卷带轴的声带系统。开盘录音带是一种装在敞开式圆盘上的磁带。

循环缩微片/缩微盒片/开盘缩微片/缩微片条：是各种不同装载形式的缩微片。“循环缩微片”和“缩微盒片”参见“循环带/盒式带”的注释。开盘缩微片是装在敞开式圆盘架上的、记录有直线排列的一组缩微照片的长卷胶片（注：为便于编目，可将装片前放在专用片盒内的此类缩微片也称为开盘缩微片）。缩微片条是不装在盘架上的记录有缩微照片的短条胶片。

Y

压缩：在数据通信、数据库管理系统和传真传输等领域对数据进行压缩，以便更有效地传输或存储信息的一种手段。

研习总谱：主要不是用于演奏的总谱。这种总谱经常在规模上有所缩减，如“小总谱”（miniature score）、“袖珍总谱”（pocket score）等。

叶：古籍、手稿、地图等类型文献的基本计量单位之一。指单面印制或单面写、绘的一张文献。

页:双面印刷的出版物中一张纸的一面。

一般文献类型标识:概括地表示文献所属类型的术语,如地图、手稿、录音资料、乐谱等。

一体化资源:显示连续出版物特性的其他连续性资源,如更新的网站、不断更新的活页出版物等。

因特网:由若干相互连接、使用互联网协议和其他类似协议的不同规模的网组成的大型全球网络。因特网提供文件传输、电子邮件、远程登录、新闻及其他服务(见万维网)。

音频数据:由计算机生成的多为实际声音组成的资源(如数字抽样声音,它需要专门硬件将模拟声音转换为数字声音)。

印次:文献印刷的次数。

应用程序:帮助用户执行特定任务的资源。从一般生产性程序(诸如电子表格、数据库程序、文字处理程序)至游戏、商务、教育及学科技能方面的专用程序,均属应用程序。相对于系统程序。

影像卡:已装嵌缩微胶片的开窗卡。

影像资料:录像制品和电影制品的统称,包括各种录像带、视盘及电影片,必须用录像机、电影放映机等专用设备播放。

影印本:用照相制版印刷的本子。

硬件:在计算机系统(包括电子设备或机械设备)作业中使用的计算机部件。

硬盘:容器中用于读写电子资源的一种非柔性磁盘,可以固定,也可以携带。

与本版有关的责任说明:指参与新版图书的修订、编辑、插图等再创作的责任者及责任方式。

远程访问:用户不直接操作物理载体,而是通过输入输出装置(如一个终端)与计算机系统(如网上资源)或存储于硬盘或其他存储装置中的资源连接才能实现的访问。

乐谱:记录有供歌唱用或器乐演奏用的谱子的出版物,包括简谱、五线谱等。

Z

责任方式:责任者对文献内容进行创造、整理的方式。

责任说明:对文献的知识内容或艺术内容的创造或完成负有责任或作出贡献的个人、团体及其责任方式。有时责任说明可以是一个没有个人姓名或团体名称的短语。

增修:增补或改动原书正文。如同时增补或改动原书附录,修补更换原书残损模糊的版片,仍属增修。

张:出版物中的两面(页);某些类型文献(例如缩微平片)的基本计量单位。

招贴画:用于公开张贴的广告或布告。

照片:利用光对感光底片的作用原理洗印出来的不透明图片。

照片光盘:一种存储数字化35mm幻灯片或负片,需要多段式只读存储光盘驱动器读取图像的光盘。

正题名:文献的主要题名。正题名包括交替题名,但不包括并列题名或其他题名信息。

正像:在亮背景下显示暗的线条和字符的影像。

只读存储光盘:对存储于其中的电子资源(包括声音、文本、图像和全动态影像)只能阅读、使用而不能修改的一种光盘。

中间片:用以制作复制片的第二代或后续某代缩微品。

终端:由键盘和监视器(显示屏)组成,用于发送和接收信息或指令的输入输出装置。

重氮胶片:包含一层或多层由重氮盐聚合物构成感光层的感光胶片。

主丛编:包含一个或多个分丛编的丛编。

主要信息源:文献著录时,据以优先选取著录项目内容的来源,通常为题名页或文献中相当于题名页的部分。

主页:万维网地址中超文本资源的主屏或首显屏。主页是提供有关系统、服务和产品信息的各种"网页"的子集。此外,主页还以单词、统一资源地址等形式提供与其他相关资源和网址的链接(参见统一资源地址、万维网地址)。

著录:编制文献目录时,按照一定的规则对文献的形式特征和内容特征进行分析、选择和记录的方法和过程。

著录单元:著录项目的组成部分,表示书目著录项目组成部分的一个单词、短语或一组字符。

著录项目:用以揭示文献形式特征和内容特征的记录事项,包括题名与责任说明项、版本项、文献特殊细节项、出版发行项、载体形态项、丛编项、附注项、标准编号与获得方式项,各个项目又包括对其特定内容的说明。

著录信息源:文献著录时,据以选取著录项目内容的来源,包括被著录文献本身及有关参考工具书。

著录用标识符:由书目机构提供,置于每一书目著录项目或著录单元(第一著录项目的第一单元除外)信息之前的标识符号。

字形数据:由特定字体、设计和大小的字符特征构成的资源。包括每一特征用一唯一位图描述的由特征组成的变换为位图的字形,和由一组轮廓字形或基本字形生成的特征组成的、可缩放的字形(它包含字符的一数字表示)。

总谱:表示应同时发声之合奏的所有声部的音乐记谱法,通常不同的声部记在上下不同的谱表上。它也是这种形式记谱法的变种的类称。

坐标:制作测绘制图资料时,确定平面或空间点的位置的一个或一组数。